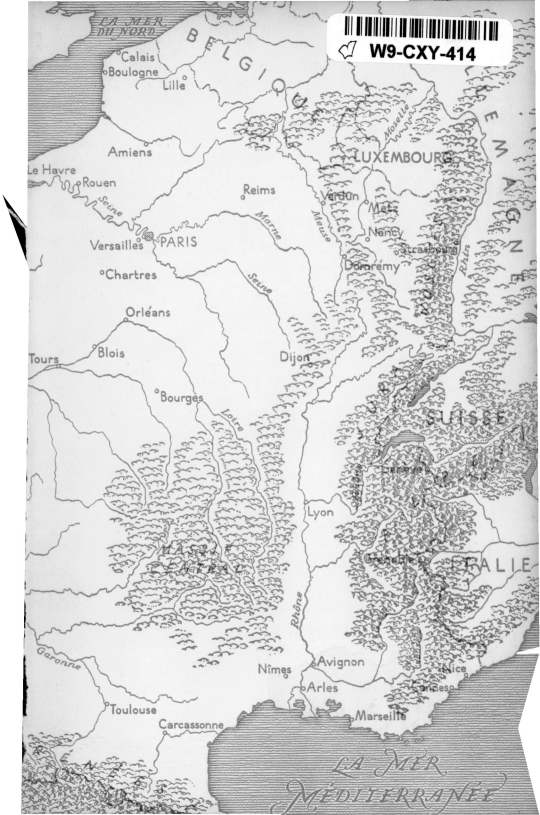

Dont $\begin{cases} \text{de qui} \\ \text{" que} \end{cases}$

1. L'homme dont nous parlions (of whom)
2. Le livre dont il s'est servi
3. Son poignet dont le sang coulait (from which)
4. Un mari dont l'amore était mort (whose)
5. Le miege .." le sol était couvert (w. which)

Beginning French

A CULTURAL APPROACH

Beginning French

A CULTURAL APPROACH

Revised Edition

* *

WILLIAM S. HENDRIX

and

WALTER MEIDEN

THE OHIO STATE UNIVERSITY

* *

HOUGHTON MIFFLIN COMPANY

BOSTON   NEW YORK   CHICAGO   DALLAS   ATLANTA   SAN FRANCISCO

The Riverside Press Cambridge

The Riverside Press
CAMBRIDGE · MASSACHUSETTS
PRINTED IN THE U.S.A.

PREFACE

THE FIRST EDITION of *Beginning French* was based on four fundamental ideas: (1) the reading-material of a foreign language text, even in the most elementary book, must be meaningful, connected, and interesting; (2) a language course should give the student more knowledge about and a greater appreciation of the country whose language he is studying; (3) the lessons should be so presented and so taught that the student feels that it is language that he is learning and not grammar; (4) a language can best be learned through a series of activities carried on in that language: questions, exercises, free composition, blackboard dictation, and conversation.

The authors are as convinced of these principles now as in 1940. The reading selections of the text are organized to give the student a knowledge of French geography, a bird's-eye view of French history from the seventeenth century on, an insight into various aspects of everyday French life, and an appreciation of the contributions of the French in the various fields of human endeavor. The exercises have been carefully designed to teach the language effectively. The facts have been brought up to date, and we have tried to keep abreast of the times in regard to language. *T. S. F.*, for instance, has given way to *radio*, *la Grande Guerre* to *la guerre de 14*, and *dans l'Amérique du Nord* to *en Amérique du Nord*.

The following are features of this edition:

(1) The text is divided into sixty lessons and ten reviews. All essential elementary grammar is presented in Lessons 1–50. A review of the salient topics of French grammar is offered in Lessons 51–60. This set-up is not only sound from a teaching point of view, but it also more easily accommodates the varied programs of different schools. While the normal procedure might be to take the lessons as they come, interspersed with assignments from readers, other programs may well fit the needs of various schools. Many instructors like to cover essential grammar and to read several books during the first two semesters and then devote a small proportion of their total hours

iii

of the third and fourth semesters to a grammar review. Such instructors may take Lessons 51–60 in the third semester and possibly continue the review into the fourth semester by doing the English-to-French exercises of all sixty lessons at that time. Schools having language courses meeting three hours a week and instructors who desire to cover the grammar as rapidly as possible so as to devote most of the elementary course to reading may prefer to do simply Lessons 1–50, either taking Lessons 51–60 as reading-material only or omitting them altogether. Schools which prefer to move rapidly will do a lesson a day, and those which prefer to do a limited amount of material intensively may spend two or more days on each lesson. Whatever the plan, not all the exercises of a given lesson need be assigned, and not all the sentences in a given exercise need necessarily be done. In Lessons 51–60 where a number of topics are taken up in a single lesson, it may prove effective to assign one grammar exercise a day along with a reading assignment in another text.

(2) The grammar has been organized to allow the student adequate time to master various topics. The presentation of verb tenses has been revised so as to present the various tenses most advantageously. The tenses are presented as follows: present tense: third person only, lessons 1–10; all persons, lessons 11–16; compound past, lessons 23–27; imperfect, lessons 28–29; future, lesson 31; pluperfect, lesson 37; conditional, lesson 38; past conditional, lesson 41; simple past, lessons 42–44; subjunctive mode, lessons 46–50. The review grammar in the last ten lessons has been organized so as to present vital topics early in the review lessons.

(3) In Lessons 1–50, Exercise A is a warming-up exercise, consisting at times of "yes" and "no" questions, the answering of which obliges the student to use grammatical constructions introduced in the lesson, at times of blank-filling exercises demanding the use of new words used in the lesson, and at times of conversations of the ASTP type. These exercises have been uniformly placed first so that teachers who wish to make a shorter assignment can direct that Exercise A be omitted.

(4) After each set of ten lessons, a series of English-to-French exercises and of conversation drill have been included along with the lesson vocabulary and the verb paradigms. These English-to-French exercises have been provided to meet the needs of two groups: (1) those who prefer English-to-French translation to the all-French exercises; (2) those who wish to use such exercises for a grammar review after the rest of the book has been covered. The authors strongly

recommend the deferring of the English-to-French exercises until the pupils have learned enough French through free composition, dictation, and conversation to write such exercises easily.

We appreciate greatly the large number of suggestions which have come to us from teachers all over the country and from students who have been using the first edition of the book. We wish to thank all the French friends who have aided us in any way in preparing this material and particularly the following, who have read the manuscript in part and made many useful suggestions: Maurice Bigot, Pierre Bigot, Cyrille de Brunhoff, Gérard Cleisz, Jean Collignon, Jacques Delécluse, Moïse Depond, Yves Deslandes, Marie Maritus, André Mynard, Jean Perrot, and Maurice Pouy. We are especially indebted to Charles Carlut and Jean Bonnassies, whose detailed suggestions on all the lessons of the manuscript go far beyond those of the ordinary reader. We wish to thank Mme Georges Monnot of the *Institut de Phonétique* at Paris for her suggestions on the revision of the section on pronunciation and on the phonetic transcriptions of the vocabulary. We are grateful to Mlle Solange Bajard for her account of the liberation of Paris. We appreciate the various suggestions made by Professor R. E. Monroe and the members of his staff at Ohio State University and those made by the classes who used this revised edition in mimeographed form, and we wish to thank Thomas Killebrew and Robert O'Brien who have generously helped in checking various parts of the manuscript. Professor Edward Heise of the United States Naval Academy and Miss Ethel La Velle of North High School, Columbus, deserve our thanks for their careful reading of proof.

The authors assume responsibility for any errors in the text.

W. S. H.

W. M.

recommend the deferring of the English-to-French exercises until the pupils have learned enough French through free composition, dictation, and conversation to write such exercises easily.

We appreciate greatly the large number of suggestions which have come to us from teachers all over the country and from students who have been using the first edition of the book. We wish to thank all the French friends who have aided us in any way in preparing this material and particularly the following, who have read the manuscript in part and made many useful suggestions: Maurice Bigot, Pierre Bigot, Cyrille de Burthoff, Cécril Chase, Jean Collignon, Jacques Delclaux, Moïse Dupont, Yves Deslandes, Marie Martin, André Martel, Jean Perret, and Maurice Poog. We are especially indebted to Charles Cestre and Jean Pannestie, whose detailed suggestions on all the lessons of the manuscript go far beyond those of the ordinary reader. We wish to thank Mme Georges Monnet of the Institut de Boulogne at Paris for her suggestions on the revision of the section on pronunciation and on the phonetic transcription of the vocabulary. We are grateful to Mlle solange Bayard for her account of the Liberation of Paris. We appreciate the various suggestions made by Professor R. H. Bloomer and the inquiries of pupils who used this revised edition in mimeographed form, and we wish to thank Thomas Killshrew and Robert Golden who have generously helped in checking various parts of the manuscript. Professor Edward Heine of the United States Naval Academy and Miss Ethel La Valle of North High School, Columbus, desired our thanks for their care in reading of proof.

The authors assume responsibility for any errors in the text.

W. S. H.

W. M.

TABLE DES MATIÈRES

Introduction au Professeur XV

Introduction à l'Étudiant XXV

Leçons

PREMIÈRE LEÇON.   La France   1
DEUXIÈME LEÇON.   L'Europe   3
TROISIÈME LEÇON.   Les plaines et les montagnes . . .   6
QUATRIÈME LEÇON.   Les frontières de la France . . .   8
CINQUIÈME LEÇON.   La Seine et la Loire   11
SIXIÈME LEÇON.   Des fleuves et des ports   14
SEPTIÈME LEÇON.   Les provinces de France   17
HUITIÈME LEÇON.   La Touraine   21
NEUVIÈME LEÇON.   La Normandie et la Bretagne . . .   24
DIXIÈME LEÇON.   Le Midi de la France   27
    PREMIÈRE RÉVISION — LEÇONS I à 10   31
    SUPPLÉMENT — LEÇONS I à 10   34
ONZIÈME LEÇON.   L'aspect des villes françaises . . .   47
DOUZIÈME LEÇON.   Les jours de la semaine   50
TREIZIÈME LEÇON.   La salle de classe   53
QUATORZIÈME LEÇON.   Les saisons et les mois de l'année .   55
QUINZIÈME LEÇON.   Le lycée français   57
SEIZIÈME LEÇON.   L'arrivée au lycée   60
DIX-SEPTIÈME LEÇON.   Les divisions administratives de la
    France   63
DIX-HUITIÈME LEÇON.   Le Parlement français . . .   68
DIX-NEUVIÈME LEÇON.   Le Président de la République .   70
VINGTIÈME LEÇON.   La côte bretonne   73
    DEUXIÈME RÉVISION — LEÇONS 11 à 20   76
    SUPPLÉMENT — LEÇONS 11 à 20   78
VINGT ET UNIÈME LEÇON.   Les monopoles de l'État .   93
VINGT-DEUXIÈME LEÇON.   La pension de famille . .   95
VINGT-TROISIÈME LEÇON.   Le Quartier latin . . .   98
VINGT-QUATRIÈME LEÇON.   L'Université de Paris . . .   101

VINGT-CINQUIÈME LEÇON. Les cours à l'université . . . 104
VINGT-SIXIÈME LEÇON. La Cité Universitaire 107
VINGT-SEPTIÈME LEÇON. Fontainebleau 109
VINGT-HUITIÈME LEÇON. Le retour en chemin de fer . . 112
VINGT-NEUVIÈME LEÇON. L'Alsace-Lorraine 115
TRENTIÈME LEÇON. Les différentes parties du corps . . 118
    TROISIÈME RÉVISION — LEÇONS 21 à 30 122
    SUPPLÉMENT — LEÇONS 21 à 30 124
TRENTE ET UNIÈME LEÇON. Premières impressions de Paris . 141
TRENTE-DEUXIÈME LEÇON. La concierge 143
TRENTE-TROISIÈME LEÇON. Les moyens de transport à Paris . 146
TRENTE-QUATRIÈME LEÇON. Le repas au restaurant . . . 150
TRENTE-CINQUIÈME LEÇON. De l'Étoile à la Concorde . . 153
TRENTE-SIXIÈME LEÇON. Les Tuileries et le Louvre . . . 157
TRENTE-SEPTIÈME LEÇON. Notre-Dame de Paris . . . 160
TRENTE-HUITIÈME LEÇON. Une soirée au théâtre . . . 163
TRENTE-NEUVIÈME LEÇON. Projets de vacances . . . 166
QUARANTIÈME LEÇON. Les vacances en France 170
    QUATRIÈME RÉVISION — LEÇONS 31 à 40 174
    SUPPLÉMENT — LEÇONS 31 à 40 177
QUARANTE ET UNIÈME LEÇON. L'Union française . . . 193
QUARANTE-DEUXIÈME LEÇON. La guerre de 14 196
QUARANTE-TROISIÈME LEÇON. La guerre de 39 198
QUARANTE-QUATRIÈME LEÇON. L'Occupation 202
QUARANTE-CINQUIÈME LEÇON. La Libération . . . 205
QUARANTE-SIXIÈME LEÇON. Y va-t-on ou n'y va-t-on pas? . 209
QUARANTE-SEPTIÈME LEÇON. Comment on fait la connaissance
d'une jeune fille française 212
QUARANTE-HUITIÈME LEÇON. Le mariage en France . . 216
QUARANTE-NEUVIÈME LEÇON. La course-cycliste . . . 219
CINQUANTIÈME LEÇON. Le sport en France 223
    CINQUIÈME RÉVISION — LEÇONS 41 à 50 227
    SUPPLÉMENT — LEÇONS 41 à 50 230
CINQUANTE ET UNIÈME LEÇON. Pasteur 244
CINQUANTE-DEUXIÈME LEÇON. Louis XIV 247
CINQUANTE-TROISIÈME LEÇON. Le Château de Versailles . 250
CINQUANTE-QUATRIÈME LEÇON. L'automne . . . 253
CINQUANTE-CINQUIÈME LEÇON. Le dix-huitième siècle . . 257
CINQUANTE-SIXIÈME LEÇON. La radio en France . . . 261
CINQUANTE-SEPTIÈME LEÇON. Napoléon Ier 266
CINQUANTE-HUITIÈME LEÇON. Noël 269

CINQUANTE-NEUVIÈME LEÇON. Napoléon III 273
SOIXANTIÈME LEÇON. Les Français en Amérique . . . 276
SIXIÈME RÉVISION — LEÇONS 51 à 60 281
SUPPLÉMENT — LEÇONS 51 à 60 284

Grammaire

THE ARTICLE — L'ARTICLE §§ 1–5 295
THE NOUN — LE NOM §§ 6–7 299
THE ADJECTIVE — L'ADJECTIF §§ 8–17 301
THE ADVERB — L'ADVERBE §§ 18–21 312
THE PRONOUN — LE PRONOM §§ 22–37 316
THE PREPOSITION — LA PRÉPOSITION §§ 38–42 331
THE VERB — LE VERBE §§ 43–86
    I. FORMATION AND USE OF TENSES — LA FORMATION ET
       L'EMPLOI DES TEMPS §§ 43–82 335
    II. THE CONJUGATION OF THE VERB — LA CONJUGAISON DU
        VERBE §§ 83–86 361
    MISCELLANY — TRAITS DIVERS §§ 87–92 384

Prononciation

REMARKS ON THE FRENCH LANGUAGE — DIVERSES NOTIONS SUR
LA LANGUE FRANÇAISE §§ 1–6 391
PRONUNCIATION — PRONONCIATION §§ 7–9 394
THE PRONUNCIATION OF THE FRENCH LETTERS — LA PRONONCIA-
TION DES LETTRES FRANÇAISES §§ 10–15 397
PRONUNCIATION BY PHONETIC SYMBOLS — LA PRONONCIATION
PAR LES SYMBOLES PHONÉTIQUES §§ 16–19 402

Vocabulaire

COMMON DIFFICULT WORDS — QUELQUES MOTS DIFFICILES . . 409
ENGLISH-FRENCH VOCABULARY — VOCABULAIRE ANGLAIS-FRAN-
ÇAIS 415
FRENCH-ENGLISH VOCABULARY — VOCABULAIRE FRANÇAIS-AN-
GLAIS 429

Index 479

TABLE DES ILLUSTRATIONS

Le travail quotidien (*scène alsacienne*)

Les montagnes sont des frontières naturelles (*scène dans les Pyrénées*)

La Seine est plus large à Rouen qu'à Paris (*vue sur Rouen*)

Bordeaux exporte en grande quantité les vins de la région (*les quais de Bordeaux*)

Chaque province a des coutumes différentes

entre 10–11

La rue principale de Tours s'appelle Rue Nationale

Les maisons pittoresques donnent à ces villages un charme particulier (*scène en Béarn*)

Chenonceaux est un magnifique château de la Renaissance

Le château de Guillaume le Conquérant existe encore (*château à Falaise*)

La ville de Loches a aussi un château fortifié

Les vieillards parlent encore une langue celtique (*femme bretonne*)

26–27

Beaucoup de villes conservent la trace de l'ancienne civilisation (*arènes d'Arles*)

A Cannes se trouvent de charmantes plages avec d'élégants hôtels (*scène de la Côte d'Azur*)

Les élèves sont assis à leurs pupitres (*salle du lycée de Nancy*)

Les élèves du groupe C apprennent surtout les sciences et les mathématiques (*salle du lycée Louis-le-Grand*)

Les élèves se réunissent dans ces cours pendant la récréation (*cour de lycée à Nancy*)

La Place Stanislas à Nancy, ainsi appelée en l'honneur du dernier duc de Lorraine

Des rochers noirs et rouges bordent la côte (*la côte bretonne*)

Les femmes, avec leurs coiffes blanches particulières à chaque village et leurs costumes anciens (*scène bretonne*)

66–67

On peut acheter des timbres dans les bureaux de tabac (*ville bretonne*) — *entre*

A la terrasse, les clients regardent les gens passer devant le café (*scène de rue à Paris*)

Le Luxembourg est un magnifique parc (*avec le Palais du Luxembourg au fond*)

Les tout petits dorment dans leurs voitures près de leurs mères, les plus grands jouent — 98–99

Les Facultés des Lettres et des Sciences se trouvent dans un grand bâtiment (*la Sorbonne*)

Le café français n'est pas un restaurant (*aux Champs-Elysées*)

Le château de Fontainebleau, grand édifice de la Renaissance française

Cette forêt n'est pas une forêt comme les autres (*forêt de Fontainebleau*)

Beaucoup de voyageurs attendaient le train. Quelques-uns d'entre eux causaient, d'autres se promenaient le long du quai

Il y a beaucoup de voitures et de nombreux taxis qui gênent la circulation. Il y a aussi l'autobus, dans lequel on peut voyager très rapidement (*devant la gare Saint-Lazare à Paris*) — 114–115

C'est Strasbourg, principale ville de l'Alsace

A Strasbourg on trouve des maisons de style typiquement germanique

La Tour Eiffel, construction métallique moderne

L'entrée du métro se trouve sur le trottoir (*entrée du métro près des Halles*)

. . . un restaurant avec des tables non seulement à l'intérieur mais aussi sur le trottoir (*à Fontainebleau*) — 146–147

Il est d'usage en France de boire du vin aux repas (*famille de Saint-Nicolas du Port*)

Nous sommes sortis du métro Place de l'Opéra (*place avec l'Opéra au fond*)

Avec chaque plat on mange du pain (*boulangerie-pâtisserie française*)

Cette place s'appelle ainsi parce que dans toutes les directions partent de larges avenues qui lui donnent la forme d'une étoile (*Place de l'Étoile avec l'Arc de Triomphe au centre*)

La Place de la Concorde est une des plus vastes et des plus belles du monde

146–147

La Madeleine ressemble à un temple grec

Tout le long de la Seine il y a des quais sur lesquels se trouvent de nombreuses boîtes où l'on vend de vieux livres

Du sommet de la cathédrale nous pouvions apercevoir la Seine qui traverse toute la ville (*Paris vu de Notre-Dame*)

Au-dessus de la porte centrale il y a une splendide rosace (*façade de la cathédrale de Notre-Dame de Paris*)

Au bout du Jardin des Tuileries se trouve l'Arc de Triomphe du Carrousel et, plus loin, un vaste palais (*Jardin des Tuileries avec le Louvre au fond*)

C'est le Louvre

162–163

Ça, c'est le Sacré-Cœur, cette église toute blanche qui domine la ville des hauteurs de Montmartre

Tu n'es jamais allée à Chamonix? Ça en vaut la peine. (*rue de Chamonix*)

Pendant dix minutes nous avons vu défiler les coureurs (*rue de Fontainebleau*)

Si l'on désire le mariage religieux, une grande cérémonie a lieu à l'église (*mariage breton*)

C'est là que fut signé en 1919 le célèbre traité de Versailles (*Galerie des Glaces, Château de Versailles*)

. . . la vue de ces jardins aux lignes régulières évoque la beauté du passé (*jardins de Versailles avec le Grand Trianon au fond*)

194–195

TABLE DES CARTES

La France est un pays 1

L'Europe est divisée en un grand nombre de pays 4

La France est formée de plaines et de montagnes 6

La Seine est le fleuve le plus connu à l'étranger, mais la Loire est le fleuve le plus long de France 11

Presque toutes les principales villes de France sont situées sur les grands fleuves ou au bord de la mer 15

La France se compose de plusieurs régions historiques qui s'appellent des provinces 18

La France exporte du vin dans les autres pays 19

La Touraine est la région des châteaux de la Loire . . . 22

La Normandie et la Bretagne sont d'anciennes provinces du nord-ouest de la France 25

Le sud de la France s'appelle le midi 28

La France est divisée en quatre-vingt-dix départements . . . 64

La région située autour de Paris est l'ancienne province de l'Île-de-France 65

Le Boulevard Saint-Michel est le centre du Quartier latin . . 99

A la fin de la guerre de 70, l'Allemagne a enlevé à la France toute l'Alsace et le tiers nord-est de la Lorraine 115

Paris a de très nombreux quartiers et chacun d'eux a son charme tout particulier 140

L'Avenue des Champs-Élysées mène de la Place de l'Étoile à la Place de la Concorde 154

C'est l'île de la Cité. C'est là que Paris a été fondé . . . 160

La France a des colonies dans tous les continents 192

Le Tour de France est la course la plus populaire que nous ayons 220

Au milieu du dix-septième siècle, la France possédait une grande partie du Canada et tout le centre des États-Unis 277

TABLE DES CHANSONS

Le coucou 30

Chevaliers de la Table Ronde 46

Au clair de la lune 75

L'Alouette 121

Le petit navire 139

Frère Jacques 173

Jean Vagona 186

Il est né le divin Enfant 191

Il était une bergère 226

La Marseillaise 243

Minuit Chrétiens 270

INTRODUCTION
To the Teacher

THIS BOOK CONTAINS sufficient vocabulary, syntactical material, and grammar for a first year college course or for the first two years of high school work. The reading selections are so organized that the student will be able to read ordinary French at the end of these respective periods.

The vocabulary has been carefully chosen and has an excellent correlation with the French word-counts. Cognates have been included freely especially in the earlier lessons, since, if used correctly, they help the student grasp the meanings of words, the concepts, without recourse to his native tongue. Cognates give the student a sense of power to comprehend the foreign language from the very beginning of his study. This sense of power is stimulating to all students and is most helpful to those who have been led to believe that the study of a foreign language is difficult or boring.

The grammar is presented inductively in carefully graded lessons. For reference and for those who wish to approach grammar analytically, a fairly complete presentation of elementary syntax is to be found in a separate section entitled *Grammaire*. There the material is formulated topically, so that the teacher may develop as little or as much of the grammar as he wishes. The *Index* gives easy reference to any grammatical point. The questions on grammar at the end of each lesson emphasize the more important items of the lesson and guide the student to that part of the *Grammaire* where he may consult the rules dealing with these facts. Points of only passing interest are mentioned in the footnotes, with a reference to the *Grammaire*. The statistics of formal grammar are in an appendix.

Grammar and vocabulary as such are not emphasized; although they are both indispensably important, they are, after all, only a means to an end. They are part of the mechanism which enables the student to understand, speak, write, and read the foreign language. For most students, *reading* is the primary objective. By *reading* is meant comprehension of the idea in French, not *translation* of it into English.

Learning to read French is an acquired skill, just as driving a car, swimming, even walking are acquired skills. It is conceivable that a highly skillful automobile mechanic who knows all about the mechanism of the car might be a poor driver. Some of our English-speaking authorities on French grammar do not speak the language well; native Frenchmen, on the other hand, wholly ignorant of the grammar of their language, may speak it perfectly.

It is significant that many investigations have shown almost no correlation between knowledge of grammar and correct usage of the language. The reason is obvious: if one's mind is preoccupied with grammar, little time is available for ideas, either for their comprehension or formation. If the reader has been concentrating on the grammar of this "Introduction," he almost surely has not followed the argument. If he has been concentrating on the thought, grammar and vocabulary have been in his subconscious mind, where they must be also for the student of a foreign language if he would really comprehend the ideas expressed. In spite of their importance as tools for understanding the language, grammar and vocabulary should be given a subordinate place in the student's mind as soon as possible, so that he can concentrate on the vital part of the foreign language: its content, its ideas.

Foreign languages are more easily retained if the fundamentals are presented in rhythmic form, such as poetry; or with melody or sound, as in songs; or with ideas expressed in meaningful sentences. For this last reason, and for others to be spoken of later, the lessons of this text present the grammar and vocabulary in complete sentences embodying information about France — her geography, history, and civilization, from the present back to the time of the French Revolution.

The descriptions given in the lessons are not intended to be complete. They are general outlines which the student can fill in as he learns more of France, and her language, literature, and culture. The lessons begin with present French conditions, which are more familiar to the student than past ones. This procedure of studying the present before the past simplifies the matter of tenses, since the student uses only the present tense in the beginning lessons. Many teachers introduce contemporary events in France as collateral material to supplement that in the text. And wisely do they do this, for never before have students been so interested in the geography of Europe or in its peoples as at present. They are realizing what past generations of Americans did not realize: that we cannot understand Europe as it is without some knowledge of the countries of that continent. The current situation in Europe readily lends itself to use with these lessons. With a little guidance from the teacher, almost any class will try to express in French what they read in the daily newspapers about France.

The material in this book, then, is timely and to most students, more interesting than simple, trite stories or the dry-as-dust discussions of the familiar classroom. Those who think factual material about a foreign country is not interesting to their students should try using it. Experience shows that this material can be used effectively in beginning lessons and that it need not be delayed for later and more advanced courses.

When students and teachers realize that a foreign language can give them data which relate history, past and present, to political science and to social and economic problems, some of the opposition to the study of foreign languages will disappear. If, in addition, French can be made interesting and an aid in general learning, opposition to its inclusion in the curriculum will decline. These lessons, given over the radio, in college, and in high school, have been used by thousands of students and have proved to be interesting to them, and effective for the learning of French.

Suggestions for the Use of the Text

Although the text may be used in other ways than the one indicated in the following pages, the suggestions offered here are a description of the way the book is used in the authors' own classes and as such may be of assistance to those who wish to try the method.

Most important in this method is the insistence that the teacher should always use complete French sentences in his teaching. In English the whole sentence is often necessary for the student's comprehension of a word because the meaning of a word often varies with its context. If this is true in the student's own language, the use of the complete sentence is even more necessary when he is learning the meaning of a foreign word. If the teacher uses in the sentence words the student already knows, and if the sentence is logical, the meaning of the new word will be made immediately clear by the context. For example, if *La France est une république* is clear to the student, logic will tell him what *aussi* means in *Le Mexique est aussi une république*. Once the student realizes that logic, or common sense, helps in the comprehension of French, it is astonishing how quickly he learns French, and, as so many of the authors' own students have told them, other subjects as well.

Another reason for the use of complete sentences is their necessity in teaching accurate pronunciation. Words are pronounced differently in different contexts. "You" alone and "you" in the popular pronunciation of "Don't you?" are pronounced differently. This relationship in pronunciation explains *liaison* in French. When properly read, sentences teach pronunciation of individual words better than single words separated into syllables. Sentences furthermore teach *intonation*, which is as important as correct pronunciation of individual words. By hearing and reading complete sentences, the student more easily and quickly understands the meaning and more effectively learns pronunciation than by reading or pronouncing individual words.

Complete sentences, especially if pronounced aloud, teach another vital element in language learning: speech patterns. Speech patterns are those phrases or words which usually are associated with each other. To analyze repeatedly *il y a* in such a sentence as *Il y a cinq fenêtres dans la salle de classe* is not nearly so effective in learning the phrase as to use the entire construction so frequently that it becomes second nature to the student to use it. He will be much less likely to make mistakes in using it thereafter. This method is effective for learning many constructions generally regarded as difficult. Use *Il n'y en a pas* a few times with the right context, and the students know it. These phrases, or groups of words usually associated with each other, are probably as important in language learning as what is usually thought of as vocabulary. In this text, a large number of these speech patterns are to be found. They are not necessarily what have been called idioms; though idioms are, of course, also definite speech patterns.

Meanings of words, pronunciation, intonation, and speech patterns reveal themselves readily through the constant use of the complete French sentence by the teacher and the student.

The classroom procedure now to be described has been found effective by the authors in using the text:

THE FIRST DAY

As soon as the first class period begins, have all the students go to the blackboard. If there is not enough space at the board for all, have those at their seats use pencil and paper when you ask them to write. Tell the class that they are going to hear sentences in French, which they need not translate since they will be able to understand them in French. On a map of France or a rough sketch of a map of France on the board, point out Paris and as you do so repeat the first sentence of the first lesson: *Paris est la capitale de la France.* After you have repeated the sentence a few times, ask the class to pronounce it with you two or three times.

Then tell them to write the sentence. This instruction may startle a few, but calmly insist that they write. In a few minutes, the sentence will be down on the blackboard and on the papers. Correct enough sentences on the board so that all may see a correct one. Ask the class to change their sentences to conform to the corrected sentence. Repeat this procedure with each sentence in the first lesson, taking care to correct a different student's work each time, so that each one will have to assume the responsibility of correcting his own work. This correction process should not be allowed to take too much time, as the class must be kept moving mentally.

The greater part of this first hour will be spent with the students at the board. During this time they will hear, pronounce, write, and read all the first lesson, which they will understand without the aid of English. Now dictate Lesson Two, taking care to dictate rapidly although you will probably feel a tendency to dictate slowly. Spend the time that is left in asking the students questions on the material of the first two lessons or in having some of them read aloud the sentences of the text which have been studied previously, with the rest of the group criticizing the pronunciation and intonation. As the class period ends, tell them that the same vocabulary and constructions used about France may be used in sentences about other parts of the world. Ask them to go to the board as soon as they come to class the next day, even before the class period begins, and write a composition in French, using as much as they remember of Lesson One and as many new sentences as they can write about their own country or state.

THE SECOND DAY

The second class period follows the same procedure as the first. Lesson Two is dictated, pronounced by the students, written on the board, and corrected just as was Lesson One. Review Lesson One by dictating the original sentences and asking questions such as those included in the text. Add simple sentences on the general theme of the lesson in order to add interest and information. For example, after dictating the first three sentences of Lesson One, you might dictate sentences similar to the following: *Saint Paul est la capitale du Minnesota. Saint Paul est situé sur le Mississipi.* Then tell the students to compose the next sentence. The brighter ones will write *Le Mississipi traverse Saint Paul.* Soon they will write sentences like: *San Francisco est dans l'ouest des États-Unis,* or *Atlanta est la capitale de la Georgie.*

EFFECT OF THIS MATERIAL

The class will begin to look forward to these new facts and ideas expressed in sentences with the same syntax and vocabulary with which they are already familiar, whether composed by the teacher or by themselves. They soon discover that they possess a new linguistic tool with which to express ideas. Once they realize this, they are eager to use it and to learn more about it. Lesson Four gives opportunity for a discussion of the problems of the defense of the boundaries not only of France but also of those of the United States, and whether or not the defense of the Panama Canal is easy. If the sentences are thus related topically to some general subject, the general thought is easier for the student to follow. In practically every recitation, the teacher will find an opportunity to introduce material, which, like the above, is not in the text. The students soon learn to expect these new sentences which are a challenge to their development in hearing and understanding French. Questions on the material in these new sentences help keep them "on their toes."

The exercises themselves often introduce material not in the reading lesson in order to stimulate analysis on the part of the students. The points raised are not beyond their ability, and the new material is of the same type as that discussed in the preceding paragraph. The presentation of the vocabulary and syntax in the exercises, as in the reading texts, is carefully planned to challenge and stimulate the students. English is avoided as much as possible so that they will not translate. To translate will be their tendency at first, but they will soon learn to use French if the language of the classroom is always French. Translation exercises tend to break down the process of thinking in French which the teacher is trying at all times to develop in the students' minds. It is not necessary to have students translate to determine whether they know the content of the sentences. Merely ask them questions in French, taking care to use the vocabulary and grammar they know. The exercises in this text for the teaching of grammar and vocabulary have been preparing to teach the students to think in French. They are exercises which have already proved effective in teaching many students to think in French.

They should read the exercises aloud, answer questions, and fill in blanks aloud, always in complete sentences. Then and then only should they write out the exercises.

It cannot be emphasized too much that care must be taken at all times to see that your students are *reading* French, not translating it into English. Even though at first some of the meanings of the French words the student reads are hazy, when he rereads the passage several times the words will take on clear and definite meanings. In using this text, the teacher should repeatedly request the student not to look up meanings in the vocabulary, but to reread the lesson until the thought becomes clear to him. The temptation to use the vocabulary and to translate will be very great at first, but if the student tries to grasp the meaning from the French without translating, he will learn to read more quickly and will comprehend more accurately.

If a student says he must translate to understand the meaning of the words, call him in for a conference. Recite Lesson One to him very rapidly and ask him if he understands. The answer will be "Yes." Then inquire if he translated. The answer will be "No." Read as many of the lessons familiar to him as need be to allow him to prove to himself that translation is not necessary for comprehension. You can even introduce a new sentence or so, such as: *Chicago n'est pas la capitale du Wisconsin*, which he will understand readily. Tell him to read the new lessons aloud until the ideas come to him through the French, and assure him that they *will* come to him through the French.

VOCABULARY

The cognates of a given lesson are listed first under *Vocabulaire* in the *Supplément* to each lesson. The cognates should make the students conscious of the relation of the French and English languages, so that they will soon become aware of the differences as well as of the similarities of the two languages. All the additional non-cognate new words of a given lesson are then listed.[1]

This organization of the vocabulary enables the teacher to use the vocabulary in various ways. The vocabulary as such may be disregarded by simply using it as it occurs in the lessons with new sentences which the teacher or students may compose. Or the teacher may want to drill on the new words, using old or new sentences. These complete analyses of the new vocabulary in the lessons will make it easy for the teacher to know just what words the class has learned and will enable him to prepare his daily class work and tests accordingly.

GRAMMAR

As to the *Grammaire*, it is suggested that those who have not previously used the method of this book pay no attention to *formal* grammar for a few lessons. If necessary, return to it later. For the first few lessons, allow the class to use the French without presenting any rules for its use. Correct mistakes and see if the class can recognize, for example, the principle of the agreement of the past participle. Have the students discover as far as possible the grammatical principles they encounter. If a student's statement of the rule is incorrect in general but does cover the illustration at hand, accept it provisionally, asking

[1] Capitalization follows the rule established in *Le Nouveau Petit Larousse*.

for corrections which may be discovered by the class. If the student can learn to analyze and to generalize grammatical principles from the linguistic phenomena in the lessons, he will retain this knowledge much longer than if he memorizes rules and then tries to apply them.

THE VERB

The most vital item in French grammar, the most used, and the most complex, is the verb. In ordinary written French it is the third person, singular and plural, of the present, imperfect, and simple past, which is the most used. In spoken French, it is all persons of the present, imperfect, and *passé composé* which are most used. In this text, therefore, the verb is not allowed to become a problem until the student has had enough French to be able to grapple with it. In the first ten lessons, the action of all verbs is kept in the present, and only the third person of -*er* and -*ir* verbs and of *avoir* and *être* are used. (Because of the nature of things, there are *vous*-imperatives used as directions to the student, also infinitives and participles.) Beginning with Lesson Eleven, the complete present tense of all regular and many irregular verbs is introduced gradually for twelve lessons. In Lesson Twenty-three, the *passé composé* is presented in its simplest affirmative form. Then come the negative and interrogative of the *passé composé* with *avoir*, and the *passé composé* of intransitive verbs of motion and of reflexive verbs. Because all these variations are hard for the beginning student, several lessons are devoted to them. Two lessons are given to the imperfect, with special exercises designed to teach the fundamentally important concept of the distinction between the imperfect and the *passé composé*. After the imperfect come the future, the pluperfect, and the conditional. The simple past is introduced merely for recognition, not for active use. Special exercises are written with that purpose in mind. The subjunctive is placed toward the end of the text, beginning with Lesson Forty-six, where it is treated as thoroughly as need be for the elementary stage. The imperfect subjunctive should, of course, be studied only for recognition.

The authors recommend that students be asked to write their résumés, even on historical material, in the *passé composé* rather than in the simple past. The French themselves learn in school that a written account must be put in the simple past. Several Frenchmen who saw the manuscript insisted, for instance, that Lesson Forty-one, which consists of written conversation, should be in the simple past because it is in writing. Yet when one visits classes in history in the French *lycées* and lectures at the Sorbonne, one rarely finds a professor using the simple past. Even historical data are treated there in the *passé compose*. The questions of all the lessons in this book are accordingly written in the *passé composé*.

This problem of learning verbs is a difficult one. To aid the student in getting a clear picture of the verb, paradigms of verbs by lessons have been placed after the review of each ten lessons. The student should refer to these for his verb-forms until he becomes sufficiently advanced to use the more general paradigms in the *Grammaire* at the end of the book.

An attempt is made to explain the irregularities of the irregular verbs. If students know that the accent makes some difference in the form, they are likely to remember the forms more easily.

Which verbs should elementary students know? It is reasonable to expect them to know how to use those verbs and those tenses which they will be needing daily in their own compositions. It is desirable for them to be able to recognize the forms of such tenses as the simple past, the imperfect subjunctive, and the past anterior, which they will certainly not be using at this level, if ever. They should know then how to use in the present, imperfect, future, and commonly used compound tenses of the indicative, in the conditional, and in the present and the past subjunctive the regular *-er*, *-ir*, and *-re* verbs, the irregular verbs *aller*, *avoir*, *boire*, *courir*, *croire*, *devoir*, *dire*, *écrire*, *envoyer*, *être*, *faire*, *falloir*, *lire*, *mettre*, *mourir*, *pouvoir*, *prendre*, *rire*, *savoir*, *suivre*, *tenir*, *valoir*, *venir*, *vivre*, *voir*, and *vouloir*, and their frequently used compounds, also verbs following the system of *ouvrir* and *plaire*, and those terminating in *-aître*, *-aindre*, and *-eindre*. They need know actively only the past participle and tenses formed therefrom of such verbs as *acquérir*, *conquérir*, *naître*, and *vaincre*. Verbs such as *s'asseoir* and *battre* are used mainly in the present, imperfect, and compound tenses. Students should be able to recognize all of the above verbs in other tenses.

Frequent exercises which afford abundant opportunity to use these common verbs in the conversational tenses may be found throughout the text. Sometimes exercises are written in tenses such as the simple past, and the student is directed to put them into the present or compound past. Such exercises are designed to test recognition of less used tenses and knowledge of more used tenses.

In the procedure indicated above, every recitation is a test. When material of past lessons is used, the class undergoes constant review in the new sentences used by the teacher. The *révision* lessons present a systematic review of the vocabulary and grammar as well as of the content of the previous ten lessons. This integration of vocabulary, grammar, and text into a meaningful picture of French life and civilization causes the student to retain what he learns, longer and more easily. The reviewing and testing which constantly go on in class tend to fix firmly in his mind the French speech patterns as well as the ideas contained in them. The fact that the student hears, pronounces, and writes the French, as well as sees it, aids his memory. Instead of reciting French verb-forms in paradigms, a most unnatural procedure found only in pedantic classrooms, he expresses ideas in French sentences. In that way, the foreign language means something to him. It has vitality and significance, and is not merely a collection of words and grammar rules he must put together like a picture puzzle.

The lessons, as has been indicated, do not exhaust the possibilities of discussion or development of their themes in elementary classes. They may be regarded, rather, as points of departure. To any of the lessons, much can be added by an alert class. In fact, a good group can expand indefinitely some of the lessons, especially if the teacher makes a few suggestions. The authors hope that teachers and students will use the lessons as fully as possible. Used thus, the text will become a sort of guide to the study of France and of her history and civilization during the past one hundred and fifty years. It will give vocabulary and grammar for a discussion of contemporary events, which, when properly presented, are of vital interest to all students. Finally, the text will prepare the students for an appreciative reading of French literature, because in it are given the foundations of French geography, customs, and manners; and French grammar and vocabulary.

INTRODUCTION
To the Student

YOU HAVE OFTEN SEEN French expressions in books and newspapers. You have heard that French is the polite language all over the world, the speech of diplomats. You know that many scientific treatises are written in French, even by scholars whose native language is not French.

You are now to begin the study of that language. Once you have learned French, you will find a new world opened to you. You will discover that your own English language becomes clearer by a knowledge of French vocabulary and French grammar. You will have access to French literature, which is as considerable as your own and distinctly different. You will gain a better understanding of France and of the French people.

French is one of the easiest of foreign languages for us to read, because many French and English words are almost identical, while many others are so similar in form that you will have no trouble in recognizing them. In fact, Alexandre Dumas once said, "English is only French mispronounced."

HOW TO LEARN FRENCH

Your French book consists of sixty lessons. Each lesson is divided into a reading selection, a set of questions based on this selection, various *devoirs* or exercises, and the *Grammaire* or grammar questions. At the end of each tenth lesson is a *Supplément* containing vocabularies and the new verb forms introduced in each lesson.

Various procedures might be used to master these lessons. The following will go far in giving you a command of the language.

First, go over the reading selection to grasp the sense of the material. At this first reading, do not look up the words you do not know and do not translate into English. Concentrate on discovering what the lesson is about. Many words appearing for the first time will disclose their meaning through their context. Then reread the selection. This time, consult the lesson vocabulary for the meaning of words you cannot determine from their use in the sentence. By the end of the second reading, you will have understood the complete meaning of the selection. Now go over it again. Force yourself to read it in French and to understand it in French without the intervention of English. If this seems hard at first, do it all the more often in order to develop the habit. No one ever reads a language easily or fluently by translating it. One reads it easily and fluently only by reading it in the original and by understanding it without transferring it into a second language.

Next, turn to the *Questions*. Answer each question orally in French. Always use a complete sentence for your answer. Base these answers on the material in the reading selection. Go over these answers again and again until you can give them rapidly without reference to the lesson itself.

Now you are ready for the exercises or *devoirs*. Write these *devoirs* in your notebook. Copy the entire sentence, underlining the words with which you fill in the blanks. *Do not write in the textbook itself.* Keep it clean for later practice. When you have written your exercises, read them orally from the textbook, without reference to what you have written. Do not be satisfied until you can do them rapidly and automatically.

Whenever your teacher asks you to do so, answer the questions under *Grammaire*. If you have noted new constructions in your reading selection, you will already know the answers to many of the questions. But if you are not sure of these answers, turn to the section of the *Grammaire* (pages 295–389) indicated by the numbers in parentheses after the questions and study the topic discussed.[1]

With this preparation of the lessons, you are ready for the recitation. Come to class every day, since it is practically impossible to learn all aspects of a modern language without steady class attendance. Bring to class any questions on material you do not understand. If your teacher wishes, put a composition on the blackboard immediately when you arrive in the classroom. Base this composition on the lesson, but do not try to memorize the text. Rather, make a summary of what you have read. Introduce new material if you can. When your teacher dictates sentences, listen carefully. Always note his pronunciation. Repeat the sentences after him. Then write them on the

---

[1] On pages 34–36 you will find directions as to how to use the helps furnished in the *Suppléments*.

board. Your teacher will correct the sentences of several pupils. See that your sentences are correct before you erase them.

As soon as possible after the class hour, go over the lesson for the next day and review preceding lessons. Spend as much time as possible on this review of previous work. Go over the lessons frequently, especially over the *Questions* and *Devoirs*. Develop speed in answering the questions in French and skill in doing the exercises rapidly and automatically. It is profitable to go back even to the first lesson.

If at any time you have too much difficulty with a lesson, go back as far as is necessary in the text to a lesson which you easily understand, and review carefully all lessons up to the difficult one. This procedure will clarify vocabulary and grammar for you since the book is written so as to prepare you for each lesson in the order in which it appears. If you omit or neglect a lesson, you will not be prepared for what follows.

La France

Paris est la capitale de la France. Paris est situé sur la Seine. La Seine traverse Paris. Calais est dans le nord de la France. Calais est situé sur la mer du Nord. Strasbourg est dans l'est de la France. Strasbourg est situé sur le Rhin. Marseille est dans le sud de la France. Marseille est sur la Méditerranée. Brest est dans l'ouest de la France. [5 Brest est situé sur l'Atlantique.

QUESTIONS

1. Quelle est la capitale de la France? 2. Quelle est la capitale des[1] États-Unis? 3. Où est situé Paris? 4. Où est situé Washington?

La France est un pays

---

[1] *Des* is a contraction of *de les.*

5. Où est Bâton-Rouge? 6. Dans quelle partie de la France est Marseille? 7. Dans quelle partie des États-Unis est San Francisco? 8. Où est situé Strasbourg? 9. Où est Philadelphie? 10. Dans quelle partie de la France est situé Calais? 11. Dans quelle partie des États-Unis est situé Denver? 12. Où est situé Chicago? 13. Quelle est la capitale de l'Ohio? 14. Où est Boston?

DEVOIRS

A. Remplacez les tirets par le mot convenable indiqué à droite.[1] EXEMPLE:
Chicago est dans le —— des États-Unis. Chicago est dans le *nord* des États-Unis.

1. Washington est situé dans l'—— des États-Unis. 2. San Francisco est dans l'—— des États-Unis. 3. Atlanta est situé dans le —— des États-Unis. 4. Dans quelle —— des États-Unis est situé Détroit? 5. Indianapolis est la —— de l'Indiana. 6. Montgomery est —— capitale de l'Alabama. 7. —— est la capitale de l'Illinois? 8. Memphis est situé —— le Mississipi. 9. Le Mississipi —— les États-Unis. 10. Paris est —— dans le nord de la France. 11. —— est situé Brest? 12. Calais est situé —— le nord de la France. 13. Dans quelle partie —— la France est situé Bordeaux? 14. Paris —— situé sur la Seine. 15. Chicago est —— dans le nord des États-Unis.

a. capitale
b. dans
c. de
d. est
e. la
f. nord
g. où
h. ouest
i. partie
j. quelle
k. situé
l. sud
m. sur
n. traverse

B. Remplacez les tirets par la forme convenable du singulier de l'article défini. EXEMPLE: Calais est situé sur —— mer du Nord. Calais est situé sur *la* mer du Nord.

1. Washington est —— capitale des États-Unis. 2. Chicago est situé dans —— nord des États-Unis. 3. Paris est situé sur —— Seine. 4. Strasbourg est situé sur —— Rhin. 5. Marseille est dans —— sud de —— France. 6. Brest est situé dans —— ouest de la France sur

[1] In this exercise and in similar exercises in other lessons, you are to supply words which will complete the meaning of the sentences. These will always be words used in the lesson for the first time. For your convenience and for the sake of uniformity in correcting, an alphabetical list of the words to be used is given to the right of the exercise. This list contains not only all words to be used in the exercise but also several words which do not fit into any of the sentences. Do not use words which are not in this list, even though they make good sense in the sentence.

In working out this type of exercise, first read over each sentence without consulting the list and decide on a word that fits into the context. Then glance at the alphabetical list to see if the word is there.

—— Atlantique. 7. New York est situé dans —— est des États-Unis sur —— Atlantique. 8. Los Angeles est situé dans —— ouest des États-Unis. 9. Calais est situé dans —— nord de —— France.

GRAMMAIRE [1]

1. What two genders are there in French? (§ 6 A) [2]
2. What three singular forms of the definite article do you find in this lesson? When is each used? (§ 1 A)
3. Give an example of a sentence in which the definite article is used in French but ordinarily omitted in English. (§ 3 C)

—————————————— DEUXIÈME LEÇON ——————————————

L'Europe

L'Europe est un continent. L'Europe est divisée en pays (nations). L'Europe est divisée en un grand nombre de pays. La France est un pays. La France est un pays d'Europe. La France est située dans l'ouest de l'Europe. La France est grande. La Russie est aussi un pays d'Europe. La Russie est située dans l'est de l'Europe. La Russie [5 est très grande. La Belgique, l'Espagne et l'Italie sont en [3] Europe. La Belgique est un petit pays situé au [4] nord de la France. La Belgique est petite. L'Espagne est un grand pays. L'Espagne est située au [4] sud-ouest de la France. Madrid est la capitale de l'Espagne. Madrid est une ville située au [4] centre de l'Espagne. L'Italie est située au [4] sud-est [10 de la France. Rome est la capitale de l'Italie. L'Amérique du [4] Nord est un continent. Les États-Unis sont en Amérique du Nord.

QUESTIONS

1. Est-ce que la France est un pays? (Oui, monsieur, madame, mademoiselle, la France est un pays.) 2. Est-ce que l'Espagne et l'Italie sont en Europe? 3. Où est située la France? 4. Quel est le grand pays situé dans le nord de l'Amérique du Nord? 5. Quel est le

---

[1] Consult page 36 for the lesson vocabulary. Read *To the Student* (page xxv) for suggestions on ways of treating the *Grammaire*.

[2] This reference and subsequent references indicate the paragraph in the *Grammaire* (beginning on page 295) in which the answer to the grammatical question will be found.

[3] The preposition *en* is used without the article to express *in* and *to* with all continents and with all countries which end in -*e* except *le Mexique*. (§ 39 B, C)

[4] The word *au* is a contraction of *à le*; *du* is a contraction of *de le*.

L'Europe est divisée en un grand nombre de pays

grand pays situé dans l'est de l'Europe? 6. Citez (Mentionnez) une grande ville située dans le nord des États-Unis. 7. Est-ce que la Belgique est un petit pays? 8. Est-ce que la capitale de l'Italie est une grande ville? 9. Où est Madrid? 10. Citez une grande ville située au centre des États-Unis. 11. Où est située la capitale des États-Unis?

DEVOIRS

A. Remplacez les tirets par le mot convenable indiqué à droite:

1. L'Italie est un ——. 2. Les États-Unis —— un grand pays. 3. Est-ce que la Russie est aussi —— grande? 4. La Belgique est un —— pays situé au nord de la France. 5. L'Europe est divisée en un grand —— de pays. 6. Est-ce que le Canada et le Mexique sont —— Amérique du Nord? 7. ——, monsieur, le Canada et le Mexique sont en Amérique du Nord. 8. Saint-Louis est situé

a. aussi
b. centre
c. en
d. grand
e. nation
f. nombre
g. oui
h. pays

au —— des États-Unis. 9. Est-ce que Chicago   i. petit
est une grande ——? 10. L'Espagne est une ——   j. sont
située au sud-ouest de l'Europe. 11. L'Espagne   k. très
est en Europe et l'Italie est —— en Europe.   l. ville

B. *Remplacez les tirets par la forme convenable de l'article indéfini:*

1. Paris est —— ville. 2. L'Europe est —— continent. 3. La
Russie est —— pays. 4. L'Espagne est —— partie de l'Europe.
5. L'Europe est divisée en —— grand nombre de pays.

C. *Mettez la forme convenable de l'adjectif indiqué.* EXEMPLE: La
France est une (grand) nation. La France est une *grande* nation.

1. L'Europe est un (petit) continent. 2. Paris est une (grand)
ville. 3. L'Amérique du Sud est (divisé) en un grand nombre de pays.
4. Madrid[1] est (situé) au centre de l'Espagne. 5. Dans (quel) partie
de la France est situé Strasbourg? 6. La Belgique est (petit). 7. La
capitale de l'Italie est (situé) au centre du pays. 8. La Russie est un
(grand) pays. 9. (Quel) est le pays situé au sud-ouest de la France?

D. *Mettez les phrases suivantes à la forme interrogative.* EXEMPLE:
L'Europe est divisée en nations. Est-ce que l'Europe est divisée
en nations?

1. Calais est dans le nord de la France. 2. Les États-Unis sont
en Amérique du Nord. 3. L'Espagne est une grande nation. 4. La
Seine traverse Paris et Rouen. 5. Saint-Louis est situé sur le Mississipi.
6. La Belgique est un petit pays situé au sud de la Hollande.

GRAMMAIRE

1. Give the singular forms of the indefinite article. (§ 4 A)
2. How does the French adjective agree with its noun? (§ 8 A)
3. How do most adjectives form their feminine? (§ 9 A)
4. What is the feminine form of the interrogative adjective *quel*?
(§ 9 F)
5. What is a conversational way of asking a question in French?
(§ 87 A)
6. What is the plural of the verb-form *est*? Use this form in a sentence.
7. What form of the verb is used with *les États-Unis*?

[1] Cities are ordinarily masculine in French.

La France est formée de plaines et de montagnes

TROISIÈME LEÇON

Les plaines et les montagnes

La France est formée de plaines et de montagnes. Les plaines se
trouvent surtout à l'intérieur de la France. Les montagnes se trouvent
aux[1] frontières de la France. Les Pyrénées sont des montagnes élevées
situées dans le sud-ouest de la France. Les Pyrénées forment la frontière
entre la France et l'Espagne. Les Alpes sont des montagnes très [5
élevées situées dans le sud-est de la France. Les Alpes se trouvent en

[1] *Aux* is a contraction of *à les*.

France, en Suisse et en Italie. Le Jura et les Vosges se trouvent dans l'est de la France. Le Jura et les Vosges sont des montagnes moins élevées que les Alpes et les Pyrénées. Le Massif Central est un grand plateau. Le Massif Central se trouve au centre de la France. [10
Les États-Unis sont aussi un pays de plaines et de montagnes. Les montagnes des États-Unis se trouvent dans l'est et dans l'ouest. Le centre des États-Unis est une grande plaine. Les montagnes Rocheuses sont dans l'ouest du pays. Les Alléghanys sont dans l'est des États-Unis. Les Alléghanys sont des montagnes moins élevées que les [15 montagnes Rocheuses.

QUESTIONS

1. Où se trouvent les plaines de France? 2. Où se trouvent les grandes plaines des États-Unis? 3. Est-ce que les Pyrénées sont des montagnes élevées? 4. Dans quels pays se trouvent les Pyrénées? 5. Dans quels pays se trouvent les Alpes? 6. Dans quelle partie de la France sont situées les Alpes? 7. Citez des montagnes élevées de l'ouest des États-Unis. 8. Citez des montagnes moins élevées de l'est des États-Unis. 9. Quel est le grand plateau situé au centre de la France? 10. Dans quelle partie de la France se trouvent le Jura et les Vosges? 11. Dans quelle partie des États-Unis se trouvent les montagnes Rocheuses?

DEVOIRS

A. Remplacez les tirets par le mot convenable indiqué à droite:

1. Les Andes sont des —— situées dans l'ouest de l'Amérique du Sud. 2. Les Pyrénées forment la frontière —— la France et l'Espagne. 3. Le Jura et les Vosges sont des montagnes —— élevées que les Pyrénées. 4. Dans quelle partie de la France —— trouvent le Jura et les Vosges? 5. Les Alpes sont des montagnes très ——. 6. Les Alpes —— la frontière entre la France et l'Italie. 7. Les plaines se trouvent —— à l'intérieur de la France. 8. Est-ce que les montagnes Rocheuses se trouvent —— l'intérieur des États-Unis? 9. Le Massif Central est moins élevé —— les Pyrénées et les Alpes.

a. à
b. élevées
c. entre
d. forment
e. intérieur
f. moins
g. montagnes
h. plateau
i. que
j. se
k. surtout

B. Mettez au pluriel tous les mots possibles des phrases suivantes:
EXEMPLE: La plaine se trouve à l'intérieur du pays. Les plaines se trouvent à l'intérieur des pays.

1. La ville est située dans la plaine. 2. Une montagne se trouve dans le pays. 3. Quelle est la montagne située dans le sud-est de l'Europe? 4. Une montagne forme la frontière. 5. Dans quelle partie de la France est située la plaine? 6. Une ville est dans le petit pays. 7. La montagne est une frontière. 8. Quelle est la ville située dans le grand continent? 9. Où se trouve la capitale? 10. Quel est le pays situé à l'est de la France?

C. Mettez la forme convenable de l'adjectif indiqué:

1. Les montagnes des États-Unis sont très (élevé). 2. Le Massif Central est un (grand) plateau. 3. Les Vosges et le Jura sont des montagnes (situé) dans l'est de la France. 4. La Belgique et la Suisse sont (petit). 5. (Quel) sont les montagnes situées dans l'ouest des États-Unis? 6. Les (petit) nations sont dans le sud-est de l'Europe.

GRAMMAIRE

1. What is the plural of the definite article? (§ 1 B)
2. What is the plural of the indefinite article? How is the plural of the French indefinite article expressed in English? (§ 4 B)
3. How is the plural of French nouns generally formed? What can you say of the plural of nouns whose singulars end in -*s*? (§ 7 A, B)
4. How do adjectives usually form their plural? (§ 10 A)
5. *Forme, traverse,* and *se trouve* are third person singular verb-forms. What is the third person plural of these same verb-forms? How does the plural form differ from the singular in pronunciation?
6. What type of action is expressed by verbs such as *se trouve*? What grammatical term is used to designate such verbs? (§ 81 D)

================*QUATRIÈME LEÇON*================

Les frontières de la France

Les Pyrénées forment la frontière entre la France et l'Espagne. Les Alpes forment la frontière entre la France et l'Italie. Les montagnes sont des frontières naturelles. Elles constituent des frontières excellentes qui sont faciles à défendre.

La Méditerranée limite la France au sud. L'Atlantique limite la [5 France à l'ouest. La Manche limite la France au nord-ouest. Les côtes de la Méditerranée et de l'Atlantique sont relativement faciles à défendre.

Le Rhin est un fleuve qui sépare la France de l'Allemagne. Il forme une partie de la frontière entre les deux pays. Les fleuves sont [10 moins faciles à défendre que les montagnes. Ils sont moins difficiles à traverser que les mers et les montagnes.

La France est limitée au nord par la Belgique et le Luxembourg. La frontière artificielle entre la France et la Belgique est difficile à défendre. Elle est moins forte que les autres frontières de la France. [15

La défense des frontières est une question très importante pour la France. La défense de la frontière allemande est un grave problème.

QUESTIONS

1. La France est-elle un pays? 2. Les États-Unis sont-ils un pays? 3. Les Pyrénées forment-elles la frontière entre la France et l'Espagne? 4. Les montagnes sont-elles des frontières naturelles? 5. Sont-elles faciles à défendre? 6. Les côtes de l'Atlantique sont-elles faciles à défendre? 7. Quelles sont les mers qui séparent la France de l'Angleterre? 8. Quelle est la frontière qui sépare le Texas du Mexique? 9. Quels sont les lacs qui forment une partie de la frontière entre les États-Unis et le Canada? 10. La Manche sépare-t-elle la France de l'Angleterre? 11. Le Rhin forme-t-il une partie de la frontière entre la France et l'Allemagne? 12. Le Rhin est-il un fleuve? 13. La frontière artificielle entre la France et la Belgique est-elle difficile à défendre? 14. La défense des frontières de la France est-elle un grave problème? 15. La défense des frontières des États-Unis est-elle un grave problème?

DEVOIRS

A. Remplacez les tirets par le mot convenable indiqué à droite:

1. L'Atlantique et la Méditerranée sont des
——. 2. Le Rio Grande est un —— qui sépare le
Mexique du Texas. 3. Les montagnes sont des
frontières naturelles; elles sont —— à défendre.
4. Les frontières artificielles sont moins —— que
les frontières naturelles; elles sont moins faciles à
défendre. 5. La défense de la frontière artificielle
entre la France et la Belgique est un —— problème.
6. La France est un pays d'Europe; l'Espagne est
un —— pays d'Europe. 7. Les États-Unis sont
limités au nord —— le Canada et au sud —— le
Mexique. 8. Est-ce que la défense des frontières
est une question importante —— les États-Unis?
9. Le Massif Central est un plateau —— se trouve
au centre de la France.

a. autre
b. défense
c. difficiles
d. excellente
e. faciles
f. fleuve
g. fortes
h. grave
i. mers
j. par
k. pour
l. qui
m. relativement
n. séparent

B. Remplacez les mots en italique par la forme convenable du pronom personnel. EXEMPLE: *Une grande ville* est située sur la Seine. *Elle* est située sur la Seine.

1. *Le Rhin* forme une partie de la frontière entre la France et l'Allemagne. 2. *La France* est limitée au sud-ouest par l'Espagne. 3. *Les montagnes Rocheuses* sont très élevées. 4. *Les fleuves* séparent les deux pays. 5. *Les mers* sont importantes. 6. *L'Europe* est petite. 7. *Les États-Unis* sont au sud du Canada. 8. *Les frontières artificielles* sont difficiles à défendre. 9. *Un fleuve et une montagne* constituent les frontières du pays.

C. Mettez les phrases suivantes à la forme interrogative en employant l'inversion. EXEMPLE: La Seine traverse Paris. La Seine traverse-t-elle Paris?

1. Ils sont en France. 2. Elle est aux États-Unis. 3. Il sépare la France de l'Italie. 4. Elle forme la frontière sud de la France. 5. Les frontières sont difficiles à défendre. 6. Le Rhin sépare la France de l'Allemagne. 7. Les villes de France sont petites. 8. Une mer limite les États-Unis à l'est.[1] 9. Le Mississipi traverse le pays. 10. Les Grands Lacs sont au sud du Canada.

GRAMMAIRE

1. What are the third person singular subject personal pronouns? (§ 22 A)

2. What is the difference between *ils* and *elles*? (§ 22 A)

3. From your observation of the questions in this lesson, what is a method of asking a question the subject of which is a pronoun? (§ 87 B) a noun? (§ 87 C)

4. In inverting the subject and the verb, what is done to prevent pronouncing two vowels together? (§ 87 D)

5. When the masculine singular of an adjective ends in unaccented *-e*, how is the feminine singular formed? Illustrate. (§ 9 B) How is the feminine singular of adjectives in *-el* formed? Illustrate. (§ 9 F)

---

[1] In the inverted interrogative form, a *-t-* must be placed between the verb and *il* or *elle* even when the final consonant of the verb stem is *-t-* if that verb form ends in *-e*.

Roberts

Le travail quotidien

Roberts

Les montagnes sont des frontières naturelles

*La Seine est plus large
à Rouen qu'à Paris*

*Bordeaux exporte en grande
quantité les vins de la région*

Chaque province a des coutumes différentes

La Seine est le fleuve le plus connu à l'étranger,
mais la Loire est le fleuve le plus long de France

CINQUIÈME LEÇON

La Seine et la Loire

La Seine est le fleuve de France le plus connu à l'étranger. La Seine est plus connue que les autres fleuves de France, parce que Paris est situé sur la Seine. La source de la Seine est en France. La Seine coule vers le nord-ouest. Elle traverse Paris. Elle divise Paris en deux parties. Elle est relativement étroite à [1] Paris. La Seine traverse [5

[1] The preposition *à* is used with names of cities to express *in*, *at* or *to*. (§ 39 D)

aussi la ville de Rouen. Rouen est une grande ville située dans la province de Normandie. Rouen est un port de commerce important. La Seine est plus large à Rouen qu'à [1] Paris. Elle se jette dans la Manche. L'endroit où un fleuve se jette dans la mer s'appelle l'embouchure. Le Havre est le port situé à l'embouchure de la Seine. Le Havre est un [10 des trois ports les plus importants de la Manche. Il est important pour le commerce avec les États-Unis et l'Angleterre. Cherbourg est un port militaire de la Manche. Boulogne est un autre port de la Manche. Il est dans le nord de la France. Calais est un port de la mer du Nord. Calais et Boulogne sont importants pour le commerce [15 avec l'Angleterre.

La Loire est le fleuve le plus long de France. La Loire est plus longue que la Seine. La source de la Loire se trouve au centre de la France dans le Massif Central. La Loire coule d'abord vers le nord et ensuite vers l'ouest. Elle se jette dans l'Atlantique près de Nantes. [20 La vallée de la Loire est très fertile. Les villes situées sur la Loire sont moins connues à l'étranger que les villes situées sur la Seine. Orléans, Tours et Nantes sont les trois villes les plus importantes situées sur la Loire.

Questions

1. Pourquoi la Seine est-elle le fleuve le plus connu de France? 2. Quel est le fleuve le plus connu des États-Unis? 3. Où est la source de la Seine? 4. Où est la source du Mississipi? 5. Le Mississipi est-il relativement étroit dans le Minnesota? 6. Quel est le fleuve le plus long et le plus large de l'Amérique du Sud? 7. Où se jette le plus grand fleuve de l'Amérique du Sud? 8. Quel est le port situé à l'embouchure de l'Hudson? 9. Pourquoi le Havre est-il important? 10. Est-ce que Rouen est situé près de l'embouchure de la Seine? 11. Citez un port militaire situé sur la Manche. 12. Citez un port de France qui est situé sur la mer du Nord. 13. Quel est le plus long fleuve de France? 14. Où est la source de la Loire? 15. Est-ce que la Loire traverse une vallée fertile? 16. Quelles sont les trois villes les plus importantes situées sur la Loire? 17. Citez trois villes importantes des États-Unis qui sont situées sur des fleuves.

Devoirs

A. Remplacez les tirets par les mots convenables indiqués à droite:

1. La Seine est très —— à l'étranger.   2. Elle   a. appelle
—— vers le nord et se jette dans la Manche au   b. avec
Havre.   3. La Seine est —— à Paris; elle est plus   c. connue

[1] The preposition *à* is used with names of cities to express *in*, *at*, or *to*. (§ 39 D)

—— à Rouen. 4. La Seine est le fleuve le plus
connu de France —— Paris est situé sur la Seine.
5. La Loire, qui est moins connue à l'étranger que
la Seine, coule d'abord —— le nord et —— vers
l'ouest. 6. Elle se —— dans l'Atlantique —— de
Nantes. 7. L'—— où un fleuve se jette dans
la mer s'—— l'embouchure. 8. Boulogne et
Calais sont importants pour le commerce ——
l'Angleterre. 9. —— le Havre est-il important
pour le commerce avec les États-Unis et les pays
de l'Amérique du Sud? 10. Est-ce que le Mississipi est connu à l'——? 11. La Loire est plus
—— que la Seine mais elle est moins —— que
le Mississipi.

d. coule
e. endroit
f. ensuite
g. étranger
h. étroite
i. jette
j. large
k. longue
l. parce que
m. pourquoi
n. près
o. source
p. vers

B. *Répondez*[1] *aux questions suivantes par des phrases complètes. Em-
ployez des noms comme sujets. Soulignez les comparatifs et les superla-
tifs dans vos réponses.* EXEMPLE: La Russie est-elle le plus grand
pays d'Europe? Oui, la Russie est *le plus grand* pays d'Europe.

1. Les Alpes sont-elles les montagnes les plus élevées de France?
2. La Loire est-elle plus longue que la Seine? 3. La Seine est-elle
plus étroite à Paris qu'au Havre? 4. Est-ce que Paris est la plus grande
ville de France? 5. Est-ce que le Havre et Cherbourg sont plus connus
à l'étranger que Tours et Orléans? 6. Les fleuves sont-ils moins faciles
à défendre que les montagnes?

C. *Mettez le comparatif ou le superlatif de l'adjectif indiqué. Faites
l'accord des adjectifs.* EXEMPLES: 1. Les pays d'Europe sont
(petit) que les pays d'Afrique. Les pays d'Europe sont *plus
petits* que les pays d'Afrique. 2. La Russie et l'Allemagne
sont (grand) pays d'Europe. La Russie et l'Allemagne sont *les
plus grands* pays d'Europe.

1. La Volga est le fleuve (connu) de Russie. 2. L'Hudson est
(important) pour le commerce que le Potomac. 3. L'Amazone est
le fleuve (long) de l'Amérique du Sud. 4. La France est (fort) que
la Belgique. 5. Les Alpes sont des montagnes (élevé) que le Jura
et les Vosges. 6. Londres est (grand) ville d'Angleterre. 7. Les

---

[1] Answer the following questions in complete sentences. Use noun-subjects. Underline the comparatives and superlatives in your answers. This type of exercise is useful
for rapid drill on a given grammatical point. After writing out the exercise, you should
read the questions and answer them orally until you can do it rapidly and automatically.

frontières d'Espagne sont (facile) à défendre que les frontières de Belgique. 8. La Loire est (long) que les autres fleuves de France. 9. Les
villes situées sur la Loire sont (petit) que Paris. 10. Les fleuves (long)
des États-Unis sont au centre du pays.

GRAMMAIRE

1. How are the comparative and superlative of the French adjective formed? (§ 12 A)

2. How is *than* usually expressed after the comparative form of
the adjective? (§ 12 B)

3. What do you note about the position of the definite article in
the superlative? (§ 12 C)

4. In English *in* is often used after a superlative. EXAMPLE: The
Loire is the longest river *in* France. What preposition do the French
use after the superlative? (§ 12 D)

5. What is the feminine form of the adjective *long*? How do you
explain this irregularity? (§ 9 H)

6. What have you noticed concerning the position of adjectives
in relation to their nouns?

7. What type of *h* is found in *Le Havre*? How does it differ from
the other type of French *h*? (Page 391.)

SIXIÈME LEÇON

Des fleuves et des ports

La Garonne est un autre fleuve de France. La source de la Garonne
n'est pas en France. Elle est dans les Pyrénées espagnoles. La Garonne
coule vers le nord-ouest. Elle traverse le sud-ouest de la France et
passe par Bordeaux.

La Gironde est l'estuaire de la Garonne. Elle est large et courte. [5
Elle se jette dans l'Atlantique. Bordeaux est situé sur la Garonne
près de la Gironde. Bordeaux est une des plus grandes villes de France.
Bordeaux est le plus grand port de France situé sur l'Atlantique. Il
exporte en grande quantité les vins de la région.

Le Rhône est un fleuve qui se jette dans la Méditerranée. La [10
source du Rhône n'est pas en France. Elle est dans les Alpes suisses.
Le Rhône traverse le lac de Genève et entre en France à la frontière suisse.
Puis, il tourne vers le sud. Il coule le long d'une vallée fertile qui se

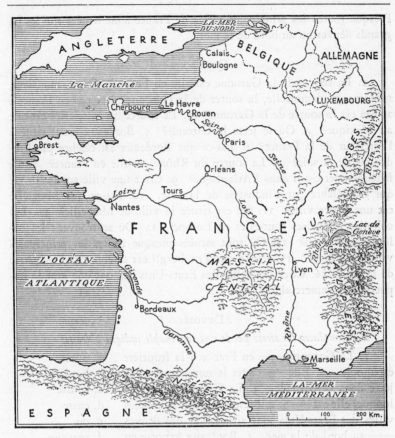

*Presque toutes les principales villes de France sont
situées sur les grands fleuves ou au bord de la mer*

trouve dans le sud-est de la France et se jette dans la Méditerranée.
Lyon est une grande ville située sur le Rhône. Lyon est célèbre par [15
l'industrie de la soie.

Marseille est un grand port situé sur la Méditerranée. Le port de
Marseille n'est pas situé sur un fleuve. Marseille est la plus grande
ville de France après Paris. Le port de Marseille est important surtout
pour le commerce avec les colonies françaises. Les colonies françaises [20
ne sont pas en Europe. Presque toutes les colonies françaises sont en
Afrique. Marseille est un port important surtout pour le commerce
avec les colonies africaines.

La Seine et la Garonne ont une grande importance commerciale.

Presque toutes les principales villes de France sont situées sur les [25 grands fleuves ou au bord de la mer.

QUESTIONS

1. La source de la Garonne est-elle en France? (Non, monsieur, madame, mademoiselle, la source de la Garonne n'est pas en France.) 2. Où est la source de la Garonne? 3. La source du Mississipi est-elle au Mexique? 4. Où se jette la Gironde? 5. Bordeaux est-il situé à l'intérieur de la France? 6. Est-ce que Bordeaux est célèbre par l'industrie de la soie? 7. La source du Rhône est-elle en France? 8. Le Rhône se jette-t-il dans l'Atlantique? 9. Citez une ville sur le Rhône qui est célèbre par l'industrie de la soie. 10. Est-ce que Marseille est une petite ville? 11. Où est située la ville de Marseille? 12. Les colonies françaises sont-elles en Europe? 13. Où se trouvent les colonies françaises? 14. Où sont situées presque toutes les principales villes de France? 15. Est-ce que Pittsburgh est célèbre par l'industrie de la soie? 16. Citez des villes des États-Unis qui ont une grande importance commerciale.

DEVOIRS

A. Remplacez les tirets par le mot convenable indiqué à droite:

1. La Garonne —— en France à la frontière espagnole. 2. Elle —— vers le nord-ouest et se jette dans la Gironde. 3. La Gironde n'est pas longue; elle est ——. 4. Presque toutes les grandes villes des États-Unis sont situées sur des fleuves —— au bord de la mer. 5. Bordeaux exporte en grande quantité les —— de la région. 6. Le Rhône traverse le lac de Genève; ——, il entre en France. 7. —— toutes les colonies françaises sont en Afrique. 8. Lyon est la plus grande ville de France —— Paris et Marseille.

a. après
b. bord
c. courte
d. entre
e. ou
f. presque
g. puis
h. tourne
i. tout
j. vins

B. Mettez les phrases suivantes à la forme négative. EXEMPLES: 1. La capitale de la France est située sur la Garonne. La capitale de la France *n'est pas* située sur la Garonne. 2. Est-elle située sur la Seine? *N'est-elle pas* située sur la Seine?

1. La France est en Amérique. 2. Madrid est la capitale de la Belgique. 3. Le Rhône coule vers le nord. 4. La Seine se jette dans la Méditerranée. 5. Les Vosges sont plus élevées que les Alpes. 6. Sont-elles plus importantes que le Jura? 7. Les colonies françaises

sont en Europe.   8. Sont-elles en Amérique du Nord?   9. Le Massif
Central se trouve-t-il au centre de la France?   10. Les principales villes
de France sont-elles situées sur la mer?   11. La Seine se jette dans
l'Atlantique à Bordeaux.   12. La Garonne entre en France à la frontière suisse.

GRAMMAIRE

1. How is a French sentence made negative? (§ 21 A)
2. What is the position of *ne* and *pas* in a normal declarative
sentence? (§ 21 B)
3. What is the position of *ne* and *pas* in an interrogative sentence
with a pronoun-subject? with a noun-subject? (§ 21 C)

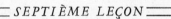

SEPTIÈME LEÇON

Les provinces de France

La France est un des plus grands pays d'Europe.   Mais la France
est très petite en comparaison des États-Unis.   Elle est moins grande
que l'état du Texas.   Cependant les différences entre les diverses régions
sont plus marquées en France qu'aux États-Unis.   Marseille est la plus
grande ville du sud de la France.   La distance de Paris à Marseille [5
est beaucoup moins grande que la distance de Chicago à la Nouvelle
Orléans.   Mais la différence de prononciation entre le nord et le sud
est aussi grande en France qu'aux États-Unis.[1]

La France se compose de plusieurs régions historiques qui s'appellent des provinces.   Chaque province a des coutumes et des costumes [10
différents.   Les habitants de chaque province ont un caractère différent.
L'architecture des maisons n'est pas la même dans toutes les parties de
la France.   Aujourd'hui les provinces ne sont plus des divisions politiques.   Mais les différences de tempérament et de coutumes existent
encore.   [15

Les produits des différentes régions de France sont très variés.   La
Champagne fournit le vin de champagne aux autres parties de la France
et aux autres pays du monde.   La Flandre française fournit des tissus
et des dentelles aux autres régions.   Elle exporte aussi des tissus à
l'étranger.   Chaque région fournit des produits aux autres régions. [20

[1] The comparative of equality.   See § 12 F.

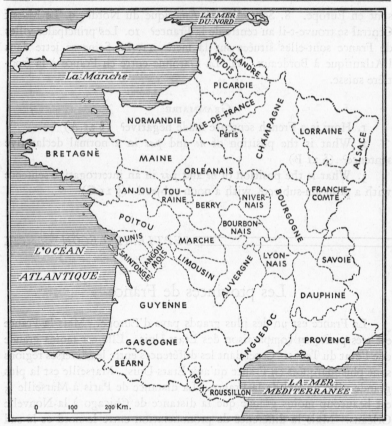

*La France se compose de plusieurs régions
historiques qui s'appellent des provinces*

QUESTIONS

1. Quel est le plus grand pays de l'Amérique du Nord? 2. Quel
est le plus grand pays d'Europe? 3. Après la Russie, quel est le plus
grand pays d'Europe? 4. Le Mexique est-il grand en comparaison
du Canada? 5. Est-ce que la distance de New York à San Francisco
est moins grande que la distance de Chicago à la Nouvelle Orléans?
6. La prononciation du nord est-elle différente de la prononciation du
sud des États-Unis? 7. La prononciation du sud est-elle différente
de la prononciation du nord de la France? 8. Les États-Unis se com-
posent-ils de régions? 9. Les régions des États-Unis ont-elles des coutumes différentes? 10. Où la Champagne exporte-t-elle le vin de
champagne? 11. Citez deux produits importants de la Flandre française.

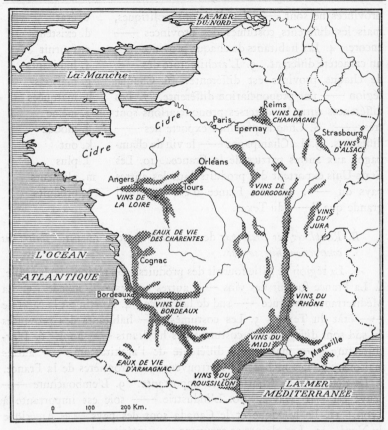

La France exporte du vin dans les autres pays

12. Les produits des diverses régions des États-Unis sont-ils différents?
13. Les États-Unis exportent-ils des produits en France? 14. Exportent-ils des produits en Argentine? 15. Comment s'appellent les régions historiques de la France? 16. Chaque province a-t-elle des coutumes différentes? 17. Les costumes des diverses parties des États-Unis sont-ils différents? 18. Le commerce avec les autres pays du monde est-il important aux États-Unis?

DEVOIRS

A. *Remplacez les tirets par les mots indiqués à droite qui conviennent au sens:*

1. La France se compose de —— régions. 2.   a. a

—— province a des coutumes différentes. 3. Les   b. chaque

provinces ne sont —— des divisions politiques, mais les différents costumes des provinces —— encore. 4. Les habitants de chaque province —— un caractère différent. 5. L'architecture des —— de chaque province est différente. 6. Chaque région —— une prononciation différente. 7. Les différences entre les diverses prononciations sont très ——. 8. Chaque province exporte des —— différents. 9. La Champagne —— le vin de champagne aux autres parties de la France. 10. Les États-Unis exportent des produits dans les autres pays du ——. 11. La France n'est pas aussi grande que l'—— du Texas.

c. état
d. existent
e. fournit
f. habitants
g. maisons
h. marquées
i. même
j. monde
k. ont
l. plus
m. plusieurs
n. produits

B. *Remplacez les tirets par de ou à et* L'ARTICLE DEFINI. *Faites les contractions nécessaires:*

1. La région de Lille fournit des produits —— région de Marseille. 2. La France fournit des vins —— autres parties —— monde. 3. La Méditerranée est située —— sud de la France. 4. Austin est la capitale —— état du Texas. 5. Les costumes —— habitants des provinces du sud sont différents des costumes des habitants —— nord. 6. L'architecture —— maison est différente de l'architecture —— autres maisons. 7. Les montagnes se trouvent —— frontières de la France. 8. La défense —— frontière est importante. 9. L'embouchure —— fleuve est —— Havre. 10. L'industrie —— soie est importante à Lyon. 11. Le Mexique et le Canada sont des pays —— Amérique du Nord. 12. Les plaines se trouvent —— intérieur du pays.

C. *Remplacez les tirets par un des mots indiqués à droite:*

1. Les États-Unis fournissent des produits —— presque tous les pays —— monde. 2. Chaque état du pays —— un caractère différent. 3. Les états de l'est ne sont pas —— grands —— les états de l'ouest. 4. L'architecture —— maisons du sud est différente de l'architecture des maisons du nord. 5. Est-ce que les villes —— état du Texas —— une architecture différente? 6. Quel est l'état qui fournit le vin —— autres états? 7. Est-ce que les principales villes se trouvent —— intérieur du pays? 8. Le sud du pays fournit plusieurs produits —— nord.

a. a
b. à
c. à l'
d. au
e. aussi . . . que
f. aux
g. de
h. de l'
i. des
j. du
k. ont

Grammaire

1. What are the contractions of *de* with the definite article? Which forms do not contract? (§ 2 A)
2. What are the contractions of *à* with the definite article? Which forms do not contract? (§ 2 B)
3. How is possession expressed in French? (§ 38 A)
4. When does one use the article after *de*, and when does one omit it? (§ 38 B)

HUITIÈME LEÇON

La Touraine

La Touraine est une province située à environ deux cents kilomètres au sud-ouest de Paris. Elle occupe le centre de la vallée de la Loire. Cette province est très petite en comparaison des autres provinces de France. Mais elle est très connue. On appelle la Touraine «le jardin de la France», parce que la vallée de la Loire est très fertile et parce [5] qu'en Touraine se trouvent des jardins et des parcs magnifiques.

Tours est la principale ville de la Touraine. Cette ville est située sur la Loire. Les rues de Tours sont très jolies. Les maisons de la ville sont construites en pierre. La rue principale de Tours s'appelle Rue Nationale. Il y a des magasins dans cette rue. On trouve tou- [10] jours des voitures (automobiles) dans les rues de Tours. La ville a des monuments intéressants. Il y a une cathédrale à Tours. Cette cathédrale n'est pas aussi célèbre que Notre-Dame de Paris ou la cathédrale de Reims. Elle est plus petite et moins jolie que ces autres cathédrales.

La Touraine est la région des châteaux de la Loire. Un certain [15] nombre de ces châteaux sont construits dans le style Renaissance; quelques autres châteaux de cette région datent du moyen âge. Les châteaux du moyen âge sont des forteresses. Ils sont entourés de hautes murailles destinées à empêcher l'ennemi d'approcher du château. Les châteaux de la Renaissance sont des édifices élégants [20] construits à la mode italienne.

Chinon est un des plus connus parmi les châteaux du moyen âge. Ce château tombe maintenant en ruines. La ville de Loches a aussi un château fortifié. Cet endroit est connu à cause des souvenirs du roi Louis XI [1]. Le château de Loches est bien conservé. [25]

Chenonceaux est un magnifique château de la Renaissance. Il y a a

[1] Louis onze.

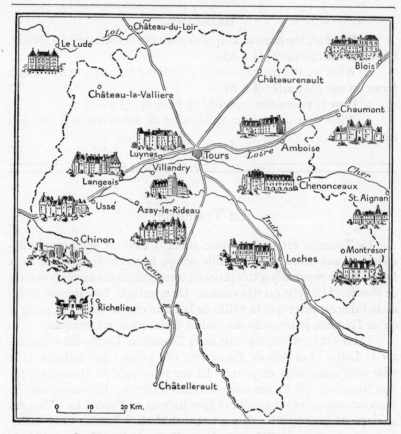

La Touraine est la région des châteaux de la Loire

des tableaux et des tapisseries à l'intérieur de ce château. Ces tapisseries racontent l'histoire des rois de France. On trouve des jardins pittoresques autour de ce château. Blois est un autre château de la Renaissance. Il est célèbre par le souvenir du roi François Ier [1].   [30

QUESTIONS

1. Où est située la Touraine? 2. Comment appelle-t-on la Touraine? 3. Est-ce que la Touraine est grande? 4. Quelle est la rue principale de Tours? 5. Y a-t-il des automobiles dans les rues de Tours? 6. La cathédrale de Tours est-elle aussi connue que la cathédrale de Reims? 7. Les châteaux construits à la mode italienne datent-ils de la

---

[1] François premier.

Renaissance française? 8. Quelle est la différence entre les châteaux du moyen âge et les châteaux de la Renaissance? 9. Le château de Chinon est-il bien conservé? 10. Citez une ville qui a un château fortifié. 11. Pourquoi le château de Loches est-il connu? 12. Citez deux châteaux de la Renaissance. 13. A l'intérieur de quel château y a-t-il des tableaux et des tapisseries? 14. Pourquoi le château de Blois est-il célèbre?

DEVOIRS

A. Remplacez les tirets par le mot convenable indiqué à droite:

1. La Touraine —— le centre de la vallée de la Loire. 2. Les —— murailles des forteresses du moyen âge sont destinées à —— l'ennemi d'approcher de ces châteaux. 3. Un certain nombre des châteaux de la Loire sont célèbres à —— des souvenirs des —— de France. 4. Les murailles du château de Chinon —— en ruines. 5. Chenonceaux est un des plus connus —— les châteaux de la Loire. 6. On trouve des jardins pittoresques —— de ce château. 7. A l'intérieur du château il y a des tableaux et des tapisseries qui —— l'histoire des rois de France. 8. Chambord est un château construit à la —— italienne. 9. Ce château est —— conservé. 10. —— appelle-t-on la Touraine? 11. Il y a —— des voitures dans les rues de Tours.

a. autour
b. bien
c. cause
d. comment
e. empêcher
f. environ
g. hautes
h. mode
i. occupe
j. parmi
k. racontent
l. rois
m. rues
n. tombent
o. toujours

B. Répondez aux questions suivantes par des phrases complètes. Commencez votre réponse par oui *ou* non.

1. Trouve-t-on des châteaux en Angleterre? 2. Appelle-t-on la Touraine «le jardin de la France»? 3. Y a-t-il toujours des voitures dans les rues de New York? 4. Y a-t-il des monuments aux [1] États-Unis? 5. La France est-elle aussi grande que la Russie? 6. Est-ce que les villes des États-Unis sont aussi pittoresques que les villes de France? 7. La Touraine occupe la vallée de la Loire. Cette vallée est-elle fertile? 8. Il y a des tapisseries à l'intérieur du château de Chenonceaux. Ces tapisseries racontent-elles l'histoire des rois de France? 9. La ville de Loches a un château du moyen âge. Cet endroit est-il connu? 10. Il y a une cathédrale à Tours. Cette cathédrale est-elle aussi célèbre que Notre-Dame de Paris?

---

[1] With names of masculine countries, *in, at* or *to* are expressed by *à* and the definite article. (§ 39 C)

C. Remplacez les tirets par la forme convenable de l'adjectif démonstratif:

1. —— ville est en Touraine. 2. —— rues sont très jolies. 3. —— voiture est dans la Rue Nationale. 4. —— château est célèbre à cause des souvenirs du roi Louis XI. 5. Les maisons de —— région sont entourées de jolis jardins. 6. —— tableaux et —— tapisseries racontent l'histoire des rois de France. 7. —— monument date de la Renaissance. 8. —— état est très grand. 9. —— histoire est intéressante. 10. —— endroit est connu à cause des souvenirs de —— roi.

D. Mettez au pluriel tous les mots possibles dans les phrases suivantes:

1. Ce château date de la Renaissance. 2. Il y a un tableau dans ce château. 3. On trouve un magasin à cet endroit. 4. Cette ville a une cathédrale.

GRAMMAIRE

1. What are the four forms of the demonstrative adjective? When is each form used? (§ 14 A) Note that French does not normally distinguish between *this* and *that* or *these* and *those*.

2. How does French form the plural of words ending in *-eau* or *-eu*? (§ 7 C)

3. Explain the use of the pronoun *on* (§ 37 A); of the expression *il y a*. (§ 88 A).

NEUVIÈME LEÇON

La Normandie et la Bretagne

Le nord-ouest de la France est une région favorable à l'agriculture. On trouve en grand nombre dans toute la région des vaches, des bœufs et des moutons. Le nord-ouest de la France fournit à tout le pays du lait, de la crème, du beurre, du fromage et de la viande. Les fromages français sont très bons. La crème est bonne aussi. [5

La Normandie est une des provinces les plus intéressantes du nord-ouest de la France. Les habitants de la Normandie s'appellent les Normands. Ils sont économes. Ils ne sont pas aussi gais que les habitants du sud de la France. Le cidre de Normandie est réputé. Il est très bon. Le cidre est le jus fermenté de la pomme. On aime beau- [10 coup le cidre en Normandie. La Normandie est le pays de Guillaume le

*La Normandie et la Bretagne sont d'anciennes
provinces du nord-ouest de la France*

Conquérant. On trouve partout les souvenirs de ce chef normand. Le
château de Guillaume le Conquérant existe encore à Caen. La tapisserie
de la femme de Guillaume le Conquérant, la reine Mathilde, raconte
l'histoire de la conquête de l'Angleterre en 1066 (mille soixante-six). [15
Cette tapisserie se trouve à Bayeux.

La Bretagne est une province située au sud-ouest de la Normandie.
Elle est dans l'extrême ouest de la France. Les Bretons, qui habitent la
Bretagne, ne sont pas de la même race que les autres habitants de la
France. Ils sont d'origine celtique. Ils sont très indépendants. Les [20
vieillards parlent encore une langue celtique, qui est complètement
différente de la langue française. Les Bretons conservent des traditions
anciennes et certains ont encore des opinions royalistes. Leurs coutumes
et parfois même leurs costumes sont différents des coutumes et des costumes des habitants des autres provinces de France. La Grande- [25

Bretagne est une île située en face de la Bretagne. L'Angleterre est une partie de la Grande-Bretagne.

QUESTIONS

1. Citez une région de la France favorable à l'agriculture. 2. Quelle région des États-Unis est favorable à l'agriculture? 3. Citez des produits des plaines des États-Unis. 4. Les fromages français sont-ils bons? 5. Comment s'appellent les habitants de la Normandie? 6. Quel est le caractère des Normands? 7. Aime-t-on beaucoup le cidre aux États-Unis? 8. Où se trouve le château de Guillaume le Conquérant? 9. Quelle histoire la tapisserie de la reine Mathilde raconte-t-elle? 10. Où se trouve la tapisserie de la reine Mathilde? 11. Où est située la Bretagne? 12. Les Bretons sont-ils de la même race que les autres habitants de la France? 13. Quelle langue parlent les vieillards bretons? 14. Les Bretons ont-ils les mêmes costumes que les autres habitants de la France? 15. Les Bretons ont-ils les mêmes coutumes que les autres habitants de la France? 16. En face de quelle île se trouve la Bretagne? 17. Citez un pays qui est une partie de la Grande-Bretagne?

DEVOIRS

A. Remplacez les tirets par le mot convenable indiqué à droite:

1. Les Normands —— une ancienne province du nord-ouest de la France qui s'appelle la Normandie. 2. Ils —— la langue française. 3. L'Angleterre est située en —— de la Bretagne. 4. La —— du roi s'appelle la reine. 5. Les Bretons —— encore leurs traditions anciennes. 6. Les vieillards de cette pittoresque province parlent encore une —— celtique qui est —— différente de la langue française.

a. complètement
b. conservent
c. face
d. femme
e. fromage
f. habitent
g. langue
h. parlent
i. viande

B. Remplacez les tirets par la forme convenable de l'article partitif:

1. Les vaches fournissent —— lait aux habitants de la maison. 2. Il y a —— vieillards dans chaque ville. 3. On exporte —— soie dans tous les pays d'Europe. 4. La France a —— colonies en Afrique. 5. Presque toutes les vaches fournissent —— crème. 6. Plusieurs provinces exportent —— vin. 7. La Normandie fournit —— cidre aux autres régions de la France. 8. Les boeufs et les vaches fournissent —— viande aux habitants du pays.

*La rue principale de Tours
s'appelle Rue Nationale*

*Les maisons pittoresques donnent à
ces villages un charme particulier*

Chenonceaux est un magnifique château de la Renaissance

*Le château de Guillaume
le Conquérant existe encore*

*La ville de Loches a aussi
un château fortifié*

Les vieillards parlent encore une langue celtique

C. Remplacez les tirets par une forme de l'article défini ou de l'article partitif selon le sens:

1. Il y a —— vaches dans tous les pays d'Europe. 2. On aime beaucoup —— cidre en France et aux États-Unis. 3. Y a-t-il —— beurre dans cette maison? 4. —— beurre est bon. 5. —— langues sont faciles. 6. On trouve —— lait dans toutes les villes des États-Unis. 7. —— lait est très bon. 8. On trouve —— pommes dans plusieurs provinces de France.

D. Mettez la forme convenable de l'adjectif indiqué:

1. (Tout) la région est favorable à l'agriculture. 2. Le (bon) cidre de Normandie est réputé dans (tout) le pays. 3. Des ports (italien) sont situés sur la Méditerranée. 4. Les opinions du roi sont (bon). 5. (Tout) les vieillards bretons parlent une langue (ancien). 6. La crème est (bon), et les fromages sont (bon) aussi. 7. Les villes (italien) sont célèbres par leur architecture. 8. Les (ancien) provinces ne sont plus des divisions politiques. 9. Presque (tout) les villes de France sont situées sur des fleuves ou au bord de la mer. 10. Parmi les (bon) fromages français on cite le Gruyère, le Camembert, le Roquefort et le Brie.

GRAMMAIRE

1. What is the use of the French partitive article? (§ 5 A)
2. List the partitive articles. (§ 5 B)
3. Explain the use of the definite article in the sentence: *On aime beaucoup le cidre en France.* (§ 3 B)
4. Give the various forms of the adjective *bon* (§ 9 H); *tout* (§ 10 E); *ancien* (§ 9 F).

================ *DIXIÈME LEÇON* ================

Le Midi de la France

Le sud de la France s'appelle le midi. Le midi est une région différente du nord de la France. Dans le midi il y a plus de soleil que dans le nord. Les hivers sont plus courts et les étés sont plus longs. Le printemps arrive plus tôt dans le midi que dans le nord, et l'automne arrive plus tard. Le midi, comme la Normandie et la Bretagne, est [5 favorable à l'agriculture. Dans le midi il y a beaucoup de fruits et

Le sud de la France s'appelle le midi

de légumes qui ne se trouvent pas dans le nord. On cultive l'olivier dans le midi. Il n'y a pas d'oliviers dans le nord. On trouve des oranges dans l'extrême sud-est de la France. Il n'y a pas d'oranges dans le nord du pays. Le midi fournit beaucoup de vin à toute [10 la France.

Les habitants du midi sont plus gais que les habitants du nord de la France. Ils parlent plus vite. Les chansons sont très populaires dans le midi.

Dans le sud-est de la France se trouve une ancienne région célèbre [15 dans l'histoire. Elle s'appelle la Provence. La Provence est la *Provincia* des Romains. En Provence beaucoup de villes conservent la trace de l'ancienne civilisation des Romains. La Provence est aussi la région des anciens troubadours, célèbres par leurs chansons d'amour.

La partie du midi située à l'extrême sud-est de la France s'appelle [20 la Côte d'Azur ou Riviera française. Il y a toujours de nombreux touristes sur la Riviera. A Nice, à Cannes et dans d'autres villes de la Côte d'Azur se trouvent de charmantes plages avec des endroits agréables et d'élégants hôtels pour passer l'hiver. Beaucoup de touristes de tous les pays du monde visitent ces villes. En hiver il y a assez de [25 soleil sur la Côte d'Azur, mais il n'y a pas trop de soleil. Les étés sont agréables aussi, mais il y a quelquefois trop de gens sur les plages. Il n'y a pas toujours assez d'hôtels pour loger tous les touristes.

Questions

1. Comment s'appelle le sud de la France? 2. Y a-t-il de longs hivers dans le midi de la France? 3. Le midi est-il une région favorable à l'agriculture? 4. L'agriculture est-elle importante dans le sud des États-Unis? 5. Citez des fruits du midi de la France. 6. Les habitants du midi de la France sont-ils plus gais que les habitants du nord? 7. Y a-t-il des différences entre les habitants du nord et les habitants du sud des États-Unis? 8. Quelle ancienne province se trouve dans le sud-est de la France? 9. De quelle ancienne civilisation les villes de Provence conservent-elles la trace? 10. Comment s'appelle l'extrême sud-est de la France? 11. Qui visite la Côte d'Azur? 12. Dans quelles villes de la Côte d'Azur se trouvent de charmantes plages et d'élégants hôtels? 13. Y a-t-il assez d'hôtels dans les villes de la Côte d'Azur? 14. Quels états des États-Unis les touristes visitent-ils en grand nombre l'hiver? 15. Où sont les plages célèbres des États-Unis?

Devoirs

A. Remplacez les tirets par les mots convenables indiqués à droite:

1. L'extrême sud-ouest de la France est aussi un endroit agréable pour —— l'hiver. 2. De —— touristes visitent Biarritz et Bayonne, où il y a de —— plages et d'élégants ——. 3. Le printemps arrive plus —— en Normandie qu'en Provence. 4. L'automne arrive plus —— en Bretagne que dans le midi de la France. 5. Dans le nord de la France les habitants parlent moins —— que dans le midi. 6. Quelquefois les Américains —— les ruines romaines de Provence et parfois la ville fortifiée de Carcassonne.

a. assez
b. charmantes
c. hôtels
d. loger
e. nombreux
f. passer
g. soleil
h. tard
i. tôt
j. vite
k. visitent

B. Remplacez les tirets par L'ARTICLE PARTITIF *ou par* de. Exemple:
Il y a —— charmantes plages dans le nord-ouest de l'Espagne.
Il y a *de* charmantes plages dans le nord-ouest de l'Espagne.

1. Il y a —— nombreuses ruines dans le midi de la France. 2. On trouve —— villes fortifiées qui datent du moyen âge. 3. Beaucoup —— Français visitent la ville fortifiée de Carcassonne, qui a —— hautes [1] murailles. 4. A Nîmes et à Arles il y a —— traces de la civilisation des Romains. 5. Il y a —— murailles autour de la célèbre ville d'Avignon, mais cette ville n'a pas —— monuments romains. 6. En

---

[1] Note that the *h* of *haut* is aspirate and that the *h* of *hôtel* is mute. What difference does this make in pronunciation? in linking? in elision? (Page 391, § 1 A, B.)

été il n'y a pas assez —— hôtels [1] pour loger les touristes qui arrivent à Biarritz et dans —— autres endroits sur l'Atlantique. 7. Il y a trop —— gens et pas assez —— plages. 8. On ne trouve pas —— hôtels [1] dans ces villes. 9. Y a-t-il —— plages sur les côtes des États-Unis? 10. Il y a plus —— plages dans l'ouest que dans l'est. 11. Mais aux États-Unis on ne trouve pas —— traces de la civilisation des Romains.

C. *Répondez aux questions suivantes par des phrases complètes. Commencez votre réponse par* Non.

1. Y a-t-il des oliviers à Chicago? 2. Trouve-t-on des traces de la civilisation des Romains dans le nord du Canada? 3. Y a-t-il des plages dans le Massif Central? 4. La Bretagne fournit-elle de la soie aux autres régions de la France? 5. La France exporte-t-elle du lait à la Russie?

D. *Répondez aux questions suivantes en employant dans la réponse le mot indiqué entre parenthèses.* EXEMPLE: Y a-t-il du soleil en Afrique? (trop) Il y a *trop* de soleil en Afrique.

1. Trouve-t-on des oranges en Californie? (beaucoup) 2. Y a-t-il des touristes en Floride? (trop) 3. Les États-Unis exportent-ils du vin en France? (peu) 4. Trouve-t-on des fruits en Espagne? (assez) 5. Y a-t-il des chansons populaires aux États-Unis? (beaucoup)

GRAMMAIRE

1. Give and illustrate the three cases in which *de* is used with a noun rather than the partitive article. (§ 5 C 1, 2, 3)

★ ★ ★

Le coucou

Dans la forêt lointaine [2], On entend le coucou;
Du [3] haut de son grand chêne [4], Il répond au hibou [5].

Coucou, coucou, coucou, coucou, coucou;
Coucou, coucou, coucou, coucou, coucou.

Dans la forêt lointaine, etc.

This may be sung as a round, the second group starting "Dans la forêt . . ." when the first group sings "Coucou, coucou . . ."

[1] In filling the preceding blank, note that the *h* of *hôtel* is mute.
[2] *distant*   [3] *top*   [4] *oak*   [5] *owl*

Leçons 1 a 10

Noms importants

Identifiez en français les noms suivants. Exemple: Atlantique.
L'Atlantique est la mer située entre l'Europe et l'Amérique qui limite
la France à l'ouest.

Alpes	Chinon	Massif Central
Bayeux	Côte d'Azur	Méditerranée
Bordeaux	Garonne	Mer du Nord
Brest	Gironde	Provence
Caen	Jura	Pyrénées
Calais	Loches	Rhin
Cannes	Lyon	Rhône
Chenonceaux	Manche	Touraine
Cherbourg	Marseille	Vosges

Questions

Répondez aux questions suivantes par des phrases complètes:

1. Citez un port militaire situé dans l'extrême ouest de la France.
2. Quel est le fleuve qui traverse Bordeaux? 3. Quel est le port situé
sur la mer du Nord qui est important pour le commerce avec l'Angleterre? 4. Quelle est la capitale du pays qui est situé au sud-est de la
France? 5. Est-ce que la France est plus grande que l'Allemagne?
6. L'Amérique du Nord est-elle divisée en un grand nombre de pays?
7. Citez des montagnes des États-Unis qui sont moins élevées que les
montagnes Rocheuses et les Alléghanys. 8. Où se trouvent les hautes
montagnes de France? 9. Est-ce que le centre de la France est une
plaine? 10. Pourquoi les montagnes sont-elles d'excellentes frontières?
11. Quelles sont les mers qui limitent la France au sud et à l'ouest? 12.
Y a-t-il une frontière artificielle entre la France et l'Allemagne? 13. Est-
ce que la ville de Rouen est plus importante pour le commerce que Paris?
14. Près de quelle ville la Loire se jette-t-elle dans l'Atlantique? 15.
Citez un port qui est important pour le commerce avec les États-Unis.
16. Quel est le port de France le plus important pour le commerce avec
les pays de l'Amérique du Sud? 17. Est-ce que Marseille est célèbre
par l'industrie de la soie? 18. Où est la source du Rhône? 19. Y a-t-il
une différence de prononciation entre le nord et le midi de la France?
20. Citez des régions de France connues pour leurs vins. 21. Est-ce
que les habitants de chaque état des États-Unis ont un caractère
différent? 22. Dans quelle province trouve-t-on beaucoup de châteaux
de la Renaissance? 23. Citez un château célèbre par les souvenirs de

François Ier; de Guillaume le Conquérant; de Louis XI. 24. Pourquoi la cathédrale de Tours n'est-elle pas aussi célèbre que la cathédrale de Reims? 25. Dans quelle province de France aime-t-on surtout le cidre? 26. Pourquoi les touristes visitent-ils la ville normande de Bayeux? 27. Quelle est la province de France qui conserve le plus les traditions anciennes? 28. Comment s'appelle la province qui est célèbre par les anciens troubadours et par les traces de la civilisation des Romains? 29. Citez quelques villes sur les côtes de France qui ont de charmantes plages. 30. Pourquoi les touristes visitent-ils la Côte d'Azur en hiver et la Bretagne en été?

COMPOSITION

Écrivez une composition sur un des sujets suivants:

1. Les frontières de la France   2. Les fleuves de France   3. Les montagnes et les plaines de France   4. La Bretagne   5. La Normandie   6. La Touraine   7. Les châteaux de la Renaissance   8. La Provence et la Côte d'Azur   9. La géographie de la France

DEVOIRS

A. Remplacez les tirets par la forme convenable de l'article défini ou indéfini selon le sens:

1. La Gascogne est —— province du sud-ouest de —— France. 2. Cette province est —— pays du célèbre d'Artagnan. 3. Bordeaux est —— principale ville de —— Gascogne. 4. —— habitants de cette région ont —— prononciation différente de —— prononciation des habitants de Paris.

B. Mettez la forme convenable de l'adjectif indiqué:

5. Les Bretons parlent une langue (ancien) qui est (différent) de la langue (français). 6. Il y a une (autre) région (situé) près de l'Espagne où on parle une langue complètement (différent) du français. 7. Dans le sud-ouest de la France près de la frontière (espagnol) se trouve le Pays Basque. 8. Les habitants de cette (petit) région parlent une langue qui n'est pas de la (même) origine que les (autre) langues du midi de la France.

C. Mettez la forme convenable du comparatif ou du superlatif de l'adjectif indiqué, selon le sens. EXEMPLE: La cathédrale d'Amiens est (connu) que la cathédrale de Tours, mais la cathédrale de Reims est la cathédrale (célèbre) de toute la France. La cathédrale d'Amiens est *plus connue* que la cathédrale de Tours, mais la cathédrale de Reims est la cathédrale *la plus célèbre* de toute la France.

9. Une des provinces (connu) de l'histoire de France est la Bourgogne. 10. La Bourgogne est (grand) que la Touraine. 11. Dijon est la ville (important) de cette province. 12. Cette ville est (gai) que les villes de la Bretagne et (joli) que les villes du nord de la France.

D. *Mettez les phrases suivantes à la forme interrogative en employant (a):* Est-ce que . . . (b) *l'inversion.* EXEMPLE: La ville de Dijon date des Romains. (a) Est-ce que la ville de Dijon date des Romains? (b) La ville de Dijon date-t-elle des Romains?

13. Elle a plusieurs monuments historiques. 14. Cette ville est célèbre à cause des souvenirs de Charles le Téméraire[1]. 15. Quelques édifices de Dijon datent du moyen âge. 16. Une tapisserie raconte l'histoire de Charles le Téméraire.

E. *Remplacez les mots en italique par des pronoms personnels.* EXEMPLE: *La Champagne* exporte beaucoup de vin. *Elle* exporte beaucoup de vin.

17. *La Picardie* est dans le nord de la France. 18. *La Picardie et la Normandie* sont favorables à l'agriculture. 19. *Les costumes des habitants de la Picardie* sont différents des costumes des autres habitants de la France. 20. *Cet endroit* conserve beaucoup d'anciennes traditions.

F. *Remplacez les tirets par la forme convenable de l'adjectif démonstratif:*

21. Amiens est la principale ville de —— province. 22. —— endroit a une cathédrale bien connue et d'autres monuments. 23. —— monuments ne sont pas aussi connus que —— cathédrale. 24. —— pays est près de la Belgique.

G. *Mettez les phrases suivantes à la forme négative:*

25. Rouen est près d'Amiens. 26. La Seine traverse-t-elle Rouen? 27. Cette ville se trouve à quelques kilomètres de l'embouchure de la Seine. 28. Il y a beaucoup de soleil à Rouen.

H. *Remplacez les tirets par la forme convenable de* à *avec* L'ARTICLE DÉFINI:

29. La France fournit —— autres pays du monde beaucoup de

---

[1] *Charles the Bold* (1433–1477), noted for his resistance to the increasing power of the kings of France.

produits qu'on trouve ——— intérieur du pays. 30. Le nord fournit ——— sud des tissus et des dentelles. 31. On trouve des montagnes ——— frontière sud-est du pays. 32. Beaucoup de touristes visitent les pays situés ——— sud-est et ——— sud-ouest de la France.

I. Remplacez les tirets par l'article partitif *ou par de selon le cas:*

33. En Bretagne il y a ——— villes très anciennes. 34. Saint-Malo est une ville fortifiée avec ——— hautes murailles. 35. Beaucoup ——— touristes visitent cette ville au printemps et en été. 36. Il n'y a pas ——— touristes à Saint-Malo en hiver, parce que les hivers ne sont pas très agréables dans le nord-ouest de la France.

J. Mettez au pluriel tous les mots possibles des phrases suivantes. Exemple*:* Y a-t-il une haute muraille autour de cette ville? Y a-t-il de hautes murailles autour de ces villes?

37. Ce pays fournit ce produit à un autre pays du continent. 38. Toute la ville est jolie. 39. Ce vieillard parle une langue ancienne. 40. Cet habitant a une opinion différente.

=== *SUPPLÉMENT* ===

aux Leçons i a 10

To the Student

After each group of ten lessons, you will find listed by lessons (1) a vocabulary (2) a summary of verb development (3) a set of English sentences based on the vocabulary and grammar of the lesson and (4) a short conversational exercise.

Vocabulary

In the lesson vocabulary, words are listed in alphabetical order. Nouns are given with the definite article. Where the noun begins with a vowel or a mute-h, the gender is indicated by (*m.*) for masculine and (*f.*) for feminine nouns. The verbs are given in the infinitive form and are defined without the preposition *to*. In lesson vocabularies, only definitions applicable to the word as used in that lesson are given.

The lesson vocabulary is divided into two parts: (a) cognates, i.e., those words which are sufficiently similar in appearance and meaning in the two languages as to be easily recognizable without translations (b) non-cognates, i.e., words which are distinctly different in the two languages. Included in the list of cognates are all proper names occurring in the reading lessons which resemble the English form sufficiently to be recognizable. These proper names are listed so that you may study them and in order to allow your teacher to use them for pronunciation drill if he so desires. Included in the list of non-cognates, with English translation, are any words which might offer difficulty to you even though their form approaches the English equivalent.

Detailed explanations of certain proper names are given in the general vocabulary (pages 429 to 478) rather than in the lesson vocabulary. You should consult this vocabulary whenever you desire fuller details on a proper name.

French words used in giving directions at the head of the *Devoirs* are not included in the lesson vocabulary but may be found in the French-English vocabulary at the end of the book.

Verbs

Verbs are summarized by lessons in paradigm form in order to aid you in organizing your study in the earlier stages of learning French.

While it is convenient to have the verbs set up in this graphic form (paradigms), you should keep in mind that there is no value in knowing the conjugations of verbs unless you can use them. Neither is there any value in learning little-used tenses or verbs which one does not often meet. Just as in English it is very important to know how to use the forms of the verb *to be* and of little practical importance to know the forms of the verb *to dwell*, so it is highly important to be acquainted with the forms of the French verb *être* (to be) but unnecessary to learn the forms of the little-used verb *croître* (to grow).

Go about learning the verbs in the way that your teacher directs, but in any case, use the forms in sentences wherever possible. Review the filling-out-blank exercises in the lessons preceding these reviews. They will give you useful practice in putting the verb into context.

It is very important that you *do* know these forms in context. The verb is the most vital part of the sentence, and without it you can never hope to handle the language with ease.

English-to-French Exercises

These exercises have been included for two purposes: (1) for those instructors who prefer this type of exercise from the very beginning; (2) for those instructors who wish to use them as a rapid review of French grammar for students who have already covered the entire grammar.

In working out these exercises, you may consult the English-to-French vocabulary (pages 415 to 428) for the words and expressions you do not remember.

CONVERSATION EXERCISES

This type of exercise is designed to give you practice in expressing yourself conversationally. Always consult the reading lesson for the pattern of your answers.

PREMIÈRE LEÇON

VOCABULAIRE

l'Atlantique (*m.*)	la France	le Rhin
Brest	Marseille †	la Seine
Calais	la Méditerranée	situé
la * capitale	Paris	Strasbourg
	la partie	

dans, *in*	le nord, *north*
de, *of*	où, *where*
des, (*pl.*) *of the*	l'ouest †† (*m.*), *west*
est **, *is*	quelle (*f.*), *what, which*
l'est †† (*m.*), *east*	le sud, *south*
les États-Unis, *the United States*	sur, *on*
le, la, l', *the*	traverser °, *cross*
la mer du Nord, *the North Sea*	

VERBES

être   *to be*   Paris *est* . . .   COMMANDS   *Remplacez* . . .

DEVOIRS [1]

A. 1. Calais is situated in the north of France. 2. Madrid is the capital of Spain. 3. Brest is in the west of France. 4. Strasbourg is situated in the east of France. 5. The Seine crosses Paris. 6. What is the capital of France? 7. In what part of France is [2] Paris? 8. What is the capital of the [3] United States? 9. In what part of the United States is [2] Baton Rouge? 10. Where is the Mediterranean?

[1] If the lesson vocabulary does not contain all the words you need, refer to the English-to-French vocabulary (pages 415 to 428).

[2] *est situé*

[3] This mark indicates that the connected words are expressed by a single word in French. The indication will be given only the first few times a given expression occurs.

* Learn the article with each noun. You will find it very helpful in recalling the gender of the noun.

† Note that the French spelling *Marseille* differs from the English spelling *Marseilles*.

** The -*st* is silent in the verb-form *est*. [ɛ]

†† The -*st* is pronounced in the nouns *est* [ɛst] and *ouest* [wɛst].

° The verb is given in the infinitive form and defined without the preposition *to*.

B.[1] 1. Ask your friend where Calais is. 2. Tell your teacher that Strasbourg is situated on the Rhine. 3. Ask your brother in what part of France Brest is situated.[2]

[1] In this exercise, you have only to explain in your own words what is required. For instance: *Ask John what the capital of France is.* You would naturally ask him in English: *What is the capital of France?* You therefore say in French: *Quelle est la capitale de la France?* Likewise, *Tell your brother that the Seine crosses Paris.* You would tell him simply: *The Seine crosses Paris.* Therefore, in French you would say: *La Seine traverse Paris.*

[2] Consult page 2, question 11 for word order.

DEUXIÈME LEÇON

Vocabulaire

l'Amérique du Nord (*f.*)
l'Amérique du Sud (*f.*)
la Belgique
le centre
le continent

divisé
l'Europe (*f.*)
l'Italie (*f.*)
Madrid

mentionner
la nation
le nombre
Rome
la Russie

au, *to the, at the, in the*
aussi, *also, too*
citer, *mention, give an example*
du, *of the*
en *, *in, into*
l'Espagne (*f.*) *Spain*
et, *and*
grand †, *large, great*
les, *the*
madame ** (*f.*), *madam, Mrs.*
mademoiselle †† (*f.*), *Miss*

monsieur ° (*m.*), *sir, Mr.*
oui, *yes*
le pays, *country*
petit, *small, little*
quel, quelle, *what, which*
sont, *are*
le sud-est, *southeast*
le sud-ouest, *southwest*
très, *very*
un, une, *a, an*
la ville, *city*

Verbes

être   *to be*
Les États-Unis *sont . . .*
L'Espagne et l'Italie *sont . . .*

Commands: Citez . . .   Mentionnez . . .   Mettez . . .

Devoirs

A. 1. Russia is a large country. 2. Russia is large. 3. The capital of France is situated on the Seine. 4. Spain is situated to the southwest of France. 5. Is Belgium a small country? 6. Europe is divided into[1] a large number of countries. 7. Is Paris a large city? 8. Is the capital of Italy situated on the Seine? 9. In what part of the country is the capital of the United States situated[2]? 10. In what country is Brest situated[2]?

[1] *en*   [2] Consult page 2, question 10 for word order.

* For use, see § 39 B. Until further indication, use *dans* to express IN except before names of continents and feminine countries.
† The feminine form of adjectives will be indicated only when irregular.
** abbreviated *Mme*   †† abbreviated *Mlle*   ° abbreviated *M.*

B. 1. Ask the teacher in what continent France, Belgium, and Spain are situated. 2. Ask your sister if the United States is in North America. 3. Tell Paul that Russia is a large country situated in the east of Europe.

TROISIÈME LEÇON

VOCABULAIRE

les Alléghanys	l'intérieur (*m.*)	la plaine
les Alpes	le Jura	le plateau
former *	le Massif Central	les Pyrénées (*f.*)
la frontière		les Vosges (*f.*)

à, *to, in, at*
aux, *to the, in the, at the*
élevé †, *high, elevated*
entre, *between*
moins, *less*
la montagne, *mountain*

les montagnes Rocheuses (*f.*), *the Rocky Mountains*
que, *than*
la Suisse, *Switzerland*
surtout, *especially*
se trouver, *be, be located, be found*

VERBES

form-er (and all other regular verbs whose infinitives end in *-er*)
     Le fleuve *forme* . . .   Les fleuves *forment* . . .
se trouv-er (and all other regular reflexive verbs whose infinitives end in *-er*)
     La montagne *se trouve* . . .   Les montagnes *se trouvent* . . .

DEVOIRS

Use forms of se trouver *in this exercise whenever* IS *or* ARE *may be translated by* IS FOUND, ARE FOUND, IS LOCATED, *or* ARE LOCATED.

A. 1. The mountains of France are very high. 2. Spain and France are large. 3. The mountains are in[1] the interior of Spain. 4. The small countries are situated in the east of Europe. 5. The Alps are in[2] France and in[2] Switzerland. 6. The Rocky Mountains are in the west of the United States. 7. In what part of France are the mountains? 8. The small nations are to the north of France. 9. Are the Alps high?

[1] à   [2] For *in* with names of continents and feminine countries, see § 39 B.

B. 1. Tell your friend that the Jura and the Vosges are not as high as[1] the Alps. 2. Ask your brother if the Rocky Mountains are in the east of the United States. 3. Tell your teacher that the plains are located especially in the interior of the United States.

[1] i.e., less high.

* Verbs in *-er* have an adjective form in *-é* corresponding to the English past participle in *-ed*. EXAMPLE: *former* (form), *formé* (formed).
† Note that the second *-e-* of *élevé* is completely silent. [elve]

QUATRIÈME LEÇON

VOCABULAIRE

artificiel, artificielle
défendre
la défense
difficile
excellent

grave
important
le lac
limiter
le Luxembourg

le Mexique
naturel, naturelle
le problème
relativement *
séparer

autre, *other*
allemand, *German*
l'Allemagne (*f.*), *Germany*
constituer, *form, make, constitute*
la côte, *seacoast*
deux, *two*
elle, *it, she*
elles (*f.*), *they*
facile, *easy*
fort, *strong*

le fleuve, *river*
il, *it, he*
ils (*m.*), *they*
la Manche, *the English Channel*
la mer, *sea*
le nord-ouest †, *northwest*
par, *by; through*
pour, *for*
qui, *which, that; who*

VERBES

INTERROGATIVE FORMS

| est-il? | forme-t-il? | limite-t-il | se trouve-t-il? |
| sont-ils? | forment-ils? | limitent-ils | se trouvent-ils? |

DEVOIRS

Use inverted word order to express the questions in this lesson.

A. 1. France is an important nation; it is in Europe. 2. The Rhine is a river; it separates France from Germany. 3. France and Italy are large; they are in the west of Europe. 4. Rivers [1] separate the two countries; they make [2] an excellent border. 5. Does the Rhine form a part of the border between France and Spain? 6. Does it separate France from Germany? 7. Are the seas important? 8. Do the rivers cross the country? 9. Are the cities of Italy small? 10. Are the shores of the Mediterranean and the [3] Atlantic easy to [4] defend? 11 Does the Mediterranean border [5] France to [4] the west?

[1] Use the plural of the indefinite article.   [2] Use a form of *constituer*.
[3] Supply *de* before THE.   [4] *à*   [5] Use a form of *limiter*.

B. 1. Ask John if the Rhine is a river. 2. Ask him if it separates France from Germany. 3. Ask Helen if mountains are less easy to defend than rivers.

* The ending *-ment* in French corresponds to the ending *-ly* in English. (§ 18 A)
† The *-d-* is silent, the *-st* is pronounced in *nord-ouest*. [nɔrwɛst]

CINQUIÈME LEÇON

VOCABULAIRE

Boulogne	la Loire	le port
Cherbourg	long, longue	la province
le commerce	militaire	Rouen
diviser	Nantes	la source
fertile	la Normandie	Tours
le Havre *	Orléans	la vallée

l'Angleterre, *England*
s'appeler †, *be called*
avec, *with*
connu, *well-known, known*
couler, *flow*
du, *of the*
l'embouchure (f.), *mouth (of a river)*
l'endroit (m.), *place*
ensuite, *then*

étroit, *narrow*
se jeter †, *empty, throw itself*
large, *wide*
parce que, *because*
plus, *more*
pourquoi, *why*
près de, *near*
trois, *three*
vers, *toward*

à l'étranger **, *abroad*
d'abord, *at first*

VERBES

ALL VERBS IN *-eler* AND SOME VERBS IN *-eter*

s'appeler	*se jeter*
il s'appelle	il se jette
ils s'appellent	ils se jettent

DEVOIRS

A. 1. Bordeaux is more important than Cherbourg. 2. The Loire is longer than the Seine. 3. The Loire is the longest river in [1] the country. 4. The place where a river empties into the sea is called the mouth. 5. The Seine is wider than the Loire. 6. Is Rouen less well-known than Paris? 7. The Loire flows toward the west and empties into the Atlantic near Nantes. 8. What are the two most important cities situated on the Seine? 9. What is the longest river in [1] the United States?

[1] What preposition is used in French? (§ 12 D)

B. 1. Ask your friend what is the best-known river in the United States. 2. Tell your mother that the Seine empties into the English Channel. 3. Tell her that the Mississippi is wider than the Loire.

* See page 391, § 1 B for an explanation of the aspirate *h*.
† These verbs double their final consonant in forms containing a silent *-e* or *-ent* after the stem. EXAMPLES: *il s'appelle, ils s'appellent, il se jette, ils se jettent.*
** From now on, the lessons will often contain expressions which you must learn as a unit. These expressions will be listed below the word vocabulary as here.

SIXIÈME LEÇON

VOCABULAIRE

africain	entrer	l'industrie (*f.*)
l'Afrique (*f.*)	exporter	Lyon *
Bordeaux	la Garonne	passer
célèbre	Genève	principal
la colonie	la Gironde	la quantité
commercial	l'importance (*f.*)	le Rhône

après, *after*

le bord (de la mer), (*sea*)*shore*

court, *short*

espagnol, *Spanish*

l'estuaire (*m.*), *estuary* (*wide mouth of a river, narrow inlet from the sea*)

français, *French*

ne . . . pas, *not*

non, *no*

ou, *or*

presque, *almost*

puis, *then*

la soie, *silk*

suisse, *Swiss*

tourner, *turn*

tout, toute, tous, toutes, *all, every*

le vin, *wine*

au bord de la mer, *on the* (*sea*)*shore*

le lac de Genève, *Lake Geneva*

le long de . . ., *along the . . .*

VERBES

NEGATIVE FORMS

il n'est pas	il ne forme pas	il ne se trouve pas
ils ne sont pas	ils ne forment pas	ils ne se trouvent pas

NEGATIVE-INTERROGATIVE FORMS

n'est-il pas?	ne forme-t-il pas?	ne se trouve-t-il pas?
ne sont-ils pas	ne forment-ils pas	ne se trouvent-ils pas?

DEVOIRS

A. 1. The Garonne is not a river of the United States. 2. It does not flow toward the south. 3. Rouen is not one of the largest cities of France. 4. The Rhone is not a river which empties into the English Channel. 5. Marseilles [1] and Lyons [1] are not the smallest cities in [2] France. 6. Are not the principal cities of France situated on the [3] seashore? 7. Are not the French colonies in Africa? 8. Does not the Loire empty into the Atlantic? 9. Does not Bordeaux export the wines of the region?

[1] French spelling different.   [2] What preposition is used in French? (§ 12 D)   [3] *au*

B. 1. Tell your friend that the principal cities of France are situated on the seashore. 2. Ask your teacher if Lyons is not famous for the silk industry. 3. Ask John if the source of the Rhine is not in the Swiss Alps.

* Note that the French spelling *Lyon* differs from the English spelling *Lyons*.

SEPTIÈME LEÇON

VOCABULAIRE

l'architecture * (f.)
le Canada
le caractère
le champagne
la Champagne
Chicago
la comparaison
se composer

le costume
la différence
différent
la distance
la division
exister
la Flandre

historique
marqué
politique
la prononciation
la région
le tempérament
le Texas
varié

a, *has*
aujourd'hui, *today*
aussi . . . que, *as . . . as*
beaucoup, *much, a great deal*
cependant, *however*
chaque, *each*
la coutume, *custom*
de, *from*
la dentelle, *lace*
divers, *different, various*
encore, *still*
l'état (*m.*), *state*

fournir, *furnish*
l'habitant (*m.*), *inhabitant*
mais, *but*
la maison, *house*
même, *same*
le monde, *world*
ne . . . plus, *no longer*
la Nouvelle Orléans, *New Orleans*
ont, *have*
plusieurs, *several*
le produit, *product*
le tissu, *textile, fabric*

Comment s'appelle . . . ? *What is . . . called?*

VERBES

avoir   to have

il a	a-t-il?	il n'a pas
ils ont	ont-ils?	ils n'ont pas

fournir (and most other -ir verbs)

il fournit   ils fournissent

DEVOIRS

A. 1. Lyons[1] furnishes silk[2] to the other parts of the country. 2. The different[3] regions of the United States have a different[4] character. 3. Each region of the country exports products[5] to the other regions. 4. The costumes of the inhabitants of the provinces of the east are not different[4] from the costumes of the inhabitants of the north. 5. Today the differences of pronunciation between the north and the south are as great in[6] France as in the[6] United States. 6. The architecture of the houses is not the same in all parts[7] of the country. 7. What part of the state furnishes wine[8] to the

[1] French spelling different.   [2] *de la soie*   [3] Use a form of *divers*.   [4] Use a form of *différent*.
[5] *des produits*   [6] Consult § 39 B, C.   [7] Use the definite article.   [8] *du vin*

* The -*ch*- is pronounced like the English *sh*. [arʃitɛktyr].

other parts of the state?   8. Each state has a different[1] pronunciation.
9. The United States is composed[2] of several regions which are called states.[3]

[1] Use a form of *différent*.   [2] Use the plural form of the verb.   [3] *des états*

B.   1. Ask your father what the historical regions of France are called.   2. Tell
your sister that the difference in pronunciation between the north and the
south is as great in France as in the United States.   3. Tell your uncle that
today the provinces are no longer political divisions.

HUITIÈME LEÇON

VOCABULAIRE

approcher
l'automobile (*f.*)
Blois
la cathédrale
certain
Chenonceaux
Chinon
conservé
dater
destiné
l'édifice (*m.*)

élégant
l'ennemi (*m.*)
la forteresse
fortifié
intéressant
italien, italienne
le kilomètre
Loches
Louis XI *
magnifique

la mode
le monument
occuper
le parc
pittoresque
Reims †
la Renaissance
la ruine
le souvenir
le style
la Touraine

appeler, *call*
autour de, *around*
bien, *well*
ce, cet, cette, ces, *this, that, these,*
   those
cent, *hundred*
le château, *castle*
construit, *constructed*
empêcher, *prevent*
entouré, *surrounded*
environ, *about, approximately*
François Ier, ** *Francis I*
haut, *high*
l'histoire (*f.*), *story; history*
le jardin, *garden*
joli, *pretty*
le magasin, *store*

maintenant, *now*
la muraille, *wall*
on, *one*
onze, *eleven*
parmi, *among*
la pierre, *stone*
premier, première, *first*
quelque, *some*
raconter, *tell*
le roi, *king*
la rue, *street*
le tableau, *picture*
la tapisserie, *tapestry*
tomber, *fall*
toujours, *always*
trouver, *find*
la voiture, *car, automobile*

il y a, *there is, there are*
le moyen âge, *the Middle Ages*
Notre-Dame de Paris, *famous cathedral at Paris*

* *Louis onze*   † The final -s is pronounced. [rɛ̃s]   ** *François premier*

DEVOIRS

A. 1. Tours is the principal city of this province. 2. One always [1] finds these houses in a small town. 3. That street is called National Street. 4. There is a car near that castle. 5. There are pictures [2] in that place. 6. These pictures tell the story of the kings of France. 7. The castles of the Middle Ages [3] are not as well-known as the castles of the Renaissance. 8. There are stores [2] in the main street of that city. 9. One finds gardens [2] around those houses.

[1] Place after the verb.   [2] Use the plural form of the indefinite article with this noun.
[3] Singular in French.

B. 1. Ask your teacher what the main street of Tours is called. 2. Ask him if there is a cathedral at Tours. 3. Tell Robert that that cathedral is not as well-known as the Rheims cathedral.

NEUVIÈME LEÇON

VOCABULAIRE

l'agriculture (f.)
ancien, ancienne
Bayeux
Caen *
celtique
le chef
le cidre
complètement

la conquête
la crème
économe
extrême
favorable
fermenté
gai

indépendant
Mathilde
l'opinion (f.)
l'origine (f.)
la race
réputé
royaliste
la tradition

aimer, *like, love*
le beurre, *butter*
le bœuf †, *steer, ox*
bon, bonne, *good*
la Bretagne, *Brittany*
le Breton, la Bretonne, *Breton, an inhabitant of Brittany*
certains, *certain ones*
conserver, *preserve, keep*
la femme **, *wife, woman*
le fromage, *cheese*
la Grande Bretagne, *Great Britain*
Guillaume le Conquérant, *William the Conqueror*
habiter, *live, inhabit, live in*
l'île (f.), *island*

le jus, *juice*
le lait, *milk*
la langue, *language*
leur (*m. f. sing.*), leurs (*m. f. pl.*), *their*
même, *even*
mille, *thousand*
le mouton, *sheep*
parfois, *sometimes*
parler, *speak, talk*
partout, *everywhere*
la pomme, *apple*
la reine, *queen*
soixante-six ††, *sixty-six*
la vache, *cow*
la viande, *meat*
le vieillard, *old man*

en face de, *opposite, facing*

* Pronounced [kɑ̃].
† The final -*f* of *bœuf* is pronounced in the singular but is silent in the plural. [ləbœf, lebɸ].
** The word *femme* is pronounced to rhyme with *dame*. [fam]
†† The -*x*- of *soixante* is pronounced as *s* in the English word *see*. [swasɑ̃t].

DEVOIRS

In this lesson, distinguish carefully between nouns used in the general sense and those expressing an indefinite quantity.

A. 1. One finds cows and sheep in that region. 2. Cheese and milk are good. 3. Is cream good? 4. The old men speak an ancient language in the whole region. 5. France furnishes wine and silk to all the countries of the world. 6. The wife of the king is called Mathilda. 7. Languages are easy. 8. Is there any butter in[1] the house? 9. Do the inhabitants of Brittany like cider a great deal [2]?

> [1] à   [2] Place after the verb.

B. 1. Ask your cousin if there are cows and sheep in the center of the United States. 2. Tell your mother that you like cider a great deal. 3. Tell Henry that the inhabitants of Normandy are called Normans.

DIXIÈME LEÇON

VOCABULAIRE

agréable	Carcassonne	l'orange (*f.*)
Arles	charmant	populaire
arriver	la civilisation	la Provence
l'automne * (*m. or f.*)	cultiver	la Riviera
Avignon	le fruit	le touriste
Bayonne	l'hôtel (*m.*)	la trace
Biarritz	Nice	le troubadour
Cannes	Nîmes	visiter

l'amour †, *love*

assez (de), *enough*

la chanson, *song*

comme, *like, as*

la Côte d'Azur, *French Riviera*

l'été (*m.*), *summer*

les gens (*m.*), *people*

l'hiver (*m.*), *winter*

le légume, *vegetable*

loger, *lodge*

le midi, *south (of France)*

nombreux, nombreuse, *numerous*

l'olivier (*m.*), *olive tree*

la plage, *beach*

le printemps, *spring*

quelquefois, *sometimes*

le Romain, *Roman*

le soleil, *sun*

tard, *late*

tôt, *soon, early*

trop (de), *too much*

vite, *quickly*

DEVOIRS

In this exercise use le midi *to express the region known as* THE SOUTH OF FRANCE.

A. 1. In the south there are fruits which are not found [1] in the north. 2. One finds many oranges in the southeast of France. 3. There are too many

> [1] Use a form of *se trouver*.
>
> * The *-m-* of *automne* is silent. [otɔn]
> † Masculine in the singular, feminine in the plural.

people and not enough beaches at [1] Cannes. 4. One finds numerous [2] ruins in the south of France. 5. Are there too many hotels in this city? 6. There are more tourists in France than in England. 7. Many cities do not have any interesting [3] monuments. 8. In other places there are high [2] walls which date from the Middle Ages. 9. There are good hotels and numerous [2] beaches in the east of the United States.

[1] *à* (§ 39 D)   [2] Place the adjective before the noun.
[3] Place the adjective after the noun.

B. 1. Ask your friend what the south of France is called. 2. Tell him that there are many fruits in the south of France which are not found in the north. 3. Tell him that there are always numerous tourists at Nice and at Cannes. 4. Tell your mother that there are hotels at that place.

★ ★ ★

Chevaliers de la Table Ronde

1. Chevaliers [1] de la Table Ronde [2], Goûtons [3] voir si le vin est bon. (bis) [4]

> Goûtons voir, oui, oui, oui,   ⎫
> Goûtons voir, non, non, non,   ⎬ (bis)
> Goûtons voir si le vin est bon.   ⎭

2. Si je meurs, je veux qu'on m'enterre [5] Dans la cave [6] où ' y a du bon vin. (bis)

> Dans la cave, oui, oui, oui,   ⎫
> Dans la cave, non, non, non,   ⎬ (bis)
> Dans la cave où ' y a du bon vin. ⎭

3. Les deux pieds contre la muraille   Et la tête sous le robinet [7]. (bis)

> Et la tête, oui, oui, oui,   ⎫
> Et la tête, non, non, non,   ⎬ (bis)
> Et la tête sous le robinet.   ⎭

4. Sur ma tomb' [8] je veux qu'on inscrive [9]: Ici gît [10] le roi des Buveurs [11]. (bis)

> Ici gît, oui, oui, oui,   ⎫
> Ici gît, non, non, non,   ⎬ (bis)
> Ici gît le roi des Buveurs.   ⎭

[1] *knights*   [2] *Round*   [3] *Let us taste*   [4] *repeat*   [5] *bury*   [6] *cellar*
[7] *faucet*   [8] *tomb*   [9] *inscribe*   [10] *lies*   [11] *drinkers*

L'aspect des villes françaises

Les villes françaises n'ont pas le même aspect que les villes américaines. Elles ont un aspect beaucoup plus ancien. Les rues des villes françaises sont plus étroites. Les maisons pittoresques donnent à ces villes un charme particulier qui n'existe pas dans une ville américaine. Pour cette raison, les Américains aiment beaucoup voyager en France. [5

Je suis Américain. Je voyage en France avec mes parents et d'autres membres de ma famille. J'ai un frère et une sœur. Je suis un jeune homme de dix-sept ans. J'ai dix-sept ans. Mon frère a douze ans. Ma sœur est une jeune fille de quinze ans. Elle a quinze ans. Nous habitons[1] à Paris, mais nous voyageons[2] souvent en province.   [10

Vous aussi, vous êtes Américain. Vous avez une sœur, mais vous n'avez pas de frères. Vous avez dix-huit ans. Votre sœur a treize ans. Vous visitez Paris avec votre oncle et votre tante. Vous voyagez aussi en province. Vos parents ne sont pas en France. Ils n'ont pas le temps de voyager.   [15

Maurice est notre camarade français. Il habite à Paris avec son père, sa mère, ses deux frères et sa sœur. Maurice a seize ans. Son petit frère a dix ans. Sa sœur a neuf ans.

Nous parlons souvent avec notre ami Maurice de la civilisation française. Nous avons une très bonne impression des villes de [20 France. Nous aimons leurs rues pittoresques et leurs cafés. Nous sommes très contents d'être en France. Nous sommes contents d'avoir un camarade français.

QUESTIONS

1. Est-ce que je suis Américain? 2. Êtes-vous Américain? 3. Sommes-nous Français? 4. Est-ce que j'ai un frère? 5. Avez-vous une sœur? 6. Avons-nous un père et une mère? 7. Avez-vous dix-huit ans? 8. Quel âge avez-vous? 9. Quel âge a Maurice? 10. Est-ce que je voyage en France? 11. Voyagez-vous dans le midi de la France? 12. Est-ce que nous voyageons dans le nord des États-Unis? 13. Les

---

[1] One hears both *Nous habitons à Paris* and *Nous habitons Paris*. Some Frenchmen claim that only the latter construction is correct, but the former is very common, is found in the dictionary, and is recognized by French teachers in France. The student of French should realize above all that *habiter* is used very much more than *demeurer*, which is also correct.

[2] Note that there is an -*e*- inserted between the stem (*voyag*-) and the ending (-*ons*). This is to conserve the soft sound of -*g*-.

villes françaises ont-elles le même aspect que les villes américaines?
14. Pourquoi les Américains aiment-ils beaucoup voyager en France?
15. Nos parents voyagent-ils en France? 16. Aimez-vous les villes
des États-Unis? 17. Voyagez-vous avec votre frère, votre sœur ou vos
parents?

DEVOIRS

A. Remplacez les tirets par le pronom convenable:

1. —— sommes Français. 2. —— suis le frère d'Yvonne et ——
êtes le frère de Robert. 3. —— ai dix-sept ans et —— avez seize ans.
4. —— voyageons en Amérique. 5. —— n'habitons pas aux États-
Unis. 6. Mais —— aimons voyager en Amérique. 7. Avez- —— une
bonne impression de New York? 8. —— avons une très bonne impression de New York. 9. Aimez- —— beaucoup voyager? 10. Oui,
—— voyage très souvent avec mes parents. 11. —— aiment beaucoup
l'Amérique.

B. Remplacez l'infinitif par la forme convenable du présent du verbe.
EXEMPLE: Vous (parler) français. Vous *parlez* français.

1. Je (être) Américain. 2. J' (avoir) seize ans. 3. Vous (être)
Français. 4. Vous (habiter) à Paris. 5. Vous (voyager) en Angleterre. 6. Vous (avoir) dix-sept ans. 7. Nous (être) contents d'avoir
un camarade français. 8. Nous (parler) beaucoup de nos amis. 9. Vos
parents (être) aussi en Angleterre. 10. Mes parents n'(avoir) pas le
temps de voyager. 11. J' (aimer) voyager en Angleterre. 12. Nous
(voyager) beaucoup dans le sud du pays. 13. Nous (avoir) le temps
de voyager. 14. Marie (être) votre sœur. 15. Quel âge (avoir)
-t-elle?

*C. Remplacez les tirets par l'adjectif possessif qui correspond au sujet
de la phrase.* EXEMPLE: Nous trouvons —— frères à Paris.
Nous trouvons *nos* frères à Paris.

1. Je voyage avec —— sœur. 2. Elle parle de —— pays. 3. Nous
visitons Paris avec —— oncle et —— tante. 4. Ils habitent dans ——
petite maison. 5. Je parle avec —— camarade Maurice. 6. Maurice
voyage avec —— parents, —— frère et —— sœur. 7. Ils voyagent
dans —— voiture. 8. Voyagez-vous souvent dans —— pays avec ——
parents? 9. Marie est en France avec —— famille. 10. Maurice est
aussi en France avec —— famille. 11. Nous aimons voyager en France

avec —— camarades. 12. Je parle avec —— camarades de la civilisation française.

D. *Mettez les phrases suivantes à la forme interrogative. Faites attention surtout à la première personne du singulier.* EXEMPLES: I. Nous avons deux frères. Avons-nous deux frères? 2. Je parle français. Est-ce que je parle français?

1. Vous avez le temps de voyager. 2. J'aime voyager en France. 3. Marie et Maurice sont nos camarades. 4. Je voyage avec Maurice.

E. *Écrivez en français:*
18, 5, 13, 9, 15, 16, 8, 14, 2, 12

GRAMMAIRE

1. Which personal pronouns are used as the subject in French? (§ 22 A) The French have two words for YOU: *tu* and *vous*. Until you have learned much more French, use only the form *vous* to express YOU, whether in the singular or the plural. If you want to learn the distinction between *tu* and *vous*, read § 22 B.

2. How is the present of *-er* verbs regularly formed? (§ 44 A) What are the forms of the present indicative of the regular *-er* verbs *donner*, *aimer*, and *habiter*? What irregularity do you notice in the present of the *-ger* verb *voyager*? (Page 79)

3. What are the forms of the present indicative of the irregular verbs *être* and *avoir*? (Page 79)

4. List the possessive adjectives which occur in the lesson. Compare them with the classified list in § 13 A of the *Grammaire*.

5. With what does the possessive adjective agree in French? How does this differ from English usage? (§ 13 B)

6. Normally, any sentence may be made interrogative either by inversion or by *Est-ce que . . .* In which form of the present of *-er* verbs must *Est-ce que . . .* be used? (Page 384, note 1)

7. Count up to 20 in French. (§ 16 A)

8. How is age expressed in French? How does one say *How old are you?* in French? (§ 91 A)

Les jours de la semaine

Roger est un garçon. Il va à l'école. Louise est une jeune fille. Elle va à la même école. Roger et Louise vont ensemble à la classe de français. Roger est un élève américain. Louise est une élève américaine. Je suis aussi un élève américain. Je vais aussi en classe. Nous y allons ensemble.   [5

Nous arrivons en classe avant le professeur. Nous allons immédiatement au tableau noir. Il y a déjà beaucoup d'élèves au tableau. Ils y vont pour écrire un résumé de la leçon. J'écris au tableau mon nom et la date. Roger écrit: *Roger Smith, le 14 octobre 1948* [1]. Nous écrivons quelques phrases sur les jours de la semaine. Nous com- [10 mençons notre résumé: *Les jours de la semaine sont lundi, mardi, mercredi, jeudi, vendredi, samedi et dimanche.*

Le professeur arrive avant l'heure de la classe. Il corrige les résumés des élèves. Après la correction des résumés, nous effaçons le tableau. Le professeur fait la dictée. Les élèves restent au tableau [15 pendant cette dictée. Ils se tournent vers le professeur, qui dit:

— Écoutez. *Il y a sept jours dans une semaine.* Répétez.

Nous répétons la phrase ensemble. Je répète cette phrase avec les autres. Tous les élèves répètent la phrase. Nous prononçons les mots après le professeur. Le professeur dit alors: [20

— Écrivez.

Les élèves écrivent la phrase au tableau. Le professeur corrige les fautes de trois élèves. Tous les autres élèves regardent les corrections. Ils corrigent leurs propres erreurs. Nous corrigeons toutes les fautes. Puis, le professeur continue la dictée: [25

— En France, lundi est le premier jour de la semaine. Dimanche est le dernier jour de la semaine. En Amérique, nous allons à l'école le lundi, le mardi, le mercredi, le jeudi et le vendredi. Nous y allons tous les jours de la semaine excepté le samedi et le dimanche. En Amérique, le samedi est un jour de congé. En France, les élèves vont [30 en classe tous les jours de la semaine sauf le jeudi [2] et le dimanche. Le jeudi est un jour de congé dans les écoles françaises.

---

[1] dix-neuf cent quarante-huit

[2] After the separation of the church and the state in France, school was not held on Thursday in order to have one day a week free for religious instruction. In most of the elementary and high schools of France, Thursday is free whereas school is held all day Saturday. In certain high schools in Paris, classes are held only in the mornings of each day of the week, including Thursday.

QUESTIONS

1. Qui est Roger? 2. Où va-t-il? 3. Qui est Louise? 4. Où va-t-elle? 5. Où vont Roger et Louise? 6. Où allez-vous? 7. Avec qui allez-vous en classe? 8. Arrivons-nous en classe avant le professeur? 9. Pourquoi allons-nous immédiatement au tableau? 10. Que[1] corrige le professeur? 11. Qui fait la dictée après la correction des résumés? 12. Qui répète la phrase après le professeur? 13. Que[1] prononçons-nous après le professeur? 14. Est-ce que nous effaçons nos résumés? 15. Combien de jours y a-t-il dans une semaine? 16. Quels sont les jours de la semaine? 17. Quel est le premier jour de la semaine en France? en Amérique?

DEVOIRS

A. *Suivez[2] les indications:* EXEMPLES: 1. Demandez à l'élève d'écrire son nom. Écrivez votre nom. 2. Dites à Louise que vous avez un bon professeur. Louise, j'ai un bon professeur.

1. Dites à Maurice d'aller au tableau. 2. Demandez aux élèves de corriger leurs fautes. 3. Dites au professeur que vous êtes un élève. 4. Demandez à Roger s'il va à la classe de français.

B. *Remplacez les mots en italique par* y. EXEMPLE: 1. Maurice va *à la maison.* Maurice y va. 2. Sommes-nous *en Normandie?* Y sommes-nous?

1. Je vais *en classe.* 2. Allez-vous *à l'école?* 3. Nous écrivons *au tableau.* 4. Les élèves sont *à Lyon.* 5. Restez-vous *en France?*

C. *Remplacez l'infinitif par l'impératif.* EXEMPLE: (rester) au tableau pendant la dictée. *Restez* au tableau pendant la dictée.

1. (parler) français en classe. 2. (corriger) vos fautes. 3. (effacer) les phrases. 4. (répéter) les phrases après le professeur. 5. (aller) au tableau et (écrire) un résumé.

D. *Remplacez l'infinitif par la forme convenable du présent ou par l'impératif, selon le cas:*

1. Je (aller) à la classe de français. 2. Yvonne (aller) aussi en

---

[1] *What . . . ?* What word order follows *Que . . . ?*

[2] In this type of exercise, you are required to ask someone to do something or to tell someone something. Simply follow instructions. What you do will show whether you understand these instructions. For instance, if someone should say to you in English: *Tell John that you are going to class,* you would say: *John, I am going to class.* Or: *Ask your teacher if he is correcting your résumé,* you would say, *Are you correcting my résumé?*

classe. 3. Nous (aller) en classe ensemble. 4. Tous les élèves (aller) au tableau. 5. Ils (écrire) un résumé. 6. J'(écrire) mon nom et la date. 7. Yvonne (écrire) son nom. 8. Roger, (aller) au tableau et (écrire) votre résumé. 9. (écrire)-vous toujours votre nom au tableau?

E. *Remplacez l'infinitif par le présent ou l'impératif, selon le cas:*

1. Qui (corriger) nos fautes? 2. Nous (corriger) nos propres erreurs. 3. Nous (effacer) nos phrases. 4. Vous (prononcer) après le professeur. 5. Roger, (prononcer) après le professeur. 6. Roger (prononcer) la phrase. 7. Louise, (répéter) cette phrase. 8. Louise (répéter) la phrase. 9. Je (répéter) la phrase aussi. 10. Nous (répéter) la phrase ensemble. 11. Tous les élèves (répéter) la dictée.

GRAMMAIRE

1. When is the adverb *y* used in French? (§ 28 A) Note that *y* always comes immediately before the verb.

2. What grammatical term is used to designate a command? What two distinguishing features do you note in words which give commands? (§ 72 A)

3. Give the imperative forms of *parler*, *aller*, *écrire*, and *répéter*. (Page 80)

4. Use in sentences the forms of the present of the irregular verbs *aller* and *écrire*. (Page 80)

5. Give the forms of the present of the verbs *commencer*, *prononcer*, and *effacer*. (Page 80) What slight irregularity do you notice in this type of verb? Explain it. (§ 82 A)

6. The present of *répéter* is *je répète, tu répètes, il répète, nous répétons, vous répétez, ils répètent.* Can you explain when the -é- and when the -è- is used in the second syllable of this verb? (§ 82 E)

7. The article is not usually used with the days of the week, but it is used at certain times. Explain when it is used. (§ 3 D)

La salle de classe

Notre salle de classe est très agréable. Elle a une porte et cinq fenêtres. Nous entrons par la porte. La porte est d'un côté de la salle. Les fenêtres sont de l'autre côté. La porte est à droite. Les fenêtres sont à gauche. L'air entre dans la salle quand les fenêtres sont ouvertes. L'air n'y entre pas quand les fenêtres sont fermées. [5 La lumière entre par les fenêtres. Il y a un tableau devant les élèves. Il y a aussi un tableau derrière les élèves. Il y a trente pupitres dans la classe.

Roger arrive en retard à la classe de français. Mais le professeur ne le punit pas. Le professeur finit la dictée. Nous finissons la cor- [10 rection de nos phrases. Le professeur dit:

— Effacez le tableau. Asseyez-vous.

Nous obéissons au professeur. Tous les élèves obéissent au professeur excepté Roger. Roger n'obéit pas au professeur. Le professeur dit: [15

— Roger, ne finissez pas votre phrase. Retournez à votre place.

Maintenant, les élèves sont assis à leurs pupitres. Le professeur n'est pas assis. Il est debout derrière son bureau. Nous avons nos livres, nos cahiers, nos crayons et nos stylos. Nous lisons nos livres. Nous les lisons à voix basse. Nous écrivons les devoirs. Nous les [20 écrivons avec un stylo. On lit plus facilement les devoirs écrits à l'encre. J'ai un bon stylo. Quand mon stylo est vide, je le remplis. Je le remplis avec de l'encre bleue.

Le professeur explique la leçon. Il l'explique aux élèves. Ensuite, il dit: [25

— Louise, lisez la leçon à haute voix.

Louise la lit. Elle la lit à voix basse. Ensuite, le professeur lit quelques phrases. Nous l'écoutons. Nous répétons les phrases après le professeur. Le professeur dit:

— Robert, comptez les crayons. [30

Robert les compte à haute voix.

Questions

1. Combien de portes y a-t-il dans la classe? 2. Combien y a-t-il de fenêtres dans la classe? 3. De quel côté est la porte? 4. De quel côté sont les fenêtres? 5. Quand est-ce que l'air entre dans la salle? 6. Est-ce que la lumière entre dans la salle quand les fenêtres sont fermées? 7. Combien de pupitres y a-t-il dans la classe? 8. Qui arrive en retard

à la classe de français? 9. Arrivez-vous souvent en retard à la classe de
français? 10. Est-ce que le professeur punit Roger? 11. Est-ce que les
élèves obéissent au professeur? 12. Obéissez-vous à votre professeur?
13. Êtes-vous assis? 14. Le professeur est-il assis? 15. Lisez-vous
votre livre? 16. Quand votre stylo est vide, est-ce que vous le remplis-
sez? 17. Qui explique la leçon?

DEVOIRS

A. *Écrivez le contraire des mots et des expressions suivantes.* EXEMPLE:
grand — petit

1. bas	5. fermé
2. debout	6. finir
3. derrière	7. à gauche
4. à droite	8. à haute voix

B. *Remplacez les expressions en italique par un pronom complément.* [1]
EXEMPLE: Nous finissons *le devoir.* Nous *le* finissons.

1. Le professeur punit *les élèves.* 2. Il ne punit pas *Yvonne.* 3.
Elle finit *sa phrase.* 4. Qui explique *la leçon* aux élèves? 5. Écrivez-
vous *les questions*? 6. L'air entre *dans la salle.* 7. Entre-t-il *dans la salle*
par les fenêtres? 8. Allez-vous *en France*? 9. Je ne lis pas *cette phrase.*

C. *Répondez en français aux phrases suivantes en employant un pronom
complément.* EXEMPLE: Comptez-vous les livres? Oui, je *les*
compte.

1. Lisez-vous la leçon? 2. Est-ce que Roger écrit le devoir? 3.
Est-ce que Louise écrit la phrase? 4. Aimez-vous cette classe? 5.
Est-ce que je remplis le stylo? 6. Les élèves effacent-ils le tableau?
7. Allez-vous à Paris?

D. *Remplacez l'infinitif par la forme convenable du présent du verbe
indiqué:*

1. Quand votre stylo est vide, vous le (remplir). 2. Les élèves
(obéir) au professeur. 3. Il ne les (punir) pas. 4. Roger (finir) la
phrase. 5. Il la (lire) aux élèves. 6. Je (lire) mon devoir à haute voix.
7. Vous le (lire) à voix basse. 8. Nous (lire) la dictée. 9. Nous
(obéir) à notre père. 10. Roger et Robert (remplir) le stylo. 11. Ils
(lire) les phrases qui sont au tableau.

---

[1] The pronoun-adverb *y* will be considered a pronoun in this and subsequent exercises.

GRAMMAIRE

1. What are the direct object personal pronouns? How are they used? (§ 23 A, B)

2. What happens to the forms *me*, *te*, *le*, and *la* when they directly precede a verb beginning with a vowel or a mute-h? (Page 317, note 1)

3. What is the general position of object personal pronouns with respect to the verb? (§ 29 A)

4. How is the present tense of *-ir* verbs usually formed? (§ 44 B)

5. Use in sentences the forms of the present of the *-ir* verbs *finir*, *punir*, *remplir*, and *obéir*. (Page 82)

6. What are the forms of the present of the irregular verb *lire*? (page 82)

QUATORZIÈME LEÇON

Les saisons et les mois de l'année

Le professeur parle aux élèves. Il leur parle des saisons de l'année. Il leur dit:

— Il y a quatre saisons dans l'année. Les quatre saisons sont le printemps, l'été, l'automne et l'hiver. Au printemps surtout il fait beau en France. En été il fait chaud, surtout dans le midi. En [5 automne il fait parfois mauvais temps. Le ciel est souvent couvert. En hiver, il neige, surtout dans la région des Alpes. Il fait froid en hiver.

Je pose une question au professeur. Je lui pose une question. Je lui demande: [10

— Quels sont les mois de l'année, monsieur?

Il me dit:

— Il y a douze mois dans l'année. Janvier est le premier mois de l'année. Février est le deuxième mois de l'année. Il neige en janvier et en février. Il fait souvent mauvais temps. Mars est le troisième [15 mois de l'année. En mars il fait du vent. Avril est le quatrième mois. Il pleut souvent en avril. Pâques tombe en mars ou en avril. Il y a des vacances à Pâques. Mai est le cinquième mois. Mai est le mois des fleurs. Juin est le sixième mois de l'année. Juillet est le septième mois. Le 14 juillet est une fête nationale en France. Pour les élèves fran- [20 çais les grandes vacances commencent le 14 juillet. Août est le huitième mois de l'année. En France, août est le mois des vacances, car en août il fait généralement beau. Septembre est le neuvième mois. Il fait doux en septembre. Octobre est le dixième mois. En octobre les élèves du lycée rentrent en classe. Il fait frais en octobre. Novem- [25 bre est le onzième mois. En novembre les étudiants recommencent les cours dans les universités et dans les grandes écoles. Décembre est le douzième mois de l'année. Décembre est le mois des vacances de Noël.

Louise demande au professeur pourquoi les élèves français ne rentrent pas en classe au mois de septembre. Le professeur lui explique [30 que les vacances en France commencent plus tard qu'en Amérique.

QUESTIONS

1. Qui parle aux élèves? 2. A qui parle le professeur? 3. Combien y a-t-il de saisons dans l'année? 4. Quelles sont les saisons de l'année? 5. Quel temps fait-il en France au printemps? 6. En quelle saison fait-il chaud? 7. Dans quelle région de la France surtout fait-il chaud en été? 8. Dans quelle partie des États-Unis fait-il chaud en été? 9. Quand fait-il mauvais temps? 10. En quelle saison neige-t-il beaucoup? 11. Combien y a-t-il de mois dans l'année? 12. Quel est le premier mois de l'année? 13. Neige-t-il en janvier et en février? 14. En quel mois fait-il du vent? 15. En quel mois pleut-il beaucoup? 16. Y a-t-il des vacances de Pâques dans votre école? 17. Pourquoi le 14 juillet est-il une date importante? 18. Pourquoi août est-il le mois des vacances en France? 19. En quel mois les élèves du lycée français rentrent-ils en classe? 20. Quand recommencent vos cours à l'université? 21. Y a-t-il des vacances de Noël en Amérique?

DEVOIRS

A. Suivez les indications:

1. Demandez à Marie si elle aime les vacances. 2. Dites au professeur que vous rentrez en classe au mois d'octobre. 3. Dites à votre mère quel est le mois des vacances de Noël. 4. Demandez à Roger s'il fait trop chaud dans la salle.

B. Remplacez les expressions en italique par un pronom complément.
EXEMPLE: Roger écrit *à sa mère.* Roger *lui* écrit.

1. Le professeur parle *à Robert.* 2. Il pose une question *à Marie.* 3. J'explique *à mes camarades* pourquoi je suis en retard. 4. Maurice dit *à Louise et à Yvonne* que les vacances commencent au mois de juin. 5. Demandez-vous *aux élèves* s'il fait froid? 6. Les autres élèves ne parlent pas *à Roger.* 7. J'explique *la leçon* à Marie. 8. Elle demande *au professeur* s'il fait chaud en France. 9. Nous écrivons *votre nom.* 10. Ra-

contez-vous *à Louise* l'histoire de France? 11. Expliquez-vous *à vos frères* pourquoi les élèves français rentrent en classe au mois d'octobre? 12. Louise ne dit pas la date *à Maurice*.

C. *Répondez aux questions suivantes en employant des pronoms compléments indirects*. EXEMPLE: Expliquez-vous la leçon à votre sœur? Oui, monsieur, je *lui* explique la leçon.

1. Est-ce que Robert donne ses devoirs à son frère? 2. Est-ce que votre père écrit une lettre à monsieur Dupont? 3. Le professeur explique-t-il la leçon aux élèves? 4. Lisez-vous les devoirs à vos camarades? 5. Est-ce que je pose des questions à Marie?

D. *Écrivez en français:*
1st, 8th, 10th, 12th, 7th, 2d

GRAMMAIRE

1. How are *to me, to you, to him, to her, to us*, and *to them* expressed in French? What kind of pronouns are these? (§ 24 A, B)

2. What is the position of the indirect object pronouns with respect to the verb? (§ 29 A)

3. How are ordinals usually formed? Count to 12 by ordinals. (§ 17 A, B)

4. Give the seasons and the months of the year in French. How do the French say *in spring? in summer? in autumn? in winter?* (§ 92 A, B, C)

5. List the expressions of weather used in this lesson and make sentences with them. Note that the verb *faire* is used impersonally with most expressions of weather. (§ 89 B)

6. Make sentences with the forms of the present of the verbs *faire* and *pleuvoir*. (Page 83)

QUINZIÈME LEÇON

Le lycée français

Le lycée est une école de l'État qui prépare les élèves aux[1] universités et aux[1] grandes écoles. On y entre à dix[2] ou à onze ans. Les études au lycée durent sept ans.

[1] *for the*
[2] Properly speaking, the *lycée* is a secondary school which the pupil enters after some six years of primary school in the *école communale*. However, many *lycées* also have the primary grades (*le petit lycée*), and pupils may enter these grades at the age of six years.

Tous les élèves du lycée étudient le français, les langues étrangères, l'histoire et la géographie, les sciences et les mathématiques. L'étude [5 des langues étrangères est considérée comme trés importante en France. Les élèves du lycée sont divisés en quatre groupes, selon l'importance relative du latin ou des sciences dans leurs cours. Ces groupes s'appellent A, B, C et «*moderne*». Chaque groupe a un programme diffé- rent qui se compose de plusieurs matières. Les élèves du groupe A [10 apprennent surtout le latin, le grec et une langue vivante. Les élèves du groupe B apprennent surtout le latin et deux langues vivantes, mais ils n'étudient pas le grec. Les élèves du groupe C apprennent surtout les sciences et les mathématiques, mais ils étudient aussi le latin et une ou deux langues vivantes. Les élèves du groupe «*moderne*» appren- [15 nent surtout les sciences et les mathématiques, mais ils étudient aussi deux langues vivantes.

Le travail du lycée est très sérieux. L'élève du lycée apprend à bien parler et à bien écrire le français. Chaque année il étudie la lit- térature française. Il étudie l'histoire de France et l'histoire des [20 autres pays du monde. A la fin des six premières années de lycée, les élèves sont obligés de passer un examen d'État qui comporte des épreuves écrites sur les matières les plus importantes et des épreuves orales sur l'ensemble de toutes les matières. Si un élève ne réussit pas aux épreuves écrites, il ne passe pas les épreuves orales. Il est [25 obligé de recommencer les études de cette dernière année. Les élèves qui réussissent à ces épreuves choisissent entre une année de philosophie, une année de mathématiques élémentaires[1] et une année de sciences expérimentales. Pendant cette année, ils continuent aussi l'étude des autres matières, mais ils se spécialisent surtout en philosophie, en [30 mathématiques ou en sciences. A la fin de l'année, ils passent un second examen d'État. Les élèves qui réussissent à cet examen ont le droit d'entrer dans toutes les universités de France. L'ensemble de ces deux examens constitue le baccalauréat[2], appelé par les étudiants *bac* ou *bachot*.   [35

QUESTIONS

1. Qu'est-ce qu'un lycée? 2. A quel âge entre-t-on au lycée? 3. Combien d'années durent les études au lycée? 4. Quelles matières apprend-on au lycée? 5. Est-ce que l'étude des langues étrangères est importante en France? 6. En quels groupes sont divisés les élèves du lycée? 7. Le travail du lycée est-il sérieux? 8. Est-ce que l'élève du

[1] Elementary mathematics include algebra, geometry, trigonometry, and some notions of calculus.
[2] In reality, the *lycée* corresponds to our high school and junior college (the first two years of the liberal arts college). The graduate of a French *lycée* is admitted with- out examination to the junior class of American colleges.

lycée apprend à bien écrire le français? 9. Est-ce que l'élève du lycée
américain apprend à bien écrire l'anglais? 10. Qu'est-ce que c'est
que le baccalauréat? 11. Quelles épreuves l'élève du lycée est-il obligé
de passer après les six premières années de lycée? 12. Si un élève ne
réussit pas aux épreuves écrites, qu'est-il obligé de faire? 13. Entre
quelles matières l'élève choisit-il la dernière année de lycée? 14. Qu'est-
ce que le *bachot*?

DEVOIRS

*A. Remplacez les tirets par la forme convenable d'*an *ou d'*année:

1. Un élève américain entre au lycée à quatorze ——. 2. Pendant
sa première —— de lycée, il étudie l'anglais, l'algèbre, la biologie et
le latin. 3. La deuxième —— il étudie l'anglais, l'histoire, la géométrie et le latin. 4. Il reste au lycée quatre ——. 5. Il étudie l'anglais
pendant plusieurs ——. 6. Chaque —— il apprend les mathématiques.
7. Combien d'—— de sciences y a-t-il à votre lycée? 8. Un élève qui
passe quelques —— au lycée apprend à bien écrire l'anglais. 9. Tous
les —— il apprend à écrire l'anglais.

B. Remplacez les tirets par la forme convenable de l'adjectif interrogatif:
EXEMPLE: En —— groupes sont divisés les élèves du lycée?
En *quels* groupes sont divisés les élèves du lycée?

1. A —— âge apprend-on le latin? 2. Dans —— école apprend-on
à lire? 3. —— est la science la plus importante? 4. —— sont les
langues vivantes qui sont les plus connues? 5. —— est la capitale
de la France? 6. ——· sont les lycées où les élèves se spécialisent en
sciences?

C. Remplacez les tirets par Qu'est-ce que . . . , Qu'est-ce que c'est
que . . . *ou par une forme de* quel:

1. —— est la plus grande ville du Canada? 2. —— sont les
produits les plus importants du Canada? 3. —— la philosophie?
4. —— une voiture? 5. —— sont les sciences expérimentales? 6. ——
la science expérimentale?

*D. Introduisez dans ces phrases les adjectifs indiqués entre parenthèses
pour modifier le sens du nom en italique.* EXEMPLE: (allemand) La
frontière est difficile à défendre. La *frontière* ALLEMANDE est
difficile à défendre.

1. (grand) Le lycée prépare les élèves aux *écoles.* 2. (bon) Le lycée
est une *école.* 3. (tout) Les *élèves* apprennent le français. 4. (vivant)

Quelques élèves apprennent une *langue*. 5. (quatre) Les élèves du lycée sont divisés en *groupes*. 6. (différent) Chaque groupe a un *programme*. 7. (ancien) Les groupes A et B apprennent les *langues*. 8. (anglais) Dans une des classes les jeunes Français apprennent la *littérature*. 9. (étranger) L'étude des *langues* est considérée comme très importante en France. 10. (expérimental) Les *sciences* sont très intéressantes. 11. (écrit) Maurice va passer une *épreuve*. 12. (deuxième) Ensuite, il va passer un *examen*.

GRAMMAIRE

1. In this lesson, both *an* and *année* are used to express YEAR. Note that *an* is generally used with cardinal numbers, *année* with ordinals and with most other expressions of quantity. One says *trois ans, la troisième année, plusieurs années, quelques années,* and *chaque année,* but *tous les ans.*

2. What is an interrogative adjective? How does it agree? Arrange the interrogative adjectives into a table. (§ 15 A, B)

3. What function does the interrogative adjective often serve when used with the verb *être*? (§ 15 C)

4. How does one express WHAT IS . . . in French in order to ask for a definition? (§ 35 F) Study questions 1, 10 and 14 of the lesson.

5. In this lesson and in preceding ones, you have noted that some adjectives precede their nouns while others follow them. (§ 11 A) Which adjectives usually precede their nouns? (§ 11 C, D) Which usually follow their nouns? (§ 11 B)

6. Make sentences with the present of the irregular verb *apprendre*. (page 84)

===== *SEIZIÈME LEÇON* =====

L'arrivée au lycée

Il y a beaucoup de lycées à Paris. Mon ami Maurice va au lycée Louis-le-Grand, ainsi appelé en souvenir du roi Louis XIV. Un matin Maurice me rencontre dans la rue. Il me salue et me demande:

— Quelle heure est-il?

Je regarde ma montre et lui réponds: [5

— Il est huit heures moins le quart.

— Ma classe commence à huit heures.

— Comment! Vos cours commencent à huit heures du matin? Dans notre lycée ils commencent à huit heures et demie! Je n'arrive jamais au lycée avant huit heures et quart. [10

— J'arrive à Louis-le-Grand presque toujours à huit heures moins cinq.

— A quelle heure retournez-vous chez vous?

— A onze heures ou à midi selon les jours. Les classes recommencent à une heure et demie ou à deux heures selon le lycée et [15 durent jusqu'à quatre heures ou quatre heures et demie de l'après-midi.

— Vous n'avez pas de classes le samedi?

— Si, nous avons des classes le samedi matin. En France, le jeudi est un jour de congé. Mais les élèves qui ne travaillent pas assez en classe sont obligés d'aller au lycée le jeudi. Ils passent de deux [20 à quatre heures à faire des devoirs. Voulez-vous m'accompagner au lycée? Vous pouvez assister au cours ce matin.

— Avec plaisir.

— Bon. Mais mes camarades m'attendent au lycée. Allons!

Au lycée, nous voyons beaucoup de jeunes gens qui arrivent à [25 bicyclette. Il n'y a que des garçons car, en général, les jeunes filles ne vont pas aux mêmes lycées que les jeunes gens. A l'intérieur du lycée il y a plusieurs grandes cours. Les élèves se réunissent dans ces cours pendant les heures de récréation. Nous montons au premier étage. Quarante élèves attendent le professeur devant la porte de la salle de [30 classe. Pendant que nous attendons, Maurice me dit:

— Voilà mon camarade Jacques Deslandes.

Le professeur arrive à la porte juste avant huit heures. Maurice lui dit:

— Voici un camarade américain qui veut voir un lycée français. [35 Le professeur me donne alors la permission [1] d'assister à son cours.

Dans la salle, je vois au mur deux cartes — une carte de l'ancienne France divisée en provinces et une carte de la France contemporaine divisée en départements. J'entends le professeur dire:

— Voici une carte de l'ancienne France. Voilà une carte de [40 la France contemporaine. Aujourd'hui, nous allons parler des départements de la France.

Il est huit heures trois. La classe commence.

---

[1] It is more difficult to obtain permission to visit a French *lycée* than an American high school. Often permission has to be obtained from the principal (*le proviseur*) or the *Inspecteur d'Académie*.

QUESTIONS

1. Quelle heure est-il maintenant? 2. A quelle heure commence votre classe? 3. A quelle heure commence la classe de Maurice? 4. A quelle heure les deux jeunes gens arrivent-ils au lycée? 5. A quelle heure recommencent les classes l'après-midi? 6. Qui attend Maurice au lycée? 7. Les jeunes gens arrivent-ils souvent au lycée à bicyclette? 8. Pourquoi ne voyez-vous pas de jeunes filles à Louis-le-Grand? 9. Qu'y a-t-il à l'intérieur du lycée? 10. A quel étage se trouve la classe de Maurice? 11. Pouvons-nous entrer dans la classe avant le professeur? 12. Que veut voir le camarade de Maurice? 13. Qu'est-ce que le camarade de Maurice demande au professeur? 14. Qu'est-ce que ce jeune homme voit au mur? 15. Que dit le professeur? 16. A quelle heure commence la classe?

DEVOIRS

A. Remplacez les tirets par voilà *ou* il y a, *selon le sens:*

1. Tous les jours —— beaucoup de jeunes gens qui arrivent au lycée à bicyclette. 2. —— mon camarade Robert. 3. —— le professeur. 4. —— quatre groupes au lycée. 5. —— trop d'élèves qui n'apprennent pas le grec. 6. —— des élèves qui réussissent à tous les examens. 7. —— la cour où se réunissent les élèves.

B. Remplacez les infinitifs par la forme convenable du présent du verbe:

1. J'(attendre) le professeur. 2. Mon camarade (attendre) aussi le professeur. 3. Nous (entendre) les élèves qui se réunissent dans la cour. 4. Maurice me demande si j'(entendre) ces élèves. 5. Je lui (répondre) qu'ils (attendre) leur professeur. 6. (entendre)-vous Louise? 7. (attendre)-vous votre mère? 8. Je (répondre) que j'(attendre) mes parents.

C. Remplacez les infinitifs par la forme convenable du présent du verbe:

1. Je (voir) Maurice. 2. Il me (voir) aussi. 3. Si je (pouvoir), je (vouloir) assister aux cours du lycée. 4. On (apprendre) beaucoup de choses. 5. (vouloir)-vous m'accompagner au lycée? 6. Vous (pouvoir) y aller. 7. Mes camarades (vouloir) voyager en province. 8. Ils (pouvoir) nous accompagner. 9. Nous (pouvoir) voir le midi de la France. 10. Si nous (vouloir) voir la Côte d'Azur, nous (pouvoir) aller à Nice. 11. Je ne (dire) pas qu'il y a un hôtel à Nice. 12. Vous (dire) que les plages sont charmantes.

D. Remplacez les tirets par Que . . . *ou* Qu'est-ce que . . . (WHAT . . .)
selon la construction de la phrase:

1. —— vous écrivez? 2. —— lisez-vous? 3. —— dit le professeur? 4. —— Maurice apprend au lycée? 5. —— nous voulons lire? 6. —— apprend-on au lycée? 7. —— vous voulez voir?

E. Ecrivez en français:

Il est 9:00, 11:30, 3:15, 7:45, 2:05, 6:55, 2:00, 12:30, 1:00, 8:30.

GRAMMAIRE

1. How is the present of -*re* verbs formed? (§ 44 D) Use in sentences the forms of the present of *attendre, entendre,* and *répondre.* (Page 86)

2. What are the forms of the present of the irregular verbs *dire, pouvoir, voir,* and *vouloir?*[1] (Page 86)

3. To express the interrogative WHAT . . .? as the object of the sentence, both *Que* . . .? and *Qu'est-ce que* . . .? are used, but the word order of the sentences differs. When is each used? (§ 35 D)

4. From the material in the lesson, organize a table which contains the principles of time-telling in French. (§ 92 D)

5. What do you note about the expressions containing the adjective *demi?* (§ 92 E)

6. How do the French and most other non-English-speaking peoples indicate the afternoon and evening hours in time-tables and formal announcements. Compare the convenience of this method with that of the American system. (§ 92 F)

7. Explain the difference between *il y a* and *voilà.* (§ 88 A, B)

═══════════════ *DIX-SEPTIÈME LEÇON* ═══════════

Les divisions administratives de la France

Le professeur pose des questions aux élèves. Il les leur pose pendant toute l'heure.

— Aujourd'hui, nous allons étudier les divisions administratives de la France. Quelles sont ces divisions?

— La France est divisée en départements.   [5

— Combien y a-t-il de départements?

[1] Do you notice any common peculiarity in the last three irregular verbs? Read over § 85 A, B, and try to develop a system for learning irregular presents.

La France est divisée en quatre-vingt-dix départements

— A présent il y a quatre-vingt-dix départements en France. De plus, il y a trois départements en Algérie et quatre départements d'outre-mer — la Guadeloupe, la Guyane, la Martinique et la Réunion.   [10

— Ces départements sont-ils relativement grands ou petits?

— Ils sont assez petits.

— Qui est à la tête du département?

— A la tête de chaque département il y a un préfet nommé par le Président de la République. Le préfet est chargé de l'exécution [15 dans le département des lois et des décrets du gouvernement central.

— Les départements sont-ils très anciens?

— Ils datent de la Révolution française, c'est-à-dire de 1789[1].

---

[1] *dix-sept cent quatre-vingt-neuf*

La région située autour de Paris est
l'ancienne province de l'Île-de-France

— Voici deux cartes de France. Le professeur nous les montre.
Cette carte-ci représente la France d'aujourd'hui. Cette carte-là [20
représente l'ancienne France. Vous savez quelle est la carte qui est
divisée en départements, n'est-ce pas?

— Cette carte-ci.

Les élèves la lui montrent. Le professeur nous montre le département de la Seine, où est situé Paris. Il nous le montre sur la carte [25
de la France d'aujourd'hui. Il ne nous le montre pas sur la carte de
l'ancienne France.

— Cette carte-ci est divisée en quatre-vingt-dix départements.
En quoi cette carte-là est-elle divisée?

— Elle est divisée en trente-deux provinces.   [30

— Voilà Paris. La région située autour de Paris est l'ancienne
province de l'Île-de-France. La langue et le gouvernement de la
France y ont leur origine.

Maurice me demande:

— Vous comprenez ces explications, n'est-ce pas?   [35

Je lui réponds que je les comprends. Maurice a un livre avec
les deux cartes. Il me le donne. Il me dit:

— Regardez cette carte-là.

Je regarde l'Île-de-France, je ferme le livre et je le lui rends. Je sais
que l'état du Texas est plus étendu que la France entière, mais je [40
ne le lui dis pas.

QUESTIONS

1. Qui pose les questions aux élèves? 2. Comment est divisée la
France aujourd'hui? 3. Combien y a-t-il de départements en France?
en Algérie? outre-mer? 4. Comment sont divisés les États-Unis?
5. Combien d'états y a-t-il aux États-Unis? 6. Les départements sont-
ils grands ou petits? 7. Qui est à la tête de chaque département?
8. Par qui est nommé le préfet? 9. De quoi est chargé le préfet? 10.
Vous comprenez toujours les explications du professeur, n'est-ce pas?
11. Vous savez dans quel département se trouve Paris, n'est-ce pas?
12. Qu'est-ce que c'est que l'Île de France? 13. Je sais quel est l'état
le plus étendu des États-Unis, n'est-ce pas? 14. Je le dis à Maurice,
n'est-ce pas?

DEVOIRS

A. Suivez les indications:

1. Dites au professeur combien il y a de départements en Algérie.
2. Demandez à Paul s'il sait qui est à la tête du département. 3.
Demandez à Louise de regarder la carte de France. 4. Demandez à
Marie si elle comprend vos explications.

B. Écrivez en français:

100, 10, 70, 31, 20, 61, 90, 41, 81, 50, 71, 40, 91

*C. Remplacez les tirets par la forme convenable de l'adjectif démonstratif
en employant . . . -ci et . . . là où il faut.* EXEMPLE: —— leçon
est plus difficile que —— leçon. *Cette* leçon-*ci* est plus difficile
que *cette* leçon-*là*.

1. —— classes sont plus intéressantes que —— classes. 2. ——
endroit est plus élevé que —— endroit. 3. —— villes sont plus près

*Beaucoup de villes conservent la
trace de l'ancienne civilisation*

*A Cannes se trouvent de charmantes
plages avec d'élégants hôtels*

Les élèves sont assis à leurs pupitres

*Les élèves du groupe C apprennent
surtout les sciences et les mathématiques*

*Les élèves se réunissent dans ces
cours pendant la récréation*

*La Place Stanislas à Nancy,
ainsi appelée en l'honneur
du dernier duc de Lorraine*

*Des rochers noirs et rouges
bordent la côte*

*Les femmes, avec leurs coiffes blanches particulières
à chaque village et leurs costumes anciens*

de Paris que —— villes. 4. —— écoles ont plus d'élèves que —— école.
5. —— jeune homme parle plus de langues que —— jeune homme.

D. *Remplacez les expressions en italique par des pronoms compléments.*
EXEMPLES: 1. Maurice me montre *cette carte.* Maurice me *la*
montre. 2. Je dis *aux élèves le nom du roi.* Je *le leur* dis. 3.
Lisez-vous *la leçon à Robert? La lui* lisez-vous?

1. Le professeur me montre *ces fautes.* 2. Il pose *la question aux
élèves.* 3. Louise donne *le cahier à ses parents.* 4. Écrivons-nous *les
devoirs?* 5. Vous dites *la date à votre tante.* 6. Les garçons demandent
le crayon à leurs camarades. 7. Ma sœur nous raconte *cette histoire.* 8.
Yvonne va *au lycée.* 9. Elle nous montre *les bicyclettes.* 10. Vous rend-
elle *votre stylo?* 11. Je lis *les phrases au professeur.* 12. Allez-vous *en
France?*

E. *Mettez les phrases du devoir D à la forme négative.* EXEMPLES:
1. Maurice NE *me la* montre PAS. 2. Je NE *le leur* dis PAS. 3. NE
la lui lisez-vous PAS?

F. *Répondez aux questions suivantes en employant deux pronoms compléments.* EXEMPLE: Maurice pose-t-il les questions aux élèves?
Oui, il *les leur* pose.

1. Louise donne-t-elle ces livres à sa mère? 2. Charles vous
montre-t-il ses devoirs? 3. Les élèves racontent-ils cette histoire au professeur? 4. Qui vous explique la leçon?

GRAMMAIRE

1. Count by 10's up to 100. Beginning with 11, count by 10's
up to 101. (§ 16 A, C)

2. How does one distinguish *this* from *that* in French? (§ 14 B)

3. What is the position of object pronouns in relation to the verb?
(§ 29 A)

4. When there are two object pronouns, what is their order?
(§ 30 C, D)

5. What is the position of *ne* in a negative sentence containing
object pronouns? (§ 21 B) in a negative question containing object-
pronouns? (§ 21 C)

6. What are the forms of the present of the irregular verbs
comprendre and *savoir?* (Page 87)

Le Parlement français

La France et les États-Unis sont des républiques. Mais l'organisation du gouvernement français est différente de l'organisation de notre gouvernement.

Selon la Constitution de 1946, la France est une république démocratique et sociale. La devise de la République est *Liberté*, *Égalité*, [5 *Fraternité*. Son principe est: gouvernement du peuple, pour le peuple et par le peuple.

En France il y a un Président de la République et un Parlement, mais pratiquement le pouvoir politique est aux mains de l'Assemblée Nationale et du Président du Conseil des Ministres. [10

Le Parlement se compose de l'Assemblée Nationale et du Conseil de la République. Les membres de l'Assemblée Nationale s'appellent des députés. Il y a environ six cents députés; ils sont élus directement par les électeurs pour une période de cinq ans. Les membres du Conseil de la République s'appellent des conseillers. Le nombre de con- [15 seillers varie entre deux cent cinquante et trois cent vingt. Les conseillers de chaque département sont élus par le collège électoral du département.

Les deux chambres du Parlement ne se réunissent pas au même endroit. L'Assemblée Nationale se réunit au Palais Bourbon, qui [20 se trouve sur la rive gauche de la Seine en face de la Place de la Concorde. Le Conseil de la République se réunit au Palais du Luxembourg dans le jardin du même nom.

L'Assemblée Nationale, expression directe de la volonté du peuple, est très puissante. Elle exerce le pouvoir législatif, c'est-à-dire [25 qu'elle vote les lois pour le pays. Le Conseil de la République examine les projets de lois votés par l'Assemblée Nationale. Il donne son avis sur ces lois. Si le Conseil de la République approuve le projet, la loi devient définitive. Sinon, l'Assemblée Nationale examine le projet une deuxième fois. Si elle refuse de le modifier, sa décision est défini- [30 tive et le projet devient une loi malgré l'opposition du Conseil.

Les membres du Parlement appartiennent à plusieurs partis politiques. Il y a toujours plusieurs partis politiques représentés au Parlement. La plupart du temps, aucun parti n'a la majorité à l'Assemblée Nationale. Dans ce cas, deux ou trois des partis les plus importants [35 s'unissent pour atteindre cette majorité.

QUESTIONS

1. Quelle est la date de la Constitution française? 2. Qu'est-ce que la France selon la Constitution de 1946? 3. Quelle est la devise de la République? 4. Quel est le principe de la République? 5. Par qui est gouvernée la France? 6. Quelles sont les deux chambres qui composent le Parlement? 7. Comment s'appellent les membres de l'Assemblée Nationale? du Conseil de la République? 8. Par qui sont élus les députés? les conseillers? 9. Où se réunissent les députés? 10. Où se trouve le Palais Bourbon? le Palais du Luxembourg? 11. Quelle est la chambre qui vote les lois pour le pays? 12. Expliquez les pouvoirs du Conseil de la République. 13. Combien de partis politiques y a-t-il en France? 14. Pourquoi deux ou trois des partis les plus importants s'unissent-ils?

DEVOIRS

A. Remplacez les tirets par les mots convenables indiqués à droite:

1. La —— des États-Unis date de 1789. 2. Le Président des États-Unis est —— par le collège électoral. 3. Il est beaucoup plus —— que le Président de la République française et que le roi d'Angleterre. 4. Il —— à un des partis politiques. 5. Il —— les projets de lois votés par le parlement américain. 6. Il ne les —— pas toujours. 7. Dans ce cas-là le parlement américain les examine une deuxième ——.

a. appartient
b. approuve
c. constitution
d. élu
e. égalité
f. examine
g. fois
h. puissant
i. rive

B. Écrivez en chiffres. EXEMPLE: vingt-trois — 23

treize, trente-deux, quarante-deux, soixante-cinq, quatre-vingt-treize, soixante-dix-huit, quarante-six, quatre-vingt-onze, soixante-neuf, vingt et un, soixante, quatre-vingt-neuf, cinquante et un, soixante-treize, seize, quatre-vingt-quatre, vingt-neuf, quarante-quatre, cent soixante et onze, trois cent vingt-huit, mille deux cent quatre-vingt-cinq.

C. Écrivez en français:

100 députés, 200 conseillers, 340 membres, 150 kilomètres, 500 habitants, 945 livres, 1000 maisons.

D. Écrivez en français:

34, 49, 62, 362, 78, 80, 13, 70, 16, 688, 16, 48, 92, 953, 14, 12, 75, 99, 15, 779, 95, 21, 76, 44, 247, 596, 90, 88, 65, 140, 680, 265, 17, 98, 116, 870, 171, 72, 56, 1356, 1948, 34, 2139

E. *Écrivez en français les dates suivantes:*

1875, 1914, 1492, 1215, 1939, 1685, 1776, 1553, 1861, 1066, 1946, 43 B.C., 490 B.C., 476 A.D., 800 A.D.

GRAMMAIRE

1. Count from 1 to 100 in French until you can do so rapidly. (§ 16 A, B, C)

2. When does *quatre-vingt(s)* have an -*s* and when not? (§ 16 C)

3. When does *cent* require -*s* in the plural? (§ 16 D)

4. How does French express such numbers as 152 and 1152? (§ 16 E)

5. How are dates above 1000 expressed in French? (§ 16 F)

6. How are B.C. and A.D., when referring to dates, expressed in French? (§ 16 F)

7. What are the forms of the present of *appartenir* and *devenir*? (Page 89)

DIX-NEUVIÈME LEÇON

Le Président de la République

Le Président de la République[1] est à la tête du gouvernement. Il promulgue les lois votées par l'Assemblée Nationale. Il propose à cette Assemblée un Président du Conseil, il nomme les ambassadeurs et quelques autres hauts fonctionnaires. Il représente le gouvernement en de nombreuses circonstances: fêtes officielles, expositions, [5 réceptions de souverains, de chefs d'états étrangers, etc.[2] Il reçoit les ambassadeurs.

Le Président de la République est élu pour sept ans par le Parlement. Il ne peut être réélu qu'une fois.

Comparé au Président des États-Unis, le Président de la Répu- [10 blique a très peu de pouvoirs. Il n'influence pas la politique du gouvernement et il n'a pas le droit de veto. La Constitution de 1946 laisse peu de pouvoirs au Président de la République parce que la majorité des Français ne veut pas courir le risque d'un gouvernement personnel. Un homme très populaire peut devenir ambitieux et profiter d'un [15

[1] The President of France is always spoken of as *Le Président de la République*; one never hears *Le Président de la France*.
[2] et caetera

conflit avec le Parlement pour imposer sa volonté et devenir dictateur.

Le chef réel du gouvernement français est le Président du Conseil des Ministres. Ses pouvoirs sont très larges. Avec les ministres il dirige, en fait, la politique intérieure et extérieure du pays. Ordinairement, il est membre du Parlement. Il reste au pouvoir tant que sa [20 politique est approuvée par la majorité des membres de l'Assemblée Nationale. Dans certaines circonstances, quand la majorité de l'Assemblée Nationale vote contre sa politique, il est renversé avec l'ensemble de son cabinet. Alors, le Président de la République propose à l'Assemblée Nationale quelqu'un d'autre pour constituer un nouveau [25 ministère.

Le Conseil des Ministres correspond au Cabinet aux États-Unis. Mais, d'ordinaire, les ministres sont des membres du Parlement. Chaque ministre est à la tête d'un ministère. Il y a beaucoup de ministres, par exemple le Ministre de la Justice, des Affaires Étrangères, de [30 l'Intérieur, de la Défense Nationale, de l'Air, de la Guerre, de la Marine, de l'Éducation Nationale, etc.

La Constitution de 1946, qui remplace la Constitution de 1875, est la base de la Quatrième République.

QUESTIONS

1. *Qui* est à la tête du gouvernement français? 2. *Qui* le Président de la République reçoit-il? 3. A *qui* le Président de la République propose-t-il un Président du Conseil? 4. *Qu'est-ce qui* limite les pouvoirs du Président de la République? 5. *Qu'est-ce que* le Président de la République n'influence pas? 6. *Que* dirige le Président du Conseil? 7. De *quoi* le Président des États-Unis est-il le chef? 8. *Qui* représente la France aux fêtes officielles? 9. *Qui* le Président de la République nomme-t-il? 10. Avec *qui* le Président du Conseil dirige-t-il la politique du pays? 11. *Qu'est-ce qui* correspond en France au Cabinet des États-Unis? 12. *Qu'est-ce que* la Constitution de 1946 remplace? 13. *Que* fait le Président de la République quand le Président du Conseil est renversé? 14. De *quoi* la Constitution de 1946 est-elle la base?

DEVOIRS

A. Suivez les indications:

1. Demandez à Roger avec qui[1] il va en classe. 2. Demandez à Marie avec quoi elle écrit. 3. Demandez à Robert qui il attend. 4. Dites à votre professeur qui est à la tête du gouvernement français.

---

[1] Note that *qui il* remains two words. Two contiguous *i*'s elide only in the combinations *s'il* (*si + il*) and *s'ils* (*si + ils*).

B. Remplacez les tirets par le pronom interrogatif qui veut dire Who . . .?
ou Whom . . .?

1. —— a un frère? 2. —— finit cette dictée? 3. —— le professeur
punit-il? 4. Avec —— Roger va-t-il en classe? 5. De —— les élèves
parlent-ils aujourd'hui? 6. —— Maurice et Paul rencontrent-ils
dans la rue?

C. Remplacez les tirets par le pronom interrogatif qui veut dire What . . .?

1. —— nous aimons? 2. Avec —— écrivez-vous? 3. —— compte
le professeur? 4. —— lisent les jeunes filles? 5. —— le professeur
écrit? 6. —— est sur le pupitre? 7. —— est devant les élèves?

D. Remplacez le mot indiqué entre parenthèses par l'équivalent français:

1. (*Who*) est votre camarade? 2. Avec (*whom*) parlez-vous?
3. (*Whom*) le professeur voit-il? 4. (*What*) est derrière le professeur?
5. De (*what*) Roger parle-t-il à sa sœur? 6. (*What*) corrige le professeur? 7. (*What*) nous écrivons au tableau? 8. (*Who*) vous attend?
9. (*What*) voyez-vous au tableau? 10. Avec (*what*) écrivez-vous?
11. (*What*) entre dans la salle quand la fenêtre est ouverte? 12. (*What*)
nous prononçons après le professeur? 13. Par (*whom*) le Président
des États-Unis est-il élu? 14. (*Whom*) entendons-nous à la porte?

GRAMMAIRE

1. What is an interrogative pronoun? (§ 35 A)

2. From observation of the questions in this lesson, which interrogative pronoun may always be used when referring to persons?
(§ 35 A)

3. Which interrogative pronoun refers to a thing used as the
subject? as the object? as the object of a preposition? (§ 35 B)

4. Both *Que* . . .? and *Qu'est-ce que* . . .? are used as the object of
a verb in referring to a thing, but a different word-order is used with
each. Explain this difference. (§ 35 D)

5. Make sentences with the present of the irregular verbs *courir*
and *recevoir*. (Page 90)

La côte bretonne

La Bretagne, cette ancienne province située à l'extrême ouest de la France, est bordée par la mer au nord, à l'ouest et au sud.

La côte bretonne est très pittoresque avec le sable jaune des plages, la mer bleue ou verte et le ciel souvent gris. Des rochers noirs et rouges bordent la côte d'un bout à l'autre. Les hautes forêts qui la [5 dominent font un tableau magnifique.

Cette côte présente deux aspects complètement différents, selon la saison. En hiver elle est solitaire, et on n'y voit que de pauvres pêcheurs bretons qui se préparent à aller en mer. Les nuages gris et la mer sombre donnent alors à la côte un aspect triste. Souvent [10 il fait mauvais temps, et il y a parfois des tempêtes dangereuses.

En été, vers la fin de juin, il fait assez chaud pour se baigner. Pendant les vacances, les touristes français et étrangers y viennent avec leurs familles, car le climat est doux. Il y a surtout des touristes anglais, car l'Angleterre n'est pas loin de la Bretagne. [15

A ce moment-là, l'aspect du pays est changé. De jolies promenades fleuries bordent la côte. Pourtant, la mer est souvent agitée. De grosses vagues viennent se briser contre les rochers. On voit de petits bateaux avec leurs grandes voiles blanches. De nombreux phares se trouvent tout le long de la côte. Sur les plages, les enfants [20 sont heureux de jouer dans le sable et de se baigner.

Beaucoup de familles modestes viennent en Bretagne passer huit ou quinze jours, mais il y a des familles riches qui y passent tout l'été. Elles possèdent des maisons de pierre très élégantes. Ces jolies maisons et leurs jardins en fleurs ajoutent encore au pittoresque [1] de la côte [25 bretonne.

La Bretagne est un pays très religieux. Aux carrefours des routes on voit souvent des calvaires, croix élevées en signe de reconnaissance par des marins sauvés en mer.

Le dimanche, Bretons et Bretonnes vont à l'église. Les femmes, [30 avec leurs coiffes blanches particulières à chaque village et leurs costumes anciens, offrent un spectacle très coloré et intéressant.

Questions

1. Où est située la Bretagne? 2. Par quoi est bordée la Bretagne? 3. Quand la côte est-elle solitaire? 4. Qui voit-on le long de la côte en hiver? en été? 5. De quel pays étranger viennent beaucoup de

---

[1] *to the picturesque quality.* Here, the adjective assumes the attributes of a noun.

touristes pour passer l'été en Bretagne? Pourquoi? 6. Que font les enfants sur les plages? 7. Combien de temps les familles riches passent-elles en Bretagne? les familles modestes? 8. En quoi sont construites les maisons qui se trouvent le long de la côte? 9. Qu'est-ce qu'un calvaire? 10. Que portent les femmes bretonnes?

DEVOIRS

A. Remplacez les tirets par les mots convenables indiqués à droite:

1. En été beaucoup de touristes étrangers —— en Bretagne. 2. Tous les jours leurs enfants se baignent et —— dans le sable des plages. 3. Ils regardent les grosses vagues se —— contre les rochers. 4. Sur la mer ils voient des —— avec leurs voiles blanches. 5. Quand le ciel est couvert, il y a souvent de gros —— gris qui donnent alors à la côte un aspect sombre et triste. 6. Tout le long de la côte il y a de hautes —— qui font un tableau magnifique.

a. baigner
b. bateaux
c. briser
d. forêts
e. jouent
f. nuages
g. solitaire
h. viennent
i. voiles

B. Écrivez le pluriel des noms suivants. EXEMPLE: le nuage, les nuages.

1. le magasin 2. le pays 3. le bateau 4. la mer 5. le château 6. le cours 7. l'église 8. la route 9. le travail 10. un tableau 11. un mois 12. une croix

C. Introduisez les adjectifs indiquées dans la phrase pour modifier le nom en italique. EXEMPLE: (long, breton) La *côte* est bordée de rochers. La LONGUE *côte* BRETONNE est bordée de rochers.

1. (bleu) Le *ciel* de la Côte d'Azur est magnifique. 2. (anglais) Il y a des *villes* situées sur la côte qui sont connues par leurs plages. 3. (gros) Les enfants ne jouent pas dans les *vagues*. 4. (petit, français) Les *bateaux* sont très pittoresques. 5. (grand, noir) Les *rochers* se trouvent tout le long de la côte.

D. Mettez l'adjectif à la position convenable. Faites l'accord de l'adjectif avec le nom. EXEMPLE: (blanc) une maison, un mur, les nuages — une maison *blanche*, un mur *blanc*, les nuages blancs.

1. (haut) les montagnes, une forêt, la muraille 2. (premier) la fois, les années, le mois 3. (rouge) un livre, des rochers, des costumes. 4. (mauvais) les garçons, la leçon, le temps 5. (heureux) les enfants, une jeune fille, un homme 6. (joli) les maisons, la femme, le

jardin 7. (petit) un pays, la ville, les garçons 8. (facile) une leçon, les livres, le devoir 9. (trois) les édifices, les ans, les crayons 10. (important) un problème, une question, les rues 11. (autre) les provinces, les châteaux, un roi 12. (anglais) des hommes, l'architecture, une femme 13. (chaque) élève, fleuve, partie 14. (deuxième) la leçon, la rue, le jour.

GRAMMAIRE

1. How do most nouns form their plural? nouns ending in -*s*, -*x*, and -*z*? nouns ending in -*eau* and -*eu*? those ending in -*al*? (§ 7)

2. How do most adjectives form their feminine singular? adjectives ending in -*e*? adjectives ending in -*e* + A CONSONANT? adjectives ending in -*f*? adjectives ending in -*x*? adjectives ending in -*el*, -*eil*, -*ien*, -*as*, and -*os*? (§ 9 A, B, C, D, E, F)

3. What are the feminine forms of adjectives listed in § 9 H?

4. How do most adjectives form their plural? adjectives in -*s*, -*x*, and -*z*? adjectives in -*eau*? adjectives in -*al*? (§ 10 A, B, C, D)

5. What can you say in general concerning the position of French adjectives? (§ 11 A) Which regularly precede their nouns? (§ 11 C, D) Which regularly follow? (§ 11 B)

6. Which adjectives change their meaning in changing their position? (§ 11 E)

7. Give the forms of the present tense of the irregular verbs *offrir* and *venir*. (Page 92)

★ ★ ★

Au clair de la lune

Au clair de la lune [1], Mon ami Pierrot,
Prête[2]-moi ta plume [3], Pour écrire un mot;
Ma chandelle [4] est morte, Je n'ai plus de feu;
Ouvre-moi ta porte, Pour l'amour de Dieu.

Au clair de la lune, Pierrot répondit:
Je n'ai pas de plume, Je suis dans mon lit [5].
Va chez la voisine, Je crois qu'elle y est;
Car dans sa cuisine [6], On bat [7] le briquet.

[1] *moonlight*   [2] *lend*   [3] *pen*   [4] *candle*   [5] *bed*   [6] *kitchen*   [7] *strike a light*

Leçons 11 a 20

Noms importants

Identifiez en français les noms suivants:

Algérie	Louis-le-Grand	Parlement
Assemblée Nationale	Martinique	Place de la Concorde
Baccalauréat	Palais Bourbon	Président du Conseil
Conseil de la République	Palais du	des Ministres
Guadeloupe	Luxembourg	Réunion

Questions

Répondez aux questions suivantes par des phrases complètes:

1. En quoi les villes françaises sont-elles plus pittoresques que les villes américaines? 2. Pourquoi les Américains aiment-ils beaucoup voyager en France? 3. Voyagez-vous souvent en France? 4. Quels sont les jours de la semaine? 5. Quel est le jour de congé dans les écoles françaises? 6. Quel est le dernier jour de la semaine en France? 7. Combien de fenêtres a la salle de classe? 8. Qu'est-ce qui entre dans la salle par les fenêtres? 9. Quand votre stylo est vide, que faites-vous? 10. Quelles sont les saisons de l'année? 11. En quel mois les élèves du lycée français rentrent-ils en classe? 12. En quels mois neige-t-il? 13. Qu'est-ce que le lycée? 14. Qu'est-ce que les élèves apprennent au lycée? 15. Qu'est-ce que les élèves sont obligés de passer à la fin des six premières années du lycée? 16. Où les élèves du lycée se réunissent-ils pendant les heures de récréation? 17. En quelles divisions administratives la France est-elle divisée? 18. Quels sont les élèves qui sont obligés d'aller au lycée le jeudi? 19. En combien de départements est divisée la France? 20. De quoi est chargé le préfet? 21. Quels sont les quatre départements d'outre-mer? 22. Quelle est la chambre qui exerce le pouvoir législatif en France? 23. Qu'est-ce que le Conseil de la République? 24. Combien y a-t-il de députés à l'Assemblée Nationale? 25. Pour combien d'années est élu le Président de la République? 26. Qui est le chef réel du gouvernement français? 27. Pendant combien de temps le Président du Conseil reste-t-il au pouvoir? 28. Qu'est-ce qui borde la côte bretonne? 29. Que voit-on aux carrefours des routes bretonnes? 30. En quelle saison les touristes viennent-ils en Bretagne?

Composition

Écrivez une composition sur un des sujets suivants:

1. La salle de classe 2. Les mois de l'année. 3. Le lycée 4. Les départements français 5. Le Parlement français. 6. Le Président du Conseil 7. La Bretagne

DEVOIRS

A. Remplacez les mots entre parenthèses par l'équivalent français:

1. (*My*) père et (*my*) mère visitent (*their*) pays. 2. (*Your*) oncle et (*your*) tantes les accompagnent. 3. (*Our*) professeur a (*his*) livre et (*his*) cahiers dans (*his*) voiture.

B. Remplacez les expressions en italique par des pronoms compléments. EXEMPLE: Ils écrivent *la lettre au professeur.* Ils *la lui* écrivent.

4. Le professeur arrive *dans la salle de classe* avant l'heure. 5. Il voit *les élèves.* 6. Écrivent-ils *leurs résumés*? 7. Un des élèves parle *au professeur.* 8. Le professeur lit *l'histoire aux élèves.* 9. Il nous fait *la dictée.* 10. Comprenez-vous *la dictée*? 11. Montrez-vous *la carte aux élèves*?

C. Remplacez les mots entre parenthèses par l'équivalent français:

12. (*What*) Maurice explique à Roger? 13. De (*what*) parle-t-il à sa mère? 14. (*Whom*) Louise voit-elle à Tours? 15. (*Who*) écrit un résumé? 16. (*What*) faites-vous ce matin?

D. Introduisez les adjectifs indiqués dans les phrases suivantes de sorte qu'ils modifient les noms en italique. EXEMPLE: (petit) Les *enfants* jouent dans le sable des plages. Les PETITS *enfants* jouent dans le sable des plages.

17. (petit, français) Ces *villes* sont très pittoresques. 18. (bleu) Regardez la *mer* et le *ciel* de la Côte d'Azur. 19. (étranger) Les *langues* sont faciles à apprendre. 20. (premier, blanc) Allez à la *maison.*

E. Remplacez les mots indiqués en anglais par l'équivalent français:

21. (*What is*) le fleuve le plus long de France? 22. (*What is*) la littérature?

F. Remplacez l'infinitif par le présent. Ces verbes sont RÉGULIERS.

23. Nous (aimer) voyager en France. 24. Je (finir) mes devoirs pendant que vous (remplir) votre stylo. 25. Ils (attendre) le professeur pendant qu'il (répondre) aux questions de Roger.

G. Remplacez l'infinitif par le présent. Faites les changements nécessaires dans les verbes.

26. Nous (corriger) les fautes de nos phrases. 27. Le professeur

(prononcer) et nous (prononcer) après le professeur. 28. Nous (répéter) les phrases et il les (répéter) aussi.

H. *Remplacez l'infinitif par le présent ou l'impératif. Ces verbes sont tous* IRRÉGULIERS.

29. Vous (être) toujours en retard. 30. Je (aller) souvent en classe avec Paul. 31. Nous (écrire) un devoir au tableau et Paul (écrire) un résumé. 32. (Lire) à haute voix. 33. Je ne (pouvoir) pas venir ce matin. 34. Marie (vouloir) me voir. 35. Que (faire)-vous cet après-midi? 36. Je (savoir) que vous ne (comprendre) pas la leçon. 37. Roger (recevoir) un livre. 38. Vous (dire) que vous (apprendre) le français? 39. Nous (voir) des cartes au mur. 40. Je (venir) en France tous les ans.

SUPPLÉMENT

aux Leçons 11 a 20
ONZIÈME LEÇON
Vocabulaire

l'âge (*m.*)	le charme	Maurice
l'Américain (*m.*)	content	le membre
américain	la famille	le parent
le camarade	l'impression (*f.*)	

l'ami (*m.*), *friend*
l'an (*m.*), *year*
l'aspect (*m.*), *appearance*
*avoir, *to have*
le café, *establishment which serves coffee, chocolate, beer, etc.*
comment, *how*
donner, *give*
*être, *be*
la jeune fille, *girl*
le frère, *brother*
l'homme (*m.*), *man*
je, *I*
jeune, *young*

la mère, *mother*
nous, *we*
l'oncle (*m.*), *uncle*
particulier, particulière, *particular, special; peculiar*
le père, *father*
que, *as*
la raison, *reason*
la sœur, *sister*
souvent, *often*
la tante, *aunt*
le temps, *time*
vous, *you*
voyager, *travel; take a trip*

en province, *in the provinces, outside of Paris*
J'ai dix-sept ans, *I am seventeen years old*
Quel âge avez-vous? *How old are you?*

Learn also to count from 1 to 20 † with Lesson Eleven. (§ 16 A)

* An asterisk (*) placed *before* a verb indicates that this verb is irregular. The forms that you will be required to know are listed below.
† The pronunciation of the numerals depends upon whether they are used alone, whether they are followed by a noun beginning with a consonant, or by one beginning with a vowel. There is neither elision nor linking of the preceding word with *huit* and *onze*. (§ 16 B)

VERBES

donner *	*voyager* †	*avoir* **	*être* ††
je donne	je voyage	j' ai	je suis
tu donnes	tu voyages	tu as	tu es
il donne	il voyage	il a	il est
nous donnons	nous voyageons	nous avons	nous sommes
vous donnez	vous voyagez	vous avez	vous êtes
ils donnent	ils voyagent	ils ont	ils sont

DEVOIRS

A. 1. We speak English with our uncle and our aunts. 2. Your friend lives in [1] Paris with his mother. 3. I am American [2]. 4. You are English [2]. 5. We have many friends in [1] France. 6. I have a sister at [1] Bordeaux and you have a brother at [1] Brest. 7. How old is their brother? 8. He is ten years old, and his sister is twelve years old. 9. Do I speak French? 10. I am visiting [3] France [4] with my brother, my sister, and my parents.

[1] Reread § 39 A, B, C, D to review the ways of expressing *in* and *at* in French. From now on, you will be required to use the prepositions *à, au, aux,* and *en* correctly without further comment.

[2] Capitalize. In general, names of nationalities are capitalized when used as nouns or predicate adjectives but not when used as attributive adjectives. For example: *Les Français parlent vite. Êtes-vous Français?* But *Le vin français est très connu.* Names of languages are not capitalized. Example: *Nous parlons français. Le français est très facile.*

[3] Read § 45 A for an explanation of this *progressive present.*

[4] Use the definite article. (§ 3 C)

B. 1. Tell Maurice that you are an [1] American and that you speak English. 2. Ask him if he lives in Paris with his family. 3. Tell your teacher that you often travel with your sister. 4. Ask Marie how old she is.

[1] Omit the article.

DOUZIÈME LEÇON

VOCABULAIRE

la classe	l'erreur (*f.*)	regarder°°
commencer	excepté	répéter
continuer	immédiatement	le résumé
la correction	octobre	Roger‖
la date	le professeur °	se tourner
	prononcer	

* The verb *donner* may be considered as a model for regular *-er* verbs. The complete conjugation of an *-er* verb (*parler*) may be found in § 83, no. 1.

† All verbs in *-ger* are conjugated like *voyager* in the present tense.

** The entire conjugation of *avoir* may be found in § 83, no. 8.

†† The entire conjugation of *être* may be found in § 83, no. 9.

° The term *professeur* indicates a secondary school or college teacher. *Instituteur* and *institutrice* are used to designate the elementary school teacher.

°° Note that *regarder* means LOOK AT. In English we say: *He looks at the book.* In French: *Il regarde le livre.* In other words, the English *at* is included in the French verb. A list of such verbs is to be found in § 42 B of the *Grammaire.*

‖ The final *-r* of *Roger* is silent. [rɔʒe]

*aller, *go*
alors, *then*
l'après-midi (*m. or f.*), *afternoon*
avant, *before*
combien, *how much, how many*
le congé, *day off, holiday*
corriger, *correct*
déjà, *already*
dernier, dernière, *last*
la dictée, *dictation*
dit, *says*
l'école (*f.*), *school*
écouter, *listen*
*écrire, *write*
effacer, *erase*
l'élève (*m. and f.*), *pupil*
ensemble, *together*

la faute, *mistake*
le garçon, *boy*
l'heure (*f.*), *time*
le jour, *day*
le mot, *word*
noir, *black*
le nom, *name*
pendant, *during*
la phrase, *sentence*
premier, première, *first*
propre, *own*
Que . . .? *What . . .?*
rester, *remain*
sauf, *except*
la semaine, *week*
le tableau (noir), (*black*) *board*
y, *there*

la classe de français, *French class*
en classe, *in class*

il fait la dictée, *he gives the dictation*
un jour de congé, *a day off, a holiday*

tous les jours, *every day*

Learn also the days of the week † with Lesson Twelve. (§ 92 A)

Verbes

aller	*écrire*	*commencer* **	
je vais	j' écris	je commence	IMPERATIVES
tu vas	tu écris	tu commences	*parler* — parlez
il va	il écrit	il commence	*aller* — allez
nous allons	nous écrivons	nous commençons	*écrire* — écrivez
vous allez	vous écrivez	vous commencez	*répéter* — répétez
ils vont	ils écrivent	ils commencent	

Devoirs

A. 1. I go to [1] school on Thursdays [2]. 2. Do you go there on Wednesdays [2]? 3. Listen to [3] the teacher and write the sentences on the [4] board. 4. We begin the dictation, we pronounce the sentences, and we correct the mistakes. 5. We repeat the days of the week together [5]. 6. I repeat the sentence. 7. How many days are there in a week? 8. Roger and Louise go to

---

[1] Supply the definite article.   [2] Why is the article used here? (§ 3 D)
[3] Included in the verb.   [4] *au*   [5] Place directly after the verb.

* An asterisk (*) placed before a verb indicates that this verb is irregular. The forms that you will be required to know are listed below.
† The days of the week and the months of the year are not usually capitalized in French unless they are the first word of a sentence. However, there is an increasing tendency to capitalize them.
** All verbs in -*cer* are conjugated like *commencer* in the present tense.

French class¹ and write a sentence on the² board. 9. We go there every day in³ the week except Saturdays⁴ and Sundays⁴. 10. Correct the mistakes and erase the sentences.

¹ *la classe de français*   ² *au*   ³ *de*   ⁴ Why is the article used here? (§ 3 D)

B. 1. Tell Paul to write the days of the week on the board. 2. Ask John to erase that sentence. 3. Tell Louise to go to class. 4. Ask Marie if she is writing a résumé of her lesson.

TREIZIÈME LEÇON

VOCABULAIRE

l'air (*m*.)   bleu   retourner
                               la place †

assis, *seated*   la, *her, it*
bas, basse, *low*   le, *him, it*
le bureau, (*teacher's*) *desk*   la leçon, *lesson*
le cahier, *notebook*   les, *them*
compter, *count*   *lire, *read*
le côté, *side*   le livre, *book*
le crayon, *pencil*   la lumière, *light*
debout **, *standing*   obéir ††, *obey*
derrière, *behind*   ouvert, *open*
devant, *before; in front of* la porte, *door*
le devoir, *exercise*   punir, *punish*
la droite, *right*   le pupitre, (*pupil's*) *desk*
écrit, *written*   quand, *when*
l'encre (*f*.), *ink*   remplir, *fill*
expliquer, *explain*   la salle °, *room, classroom*
facilement, *easily*   le stylo, *fountain pen*
la fenêtre, *window*   trente, *thirty*
fermé, *closed*   vide, *empty*
finir, *finish*   la voix, *voice*
la gauche, *left*

à droite, *to the right*   de l'autre côté, *on the other side*
à gauche, *to the left*   d'un côté, *on one side*
à haute voix, *aloud*   écrit à l'encre, *written in ink*
à voix basse, *in a low voice, in a whisper*   en retard, *late*
asseyez-vous, *sit down*   la salle de classe °, *classroom*

* An asterisk (*) placed *before* a verb indicates that this verb is irregular. The forms that you will be required to know are listed below.
† Means PLACE in the sense of a PLACE TO SIT DOWN; *endroit* is the common word for PLACE.
** The word *debout* is an adverb in French and therefore does not change in form. Ex-AMPLE: Roger est *debout* et Marie est *debout* aussi. This word is used less frequently than the English word *standing*.
†† The verb *obéir* requires the preposition *à* before its object.
° The expression *salle de classe* means CLASSROOM, but the French usually say just *la salle* or *la classe* to designate the classroom.

Verbes

<table>
<tr><td>finir †</td><td>lire</td></tr>
<tr><td>je finis</td><td>je lis</td></tr>
<tr><td>tu finis</td><td>tu lis</td></tr>
<tr><td>il finit</td><td>il lit</td></tr>
<tr><td>nous finissons</td><td>nous lisons</td></tr>
<tr><td>vous finissez</td><td>vous lisez</td></tr>
<tr><td>ils finissent</td><td>ils lisent</td></tr>
</table>

Devoirs

A. 1. The teacher explains the lesson. He explains it. 2. We fill the fountain pen. We fill it. 3. You punish the boy. You punish him. 4. They finish the sentences. They finish them. 5. We read the exercises. We read them. 6. The teacher is reading the lesson and is explaining it to the pupils. 7. Paul arrives late, but we do not punish him. 8. I read the lesson aloud and the other pupils read it in a low voice. 9. I always [1] obey [2] my mother.

[1] Place directly after the verb.   [2] The verb *obéir* requires *à* before its object.

B. 1. Tell Roger to go back to his seat. 2. Ask Marie if she writes her exercises in ink. 3. Tell the teacher that when your fountain pen is empty, you fill it. 4. Tell Paul that you listen to him when he is speaking.

QUATORZIÈME LEÇON

Vocabulaire

généralement	la question	l'université ** (*f.*)
national	recommencer	les vacances †† (*f.*)

l'année ° (*f.*), *year*	demander, *ask*
beau °° (*m.*), *beautiful*	doux °° (*m.*), *mild*
car, *for*	l'étudiant ‖ (*m.*), *student*
chaud, *warm*	*faire, make, do
le ciel, *sky*	la fête, *holiday*
couvert, *covered*	la fleur, *flower*

* An asterisk (*) placed *before* a verb indicates that this verb is irregular. The forms that you will be required to know are listed below.

† The verb *finir* may be considered a model for most -*ir* verbs. The complete conjugation of *finir* may be found in § 83, no. 2.

** The word *université* refers to the entire university with its various colleges. In French it is more customary to speak of the *faculté* than to use the word *université*.

†† The English word VACATION is expressed by the plural *les vacances* in French.

° Both *an* and *année* are used to express the English word YEAR. In general, *an* is used with cardinal numbers (*un an, deux ans*), *année* with ordinals and expressions of quantity (*première année, combien d'années, quelques années,* etc.).

°° In this lesson, only the masculine form of adjectives used in expressions of weather will be given. The gender of such adjectives will be indicated when they have irregular feminine forms.

‖ The word *étudiant* refers to a college student; the word *élève* refers to a pupil in high school or in the elementary grades.

frais † (*m.*), *cool, fresh*
froid, *cold*
leur, *to them*
le lycée **, *high school*
lui, *to him, to her*
mauvais, *bad*
me, *to me*
le mois, *month*
neiger, *snow*
Noël, *Christmas*

Pâques, *Easter*
*pleuvoir (il pleut), *it rains*
que, *that*
rentrer, *return to school, return, return home*
la saison, *season*
si, *whether, if*
le temps, *weather*
le vent, *wind*

au printemps, *in spring*
le ciel est couvert, *it is cloudy*
en automne, *in autumn*
en été, *in summer*
en hiver, *in winter*
en quel mois, *in what month*
en quelle saison, *in what season*
les grandes écoles, *schools of the level of our American colleges, such as engineering, dentistry, and education, which in France do not belong to the university*

les grandes vacances, *long vacation, summer vacation*
il fait beau, *it is good weather*
il fait chaud, *it is warm, it is hot*
il fait doux, *it is mild*
il fait frais, *it is cool*
il fait froid, *it is cold*
il fait mauvais temps, *it is bad weather*
il fait du vent, *it is windy*
poser une question, *ask a question*
Quel temps fait-il? *What kind of weather is it?*

Learn also the months of the year (§ 92 B) and the ordinal numbers up to *12th* (§ 17 A, B) with Lesson Fourteen.

VERBES

faire	*pleuvoir*
je fais	
tu fais	
il fait	il pleut
nous faisons	
vous faites	
ils font	

DEVOIRS

A. 1. The student speaks to the teacher. The student speaks to him. 2. He asks him [1] why the 14th [2] of July is a national holiday [3] in France. 3. We

[1] The verb *ask* requires an indirect object in French. [2] French uses a cardinal here. (§ 17 E)
[3] *fête*

* An asterisk (*) placed *before* a verb indicates that this verb is irregular.
† This adjective has an irregular feminine *fraîche*.
** The *lycée* is a secondary school, generally for pupils of from ten to eighteen years. It is not the exact equivalent of the American high school. Side by side with the *lycée* is the *école communale*. The latter prepares pupils who do not plan to go to school beyond the age of fourteen or fifteen. The former prepares pupils who plan to go on to college. The curriculum of the *lycée* is much more classical than that of our high schools, and the number of students who receive a diploma is, in proportion, infinitely smaller.

ask[1] the pupils a question[1]. We ask them a question. 4. I explain the lesson to Marie. I explain the lesson to her. 5. In[2] January and February it is cold, in[2] April it is cool, and in[2] May it is mild. 6. It is windy in the[3] month of March. 7. It is mild in[4] spring, it is hot in[4] summer, it is cool in[4] autumn, and it is cold in[4] winter. 8. It is good weather. 9. Paul asks me whether it is bad weather, for it is cloudy.

[1] Use a form of *poser une question*.   [2] *en*   [3] *au*
[4] For prepositions used with seasons, consult the vocabulary of this lesson and § 92 C.

B. 1. Tell Louise that it is good weather. 2. Ask your mother if it is cloudy. 3. Ask Maurice if it is colder in spring than in autumn. 4. Tell your teacher that it is windy in March and that it rains in April.

QUINZIÈME LEÇON

Vocabulaire

considérer	le latin	préparer
élémentaire	la littérature	le programme
l'examen (*m.*)	les mathématiques (*f.*)	relatif, relative
expérimental	moderne	la science
la géographie	obliger	second †
le grec	oral	sérieux, sérieuse
le groupe	la philosophie	se spécialiser

appelé, *called*
*apprendre, *learn*
le bac, *nickname for* baccalauréat
le baccalauréat, *baccalaureate, degree obtained by French lycée student after passing two series of state examinations*
le bachot, *nickname for* baccalauréat
choisir, *choose*
comporter, *include*
le cours, *course*
le droit, *right*
durer, *last*
l'ensemble (*m.*), *whole, total*

la langue vivante, *modern language*
l'épreuve (*f.*), *test*
l'État (*m.*), *government*
étranger, étrangère, *foreign*
l'étude (*f.*), *study*
étudier, *study*
la fin, *end*
le français, *French (language)*
la matière, *subject*
réussir, *succeed*
selon, *according to*
si, *if*
le travail, *work*
vivant, *living*

passer un examen, *take an examination*

Verbes

apprendre

j'apprends	nous apprenons
tu apprends	vous apprenez
il apprend	ils apprennent

* An asterisk (*) placed *before* a verb indicates that this verb is irregular. The forms that you will be required to know are listed below.
† The -*c*- of *second* is pronounced -*g*-. [səg5] *or* [zg5]. For the difference between *second* and *deuxième*, see § 17 C.

DEVOIRS

Before working out this exercise, study carefully Grammaire § 15 *and* § 35 F *in order to know exactly how to express* What . . .? *and* Which . . .? *in French.*

A. 1. What is the school that prepares the pupil for the [1] universities? 2. Which is the foreign language that is considered [2] the most difficult? 3. Which are the pupils that have the right to [3] choose their courses? 4. What is the capital of Russia? 5. What are the principal cities of France? 6. What is geography [4]? 7. What is a modern [5] language? 8. The pupils spend seven years in the [6] lycée and several years in [7] the university. 9. We study French [4], English [4], mathematics [4], history [4], and sciences [4].

[1] *aux*   [2] Supply *comme* after this word.   [3] *de*   [4] Use the article before the noun.
[5] Use a form of *vivant*.   [6] *au*   [7] *à*

B. 1. Tell Maurice that you are learning French and Spanish. 2. Ask him if he is obliged to take examinations at the end of the year. 3. Tell him that a pupil who does not pass his examinations is obliged to take the course over. 4. Ask your teacher if American pupils specialize in mathematics and sciences.

SEIZIÈME LEÇON

VOCABULAIRE

accompagner
l'arrivée (*f.*)
la bicyclette

contemporain
le département
juste
Louis XIV

la permission
la récréation
répondre

ainsi, *thus*
allons! *let's go!*
assister à, *be present at, attend*
attendre, *wait for*
la carte, *map*
chez, *at the house of, to the house of*
Comment! *What!*
la cour, *court, courtyard, patio*
demi, *half*
*dire, *say*
entendre, *hear*
l'étage (*m.*), *floor, story*
Jacques, *Jack*
jusqu'à, *until, up to*
Louis-le-Grand, *Louis the Great, i.e.,*
    Louis XIV
le matin, *morning*
midi, *noon*

monter, *go up, climb*
la montre, *watch*
le mur, *wall*
ne . . . jamais, *never*
ne . . . que, *only*
pendant que, *while*
le plaisir, *pleasure*
*pouvoir, *be able, can*
quarante, *forty*
se réunir, *meet*
saluer, *greet, say "hello" to*
si †, *yes*
travailler, *work*
voici **, *here is, here are* (§ 88 B)
voilà **, *there is, there are* (§ 88 B)
*voir, *see*
*vouloir, *be willing, want, wish*

* An asterisk (*) placed *before* a verb indicates that this verb is irregular.
† *Si* is used to express YES after a negative statement or question. It indicates contradiction to the negative reply expected. EXAMPLE: (1) Il ne fait pas très froid. Si, il fait très froid. (2) Est-ce que Jacques n'est pas Français? Si, il est Français.
** *Voici* (HERE IS, HERE ARE) and *voilà* (THERE IS, THERE ARE) are used without verbs. EXAMPLE: *Voici* Maurice. HERE IS Maurice. *Voilà* mon livre. THERE IS my book.

chez vous, *to your house*
en général, *in general*
en souvenir de, *in memory of*
les jeunes gens *, *young people, young men*
le premier étage, *the second floor* †
Quelle heure est-il? *What time is it?*
Il est huit heures. *It is eight o'clock.*
Il est huit heures trois. *It is three
minutes after eight.*

Il est huit heures et quart. *It is
quarter after eight.*
Il est huit heures et demie. *It is
half past eight.*
Il est neuf heures moins le quart.
It is quarter of nine.
Il est neuf heures moins cinq. *It is
five minutes to nine.*
A quelle heure . . .? *At what time . . .?*

VERBES

répondre **	*dire*	*pouvoir* °	*voir* °	*vouloir* °
je réponds	je dis	je peux °°	je vois	je veux
tu réponds	tu dis	tu peux	tu vois	tu veux
il répond ††	il dit	il peut	il voit	il veut
nous répondons	nous disons	nous pouvons	nous voyons	nous voulons
vous répondez	vous dites	vous pouvez	vous voyez	vous voulez
ils répondent	ils disent	ils peuvent	ils voient	ils veulent

DEVOIRS

A. 1. What time is it? 2. It is three o'clock. 3. It is half past four. 4. I
want to see my brother at quarter after ten. 5. I am waiting for [1] my friend in
the courtyard. 6. He cannot see his mother at quarter of two. 7. Maurice
answers that he does not wish to arrive at noon. 8. What do you see on the [2]
second floor? 9. We reply that we see a map of France [3] on the [2] wall.

[1] Included in the verb.   [2] *au*   [3] *carte de France*

B. 1. Ask Maurice at what time he arrives in class. 2. Tell him that your
classes begin at 8:30. 3. Tell your friend that you want to attend his class.
4. Ask him if he wishes to accompany you to the school.

---

* The plural of *le jeune homme* is *les jeunes gens*.
† The French call the ground floor the *rez-de-chaussée* and the floor above the ground
the *premier étage*.
** The verb *répondre* may be considered a model for *-re* verbs. The complete conjuga-
tion of an *-re* verb (*perdre*) may be found in § 83, no. 3.
†† A few verbs, whose stems do not end in *-d*, add *-t* here. EXAMPLE: *rompre, il rompt*.
° What type of irregularity is common to these three verbs?
°° There is an alternate form, *je puis*, which is used especially in the interrogative.

DIX-SEPTIÈME LEÇON

VOCABULAIRE

administratif,	l'exécution (f.)	le président
administrative	le gouvernement	représenter
l'Algérie (f.)	la Guadeloupe	la république
central	la Guyane	la Réunion
charger	la Martinique	la révolution

assez, *rather*

*comprendre, *understand*

le décret, *decree*

entier, entière, *entire, whole*

étendu, *large, extensive*

l'explication (f.), *explanation*

fermer, *close*

l'Île-de-France, *former French province, of which Paris is the center*

la loi, *law*

montrer, *show*

outre-mer, *abroad, beyond the seas*

nommer, *name, nominate*

le préfet, *prefect*

quatre-vingt-neuf, *eighty-nine*

quoi, *what* (interrogative pronoun used after a preposition)

rendre, *return*

*savoir, *know*

la tête, *head*

trente-deux, *thirty-two*

à présent, *at present, now*

c'est-à-dire, *that is to say*

de plus, *in addition, moreover*

n'est-ce pas †, *isn't that so, don't you, etc.*

le Président de la République, *the President of France **

la Révolution française, *the French Revolution*

toute l'heure, *the whole hour*

With Lesson Seventeen, learn to count to 100 by 10's, beginning first with 10, then with 11. (§ 16 A)

VERBES

savoir	comprendre ††
je sais	je comprends
tu sais	tu comprends
il sait	il comprend
nous savons	nous comprenons
vous savez	vous comprenez
ils savent	ils comprennent

DEVOIRS

A. 1. This country is larger than that country. 2. These states export more [1] products than those states. 3. The boy gives me the notebooks. He gives

[1] This expression of quantity is followed by what preposition?

* An asterisk (*) placed *before* a verb indicates that this verb is irregular. The forms that you will be required to know are listed below.

† This expression has no one English equivalent. We say *isn't it, doesn't she, aren't they*, etc., depending on what precedes. This corresponds to the German *nicht wahr* and the Spanish ¿*verdad*?

** The President of France is always spoken of as *Le Président de la République*; one never hears *Le Président de la France*.

†† Notice that *comprendre* is conjugated just like *apprendre* (page 84) and *prendre* (§ 86, no. 27.)

them to me. 4. I show the book to the pupils. I show it to them. 5.
Robert does not read this lesson to the teacher. He does not read it to him.
6. Does he return [1] your fountain pen to you? Does he return it to you?
7. The teacher asks [2] those pupils the questions. He asks them of them. 8.
My brother does not tell me that story. He does not tell it to me. 9. Do you
know that lesson? I know it. 10. Do you understand the explanation of
the teacher? I understand it.

[1] Use a form of *rendre*.   [2] Use a form of the expression *poser une question à quelqu'un*.

B. 1. Ask Yvonne if she understands the lesson. 2. Tell her that you know that
France is divided into departments. 3. Tell Jack that this map is larger than
that map. 4. Tell Mary that you understand the teacher's explanations.

DIX–HUITIÈME LEÇON

Vocabulaire †

approuver	l'électeur (*m.*)	l'opposition (*f.*)
l'assemblée (*f.*)	électoral	l'organisation (*f.*)
le collège	examiner	le Parlement
la constitution	exercer	la période
la décision	l'expression (*f.*)	le principe
démocratique	la fraternité	le projet
le député	législatif, législative	refuser
direct	la liberté	social
directement	la majorité	voter
	modifier	

*appartenir, *belong to*	malgré, *in spite of*
*atteindre, *attain*	le palais, *palace*
aucun . . . ne, *no*	le parti, (*political*) *party*
l'avis (*m.*), *opinion*	le peuple, *the people, the masses*
le cas, *case*	la place, *public square*
le conseil, *council*	la plupart, *the majority*
le conseiller, *councilor, adviser*	le pouvoir, *power*
définitif, définitive, *final, definite*	pratiquement, *practically, in practice*
*devenir, *become*	puissant, *powerful*
la devise, *motto*	la rive, *bank (of a river)*
l'égalité (*f.*), *equality*	sinon, *if not*
élu, *elected*	s'unir, *unite*
la fois, *time*	la volonté
la main, *hand*	

* An asterisk (*) placed *before* a verb indicates that this verb is irregular. The forms
that you will be required to know are listed below.
† Words, expressions, and irregular verbs occurring for the first time in this lesson will
be repeated in the lesson vocabulary of the first subsequent lesson in which they occur.

l'Assemblée Nationale, *the National Assembly (now refers to the lower house of the French Parliament)*
le collège électoral, *electoral college*
le Conseil de la République, *the Council of the Republic (the upper house of the French Parliament)*
le Conseil des Ministres, *the Council of Ministers (the French Cabinet)*
la Place de la Concorde, *famous square in Paris between the Champs-Elysées and the Tuileries Gardens directly opposite the Palais Bourbon*
le Palais Bourbon, *the building where the* Assemblée Nationale *meets*
le Palais du Luxembourg, *the building where the* Conseil de la République *meets, located in the Luxembourg Gardens*
le projet de loi, *the proposed law; bill*

Learn to count from 1 to 100 and by 100's from 100 to 1000 with Lesson Eighteen.

VERBES

appartenir	*devenir*	*atteindre*
j'appartiens	je deviens	j'atteins
tu appartiens	tu deviens	tu atteins
il appartient	il devient	il atteint
nous appartenons	nous devenons	nous atteignons
vous appartenez	vous devenez	vous atteignez
ils appartiennent	ils deviennent	ils atteignent

DEVOIRS

A. 1. Today there are 624 deputies in [1] the National Assembly. 2. There are fifty-eight men and seventy-six women in the [2] garden. 3. Ninety-three cities are located in the east of the country. 4. Two hundred students are gathering in the courtyard. 5. Three hundred fifty pupils are waiting in front of the door. 6. There are three thousand six hundred inhabitants in that place. 7. There are eighty-three books and seventy-eight notebooks in that classroom. 8. These dates are important: 1066, 1789, 1812, 1914, 1945. 9. We have four thousand six hundred ninety-five men in our university.

[1] *à*   [2] *au*

B. 1. Ask your friend what [1] the members of the National Assembly are called. 2. Ask him if the members of Parliament belong to several political parties. 3. Tell your teacher what the motto of the French Republic is. 4. Ask him where the deputies meet.

[1] *comment*

DIX–NEUVIÈME LEÇON

Vocabulaire †

l'affaire (f.)	le dictateur	officiel, officielle
l'ambassadeur (m.)	etc. (et cætera)	ordinairement
ambitieux, ambitieuse	l'éducation (f.)	personnel, personnelle
la base	l'exposition (f.)	profiter
le cabinet	extérieur	proposer
la circonstance	imposer	la réception
comparer	influencer	réel, réelle
le conflit	intérieur	le risque
correspondre	la justice	le veto
	le ministre	

contre, *against*
*courir, *run*
diriger, *direct*
le fonctionnaire, *official, government employe*
la guerre, *war*
laisser, *leave, allow*
le ministère, *ministry*
nouveau, nouvel, nouvelle, *new* (§ 9 G)
peu (de), *few*

la politique, *policies*
promulguer, *promulgate, put into execution*
quelqu'un, *someone*
*recevoir, *receive*
réélu, *reelected*
remplacer, *replace*
renverser, *overthrow*
le souverain, *sovereign*
tant que, *as long as*

en fait, *in fact, actually*
d'ordinaire, *ordinarily*

par exemple, *for example*
quelqu'un d'autre, *someone else*

Ministre des Affaires Étrangères, *Minister of Foreign Affairs*
Ministre de l'Air, *Air Minister*
Ministre de la Défense Nationale, *Minister of National Defense*
Ministre de l'Éducation Nationale, *Minister of Education*
Ministre de la Guerre, *Minister of War*
Ministre de l'Intérieur, *Minister of the Interior*
Ministre de la Justice, *Minister of Justice*
Ministre de la Marine, *Minister of the Navy*

Verbes

courir	*recevoir*
je cours	je reçois
tu cours	tu reçois
il court	il reçoit
nous courons	nous recevons
vous courez	vous recevez
ils courent	ils reçoivent

* An asterisk (*) placed *before* a verb indicates that this verb is irregular. The forms that you will be required to know are listed below.

† Words, expressions, and irregular verbs occurring for the first time in this lesson will be repeated in the lesson vocabulary of the first subsequent lesson in which they occur.

DEVOIRS

Before working out this exercise, study carefully the questions in Lesson 19. Analyze the word order used with each type of interrogative pronoun. Also see § 88 H, I.

A. 1. Who receives the ambassadors? 2. What is the teacher saying? 3. With what is he writing? 4. What is on the teacher's desk? 5. With whom does this boy go to ¹ class? 6. What do the pupils correct? 7. To whom does he show his book? 8. Whom does he find on ² the street? 9. What corresponds to the National Assembly in the United States?

¹ *en* ² *dans*

B. 1. Ask Maurice what is on his desk. 2. Ask Marie with whom she is going to Paris. 3. Ask the teacher what he is saying. 4. Ask your friend with what she is writing.

VINGTIÈME LEÇON

VOCABULAIRE

border	le moment	rouge
changer	*offrir	la route
le climat	posséder	le signe
dangereux, dangereuse	la promenade	solitaire
dominer	se préparer	sombre
l'enfant (*m. f.*)	présenter	le spectacle
la forêt	religieux, religieuse	la tempête
modeste	riche	le village

agité, *rough*	heureux, heureuse, *happy*
ajouter, *add*	jaune, *yellow*
se baigner, *bathe*	jouer, *play*
le bateau, *boat*	loin, *far*
blanc, blanche, *white*	le marin, *sailor*
le bout, *end*	le nuage, *cloud*
breton, bretonne, *Breton*	pauvre, *poor*
se briser, *break*	le pêcheur, *fisherman*
le calvaire, *calvary* (a cross in the shape of a crucifix, placed at crossroads in Brittany)	le phare, *lighthouse*
	pourtant, *however*
le carrefour, *crossroad*	la reconnaissance, *gratitude*
la coiffe, *head-dress*	le rocher, *rock*
coloré, *colorful*	le sable, *sand*
la croix, *cross*	sauver, *save*
doux, douce, *mild*	triste, *sad, sorrowful*
l'église (*f.*), *church*	la vague, *wave*
élever, *erect, raise*	*venir, *come*
fleuri, *flowery*	vers, *approximately, about; toward*
gris, *gray*	vert, *green*
gros, grosse, *large, huge*	la voile, *sail*

huit jours, *a week*
quinze jours, *two weeks, a fortnight*

* An asterisk (*) placed *before* a verb indicates that this verb is irregular. The forms that you will be required to know are listed below.

Verbes

offrir	*venir*
j'offre	je viens
tu offres	tu viens
il offre	il vient
nous offrons	nous venons
vous offrez	vous venez
ils offrent	ils viennent

Devoirs

A. 1. The colorful costumes of the Bretons offer an interesting sight to the foreign tourist. 2. The French coast is very picturesque with the yellow sand of its beaches and the blue sky. 3. One sees only [1] poor French fishermen who prepare [2] to [3] go to [4] sea. 4. The somber sea of that season gives the coast a sorrowful appearance. 5. French and foreign tourists go to [4] Normandy in summer. 6. The happy children play in the sand and bathe. 7. Rich families often [5] spend the whole summer in elegant houses. 8. I like the high mountains and the green forests. 9. Each pupil learns the first lesson. 10. The little English cities are interesting to [3] visit.

[1] Use *ne . . . que*, placing *ne* before and *que* after the verb.   [2] Use a form of *se préparer*.
[3] *à*   [4] *en*   [5] Place directly after the verb.

B. 1. Tell your friend that it is warm enough to go in bathing toward the end of July. 2. Ask your mother if you are going to Brittany to spend a week. 3. Tell Paul that France isn't very far from England. 4. Ask Roger if it is often bad weather in [1] Brittany.

[1] *en*

(handwritten margin notes: "en" in pres. pres. = some / " neg. " = any / " modfd by nmrl best left out / See 242)

Les monopoles de l'État

— J'ai besoin d'un timbre pour envoyer une lettre.

— Venez avec moi. Il y a un bureau de tabac tout près.

— Un bureau de tabac? Mais je ne veux pas de tabac. Je n'en ai pas besoin; je ne fume pas. Je veux seulement mettre cette lettre à la poste. [5

— Eh bien! Venez. Chez nous, on peut acheter des timbres dans les bureaux de tabac.

Tout étonné, j'entre avec lui dans une petite boutique où l'on [1] vend du tabac, des cigares, des cigarettes, des allumettes, etc. Maurice me demande: [10

— Combien de timbres voulez-vous?

— J'en veux un — pour envoyer une lettre en Amérique.

— Moi aussi, j'en veux. (*à l'employé*) Un timbre à dix francs, quatre timbres à six francs.

Maurice donne cinquante francs à l'employé, qui lui en rend [15 seize. Puis mon camarade me dit:

— Cette boîte bleue que vous voyez là-bas est une boîte aux lettres. Il faut mettre votre lettre dans cette boîte.

— N'y a-t-il pas de bureaux de poste à Paris?

— Mais si! Il y en a beaucoup. Il y a aussi une grande poste [20 centrale rue [2] du Louvre. Mais comme le tabac et les allumettes sont des monopoles de l'État ainsi que les timbres, on peut acheter des timbres dans un bureau de tabac. D'ailleurs, on peut en acheter aussi dans beaucoup de cafés.

— Ah! J'ai aussi besoin de téléphoner. D'où peut-on télé- [25 phoner?

— Pour cela il faut aller à la poste. En France le télégraphe et le téléphone sont des monopoles de l'État. On envoie les télégrammes de la poste. Il y a des téléphones publics à la poste. Cependant, on en trouve aussi dans les cafés. 30

Maurice et moi allons à un bureau de poste. Beaucoup de gens attendent devant les guichets. Il y a de nombreux employés de maisons de commerce. Eux, ils attendent pour envoyer des paquets. Il y a

---

[1] For the use of *l'on*, see § 37 B.

[2] In indicating streets, avenues, etc., it is customary in French to omit the preposition of place.

aussi des femmes. En voilà [1] une qui vient [2] toucher un mandat-poste. Elle a deux enfants avec elle. Moi, je cherche mon numéro dans [35 l'annuaire du téléphone. Ensuite, j'entre dans une cabine téléphonique pour donner un coup de téléphone à un camarade.

QUESTIONS

1. Pourquoi avez-vous besoin d'un timbre? 2. Fumez-vous? 3. Fumez-vous le cigare ou la cigarette? 4. Où peut-on acheter des timbres en France? 5. Vous demandez deux timbres à dix francs et vous donnez cinquante francs à l'employé. Combien vous rend-il? 6. Y a-t-il des bureaux de poste à Paris? 7. Pourquoi peut-on acheter des timbres dans un bureau de tabac? 8. Où faut-il aller pour donner un coup de téléphone? 9. Pourquoi faut-il aller à la poste pour envoyer un télégramme? 10. Qui attend devant les guichets à la poste? 11. Pourquoi la femme vient-elle à la poste? 12. Où faut-il chercher un numéro de téléphone?

DEVOIRS

A. Suivez les indications:

1. Dites à l'employé que vous voulez un timbre à dix francs. 2. Demandez à Jacques s'il y a un bureau de poste tout près. 3. Dites à votre mère que vous avez besoin de téléphoner. 4. Dites à l'employé que vous envoyez un mandat-poste à votre frère.

B. Remplacez les mots indiqués en anglais par les équivalents français:

1. Venez avec (*me*) au bureau de tabac. 2. Je vais acheter des timbres pour (*him*). 3. Nous sommes tout près de (*you*). 4. Le professeur est devant (*them, m.*). 5. Qui est derrière (*us*)? 6. Paul et (*I*) nous allons à la poste. 7. (*He*), il ne parle pas français. 8. Marie et (*he*) vont en classe. 9. Qui écrit une lettre? (*He*). 10. Nous sommes plus contents qu' (*they, m.*). 11. Qui est là? (*He*). 12. (*In our country*) on peut téléphoner de l'hôtel. 13. (*In their country*) il faut aller à la poste. 14. Je vais (*to my house*).

C. Répondez aux questions suivantes en employant en *dans la réponse.*
EXEMPLE: Voulez-vous des allumettes? Oui, j'*en* veux.

1. Avez-vous un stylo? 2. Est-ce que j'ai des timbres? 3. Voulez-vous du lait? 4. A-t-il trois camarades? 5. Combien de stylos avez-

---

[1] For word order of *voici* and *voilà* with pronoun objects, see § 88 C.

[2] THERE IS ONE WHO IS COMING (IN ORDER) TO CASH A MONEY ORDER. The verbs *aller* and *venir* are used directly with the infinitive to express purpose. Other verbs require the preposition *pour* before the infinitive.

vous? 6. Y a-t-il trois fenêtres dans la classe? 7. Combien de départe-ments y a-t-il en France? 8. Combien de frères avez-vous?

D. *Remplacez les expressions en italique par des pronoms compléments.*
EXEMPLES: 1. Nous donnons dix *francs à l'employé.* Nous *lui en* donnons dix. 2. Je montre *le livre à l'employé.* Je *le lui* montre.

1. Nous avons *des livres.* 2. Vous avez *les livres.* 3. J'ai deux *livres.* 4. Elle trouve *la carte.* 5. Elles trouvent une *carte.* 6. Nous trouvons *sa carte.* 7. Vous ne trouvez pas *votre carte.* 8. Ma sœur trouve *cette carte.* 9. Écrivez-vous *les lettres*? 10. Écrit-il une *lettre*? 11. Combien *de lettres* écrivent-ils? 12. Nous donnons *les crayons aux garçons.* 13. Je donne *des crayons aux garçons.* 14. Il montre une *carte à l'élève.* 15. Il y a *des crayons* sur le pupitre. 16. Le professeur montre *les livres aux élèves.* 17. Il nous raconte *cette histoire.* 18. Il y a *des magasins* à Paris. 19. Vous me donnez *des livres.* 20. Il me donne *les livres.* 21. Je vous raconte une *histoire.* 22. Je vous raconte beaucoup *d'histoires.*

GRAMMAIRE

1. List the disjunctive pronouns. (§ 26 A)
2. These disjunctive pronouns are used in emphatic positions. List the various types of emphatic positions with examples. (§ 26 B)
3. How is the French pronoun *en* expressed in English? (§ 27 A)
4. Study carefully the examples given in § 27 B. When is a noun direct object replaced by the pronoun *en* rather than by the pronouns *le, la,* or *les*? (§ 27 B)
5. What is the position of *en* in the sentence? (§ 30 A) What is its position in relation to *y*? (§ 30 B) What is its position in relation to any other pronoun object, such as *nous, me, lui,* or *leur*? (§ 30 A)
6. What are the forms of the present of the irregular verbs *envoyer, falloir,* and *mettre*? (Page 125)

===== *VINGT-DEUXIÈME LEÇON* =====

La pension de famille

Il y a beaucoup de pensions de famille en France. Les gens qui travaillent loin de chez eux, les célibataires, les étudiants de province qui font leurs études à Paris s'installent presque tous [1] dans des pensions

---

[1] When *tous* is used as a pronoun, the -*s* is pronounced. [tus]

de famille. Dans ces pensions on trouve un certain esprit de famille.
La propriétaire de la pension s'occupe de la maison et s'intéresse, [5
parfois même trop, à la vie des pensionnaires. Quelques pensionnaires
habitent à l'hôtel et ne viennent à la pension que pour les repas; d'autres
ont dans la maison une chambre où ils travaillent et où ils couchent[1].
On sert les repas dans la salle à manger: le petit déjeuner le matin, le
déjeuner à midi et le dîner vers sept heures et demie ou huit heures [10
du soir. Après le dîner les pensionnaires restent souvent dans la salle
à manger à causer une heure ou deux. Dans les romans d'un grand
écrivain du dix-neuvième siècle, Honoré de Balzac, on trouve des
descriptions vivantes de la pension de famille et de la vie des pensionnaires.   [15

Jean, étudiant en médecine, et Jacques, son petit frère qui va au
lycée Louis-le-Grand, habitent à Paris dans une pension. Leur mère
leur écrit de Melun:

«Êtes-vous bien à la pension? Combien de temps dormez-vous?
A quelle heure vous levez-vous? A quelle heure vous couchez- [20
vous? Sortez-vous beaucoup? Vous sert-on de bons repas? Quand
partez-vous en vacances?»

Jean lui répond dans une lettre:

«La vie à la pension n'est pas désagréable. Je me sens presque
chez moi ici. Je me réveille vers six heures et demie du matin. [25
Je me lève tout de suite. Puis, je me lave, je m'habille et je prends
le petit déjeuner. Jacques se lève plus tard. Je l'appelle vers sept
heures et quart. Je sors de bonne heure. Je rentre à la pension
vers midi. Je reste ici l'après-midi pour travailler ou bien je me
promène. Après le dîner, nous sortons souvent ensemble. Nous [30
nous promenons le long de la Seine. Parfois nous allons au cinéma.
Jacques se couche vers dix heures. Je me couche un peu plus tard.
Jacques dort environ neuf heures. Je dors environ huit heures.
Tout le monde est très gentil à la pension. Les repas sont bons.
Je pars en vacances à Pâques . . . »   [35

QUESTIONS

1. Qui s'installe dans les pensions de famille? 2. De quoi la
propriétaire de la maison s'occupe-t-elle? 3. A quoi la propriétaire
s'intéresse-t-elle? 4. Dans quelle salle sert-on les repas? 5. Comment

[1] Distinguish between *coucher*, which means TO SPEND THE NIGHT and *se coucher*, which
means TO GO TO BED.

s'appellent les repas? 6. Quel est le grand écrivain français du dix-neuvième siècle qui donne dans ses romans des descriptions vivantes de la pension de famille? 7. Combien d'heures dormez-vous? 8. A quelle heure vous levez-vous? 9. A quelle heure vous couchez-vous? 10. Sortez-vous beaucoup? 11. Vous sert-on de bons repas? 12. Partez-vous souvent en vacances?

DEVOIRS

A. Suivez les indications:

1. Dites à votre mère que vous vous couchez toujours de bonne heure. 2. Demandez à votre camarade à quelle heure il se lève le matin. 3. Demandez à Philippe s'il s'occupe de la maison. 4. Dites à Gérard que vous vous lavez tous les matins.

B. Remplacez l'infinitif par le présent:

1. Je (dormir) neuf heures. 2. Je (sortir) vers huit heures. 3. Vous (servir)-on de bons repas? 4. Les pensions (servir) d'assez bons repas. 5. Vous (dormir) trop. 6. Tous les élèves (dormir) beaucoup. 7. Nous (sortir) après le dîner. 8. Mon petit frère ne (sortir) pas. 9. Je (partir) souvent en vacances.

C. Remplacez l'infinitif par le présent. EXEMPLES: 1. Nous (se lever) à huit heures. Nous *nous levons* à huit heures. 2. (s'occuper)-vous de vos cours? *Vous occupez-*vous de vos cours?

1. Nous (se réveiller) vers sept heures. 2. (se laver)-vous immédiatement? 3. Jean (s'occuper) de la maison. 4. Les autres élèves (s'intéresser) à leurs études. 5. Je (s'habiller) vite. 6. Je (se sentir) très bien chez moi. 7. (se spécialiser)-vous en mathématiques? 8. (se tourner)-nous vers le tableau? 9. Votre mère (se réveiller)-elle avant vous? 10. Vos parents (se sentir)-ils bien?

D. Remplacez l'infinitif par le présent. Attention à l'orthographe et aux accents.

1. Il (se lever). 2. Elle (se promener). 3. Vous (s'appeler) Jean. 4. Nous (s'appeler) Dupont. 5. Je (se promener). 6. Nous (se lever) immédiatement. 7. Il (s'appeler) Benoît. 8. Elles (se promener) le long de la Seine. 9. Vous (s'appeler) Marie. 10. Vous (se promener) souvent.

GRAMMAIRE

1. You have already studied the present of *-ir* verbs such as *finir*. Most *-ir* verbs are conjugated like *finir* and may be called *-ir verbs of*

the first class. There is an important group of six very common *-ir* verbs which we shall call *-ir verbs of the second class.* These six verbs differ in three tenses from *-ir* verbs of the first class. What are these six verbs? [1] How do they form their present tense? (§ 44 C)

2. Use in sentences forms of the present of *dormir, partir, servir, sortir,* and *sentir.* (Page 126)

3. What is a reflexive verb? Give examples of sentences with reflexive verbs in English. How do French reflexive verbs differ from other French verbs? (§ 81 A, B)

4. List the reflexive objects. (§ 25 A)

5. Examine the reflexive verbs used interrogatively in the text and in questions 2, 3, 8 and 9. What is the position of the reflexive pronoun object? of the subject and the verb? Are these positions contrary to the general rules for pronoun objects? for interrogative word order?

6. Use in sentences the forms of the present of the reflexive verbs *se laver, se coucher,* and *se sentir.* (Page 126)

7. What are the forms of the present of the verbs *se lever, acheter,* and *appeler*? (Page 127) Explain why there are changes in the *je, tu, il,* and *ils* forms of these verbs but not in the *nous* and *vous* forms. (§ 82 D, F)

8. Use in sentences the forms of the present of the irregular verb *prendre.* (Page 126)

══════ VINGT-TROISIÈME LEÇON ══════

Le Quartier latin

A quatre heures et demie Maurice a fini sa journée au lycée. Nous avons attendu son camarade Jacques un moment. Ensuite, nous avons quitté le lycée et nous avons marché ensemble.

— Voulez-vous aller sur le «Boul' Mich'»? a demandé Jacques.

Le Boulevard Saint-Michel, appelé «Boul' Mich'» par les [5 étudiants, est le centre du Quartier latin. De nombreux étudiants se promènent sur le trottoir. Tout le long du boulevard se trouvent des cafés. Le café est un établissement où l'on passe une heure l'après-midi ou le soir à prendre quelque boisson: de la bière, du café, du thé, du vin, un apéritif ou une liqueur. Il y a des tables et des chaises non seule- [10 ment à l'intérieur mais aussi devant le café sur le trottoir. Assis à la

[1] *-ir* verbs of this class are marked (2) in the vocabulary. Other *-ir* verbs are not marked.

TABAC

TAMAREILLE BRIEN

que → qui (que or qui cannot be subject).
qui - never shortens

On peut acheter des timbres dans les bureaux de tabac

A la terrasse, les clients regardent les gens passer devant le café

Le Luxembourg est un magnifique parc

Les tout petits dorment dans leurs voitures près de leurs mères, les plus grands jouent

Keystone

Les Facultés des Lettres et des Sciences
se trouvent dans un grand bâtiment...

Le café français n'est pas un restaurant

Gendreau

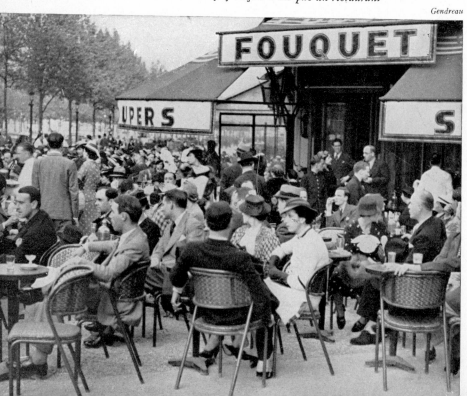

Le Boulevard Saint-Michel est le centre du Quartier latin

terrasse, les clients regardent les gens passer devant le café. Souvent
il y a des orchestres dans les cafés et on y entend de la musique. Le
café n'est pas un restaurant. On n'y dîne pas. Les Champs-Élysées
et Montparnasse sont des quartiers renommés pour leurs cafés. Des [15
cafés semblables se trouvent aussi dans d'autres pays européens, mais
ils sont inconnus en Amérique. Les cafés du Quartier latin se distinguent surtout par le grand nombre d'étudiants qui vont y retrouver
des camarades pour parler de leurs études et discuter les nouvelles du
jour. [20

Nous avons continué notre promenade jusqu'au Jardin du Luxembourg. Le Luxembourg est un magnifique parc très étendu qui longe
le Boulevard Saint-Michel. Il est traversé en tous sens par de larges
allées bordées de grands arbres ou de plates-bandes pleines de jolies
fleurs. Il y a toujours des enfants au Luxembourg. Les tout petits [25
dorment dans leurs voitures près de leurs mères, les plus grands jouent
à la balle ou s'amusent avec leurs petits bateaux sur le bassin du jardin.

Nous avons trouvé beaucoup de monde au Luxembourg: des hommes et des femmes de toutes conditions, mais surtout des étudiants et des étudiantes qui viennent étudier leurs leçons dans ce parc agré- [30 able et calme. Ils y restent longtemps à causer et à plaisanter avec leurs camarades.

QUESTIONS

1. A quelle heure Maurice a-t-il fini sa journée au lycée? 2. Qui avons-nous attendu? 3. Jusqu'à quel boulevard avons-nous marché? 4. De quel quartier le Boulevard Saint-Michel est-il le centre? 5. Qu'est-ce qu'un café? 6. Qu'est-ce que c'est que la terrasse d'un café? 7. Quels sont les quartiers de Paris renommés pour leurs cafés? 8. Qu'est-ce que le Luxembourg? 9. A quoi jouent les enfants au Luxembourg? 10. Pourquoi les étudiants viennent-ils au Luxembourg?

DEVOIRS

A. Remplacez les tirets par le mot convenable indiqué à droite:

1. Au Jardin des Tuileries on trouve aussi des femmes avec leurs enfants qui dorment dans leurs ——. 2. Il y a beaucoup de —— dans ce parc. 3. Avez-vous passé toute une —— aux Tuileries à lire les —— du jour? 4. En France on trouve beaucoup de boissons qui sont —— en Amérique. 5. Chez nous il n'y a pas de tables sur le ——. 6. Nous avons —— les Tuileries à quatre heures pour retrouver des camarades dans un café du Boulevard Saint-Michel.

a. inconnues
b. journée
c. longtemps
d. monde
e. nouvelles
f. quitté
g. sens
h. trottoir
i. voitures

B. Mettez les verbes des phrases suivantes au présent. EXEMPLE: Vous avez entendu de la musique. Vous *entendez* de la musique.

1. Maurice a fini sa lettre. 2. Il a cherché un bureau de poste. 3. Il a demandé un timbre à l'employé. 4. L'employé lui a donné un timbre. 5. Il lui a rendu cinq francs. 6. Vous avez téléphoné de la poste. 7. Nous avons obéi à notre mère. 8. J'ai attendu mes camarades devant la poste.

C. Mettez les verbes des phrases suivantes au passé composé. EXEMPLE: Nous traversons la rue. Nous *avons traversé* la rue.

1. Ce jeune homme parle français. 2. Je lui réponds en français. 3. Nous entendons de la musique au café. 4. Je choisis une boisson. 5. Mes camarades quittent le lycée vers trois heures. 6. Vous rem-

plissez votre stylo. 7. Ma mère punit mon frère. 8. Mon frère obéit à mon père. 9. Je réponds à la question. 10. Nous finissons nos devoirs en classe. 11. Nous achetons des timbres dans un bureau de tabac. 12. Les enfants causent dans le parc. 13. Ils jouent à la balle. 14. Je discute les nouvelles du jour avec Henri.

GRAMMAIRE

1. What is a compound tense? (§ 54 A)

2. Of what two parts is the French *passé composé* (compound past) made up? (§ 54 A)

3. With what auxiliary verb is the *passé composé* usually conjugated? (§ 54 B)

4. How is the past participle of a regular English verb formed? How are the past participles of French verbs in *-er* formed? in *-ir*? in *-re*? (§ 68 A)

5. What type of action does the *passé composé* ordinarily express? (§ 56 A)

6. Conjugate in the *passé composé* the verbs *donner*, *finir*, and *attendre*. (Page 128)

========= *VINGT-QUATRIÈME LEÇON* =========

L'Université de Paris

Avez-vous entendu parler de l'Université de Paris? Moi, j'ai toujours voulu savoir comment elle est organisée. J'ai donc été très content de faire la connaissance de Jean Perrot, étudiant en médecine. Jean connaît aussi l'organisation de nos universités, car il a passé un an dans une université américaine. Ainsi, il a pu faire la com- [5 paraison des deux systèmes. J'ai donc profité de cette occasion pour lui demander:

— L'Université de Paris est-elle divisée en plusieurs facultés comme chez nous?

— Oui, il y en a cinq: Lettres, Sciences, Droit, Médecine et [10 Pharmacie.

— Où est l'Université de Paris?

— Elle est dans le Quartier latin, mais les différentes facultés qui composent l'université sont séparées. Les Facultés des Lettres et des Sciences se trouvent dans un grand bâtiment situé près du Boulevard [15

Saint-Michel. Ce bâtiment s'appelle la Sorbonne. Plus loin, tout près du Panthéon, se trouve la Faculté de Droit. Quant aux bâtiments de la Faculté de Médecine, ils sont de l'autre côté du Boulevard Saint-Michel. La Faculté de Pharmacie se trouve à cinq cents mètres de la Sorbonne.   [20

— La Sorbonne n'est pas l'Université de Paris?

— Non, la Sorbonne n'est que le bâtiment où se trouvent les Facultés des Lettres et des Sciences. Mais elle n'a pas toujours été le siège de ces facultés. Elle a été fondée en 1253 pour faciliter aux étudiants pauvres les études de théologie. Pendant longtemps elle n'a été que la Faculté [25 de Théologie.

J'ai été étonné d'apprendre qu'il n'y a que cinq facultés dans l'Université de Paris. J'ai demandé à Jean où l'on fait ses études pour devenir ingénieur, dentiste, etc. Il m'a expliqué qu'à côté de l'Université de Paris il y a beaucoup d'instituts comme l'École Polytechnique et [30 l'École Centrale, où l'on se prépare à devenir ingénieur, l'École des Beaux-Arts, où l'on apprend la peinture, la sculpture et l'architecture, l'École Normale, qui forme d'excellents professeurs, l'École Coloniale pour les futurs administrateurs coloniaux, etc. Ces instituts s'appellent *les grandes écoles.*   [35

QUESTIONS

1. Avez-vous entendu parler de la Sorbonne? 2. Avez-vous entendu parler de la vie des étudiants à Paris? 3. Connaissez-vous l'organisation des universités françaises? 4. Avez-vous passé un an dans une université française? 5. Quelles sont les facultés de l'Université de Paris? 6. Qu'est-ce que la Sorbonne? 7. La Sorbonne a-t-elle toujours été le siège des Facultés des Lettres et des Sciences? 8. Pourquoi la Sorbonne a-t-elle été fondée? 9. Qu'est-ce que l'École Polytechnique? l'École des Beaux-Arts? l'École Normale? 10. Connaissez-vous des étudiants français? 11. Savez-vous le nom de la rue où se trouve la Sorbonne?

DEVOIRS

A. *Répondez aux questions suivantes par une phrase complète. Commencez votre réponse par* oui *ou* non. *Soulignez les participes passés.*

1. Avez-vous compris l'explication du professeur? 2. Les élèves ont-ils lu les romans de Balzac? 3. Est-ce que j'ai vu le Luxembourg à Paris? 4. Avons-nous eu beaucoup de difficulté à comprendre la leçon? 5. Jean a-t-il été en Amérique? 6. Gérard a-t-il reçu une lettre ce matin? 7. Avez-vous vu le Panthéon? 8. Est-ce que j'ai mis mes devoirs sur le bureau du professeur?

B. *Remplacez les tirets par la forme convenable du présent de* savoir *ou* connaître, *selon le sens:*

1. Vos camarades —— que vous êtes ici. 2. —— -vous Jean? 3. —— -vous si Jean est à Paris? 4. Nous —— les romans de Balzac. 5. —— -vous où est Marie? 6. —— -nous Marie? 7. Elle —— l'anglais. 8. Je —— ma leçon. 9. Yvonne —— très bien Paris. 10. Je —— monsieur Dupont.

C. *Mettez les verbes des phrases suivantes au passé composé. Les participes passés de tous ces verbes sont* IRREGULIERS.

1. Je veux acheter un timbre. 2. Vous comprenez l'employé. 3. Ma mère écrit beaucoup de lettres. 4. Il peut trouver sa maison. 5. Vous dites son nom. 6. Nous avons une voiture. 7. Elle met la lettre à la poste. 8. Jean lit un livre intéressant. 9. Qui est à Paris? 10. Nous voyons les Champs-Élysées.

D. *Mettez les verbes des phrases suivantes au passé composé. Ces phrases sont toutes au négatif.*

1. Je ne parle pas de la vie des étudiants. 2. Vous ne finissez pas votre phrase. 3. Ils n'entendent pas la musique. 4. Je n'ai pas d'oranges. 5. Nous ne sommes pas au Quartier latin. 6. Nous n'écrivons pas de lettres aujourd'hui. 7. Je ne vois pas votre maison.

E. *Mettez les verbes des phrases suivantes au passé composé. Ces phrases sont toutes à l'interrogatif.*

1. Trouvez-vous votre stylo dans la salle? 2. Punit-il l'élève? 3. Est-il en Amérique? 4. Jean montre-t-il le quartier à son camarade? 5. Roger rend-il la carte à Marie? 6. Les élèves ont-ils des difficultés? 7. Ne parle-t-il pas français? 8. Marie ne travaille-t-elle pas? 9. Jean n'envoie-t-il pas une lettre à sa mère?

GRAMMAIRE

1. Both *savoir* and *connaître* mean *to know.* Yet, they cannot usually be used interchangeably, for in French their meanings are distinct. Study the use of these two verbs in your reading lesson and state what the difference is.

2. Make sentences with the forms of the present of *connaître* and *devenir.* (Page 129)

3. Many past participles are irregular in French. What is the ending of the past participles of *-oir* verbs and of many irregular verbs? (§ 68 B)

4. What are the irregular past participles of the verbs *appartenir*, *apprendre, avoir, comprendre, connaître, courir, dire, écrire, être, faire, falloir, lire, mettre, offrir, pouvoir, prendre, recevoir, savoir, venir, voir*, and *vouloir*? (Page 130)

5. When a sentence written in the *passé composé* is negative, the *ne* comes exactly where it would in the present. (§ 21 B) What is the position of *pas*? (§ 21 D)

6. What is the interrogative word order in the *passé composé* when there is a pronoun-subject? (§ 55 B) a noun-subject? (§ 55 C)

══════ VINGT-CINQUIÈME LEÇON ══════

Les cours à l'université

— Je vais vous expliquer l'organisation des cours, mais allons d'abord nous asseoir à la terrasse de ce café.

Jean et moi nous avons choisi une table à la terrasse. Jean a commandé deux bières que le garçon nous a apportées tout de suite. Nous les avons bues et Jean a continué: [5

— Chez vous, pour avoir un diplôme, vous suivez un certain nombre de cours. Il n'y a pas beaucoup d'étudiants dans les cours. Vous êtes obligés d'assister aux cours, on vous interroge sur la leçon, vous passez des examens de temps en temps; à la fin du semestre vous passez un examen écrit sur la matière de chaque cours. Peu d'étu- [10 diants américains échouent aux examens.

En France, l'étudiant en lettres, en sciences ou en droit travaille d'ordinaire pendant trois ans pour obtenir son premier diplôme, qui s'appelle la licence. Pour l'avoir, il doit connaître un certain nombre de matières qui constituent le programme. Il s'inscrit aux cours, [15 mais il n'est pas obligé de les suivre. Il peut se préparer chez lui ou à la bibliothèque. Les cours eux-mêmes sont de simples conférences. Il y a souvent plusieurs centaines d'étudiants dans un seul cours. J'en ai suivi avec huit cents étudiants. Mais ces cours ne traitent qu'une petite partie du programme. L'étudiant est obligé d'apprendre les [20 autres questions lui-même. Un étudiant en psychologie, par exemple, peut suivre un cours sur la mémoire, mais à la fin de l'année il passe un examen écrit et un examen oral sur un programme beaucoup plus vaste; il est obligé de préparer tout seul beaucoup d'autres questions de psychologie: intelligence, instincts, passions, sensations, perceptions, [25 habitudes, etc. Les professeurs français sont sévères; un assez grand nombre d'étudiants échouent à leurs examens. Mais les étudiants qui réussissent connaissent bien leur sujet.

A ce moment-là, Jean a aperçu un camarade sur le boulevard. Il lui a fait signe. Quand le jeune homme nous a vus, il nous a salués [30 amicalement. Alors Jean a appelé le garçon. Il lui a donné cinquante francs. Sur les cinquante francs que Jean lui a donnés, le garçon a rendu vingt francs à Jean. Nous avons laissé trois francs de pourboire au garçon.

QUESTIONS

1. En Amérique, que faut-il faire pour avoir un diplôme? 2. Y a-t-il beaucoup d'étudiants à vos cours? 3. Êtes-vous obligés d'aller aux cours? 4. Qui vous interroge sur la leçon? 5. Passez-vous beaucoup d'examens dans votre cours de français? 6. Est-ce que beaucoup d'étudiants américains échouent à leurs examens? 7. Est-ce que l'étudiant français est obligé de suivre les cours? 8. En quoi consistent les cours des universités françaises? 9. Combien d'étudiants y a-t-il dans certains cours des universités françaises? 10. Qu'est-ce que l'étudiant français est obligé de passer à la fin de l'année? 11. Votre professeur est-il sévère? 12. Les étudiants américains que vous connaissez travaillent-ils beaucoup? 13. Les cours que vous suivez sont-ils difficiles?

DEVOIRS

A. Suivez les indications:

1. Dites à Maurice que vous suivez trois cours à la Faculté des Lettres. 2. Demandez à Marie si elle va toujours à son cours de français. 3. Demandez à Henri s'il a échoué à son examen. 4. Dites au garçon que vous voulez une bière.

B. Remplacez les tirets par le pronom relatif qui, que *ou* qu':

1. Les élèves ―― arrivent en classe avant le professeur vont au tableau. 2. Le professeur corrige les phrases ―― ils ont écrites. 3. Les erreurs ―― il corrige sont des fautes de grammaire. 4. Les élèves ―― apprennent la géographie écrivent quelques phrases sur l'Alsace. 5. L'Alsace est une province ―― est située dans l'est de la France. 6. Strasbourg est la ville d'Alsace ―― les Allemands ont le plus changée. 7. Les gens ―― vous rencontrez dans les rues de Strasbourg parlent souvent allemand. 8. L'architecture ―― nous avons vue dans le vieux quartier de la ville est française. 9. Strasbourg est une

ville —— a beaucoup de parcs et de jardins. 10. Les livres —— j'ai lus sur l'histoire d'Alsace sont intéressants.

C. *Remplacez l'infinitif par le participe passé. Attention à l'accord du participe passé.* EXEMPLE: Il a (raconter) l'histoire qu'il a (lire). Il a *raconté* l'histoire qu'il a *lue.*

1. Avez-vous (répondre) aux questions que le professeur a (poser)? 2. Nous avons (visiter) toutes les provinces. Les avez-vous (voir)? 3. Savez-vous bien les langues que vous avez (apprendre)? 4. J'ai bien (comprendre) la phrase que mon camarade a (écrire). 5. Où est la carte que nous avons (mettre) sur votre bureau? 6. J'ai les lettres que cet élève a (recevoir).

D. *Mettez les verbes en italique au passé composé. Faites l'accord du participe passé où il faut.* EXEMPLE: Nous avons commandé la bière que le garçon *apporte.* Nous avons commandé la bière que le garçon *a apportée.*

1. La rue qu'elle *traverse* est dans le Quartier latin. 2. Quelles nouvelles *entendez*-vous? 3. L'examen que je *passe* est difficile. 4. Aimez-vous ces jolies fleurs que Maurice *achète*?

E. *Remplacez les expressions en italique par des pronoms compléments. Faites l'accord du participe passé où il faut. Distinguez entre* le, la, les *et* en. EXEMPLE: Nous avons montré *les livres à ma mère.* Nous *les lui* avons montrés.

1. Marie a écouté *la musique.* 2. Nous avons visité *ces anciennes villes.* 3. Avez-vous acheté *ce stylo*? 4. Il m'a donné *la lettre.* 5. Ont-ils raconté *cette nouvelle à leurs parents*? 6. Il a suivi deux *cours.* 7. Avez-vous reçu *des lettres*? 8. J'ai écrit tous *les devoirs.* 9. Avons-nous fini *la leçon*? 10. Il a acheté *le lait et le café.* 11. Nous avons trouvé *des livres* dans la bibliothèque.

GRAMMAIRE

1. What is a relative pronoun? What are the relative pronouns in English? From the earliest lessons, you have been using the French relative pronoun *qui* as the subject of its clause. Which French relative pronoun is used as the object of its clause? Give examples of sentences in which this pronoun is used. (§ 36 A, C)

2. Past participles of verbs conjugated with *avoir* do not usually change their forms. Under what circumstances do they change their forms and with what do they agree? (§ 70 A)

3. Is there agreement of the past participle with a preceding *en*? (§ 27 D)

4. Make sentences with the forms of the present of *apercevoir*, *s'asseoir*, *boire*, *devoir* and *suivre*. What are their past participles? Note that the irregular verb *s'inscrire* is conjugated like *écrire*. (Page 131)

5. What is the position of pronoun objects in respect to a compound verb? (§ 55 D)

6. In your text are the forms *lui-même* and *eux-mêmes*. What form of the personal pronoun is used with *-même*? (§ 26 B 7)

VINGT-SIXIÈME LEÇON

La Cité Universitaire

— En France, l'étudiant est beaucoup plus libre qu'en Amérique. Non seulement il n'est pas obligé d'assister aux cours, mais sa vie privée n'est pas du tout surveillée. Même les étudiantes conservent une indépendance entière. Elles habitent où elles veulent, elles sortent quand elles veulent, et elles rentrent quand elles veulent. En France, [5 on considère l'étudiant et l'étudiante comme assez âgés pour prendre leurs propres décisions.

— Et les étudiants en médecine, pendant combien d'années est-ce qu'ils étudient?

— Quand l'étudiant est sorti du lycée, il passe un an à faire [10 son P.C.B., c'est-à-dire ses études de physique, de chimie et de biologie. Ensuite, il entre immédiatement à la Faculté de Médecine, où il poursuit ses études pendant six ans. Moi, je suis sorti du lycée à dix-sept ans. J'ai passé un an à faire le P.C.B. Ensuite, je suis entré à la Faculté de Médecine. Les études de médecine sont longues et difficiles, et il [15 faut passer beaucoup de temps aux cours et à l'hôpital. Mais puisque vous vous intéressez à l'université, connaissez-vous la Cité Universitaire?

— Qu'est-ce que c'est que la Cité Universitaire?

— Vers 1923, on a commencé à construire au sud de Paris un en- [20 semble de maisons pour les étudiants étrangers et les étudiants de province qui viennent à Paris faire leurs études. Dix-huit nations y sont représentées. Beaucoup de ces maisons sont construites dans le style de leur pays. Si vous voulez, nous pouvons y aller.

Nous sommes allés jusqu'à un arrêt d'autobus. Bientôt un auto- [25 bus est arrivé. Nous sommes montés dans cet autobus, qui nous a menés rapidement vers le Boulevard Jourdan. Nous sommes descendus et nous sommes entrés dans un très grand parc où nous avons vu de nombreux édifices: la maison suisse, la maison du Canada, le pavillon belge, la Fondation des États-Unis et beaucoup d'autres. Pour les [30 étudiants français qui viennent de leur province il y a une immense Maison des Provinces.

Les trois mille étudiants français et étrangers qui y demeurent habitent les chambres des différentes maisons. Il y a aussi une grande Maison Internationale où se trouvent des restaurants, une biblio- [35 thèque, des salles de danse, de musique, de jeux et une piscine. Les étudiants de tous les pays du monde s'y retrouvent et peuvent apprendre à mieux se connaître. Nous y sommes restés plusieurs heures. Enfin, nous sommes revenus par l'autobus au Quartier latin.

QUESTIONS

1. L'étudiant français est-il obligé d'assister aux cours? 2. La vie privée de l'étudiant français est-elle surveillée? 3. Les étudiantes américaines conservent-elles une indépendance entière? 4. Combien d'années durent les études de médecine? 5. Qu'est-ce que le P.C.B.? 6. Qu'est-ce que c'est que la Cité Universitaire? 7. En quel style sont construites les maisons de la Cité Universitaire? 8. Où sommes-nous allés prendre l'autobus? 9. A quel boulevard sommes-nous descendus pour voir la Cité Universitaire? 10. Où demeurent les étudiants français qui viennent de leur province? 11. Qu'est-ce qu'il y a dans la Maison Internationale? 12. Pendant combien de temps sommes-nous restés à la Cité Universitaire?

DEVOIRS

A. Suivez les indications:

1. Dites à votre mère que vous êtes arrivé en retard. 2. Demandez à Henri s'il est monté dans un autobus. 3. Dites à André que vous êtes resté à Paris tout l'été. 4. Demandez à Michel où il est descendu de l'autobus.

B. Mettez les verbes des phrases suivantes au passé composé:

1. Maurice va au lycée. 2. Il y arrive vers huit heures moins cinq. 3. Nous descendons de l'autobus au Luxembourg. 4. Marie entre dans la salle avec sa sœur. 5. Vous ne montez pas dans l'autobus avec nous. 6. Les étudiants partent vers cinq heures du soir. 7. Je ne reste pas à Paris tout l'été. 8. Mes sœurs retournent à Tours. 9.

Reviennent-elles à Paris? 10. Jean sort-il cet après-midi? 11. Marie descend-elle devant sa maison?

C. Remplacez les tirets par l'auxiliaire convenable. EXEMPLE: Les étudiants —— compris cette explication. Les étudiants *ont* compris cette explication.

1. Nous —— été à Tours. 2. —— -vous vu ces châteaux? 3. Je —— allé à Blois. 4. Notre professeur nous —— lu l'histoire du château de Blois. 5. Les étudiants américains —— venus en Touraine apprendre la langue française. 6. —— -nous restés longtemps dans ce pays? 7. Mon camarade —— entré dans le château. 8. Nous —— commandé du thé. 9. Quand —— -vous revenu à Tours? 10. Jean —— mis la carte de France sur la table.

GRAMMAIRE

1. What type of verb do you find conjugated with *être* as an auxiliary in this lesson? Give a list of the verbs conjugated with *être* in the compound tenses (§ 54 C, D)

2. With what do the past participles of intransitive verbs of motion conjugated with *être* always agree? (§ 70 C)

3. When *vous* is the subject of a verb conjugated with *être* and in a compound tense, is the past participle singular or plural? How is its gender indicated? (§ 70 C)

4. List the forms of the *passé composé* of *arriver*. (Page 132)

5. Use in sentences the present and the past participle of the irregular verbs *construire*, *poursuivre*, and *revenir*. (Page 133)

VINGT-SEPTIÈME LEÇON

Fontainebleau

Dans l'autobus, Jean m'a demandé:

— Avez-vous visité Fontainebleau?

— Non, je ne sais même pas où c'est.

— Fontainebleau est une petite ville située à soixante kilomètres au sud-est de Paris. Elle est intéressante à cause de son château et [5 de la célèbre forêt qui l'entoure. Il y a là aussi une école d'art et de musique où de jeunes Américains viennent étudier sous la direction des

meilleurs professeurs et artistes français. Voulez-vous y aller demain?
— Je veux bien.

Ce soir-là, je me suis couché vers dix heures. Le lendemain [10 matin, je me suis levé très tôt. Je me suis vite habillé. Vers huit heures moins le quart, j'ai retrouvé Jean à la gare [1] de Lyon. Nous avons pris [2] nos billets, nous sommes montés dans le train et nous sommes partis à huit heures dix.

Après un voyage d'une heure, nous sommes arrivés à Fontaine- [15 bleau. Nous avons marché un peu, et bientôt nous sommes arrivés à une grande forêt où nous nous sommes promenés pendant des heures. Cette forêt n'est pas une forêt comme les autres: elle est beaucoup plus étendue, et dans certaines parties sauvages de la forêt il y a d'énormes rochers. Dans d'autres parties, il y a de très jolis paysages que des [20 peintres comme Corot et Millet ont rendus célèbres.

Nous sommes restés dans la forêt jusqu'à midi. Nous en [3] sommes sortis, nous avons traversé la ville et nous sommes enfin arrivés devant le château de Fontainebleau, grand édifice [4] de la Renaissance française, qui est devenu un musée national. Nous y sommes entrés avec un [25 guide.

Le château contient entre autres choses des souvenirs de Napoléon Ier, l'empereur des Français qui est né en Corse en 1769 et qui est mort à Sainte-Hélène en 1821. Il y a des appartements splendides, des meubles admirables et une riche bibliothèque. [30

Vers quatre heures et demie, nous nous sommes dirigés vers la gare. Nous avons couru pour prendre le train de cinq heures. Nous y sommes arrivés vers cinq heures moins cinq.

QUESTIONS

1. Où est Fontainebleau? 2. Pourquoi Fontainebleau est-il intéressant? 3. A quelle heure vous êtes-vous couché hier soir? 4. A quelle heure vous êtes-vous levé ce matin? 5. Qu'est-ce que Jean et son camarade ont pris à la gare? 6. A quelle heure sont-ils partis de la gare? 7. Où se sont-ils promenés à Fontainebleau? 8. Qu'est-ce qu'il y a dans la forêt de Fontainebleau? 9. Quels peintres ont rendu célèbres les paysages de la forêt? 10. Qu'est-ce que le château de Fontainebleau est devenu? 11. Quand est né Napoléon? 12. Quand est-il mort? 13. Pourquoi avons-nous couru? 14. A quelle heure sommes-nous retournés à la gare de Fontainebleau?

[1] The railroad station of the PLM (*Paris, Lyon, Méditerranée*) line.
[2] Note French manner of saying: *we bought our tickets*.
[3] *We went out of it*. This special use of *en* is explained in § 27 E.
[4] Why is the article omitted before this noun? See § 3 E.

DEVOIRS

A. Remplacez les tirets par les mots convenables indiqués à droite:

1. Nous sommes allés à la —— pour prendre nos billets. 2. Ensuite, nous nous sommes —— vers le train. 3. Le —— de Paris à Fontainebleau a duré deux heures. 4. Le château de Fontainebleau —— des meubles et des peintures de plusieurs rois de France et surtout de Napoléon Iᵉʳ. 5. L'empereur est —— en Corse en 1769. 6. Est-il —— en 1830? 7. Il a —— la France célèbre pendant les premières années du dix-neuvième siècle. 8. Nous avons —— pour arriver à la gare. 9. Nous sommes retournés à Paris vers sept heures du soir et le —— nous sommes restés chez nous. 10. Avez-vous déjà vu les —— rochers qui se trouvent dans certaines parties sauvages de la forêt de Fontainebleau?

a. contient
b. couru
c. demain
d. dirigés
e. énormes
f. gare
g. lendemain
h. mort
i. né
j. paysage
k. rendu
l. repris
m. voyage

B. Mettez les verbes des phrases suivantes au passé composé. Toutes ces phrases sont à l'affirmatif.

1. Marie se couche de bonne heure. 2. Elle se réveille vers six heures du matin. 3. Elle se lève vers six heures et demie. 4. Elle s'habille vite. 5. Elle s'occupe souvent de la maison. 6. Vous vous intéressez à beaucoup de choses. 7. Je me spécialise en histoire. 8. Les étudiants se dirigent vers le fleuve.

C. Mettez les verbes des phrases suivantes au passé composé. Ces phrases sont au négatif ou à l'interrogatif.

1. Je ne m'intéresse pas à la vie privée des pensionnaires. 2. Marie ne se spécialise pas en philosophie. 3. Nous ne nous réveillons pas avant midi. 4. Vous ne vous couchez pas à dix heures. 5. Vous habillez-vous vite? 6. Nous occupons-nous de nos cours? 7 Les étudiants se voient-ils à la bibliothèque? 8. Jean et Robert se retrouvent-ils au café?

D. Mettez les phrases suivantes au passé composé. Attention à l'auxiliaire.

1. Je vais en classe avec Louise. 2. Nous arrivons en classe avant le professeur. 3. Les autres élèves écrivent des devoirs. 4. Nous nous levons quand le professeur arrive. 5. Qui corrige les fautes des élèves? 6. Le professeur fait une dictée. 7. Les élèves se tournent vers lui. 8. Ils répètent les phrases après lui. 9. Il dit que l'empereur meurt.

GRAMMAIRE

1. With which auxiliary verb are reflexive verbs conjugated in the compound tenses? (§ 54 E) Make sentences with the forms of the *passé composé* of the reflexive verb *se coucher*. Watch the agreement of the past participle. (Page 134)

2. The past participle of a reflexive verb almost always agrees with the reflexive object. When does the past participle of a reflexive verb not agree with its reflexive object? (§ 70 B)

3. From observation of questions 3, 4 and 7 of the lesson, note carefully the word order of questions containing reflexive verbs which are in the *passé composé*.

4. Which two intransitive verbs of motion are conjugated with *avoir*? They are used in this lesson.

5. Conjugate in the present and *passé composé* the irregular verbs *contenir, courir, mourir,* and *naître*. (Page 134)

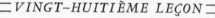

VINGT-HUITIÈME LEÇON

Le retour en chemin de fer

Il était déjà presque cinq heures quand nous sommes arrivés à la gare. Un employé se tenait près de la porte qui donne accès aux quais. Nous lui avons montré nos billets et nous sommes passés sur le quai. Beaucoup de voyageurs attendaient le train. Quelques-uns d'entre eux causaient, d'autres se promenaient le long du quai. Jean, qui [5 voulait arriver à Paris avant sept heures, s'impatientait.

Enfin nous avons entendu siffler le train; il était encore loin, mais il approchait à toute vitesse. Il est arrivé, s'est arrêté et quelques voyageurs sont descendus. Les gens qui attendaient sur le quai sont montés dans les wagons. Il y avait un wagon de première [10 classe, quelques wagons de deuxième classe et beaucoup de wagons moins confortables de troisième. Il y avait aussi un wagon-restaurant où dînaient beaucoup de voyageurs.

Nous sommes montés dans un wagon où nous avons trouvé deux places. Comme la plupart des wagons français, il était divisé en [15 compartiments. Dans chaque compartiment il y avait deux banquettes, l'une en face de l'autre, avec des places pour huit voyageurs. Tout le long du wagon un couloir donnait accès aux compartiments.

Notre wagon était plein de voyageurs. Les gens qui n'avaient pas de place se tenaient debout dans le couloir ou étaient assis sur [20 leurs valises. Dans notre compartiment une femme causait avec son mari, une jeune fille lisait un roman policier, un enfant mangeait du pain et du chocolat, un vieillard dormait et un homme qui parlait avec un accent prononcé disait à une dame:

— Oui, je suis Alsacien. J'habitais autrefois Mulhouse. Je [25 finissais mes études à Strasbourg quand la guerre de 14 a éclaté. Nous faisions partie de l'Allemagne à ce moment-là et j'ai été obligé de servir pendant quatre ans dans l'armée allemande.

Il est toujours facile de causer dans un compartiment et bientôt j'ai profité de l'occasion pour lui poser des questions sur l'Alsace. [30 Ce monsieur commençait à m'en parler quand le contrôleur est venu demander les billets. Il ne les a pas gardés, car en France il faut remettre les billets à un employé quand on sort de la gare.

QUESTIONS

1. Quelle heure était-il quand nous sommes arrivés à la gare? 2. A qui faut-il montrer les billets à la gare? 3. Qui attendait le train sur le quai? 4. Que faisaient les voyageurs qui attendaient le train? 5. A quelle heure Jean voulait-il arriver à Paris? 6. Qui est descendu du train? 7. Où dînaient les voyageurs? 8. En quoi étaient divisés les wagons? 9. Combien de banquettes y avait-il dans chaque compartiment? 10. Qui était dans le couloir? 11. Qui mangeait du pain dans le compartiment? 12. Que faisait le vieillard? 13. Pourquoi l'homme qui parlait avait-il un accent? 14. Où habitait-il autrefois? 15. Que faisait-il quand la guerre de 14 a éclaté? 16. Pourquoi a-t-il été obligé de servir pendant quatre ans dans l'armée allemande? 17. De quoi ce monsieur commençait-il à parler quand le contrôleur est venu? 18. Pourquoi le contrôleur n'a-t-il pas pris nos billets?

DEVOIRS

A. Suivez les indications:

1. Dites à Charlotte que vous attendiez le train quand elle a téléphoné de la poste. 2. Demandez à Pierre s'il faisait ses études quand la guerre a éclaté. 3. Dites à Claude que vous mangiez du pain quand sa mère est entrée dans la salle. 4. Demandez à Suzanne si la gare était pleine de voyageurs.

B. Mettez les verbes suivants à l'imparfait:

1. vous finissez 2. j'entends 3. je sers 4. il a traversé 5. je

veux 6. il choisit 7. je cause 8. vous avez parlé 9. ils sont 10.
vous vous habillez 11. il va 12. je mange 13. nous nous promenons
14. il y a 15. j'ai 16. vous partez 17. elle se dirige 18. nous
effaçons 19. vous êtes 21. nous avons eu 21. je dors 22. il a été

> C. *Mettez les verbes des phrases suivantes à* L'IMPARFAIT *ou au* PASSÉ
> COMPOSÉ *selon le sens. Ces phrases forment un récit.*

1. Un matin d'octobre je rencontre Maurice dans la rue. 2. Il
porte ses livres et son cahier. 3. Il est très gai. 4. Je lui demande où
il va. 5. Il me répond qu'il va à l'école. 6. Notre école n'est pas loin.
7. Nous arrivons dans la cour où jouent les élèves. 8. Nous montons
et quand nous entrons dans la salle de classe nos camarades causent
avec d'autres élèves. 9. La salle de classe est agréable; il y a cinq fenêtres d'un côté et un tableau noir de l'autre. 10. Le professeur arrive
après nous. 11. Peu après, l'heure sonne. 12. Immédiatement le professeur commence à parler aux élèves de l'histoire des châteaux de la
Loire. 13. Ensuite, il fait une dictée. 14. Pendant qu'il fait la dictée
un élève lui pose une question. 15. Il répond à la question et puis il
continue la dictée.

GRAMMAIRE

1. How is the imperfect of most verbs formed? (§ 46 A)
2. How is the imperfect of the first class of *-ir* verbs formed?
(§ 46 B)
3. How may the stem of the imperfect of all verbs (except *être* and
falloir) be found? (§ 46 C)
4. In the imperfects of *-cer* and *-ger* verbs what is done to retain the
soft sounds of *c* and *g*? (§ 82 A, B)
5. What are the forms of the imperfect of *donner, finir, sortir, perdre,
manger, commencer, avoir*, and *être*? the forms of the present, imperfect,
and *passé composé* of the irregular verbs *remettre* and *se tenir*? (Pages 135
and 136)
6. Give and illustrate the three principal uses of the imperfect.
How is the French imperfect expressed in English? (§ 47 A 1, 2, 3)
7. Explain the use of each imperfect in your reading lesson.

Le château de Fontainebleau, grand
édifice de la Renaissance française

Cette forêt n'est pas une
forêt comme les autres

*Beaucoup de voyageurs attendaient le train.
Quelques-uns d'entre eux causaient,
d'autres se promenaient le long du quai*

*Il y a beaucoup de voitures et de nombreux taxis
qui gênent la circulation.   Il y a aussi l'autobus,
dans lequel on peut voyager très rapidement*

C'est Strasbourg, *principale*
ville de l'Alsace

A Strasbourg on trouve des maisons
de style typiquement germanique

Gendrea

La Tour Eiffel, construction métallique moderne

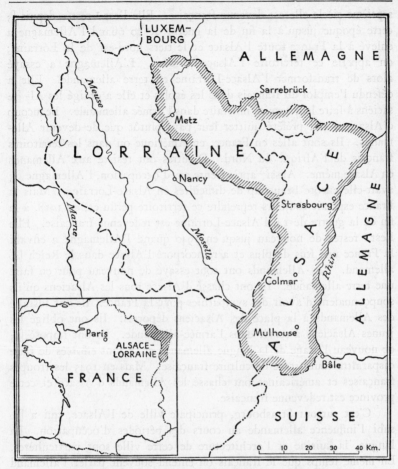

A la fin de la guerre de 70, l'Allemagne a enlevé à la France toute l'Alsace et le tiers nord-est de la Lorraine

VINGT-NEUVIÈME LEÇON

L'Alsace-Lorraine

L'Alsace, cette province de l'est de la France que le Rhin sépare de l'Allemagne, a toujours été un champ de bataille dans les luttes que la France a soutenues contre les peuples envahisseurs. Du neuvième au seizième siècle elle a été un état germanique indépendant. Au dix-septième siècle elle est devenue française. Elle l'est [1] restée depuis [5 cette époque jusqu'à la fin de la guerre de 70 quand l'Allemagne a enlevé à la France toute l'Alsace et le tiers nord-est de la Lorraine; on appelle ce territoire l'Alsace-Lorraine. L'Allemagne a essayé alors de transformer l'Alsace-Lorraine en terre allemande. Elle a défendu l'emploi du français dans les écoles et elle a obligé les Al- [10 saciens à faire leur service militaire dans l'armée allemande. Beaucoup d'Alsaciens ont préféré quitter leur pays plutôt que de devenir Allemands. Ils sont allés en France, en Amérique ou dans les territoires français de l'Afrique du Nord. D'autres ont résisté aux Allemands en Alsace même. Aussi [2] après trente ans d'occupation, l'Allemagne [15 avait-elle encore beaucoup de difficultés en Alsace-Lorraine. Mais la France espérait toujours reprendre ce territoire perdu et, en 1918, à la fin de la guerre de 14, l'Alsace-Lorraine est redevenue française. Elle l'est [1] restée de nouveau jusqu'en 1940 quand l'Allemagne a envahi la France une fois de plus et a réincorporé l'Alsace dans le Reich [20 allemand. Les Allemands ont tout essayé de nouveau pour en faire une terre allemande. Ils ont chassé d'Alsace tous les Alsaciens qu'ils soupçonnaient d'avoir des sympathies pour la France. Ils ont installé des Allemands à la place des Alsaciens déportés. Ils ont obligé les jeunes Alsaciens à servir dans l'armée allemande. Ils ont imposé [25 de nouveau l'usage de la langue allemande et se sont efforcés de faire disparaître toute trace de culture française. Mais en 1945 les troupes françaises et américaines ont chassé les Allemands d'Alsace et cette province est redevenue française.

C'est surtout Strasbourg, principale ville de l'Alsace, qui a [30 subi l'influence allemande au cours des périodes d'occupation. La langue, la cuisine et l'architecture de cette ville sont particulières. En même temps que le français on entend souvent parler l'allemand dans la rue et dans les magasins. Les Alsaciens parlent surtout un dialecte germanique appelé l'alsacien. A Strasbourg on mange beau- [35 coup de charcuterie et on boit de la bière plutôt que du vin. On y trouve un quartier allemand avec de lourdes maisons de style typiquement germanique. La cathédrale de Strasbourg, construite en grès [3] rose, est une des plus célèbres de France. Son horloge astronomique est très connue.   [40

QUESTIONS

1. Qu'est-ce qui sépare l'Alsace de l'Allemagne? 2. Qu'est-ce que l'Alsace a été entre le neuvième et le seizième siècle? 3. Quand l'Alsace

---

[1] *remained French* (literally *remained it*).
[2] *Thus.* For meaning and word order, see § 19 D. [3] *sandstone.*

est-elle devenue française? 4. Qu'est-ce que l'Alsace-Lorraine? 5. Comment l'Allemagne a-t-elle essayé de transformer l'Alsace-Lorraine en terre allemande? 6. Où sont allés les Alsaciens qui ont préféré rester Français? 7. Quand l'Alsace est-elle redevenue française? 8. Qu'a fait l'Allemagne en Alsace en 1940? 9. Qui a chassé les Allemands d'Alsace en 1945? 10. Quelle est la ville qui a le plus subi l'influence allemande? 11. Quelles sont les langues que l'on entend parler dans les rues de Strasbourg? 12. Pourquoi la cathédrale de Strasbourg est-elle connue?

DEVOIRS

A. Remplacez les tirets par les mots convenables indiqués à droite:

1. La Lorraine, comme l'Alsace, a été un —— de bataille dans les —— contre les peuples envahisseurs. 2. Mais en 1871 l'Allemagne a —— à la France le tiers de la Lorraine pour en faire un territoire allemand. 3. Elle a —— de transformer ce territoire en terre allemande. 4. En 1918 cette partie de la Lorraine est —— française. 5. En 1940 l'Allemagne a repris une grande partie de la Lorraine et s'est efforcée de faire —— toute trace de culture française dans ce pays.

a. champ
b. disparaître
c. enlevé
d. essayé
e. luttes
f. redevenue
g. résisté
h. service
i. usage

B. Mettez les verbes indiqués au passé composé ou à l'imparfait. Ces phrases forment un récit.

1. Du quinzième au dix-huitième siècle notre pays (être) une colonie anglaise. 2. Les habitants (être) d'origine anglaise. 3. On (parler) anglais et on (conserver) les coutumes anglaises. 4. Mais l'Amérique (être) loin de l'Angleterre. 5. Les Américains (avoir) des idées de liberté et d'indépendance. 6. En 1776 ils (se séparer) de l'Angleterre. 7. L'Angleterre (envoyer) une armée en Amérique. 8. Washington (être) à la tête des armées américaines. 9. A cette époque Lafayette (venir) offrir ses services aux treize colonies. 10. La guerre (durer) de 1776 à 1783. 11. Enfin les Américains (gagner[1]) la guerre. 12. Les colonies américaines (devenir) les États-Unis.

C. Écrivez ces phrases au passé composé ou à l'imparfait selon le sens. Ces phrases forment un récit.

1. Ce matin je me réveille de bonne heure. 2. Il fait très beau. 3. Le soleil entre par ma fenêtre ouverte. 4. Je me lève bien vite et je m'habille. 5. Je descends au jardin où m'attendent ma mère et ma sœur Madeleine. 6. Au moment où j'arrive, ma mère lit une lettre à

[1] *win*

Madeleine. 7. Ensuite nous sortons tous en voiture. 8. Les rues sont pleines de monde. 9. Nous allons dans un magasin où nous achetons des fruits. 10. Enfin, nous retournons à la maison vers midi.

D. Écrivez ces phrases au passé composé ou à l'imparfait selon le cas. Ces phrases forment un récit.

1. Je vais en France au mois de juin. 2. J'arrive au Havre le matin de bonne heure. 3. Nous descendons du bateau à dix heures. 4. Le train nous attend à la gare. 5. Nous nous installons dans notre compartiment. 6. Nous voyons les ruines de la ville. 7. Il y a beaucoup de maisons qui sont détruites[1]. 8. La ville présente un aspect triste. 9. Nous partons avec cinq minutes de retard.

GRAMMAIRE

1. Foreigners tend to use the imperfect where the *passé composé* is required. What are the three principal cases in which the imperfect is used? (§ 47 A 1, 2, 3)

2. What determines whether it is the *passé composé* or the imperfect which is used?

3. Analyze each verb in the imperfect or the *passé composé* in this lesson, explaining the tense used.

4. Why does one say SON *horloge* when *horloge* is a feminine noun? (§ 13 C)

5. Give the present and the past participle of the irregular verbs *disparaître*, *redevenir*, and *soutenir*. (Page 137)

════ TRENTIÈME LEÇON ════

Les différentes parties du corps

Chaque année beaucoup d'étrangers viennent en France apprendre le français. Pour eux quelques universités françaises ont créé des cours de grammaire, de prononciation, de conversation et de littérature. Il y en a à Paris, à Tours, à Dijon, à Grenoble, à Nancy, etc.

Une Suédoise et une Anglaise parlent des cours qu'elles suivent [5 à Grenoble. Celle-ci s'intéresse surtout à la littérature, celle-là aux cours pratiques. La Suédoise dit:

— Moi, j'aime mieux les cours de conversation que les cours de grammaire. Ceux-ci sont plus difficiles et moins intéressants que

---

[1] *destroyed*

ceux-là. Nous avons un excellent professeur de conversation. [10
Tous les jours il nous apprend un vocabulaire très utile. Voulez-vous
assister à un de ses cours?

Les deux étudiantes entrent dans la salle de cours juste au moment
où le professeur commence une leçon sur les différentes parties du corps:

— Aujourd'hui, nous allons apprendre les mots français qui [15
désignent les différentes parties du corps humain. Sur la tête, qui
est la partie supérieure du corps, se trouvent les cheveux. La figure
(le visage) se compose du front, des yeux, du nez, de la bouche, des joues
et du menton. De chaque côté de la tête se trouvent les oreilles. Nous
entendons avec les oreilles, nous voyons avec les yeux, nous sentons [20
avec le nez. Celui qui ne voit pas est aveugle. Celui qui n'a qu'un
œil est borgne. On dit en français *un œil* et *deux yeux*. Le pluriel d'*œil*
est *yeux*. Celui qui n'entend pas est sourd et celui qui ne peut pas
parler est muet. Celui qui ne peut ni entendre ni parler est sourd-muet.
Dans la bouche se trouvent la langue, avec laquelle nous [25
goûtons et les dents, avec lesquelles nous mâchons. La langue, les
dents et les lèvres font partie du mécanisme avec lequel nous parlons.

Le cou unit la tête au tronc. Le tronc contient les organes importants du corps: les poumons, le cœur, l'estomac et d'autres
organes. Le cœur sert à faire circuler le sang, liquide qui coule [30
dans les artères et dans les veines. Les poumons, qui sont nécessaires
à la respiration, se trouvent dans la poitrine.

Les membres du corps humain sont les bras et les jambes. Le
bras comprend deux parties qui sont réunies par le coude. Il se
termine par la main qui a cinq doigts. La jambe comprend deux [35
parties qui sont réunies par le genou. Elle se termine par le pied.

Le squelette, les muscles et les nerfs sont aussi des parties du corps.

QUESTIONS

1. Dans quelles villes de France y a-t-il des cours pour les étrangers?
2. Pourquoi préférez-vous les cours de conversation? 3. Avec quoi
parle-t-on? 4. Avec quoi sent-on? 5. Avec quoi entendons-nous?
6. Avec quoi voit-on? 7. Quelle est la différence entre un aveugle et un
borgne? 8. Avec quoi mâchez-vous? 9. Avec quoi tenez-vous le crayon?
10. Avec quoi marchez-vous? 11. A quoi sert le cœur? 12. A quoi
servent les poumons? 13. Qu'est-ce qui unit la tête au tronc? 14.
Où se trouvent les poumons? 15. Quel est le liquide qui coule dans
les artères? 16. Qu'est-ce qui fait circuler ce liquide? 17. Comment
s'appelle celui qui ne peut pas entendre? 18. Qu'est-ce qu'un muet?

DEVOIRS

*A. Répondez aux questions suivantes par une phrase complète, en com-
mençant par oui ou non:*

1. Est-ce que vous entendez avec les oreilles? 2. Voyez-vous
avec le nez? 3. Est-ce que celui qui ne voit pas est aveugle? 4. Parle-
t-on avec la langue? 5. Est-ce que les poumons servent à faire circuler
le sang? 6. Est-ce que les deux parties du bras sont réunies par le genou?
7. Est-ce que les deux parties de la jambe sont réunies par le coude?
8. Tenons-nous le stylo avec la main?

*B. Remplacez les tirets par la forme convenable du pronom démonstratif,
en mettant -ci et -là où¹ il y a lieu:*

1. —— qui ne peut pas voir est aveugle. 2. —— qui vont à
l'école sont des élèves. 3. —— qui ne peut pas entendre est sourde.
4. —— qui ne parlent pas sont muettes. 5. Cette leçon-ci est plus
longue que ——. 6. Ces nations-ci sont plus riches que ——. 7.
J'aime mieux lire l'histoire de France que —— d'Allemagne. 8. Ce
professeur-ci parle plus vite que ——. 9. Les montagnes de France
sont plus élevées que —— d'Angleterre. 10. La capitale de la France
est plus connue que —— de la Suède. 11. Les fleurs du midi sont-elles
moins belles que —— du nord? 12. Cette jeune fille-ci travaille moins
que —— que vous avez vue dans l'autre salle. 13. Ces étudiants-ci
sont-ils plus jeunes que ——? 14. Ces livres-ci sont moins bien écrits
que —— que vous avez trouvés à Paris. 15. Les lycées de Paris sont
plus connus que —— de Tours. 16. Ce cours-ci est plus pratique
que ——.

C. Remplacez les tirets par une forme convenable du pronom relatif:

1. Où est le stylo avec —— vous avez écrit cette lettre? 2. Il est
sur la table —— se trouve à gauche de la porte. 3. La lettre —— j'ai
écrite y est aussi. 4. Fermez la porte par —— vous êtes entré. 5. Les
villes dans —— il y a beaucoup d'habitants n'ont pas assez d'hôtels.
6. Cherchez-vous les timbres —— vous avez achetés hier? 7. Ceux ——
je cherche étaient sur la table dans ma chambre. 8. Mais je ne vois
plus les livres sous —— je les ai mis.

GRAMMAIRE

1. What is a demonstrative pronoun? (§ 32 A)
2. What are the French definite demonstrative pronouns? With
what do they agree? (§ 32 A, B)

―――――――――
¹ *where it is necessary.*

3. By what must the definite demonstrative pronoun be followed? (§ 32 C)

4. When must the demonstrative pronoun not be followed by *-ci* or *-là*? (§ 32 C)

5. You have already learned that the relative *qui* is used as the subject of a dependent clause and that the relative *que* is used as the object of a dependent clause. What relative pronoun, found for the first time in this lesson, is used after a preposition? (§ 36 F)

★ ★ ★

L'Alouette

(Canadian song)

Alouette[1], gentille alouette, Alouette, je te plumerai[2].

1. Je te plumerai la têt', Je te plumerai la têt',
   Et la têt', Et la têt', Oh!
   Alouette, etc.

2. Je te plumerai le bec[3], Je te plumerai le bec,
   Et le bec, Et le bec,
   Et la têt', Et la têt', Oh!
   Alouette, etc.

3. Je te plumerai les patt's[4] (bis)
   Et les patt's (bis)
   Et le bec (bis)
   Et la têt' (bis)
           Oh!
   Alouette, etc.

4. le cou   5. le dos[5]   6. les ail's[6]   7. la queue[7] etc.

[1] *lark*   [2] *pluck*   [3] *bill, beak*   [4] *legs*   [5] *back*   [6] *wings*   [7] *tail*

LEÇONS 21 A 30

NOMS IMPORTANTS

Identifiez en français les noms suivants:

Alsace	École Coloniale	Luxembourg
Balzac	École des Beaux-Arts	Millet
Champs-Élysées	École Normale	Montparnasse
Cité Universitaire	École Polytechnique	Nancy
Corot	Licence	Napoléon
Corse	Lorraine	Quartier latin
École Centrale		Sainte-Hélène

QUESTIONS

Répondez aux questions suivantes par des phrases complètes:

1. Où peut-on acheter un timbre en France? 2. D'où peut-on téléphoner? 3. D'où envoie-t-on les télégrammes en France? 4. A quelle heure dîne-t-on en France? 5. Où habitent souvent ceux qui travaillent loin de chez eux? 6. Quel est l'écrivain français qui donne dans ses romans des descriptions vivantes de la pension de famille? 7. Décrivez un café français. 8. Où est le Jardin du Luxembourg? 9. Qui voit-on au Luxembourg? 10. Où se trouvent les Facultés des Lettres et des Sciences de l'Université de Paris? 11. Qu'est-ce que *les grandes écoles*? 12. Est-ce que les différentes facultés qui composent l'Université de Paris sont au même endroit? 13. En quoi le cours français est-il différent du cours américain? 14. Quelles sont les sortes d'examens que passe l'étudiant français à la fin de l'année? 15. Comment l'étudiant français se prépare-t-il aux examens? 16. En quoi l'étudiante française est-elle plus libre que l'étudiante américaine? 17. Citez des pavillons de la Cité Universitaire. 18. Que trouve-t-on dans la Maison Internationale de la Cité Universitaire? 19. En quoi la forêt de Fontainebleau est-elle différente des autres forêts? 20. Qui a rendu célèbres les paysages de cette forêt? 21. Que contient le château de Fontainebleau? 22. A qui montre-t-on son billet avant de passer sur le quai de la gare? 23. Décrivez un wagon de chemin de fer français. 24. Comment s'appelle celui qui vient voir dans le train si les voyageurs ont un billet? 25. Quels sont les territoires que l'Allemagne a enlevés à la France en 1871? 26. Comment a-t-elle essayé de transformer l'Alsace-Lorraine en pays allemand? 27. En quoi Strasbourg est-il différent d'autres villes de France? 28. Nommez les principales parties du corps humain. 29. Qu'est-ce qu'un aveugle? un sourd? un muet? 30. A quoi servent les dents?

COMPOSITION

Écrivez une composition sur un des sujets suivants:

1. Les monopoles de l'État 2. La pension de famille en Amérique
3. Le Quartier latin 4. La Sorbonne 5. Le Luxembourg 6. Un
voyage en chemin de fer 7. L'Alsace-Lorraine 8. Les parties du corps.

DEVOIRS

*A. Remplacez l'expression en italique par la forme convenable d'un
pronom personnel.* EXEMPLE: Nous avons cherché *Marie* dans le
jardin. Nous *l'*avons cherchée dans le jardin.

1. Voulez-vous aller à Paris avec *Paul?* 2. On ne va pas y arriver
avant *Jean et Maurice.* 3. Georges m'a envoyé deux *timbres.* 4. Je
vous ai donné *ces jolies fleurs.* 5. Il y a *de l'encre* à la maison. 6. Avez-
vous trouvé *la lettre?* 7. Ils ont acheté le livre pour *Louise.* 8. Avez-
vous besoin de *pain?*

B. Remplacez l'infinitif par le présent:

9. Je (dormir) tous les matins jusqu'à dix heures. 10. A quelle
heure (se réveiller)-vous? 11. Mon camarade (se lever) avant moi.
12. Nous (se promener) le matin et ils (se promener) le soir. 13. Quand
on ne nous (servir) pas, nous (se servir). 14. Il (falloir) téléphoner de
la poste. 15. Je (s'appeler) Robert et vous (s'appeler) Jean. 16. Paul
(sortir) un moment et puis nous (partir) pour Dijon.

C. Mettez les verbes au passé composé:

17. Quand nous arrivons à Dijon, nous cherchons une voiture.
18. Je me promène dans la rue principale. 19. Je vois des camarades
dans la rue. 20. Où mettez-vous les choses que vous achetez? 21. Ne
voulez-vous pas voir les livres que je lis? 22. Qui vient à la maison?
23. Ma mère revient et s'installe devant la fenêtre.

*D. Mettez à l'imparfait ou au passé composé, selon le sens, les verbes
de la narration suivante:*

24. Je suis étudiant. 25. J'habite au Quartier latin. 26. Un
matin je sors pour aller au Luxembourg. 27. Il y a peu de gens au
jardin. 28. J'y retrouve un camarade. 29. Nous parlons de nos
cours. 30. Il me dit que notre professeur de latin est en Suisse.

E. Remplacez les tirets par la forme convenable du pronom relatif:

31. Quel est le cours —— vous préférez? 32. Où est la salle dans
—— le professeur est entré? 33. Je cherche le bureau sur —— Jean

a mis son cahier. 34. Il a trouvé une voiture —— peut nous mener
à la gare. 35. Vous a-t-il montré la bicyclette —— il a achetée?

    F. *Remplacez les expressions en italique par la forme convenable du pronom
    démonstratif.* EXEMPLE: Je connais cette femme-ci et *la femme*
    qui parle avec mon frère. Je connais cette femme-ci et *celle* qui
    parle avec mon frère.

    36. Voici mon billet. Où est *le billet* que Gérard vous a acheté?
37. Je l'ai donné à *la jeune fille* qui n'en avait pas. 38. Ces pays-ci sont
plus forts que *ces pays-là*. 39. Préférez-vous ce fruit-ci ou *le fruit* qui
est sur la table? 40. J'ai corrigé les fautes de Maurice et ensuite *les
fautes* des autres élèves.

═══════ SUPPLÉMENT ═══════

AUX LEÇONS 21 A 30

VINGT ET UNIÈME LEÇON

VOCABULAIRE

ah!	la lettre	le télégramme
le cigare	le monopole	le télégraphe
la cigarette	le numéro	le téléphone
l'employé (*m.*)	public, publique	téléphoner
le franc	le tabac	téléphonique

acheter †, *buy*	le guichet, *window* (*at a post office,*
l'allumette (*f.*), *match*	*railway station, etc.*)
l'annuaire (*m.*), *yearbook*	là-bas, *over there, down there*
le besoin, *need*	le mandat-poste, *money order*
la boîte, *box*	*mettre, *put*
la boutique, *shop, store*	le paquet, *package*
la cabine, *booth*	la poste, *post office*
cela, *that*	seulement, *only*
chercher, *look for*	le timbre, *stamp*
en, *some, any, of it, of them*	toucher (un mandat-poste), *cash* (*a*
*envoyer, *send*	*money order*)
étonner, *surprise*	tout, *quite*
*falloir, *to be necessary*	vendre, *sell*
fumer, *smoke*	

ainsi que, *as well as, the same as; just as*	avoir besoin, *need*
l'annuaire du téléphone (*m.*), *telephone*	la boîte aux lettres, *mailbox*
directory	le bureau de poste, *post office*

* An asterisk (*) placed *before* a verb indicates that this verb is irregular. The forms that
  you will be required to know are listed below.
† Forms of the present of *acheter* whose last syllable contains mute *e* place a grave (`) accent
  over the *e* in the second syllable to make it pronounceable. Ex. *j'achète, il achète, ils achètent*;
  but *nous achetons, vous achetez*. Compare this with the doubling of the *l* in *appeler* and
  of the *t* in *se jeter.*

le bureau de tabac, *tobacco shop*
la cabine téléphonique, *telephone booth*
d'ailleurs, *moreover, besides*
donner un coup de téléphone, *telephone,*
  call (someone) on the telephone, "ring up"

eh bien, *well*
il faut, *you must, it is necessary to*
la maison de commerce, *business house*
tout près, *right near*
un timbre à dix francs, *a ten-franc stamp*

Learn the disjunctive pronouns with Lesson Twenty-one. (§ 26 A)

VERBES

envoyer	*falloir*	*mettre*
j'envoie		je mets
tu envoies		tu mets
il envoie	il faut	il met
nous envoyons		nous mettons
vous envoyez		vous mettez
ils envoient		ils mettent

DEVOIRS

A. 1. He is sending some books to his father. He is buying some for his father. 2. Marie is sending you a money order. She is sending you one. 3. He puts the stamp on the letter. He puts it on the letter. 4. I buy three fountain pens. I buy three of them. 5. Are there any packages for me? Are there any for me? 6. *They*, they are looking for[1] some cigarettes. They are looking for[1] some. 7. There are many letters in the mailbox. There are many (of them) in the mailbox. 8. One must speak of him to the teacher. 9. He and Paul give ten francs to the clerk. They give him ten. 10. He shows me some matches. He shows me some.

[1] Included in the verb.

B. 1. Tell your mother that in France you must telephone from the post office. 2. Ask Louise if she needs any stamps. 3. Ask Claude how many stamps he wants. 4. Tell your father that there are telephones at the post office and that there are also some in many cafés.

VINGT–DEUXIÈME LEÇON

VOCABULAIRE

Balzac	la description	la médecine
la chambre	le dîner	Melun
désagréable	Honoré	servir (2)

A (2) after an *-ir* verb indicates that it belongs to the second class of *-ir* verbs. (§ 44 C)

s'intéresser

bien, *well-off, comfortable*
causer, *chat*
le célibataire, *bachelor*

le cinéma, *movie*
coucher, *sleep*
se coucher, *go to bed*

le déjeuner, *lunch*
dormir (2), *sleep*
l'écrivain (*m.*) *writer, author*
l'esprit, *spirit*
gentil, gentille †, *nice*
s'habiller, *dress, get dressed*
s'installer, *settle*
Jacques, *Jack*
Jean, *John*
se laver, *wash oneself*
se lever, *get up*
manger, *eat*
s'occuper de, *busy oneself with, be in charge of*
partir ** (2), *leave*
la pension, *boarding house*

le, la pensionnaire, *boarder*
le petit déjeuner, *breakfast*
*prendre, *take*
le, la propriétaire, *landlord, landlady; owner*
se promener, *go for a walk, take a walk*
rentrer, *return to the house*
le repas, *meal*
se réveiller, *wake up*
le roman, *novel*
le siècle, *century*
se sentir (2), *feel*
le soir, *evening*
sortir ** (2), *go out, leave*
la vie, *life*
vivant, *vivid*

A (2) after an -*ir* verb indicates that it belongs to the second class of -*ir* verbs.

de bonne heure, *early*
l'étudiant en médecine, *medical student*
ou bien, *or indeed*
la pension de famille, *boarding house*

la salle à manger, *dining room*
tout de suite, *immediately*
tout le monde, *everyone*

VERBES

se laver ††	*dormir* °	*sortir* °	*prendre*
je me lave	je dor*s*	je sor*s*	je prends
tu te laves	tu dor*s*	tu sor*s*	tu prends
il se lave	il dor*t*	il sor*t*	il prend
nous nous lavons	nous dorm*ons*	nous sort*ons*	nous prenons
vous vous lavez	vous dorm*ez*	vous sort*ez*	vous prenez
ils se lavent	ils dorm*ent*	ils sort*ent*	ils prennent

* An asterisk (*) placed *before* a verb indicates that this verb is irregular. The forms that you will be required to know are listed below.

† The -*l* in the masculine form is completely silent. [ʒɑ̃ti, ʒɑ̃tij]

** The verbs *partir* and *sortir* when used with a place are always followed by *de*. EXAMPLES: Nous partons *de* Paris. Je sors *de* la maison. The verb *sortir* means TO GO OUT or TO GO OUT WITH SOMEONE. The verb *partir* means TO LEAVE in a more general sense.

†† The verb *se laver* may be taken as the model for a reflexive verb. Reflexive verbs are conjugated like other verbs but are accompanied by reflexive objects. The entire conjugation of *se laver* may be found in § 83, no. 7.

° The verbs *dormir* and *sortir* may be considered models of -*ir* verbs of the second class. The entire conjugation of *dormir* may be found in § 83, no. 4. This is a small but important class of verbs which differ from the larger class of -*ir* verbs only in the present indicative and subjunctive, the imperfect indicative, and the present participle. These verbs do not insert -*iss*- in these tenses. The following verbs and their compounds belong to this class: *dormir* (sleep), *mentir* (tell a lie), *partir* (leave), *sentir* (feel, smell), *servir* (serve), and *sortir* (go out).

acheter *	*appeler* †
j'achète	j'appelle
tu achètes	tu appelles
il achète	il appelle
nous achetons	nous appelons
vous achetez	vous appelez
ils achètent	ils appellent

DEVOIRS

A. 1. We often[1] go out after dinner[2]. 2. I go to bed, I sleep nine hours, I get up at eight o'clock in the[3] morning, and I go out. 3. You wake up, you get up, and you dress yourself. 4. He calls his brother, but you do not call your brother. 5. Does one serve good meals at the boarding house? 6. We take our[4] breakfast in our room[5]. 7. I feel very good in[6] the evening. 8. Do you wake up early in[6] the morning?

[1] Place directly after the verb.   [2] Supply the definite article.   [3] *du*   [4] *le*   [5] *chambre*
[6] Omit in translation.

B. 1. Tell George that you go out every evening. 2. Ask Louise if they serve good meals at the boarding house. 3. Ask Susan if she feels well. 4. Tell Peter that you take breakfast later than he.

VINGT–TROISIÈME LEÇON

VOCABULAIRE

la balle		
le boulevard	européen, européenne	l'orchestre (*m.*)
les Champs-Élysées (*m.*)	la liqueur	le quartier
dîner	marcher	le restaurant
discuter	Montparnasse	Saint-Michel
se distinguer	la musique	la table

l'allée (*f.*), *path, walk*
s'amuser, *have a good time*
l'apéritif (*m.*), *appetizer, drink taken before the meal to stimulate appetite*
l'arbre (*m.*), *tree*
le bassin, *basin, pool*
la bière, *beer*
la boisson, *drink*
le café, *coffee*
la chaise, *chair*
le client, *customer*
la condition, *circumstance, walk of life*

l'établissement (*m.*), *establishment*
l'étudiante (*f.*), *girl student*
inconnu, *unknown*
la journée, *day*
longer, *skirt, border*
longtemps, *a long time*
le monde, *people*
la nouvelle **, *news*
plaisanter, *joke*
la plate-bande, *flower bed*
plein, *full*
quitter, *leave*

* The verb *acheter* may be taken as a model for verbs in *e-er*. The *-e-* of the stem of such verbs becomes *-è-* when there is a mute *-e* in the following syllable.
† The verb *appeler* may be taken as a model for all verbs in *-eler* and some verbs in *-eter*. Verbs of this type double the final consonant of the stem when there is a mute *-e* in the following syllable.
** *la nouvelle* refers to one particular piece of news; *les nouvelles* is used to express NEWS in general.

renommé, *famous*

retrouver, *meet*

semblable, *similar*

le sens*, *direction*

la terrasse, *part of café on sidewalk*

le thé, *tea*

le trottoir, *sidewalk*

la voiture, *carriage*

beaucoup de monde, *many people*

le Boulevard Saint-Michel, *main street of the Latin Quarter*

des deux côtés, *on both sides*

d'un côté, *on one side*

en tous sens, *in every direction*

le Jardin du Luxembourg, *the Luxembourg Garden*

non seulement, *not only*

le Quartier latin, *the Latin Quarter*

VERBES

A. THE PAST PARTICIPLE

CLASS	INFINITIVE	PAST PARTICIPLE
Regular verbs in -*er*	donn*er*	donn*é*
-*ir*	fin*ir*	fin*i*
-*re*	attend*re*	attend*u*

B. LE PASSÉ COMPOSÉ †

donner	*finir*	*attendre*
j'ai donné	j'ai fini	j'ai attendu
tu as donné	tu as fini	tu as attendu
il a donné	il a fini	il a attendu
nous avons donné	nous avons fini	nous avons attendu
vous avez donné	vous avez fini	vous avez attendu
ils ont donné	ils ont fini	ils ont attendu

DEVOIRS

A. 1. We walked on one side[1] of the street. 2. They served the dinner in the[2] garden. 3. He finished his work. 4. I answered[3] the teacher's question. 5. You discussed the news[4] of the day. 6. We found many people seated in front of the tables. 7. They dined in a restaurant of the Latin Quarter. 8. I left[5] the café at six o'clock. 9. On the sidewalk there are[6] tables and chairs.

[1] *d'un côté*   [2] *au*   [3] The verb *répondre* requires *à* before the noun it governs.
[4] Use the plural.   [5] Use a form of *quitter*.   [6] Use a form of *se trouver*.

B. 1. Tell your mother that you left high school at three thirty. 2. Tell your teacher that Louis finished his exercises. 3. Tell Charles that you waited for his brother. 4. Tell Albert that we found many students in the Luxembourg.

* The final -*s* of *sens* is pronounced. [sãs]

† The *passé composé* of regular verbs may be found in § 83, col. 2; the *passé composé* of irregular verbs may be found in § 86, col. 5.

VINGT–QUATRIÈME LEÇON

VOCABULAIRE

l'administrateur (*m.*)	fonder	profiter
colonial	futur	la sculpture †
composer	l'institut (*m.*)	la Sorbonne
le dentiste	le Panthéon	le système
faciliter	la pharmacie	la théologie

le bâtiment, *building*
la chose, *thing*
la connaissance, *acquaintance*
*connaître, *get acquainted with, know*
*devenir, *become*
donc, *then, therefore*
le droit, *law*
la faculté **, *school, college*

former, *train*
l'ingénieur (*m.*) *engineer*
les lettres, *literature and art, "letters"*
le mètre, *meter, 39.37 inches*
l'occasion (*f.*), *opportunity, occasion*
la peinture, *painting*
quelque chose, *something*
le siège, *seat*

à côté de, *along side of, beside*
l'École des Beaux-Arts, *famous Paris art school*
l'École Centrale, *engineering school*
l'École Coloniale, *school for training colonial administrators*

l'École Normale, *Normal School*
l'École Polytechnique, *engineering school which trains army officers*
entendre parler de, *to hear of*
quant à, *as for*

VERBES

connaître	devenir
je connais	je deviens
tu connais	tu deviens
il connaît	il devient
nous connaissons	nous devenons
vous connaissez	vous devenez
ils connaissent	ils deviennent

LE PASSÉ COMPOSÉ

à l'interrogatif	*au négatif*	*au négatif de l'interrogatif*
ai-je donné	je n'ai pas donné	n'ai-je pas donné
as-tu donné	tu n'as pas donné	n'as-tu pas donné
a-t-il donné	il n'a pas donné	n'a-t-il pas donné
avons-nous donné	nous n'avons pas donné	n'avons-nous pas donné
avez-vous donné	vous n'avez pas donné	n'avez-vous pas donné
ont-ils donné	ils n'ont pas donné	n'ont-ils pas donné

* An asterisk (*) placed *before* a verb indicates that this verb is irregular. The forms that you will be required to know are listed below.

† The -*p*- in *sculpture* is silent. [skyltyr]

** *faculté* refers to the faculty and buildings of any school of a university. Its meaning is broader than that of the English word *faculty*. It is also used to indicate the various schools or colleges which comprise a university. Thus: *Faculté des Lettres, Faculté de Médecine, Faculté de Droit*, etc.

PAST PARTICIPLES OF IRREGULAR VERBS

infinitive	*past participle*	*infinitive*	*past participle*
appartenir	appartenu	falloir	fallu
apprendre	appris	lire	lu
avoir	eu	mettre	mis
comprendre	compris	offrir	offert
connaître	connu	pouvoir	pu
courir	couru	prendre	pris
devenir	devenu	recevoir	reçu
dire	dit	savoir	su
écrire	écrit	venir	venu
être	été	voir	vu
faire	fait	vouloir	voulu

(handwritten annotations: belong next to appartenir; must next to falloir; read next to lire)

DEVOIRS

A. 1. We spoke French in Paris. We did not speak French in Paris. Did we speak French in Paris? 2. They explained the organization of the university to us. They did not explain the organization of the university to you. Did they explain the organization of the university to him? 3. Your mother saw that building. Your mother did not see that building. Did your mother see that building? 4. I wrote three letters. I did not write any [1] letters. Did you write a letter to them? 5. I understood your explanation. They did not understand our explanation. Did you understand his [2] explanation? 6. We were obliged to dine in a restaurant. Were you obliged to dine in a restaurant? I was not obliged to dine in a restaurant. 7. Paul wanted to read that book. He did not want to read that book. Did Paul want to read that book? 8. Do you know that student? 9. Does he know that you are going to [3] the dentist?

[1] What construction is used after a negative? (§ 5 C 2)   [2] *son* (§ 13 C)   [3] *chez*

B. Ask Paul if he has heard of the University of Paris. 2. Tell him that you got acquainted with a medical student. 3. Ask Michel if the French universities are divided into several colleges. 4. Tell George that the Law School is near the Medical School.

VINGT–CINQUIÈME LEÇON

VOCABULAIRE

le diplôme	la mémoire	le semestre
l'exemple (*m.*)	*obtenir, obtenu	la sensation
l'habitude (*f.*)	la passion	sévère
l'instinct (*m.*)	la perception	simple
l'intelligence (*f.*)	la psychologie †	le sujet
interroger		vaste

* An asterisk (*) placed *before* a verb indicates that this verb is irregular. The forms that you will be required to know are listed by lessons below.
† The *p* in *psychologie* is pronounced. [psikɔlɔʒi]

amicalement, *in a friendly way*

*apercevoir, *notice, perceive;*
    aperçu, *noticed, perceived*

apporter, *bring, take*

*s'asseoir, *sit down;* assis, *seated*

la bibliothèque, *library*

boire, *drink;* bu, *drunk*

la centaine, *hundred*

commander, *order*

la conférence, *lecture*

*devoir, *must, have to*, dû, *had to*

échouer, *fail*

le garçon, *waiter*

*s'inscrire, *enroll;* inscrit, *enrolled*

laisser, *leave*

la licence, *the first degree in the French
    university*

peu (de), *few; little*

le pourboire, *tip*

que, *whom, that*

seul, *single, alone*

*suivre, *follow;* suivi, *followed*

traiter, *treat*

de temps en temps, *from time to time*
échouer à un examen, *fail an examination*
faire signe, *make a sign, beckon to*

par exemple, *for example*
suivre un cours, *take a course*

VERBES

apercevoir, aperçu †	boire, bu †	devoir, dû †	suivre, suivi †	s'asseoir, assis **
j'aperçois	je bois	je dois	je suis	je m'assois
tu aperçois	tu bois	tu dois	tu suis	tu t'assois
il aperçoit	il boit	il doit	il suit	il s'assoit
nous apercevons	nous buvons	nous devons	nous suivons	nous nous asseyons
vous apercevez	vous buvez	vous devez	vous suivez	vous vous asseyez
ils aperçoivent	ils boivent	ils doivent	ils suivent	ils s'assoient
j'ai aperçu, *etc.*	j'ai bu, *etc.*	j'ai dû, *etc.*	j'ai suivi, *etc.*	je me suis assis ††

DEVOIRS

A. 1. We called the waiter. We called him. 2. Have you read those books?
Have you read them? 3. We ordered some beer. We ordered some (of it).
4. There are the flowers which she sold us. 5. The books which we found
are on the desk. 6. Which letters did you write? 7. The table which we
chose is near a window. 8. He spoke to the children that we saw on [1] the
street. 9. Did he receive the letters which we wrote this morning? 10.
Where is the student who learned French [2] at school [2]?

[1] *dans*   [2] Supply the definite article.

B. Tell your French friend that you must attend class. 2. Ask Robert if there
are any lectures in the Medical School. 3. Tell Susan that the courses
take up only a small part of the course of study. 4. Ask Charles if he
takes examinations at the end of the year.

* An asterisk (*) placed *before* a verb indicates that this verb is irregular.

† From now on, the infinitive, past participle, and the first person singular of the *passé
compose* of each new irregular verb will be given.

** This verb has two distinct conjugations in most of the simple tenses. These may be
found in § 86, no. 3. The forms of the present given here are the most commonly used
in conversation. The imperative of *s'asseoir* is *asseyez-vous.*

†† The *passé composé* of reflexive verbs is conjugated with the auxiliary *être* and is studied
in Lesson 27.

VINGT–SIXIÈME LEÇON

VOCABULAIRE

l'autobus (*m.*)	la décision	international, internationaux
belge	l'hôpital (*m.*)	la physique
la biologie	immense	rapidement
la danse	l'indépendance (*f.*)	universitaire

âgé, *old*

l'arrêt (*m.*), *stop, stopping-place*

bientôt, *soon*

la chimie, *chemistry*

la cité, *normally used to refer to a walled or fortified city, such as Carcassonne or Aiguesmortes*

*construire, *construct;* construit, *constructed*

demeurer, *live*

descendre, *get off (a bus); go down*

enfin, *finally*

Fondation, *used to indicate some of the buildings in the* Cité Universitaire

le jeu, *game*

libre, *free*

mener, *lead, take (a person)*

mieux (*comparative of* bien), *better*

le pavillon, *building (used to refer to certain buildings of the* Cité Universitaire)

la piscine, *swimming pool*

*poursuivre, *pursue;* poursuivi, *pursued*

privé, *private*

puisque, *since*

se retrouver, *be, gather*

*revenir, *come back, return;* revenu, *returned*

se †, *each other*

surveiller, *watch*

le Boulevard Jourdan, *Parisian boulevard on which the* Cité Universitaire *is located*

la Cité Universitaire, *extensive living quarters for French and foreign university students situated in the southern part of Paris*

le P.C.B., *the pre-medical course of one year which consists of physics, chemistry, and biology*

pas du tout, *not at all*

prendre une décision, *make a decision*

VERBES

LE PASSÉ COMPOSÉ

arriver **

je suis arrivé(e)	nous sommes arrivé(e)s
tu es arrivé(e)	vous êtes arrivé(e)(s)
il est arrivé	ils sont arrivés
elle est arrivée	elles sont arrivées

* An asterisk (*) placed *before* a verb indicates that this verb is irregular. The forms that you will be required to know are listed below.

† Here *se* is a reciprocal pronoun. See § 25 B.

** This is a model of the conjugation of an intransitive verb of motion in the *passé composé.*

construire, construit	*poursuivre, poursuivi* †	*revenir, revenu* †
je construis	je poursuis	je reviens
tu construis	tu poursuis	tu reviens
il construit	il poursuit	il revient
nous construisons	nous poursuivons	nous revenons
vous construisez	vous poursuivez	vous revenez
ils construisent	ils poursuivent	ils reviennent
j'ai construit, *etc.*	j'ai poursuivi, *etc.*	je suis revenu(e), *etc.*

DEVOIRS

A. 1. We went to the university. 2. I arrived there at 6:15. 3. They got on [1] the bus. 4. Where did you get off [2] the bus? 5. She stayed at the university for [3] a year. 6. They entered [4] the house. 7. We came back with your friend. 8. The bus took [5] us to the Latin Quarter. 9. I left [6] school [7] at the age of sixteen [8].

[1] Use a form of *monter dans*.   [2] Use a form of *descendre de*.   [3] *pendant*
[4] The verb *entrer* requires *dans* before the noun it governs.   [5] Use a form of *mener*.
[6] Use a form of *sortir de*.   [7] Supply the definite article.   [8] *à seize ans*.

B. 1. Ask the teacher if French students live where they wish. 2. Tell Maurice you entered Medical School at the age of seventeen. 3. Tell Philip to get on the bus. 4. Ask Claude where he got off.

VINGT–SEPTIÈME LEÇON

VOCABULAIRE

admirable	la direction	Napoléon
l'appartement (*m.*)	l'empereur (*m.*)	Sainte-Hélène
l'art (*m.*)	énorme	sauvage
l'artiste (*m. f.*)	Fontainebleau	splendide
*contenir, contenu	le guide	le train
Corot	Millet	le voyage
	le musée	

le billet, *ticket*
la Corse, *Corsica*
*courir, *run;* couru, *ran*
demain, *tomorrow*
se diriger, *go, direct one's steps*
entourer, *surround*
le Français, *Frenchman*
la gare, *railroad station*
là, *there*

le lendemain, *the next day*
meilleur (*comparative of* bon), *better*
le meuble, *piece of furniture;* les meubles, *furniture*
*mourir, *die;* mort, *dead*
*naître, *be born;* né, *born*
le paysage, *landscape, countryside*
le peintre, *painter*
rendre + ADJECTIVE **, *make* + ADJECTIVE

* An asterisk (*) placed *before* a verb indicates that this verb is irregular.
† Notice that *poursuivre* is conjugated exactly like *suivre* and that *revenir* is conjugated exactly like *venir*. Compound verbs are usually conjugated like the simple verbs from which they are derived. From now on, when you study a new verb which belongs to a family of verbs which you have already studied, you will be referred to the conjugation of the verb you already know.
** On rend quelque chose célèbre, *One makes something famous.*

la gare de Lyon, *the railroad station from which trains leave for Lyons*

le lendemain matin, *the next morning*

monter dans le train, *get on the train*

un peu, *a little*

prendre un billet, *buy a ticket, get a ticket*

elle rend la ville célèbre, *she makes the city famous*

vouloir bien, *be willing*

Verbes

LE PASSÉ COMPOSÉ

se coucher *

je me suis couché(e)	nous nous sommes couché(e)s
tu t'es couché(e)	vous vous êtes couché(e)(s)
il s'est couché	ils se sont couchés
elle s'est couchée	elles se sont couchées

contenir, contenu	*courir, couru*	*mourir, mort*	*naître, né*
je contiens	je cours	je meurs	je nais
tu contiens	tu cours	tu meurs	tu nais
il contient	il court	il meurt	il naît
nous contenons	nous courons	nous mourons	nous naissons
vous contenez	vous courez	vous mourez	vous naissez
ils contiennent	ils courent	ils meurent	ils naissent

j'ai contenu, *etc.*   j'ai couru, *etc.*   je suis mort(e), *etc.*   je suis né(e), *etc.*

Devoirs

A. 1. He got up early. He did not get up early. Did he get up early? 2. They dressed before breakfast [1]. They did not dress before breakfast [1]. Did they dress before breakfast [1]? 3. She went [2] toward the railroad station. Did she go [2] toward the railroad station? She did not go [2] toward the railroad station. 4. You went to bed at ten o'clock. You did not go to bed early. Did you go to bed at eleven o'clock? 5. The president was born in 1732 and died in 1799. 6. We ran toward the forest. 7. We got [3] our tickets at the station. 8. The castle contains furniture [4] of the various [5] periods in [6] French history [7]. 9. Louise woke up the next morning [8]. Did Louise wake up the next morning [8]? Louise did not wake up that morning.

[1] Supply the definite article.   [2] Use a form of *se diriger*.   [3] Use a form of *prendre*.
[4] Use the plural of this noun.   [5] Use *différent* before the noun.   [6] *de*
[7] *l'histoire de France*   [8] *le lendemain matin*

B. 1. Tell Susan that you went to bed early. 2. Tell Joan that you got up about eight o'clock. 3. Ask John at what time he woke up. 4. Ask Marie when she was born.

* This is a model of the conjugation of a reflexive verb in the *passé composé*. Only verbs whose reflexive objects are indirect do not take these agreements.

VINGT-HUITIÈME LEÇON

VOCABULAIRE

l'accent (*m.*)
l'accès (*m.*)
l'Alsacien (*m.*)
l'armée (*f.*)

le chocolat
le compartiment
confortable †

s'impatienter **
Mulhouse
la valise
le voyageur

s'arrêter, *stop*
autrefois, *formerly*
la banquette, *bench, seat*
le chemin, *road*
le contrôleur, *conductor*
le couloir, *passage, corridor*
la dame, *lady*
éclater, *break out*
le fer, *iron*
garder, *keep*
le mari, *husband*
le pain, *bread*

passer, *advance*
la plupart, *the majority*
policier, policière, *detective*
le quai, *platform*
*remettre, *turn in, hand in;* remis,
 turned in, handed in
le retour, *return*
siffler, *whistle*
*se tenir, *stand, be;* tenu, *stood*
la vitesse, *speed*
le wagon, *coach, railroad car*
le wagon-restaurant, *dining car*

à toute vitesse, *at full speed*
le chemin de fer, *railroad*
faire partie de, *be part of*

la guerre de 14 ††, *World War I (1914–18)*
quelques-uns d'entre eux, *some of them*
le roman policier, *detective story*

VERBES

THE IMPERFECT °

-er *verbs*	most -ir *verbs*	2d class -ir *verbs*	-re *verbs*
je donn*ais*	je finiss*ais*	je sort*ais*	je perd*ais*
tu donn*ais*	tu finiss*ais*	tu sort*ais*	tu perd*ais*
il donn*ait*	il finiss*ait*	il sort*ait*	il perd*ait*
nous donn*ions*	nous finiss*ions*	nous sort*ions*	nous perd*ions*
vous donn*iez*	vous finiss*iez*	vous sort*iez*	vous perd*iez*
ils donn*aient*	ils finiss*aient*	ils sort*aient*	ils perd*aient*

avoir	*être*	*falloir*
j'avais	j'étais	
tu avais	tu étais	
il avait	il était	il fallait
nous avions	nous étions	
vous aviez	vous étiez	
ils avaient	ils étaient	

* An asterisk (*) placed *before* a verb indicates that this verb is irregular.
† referring to a thing. One does not use *confortable* when referring to a person.
** [ɛ̄pasjūte]
†† Before the last war, the French called the Franco-Prussian war *la guerre franco-allemande* now they call it *la guerre de 70;* they called World War I *la Grande Guerre,* now they call it *la guerre de 14* or *la première guerre mondiale;* World War II is called *la guerre de 39.*
° The imperfect of regular verbs may be found in § 83, column 3; the imperfect of irregular verbs in § 86, column 3.

commencer	*manger*
je commençais	je mangeais
tu commençais	tu mangeais
il commençait	il mangeait
nous commencions	nous mangions
vous commenciez	vous mangiez
ils commençaient	ils mangeaient

remettre remis — *conjugated like* mettre. (§ 86, no. 19)
se tenir, tenu — *conjugated like* contenir. (§ 86, no. 31)

DEVOIRS

A. 1. It was ten o'clock when I arrived at the station.   2. The employe was standing[1] near the door.   3. Several travelers were waiting on the platform.   4. Some[2] of them[3] were chatting, others[4] were walking up and down[5] the platform.   5. Finally, the train arrived, some travelers got off, others[4] got on[6] the train.   6. In my compartment an old man was reading a novel, a little boy was eating some bread, and a girl was sleeping.   7. A man was beginning to[7] speak of the war when the conductor came.   8. He looked at our tickets, but he did not take them.   9. One must hand the tickets to an employe when one leaves[8] the station.

[1] Use a form of *se tenir*.   [2] *Quelques-uns*   [3] *d'entre eux*   [4] *d'autres*   [5] *le long de*   [6] *dans*
[7] *à*   [8] Use a form of *sortir*.

B. 1. Tell your mother that you were reading a letter when the train arrived.   2. Ask Charles if he was talking when Richard left the classroom.   3. Tell Marie that a boy was eating chocolate in your compartment.   4. Ask George if he was finishing his studies when the war broke out.

VINGT-NEUVIÈME LEÇON

VOCABULAIRE

l'Afrique du Nord (*f.*)	germanique	résister
l'Alsace (*f.*)	imposer	rose
l'Alsace-Lorraine (*f.*)	l'influence (*f.*)	le service
la bataille	installer	la sympathie
la brique	la Lorraine	le territoire
la culture	l'occupation (*f.*)	transformer
déporter	la période	la troupe
le dialecte	le peuple *	typiquement
la difficulté	préférer	l'usage (*m.*)
	réincorporer	

* *people* in the sense only of NATION. See p. 413, nos. 115–117.

Aussi . . ., *Therefore* . . ., *Thus* . . .
(aussi *always has this meaning at the
beginning of a sentence, whereas placed
elsewhere it means* ALSO.)
le champ, *field*
la charcuterie †, *pork, pork products,
sausage meat; market where pork is
sold*
chasser, *chase*
contre, *against*
la cuisine, *cooking*
défendre, *forbid*
depuis, *since*
*disparaître, *disappear;* disparu,
disappeared
s'efforcer, *force*
l'emploi (*m.*), *use*
enlever, *take away, take from*
envahir, *invade*

envahisseur, *invading*
l'époque (*f.*), *period*
espérer, *hope*
essayer, *try*
l'horloge (*f.*), *clock*
lourd, *heavy*
la lutte, *struggle*
plutôt, *rather*
*redevenir, *become again;* redevenu, *became again*
le Reich, (*German*) *empire*
soupçonner, *suspect*
*soutenir, *endure, sustain, carry on;*
soutenu, *endured, sustained, carried
on*
subir, *undergo*
la terre, *land*
le tiers, *third*
tout, *everything*

de nouveau, *again*
une fois de plus, *once more*
la guerre de 70 (la guerre franco-allemande), *the Franco-Prussian War (1870–71)*
La France espérait TOUJOURS reprendre le territoire, *France* KEPT ON *hoping to
take back the territory*

VERBES

disparaître, disparu — conjugated like *connaître*. (§ 86, no. 7)
redevenir, redevenu — conjugated like *venir*. (§ 86, no. 34)
soutenir, soutenu — conjugated like *tenir*. (§ 86, no. 31)

DEVOIRS

A. 1. Many students were chatting in the [1] restaurant. 2. They were eating
while they talked. 3. When I was younger, I used to live in Paris. 4. We
used to attend [2] the lectures at the Law School. 5. I was finishing my
courses in [3] the Arts College while my brother carried on his studies [4]

[1] *au*   [2] The verb *assister* requires *à* before the noun it governs.
[3] *à*   [4] Use a form of *faire ses études*.

* An asterisk (*) placed *before* a verb indicates that this verb is irregular. The forms
that you will be required to know are listed below.
† In France pork is not usually sold in the ordinary meat markets, but rather in special
markets called *charcuteries*.

in the Medical School. 6. He was beginning to[1] learn French[2]. 7. One morning while my friend was sleeping, I left[3] the house to go to the Luxembourg. 8. We often[4] used to read in that garden. 9. That morning[5] I returned[6] to the house at about[7] nine o'clock.

[1] *à*   [2] Supply the definite article.   [3] Use a form of *sortir de*.
[4] Place directly after the verb.   [5] Supply *-là*.   [6] Use a form of *rentrer*.   [7] *vers*

B. 1. Tell your brother that Alsace became French in the seventeenth century. 2. Ask your teacher if the Germans forbade the use of French in the schools. 3. Ask him if Germany had many difficulties in Alsace-Lorraine. 4. Tell the other pupils that the Germans drove the Alsacians from Alsace and installed Germans in the place of the deported Alsacians.

TRENTIÈME LEÇON

VOCABULAIRE

l'artère (*f.*)
circuler
la conversation
désigner
Dijon
Grenoble
humain

le liquide
le mécanisme
muet, muette
le muscle
Nancy
nécessaire
le nerf

l'organe (*m.*)
le pluriel
la respiration
supérieur
unir
la veine
le vocabulaire

l'Anglaise (*f.*), *English girl*
*apprendre, *teach, learn;* appris
     taught, learned
aveugle, *blind*
borgne, *blind in one eye*
la bouche, *mouth*
le bras, *arm*
celui, celle, ceux, celles, *this, that,*
     these, those; the one, the ones
les cheveux (*m.*), *hair (the singular*
     form, le cheveu, *indicates one single*
     hair)
le cœur, *heart*
*comprendre, *comprise, understand;*
     comprise, *comprised, understood*
le corps, *body*
le cou, *neck*
le coude, *elbow*
créer, *create, make*

la dent, *tooth*
le doigt, *finger*
l'estomac (*m.*), *stomach*
l'étranger (*m.*), *foreigner*
la figure, *face*
le front, *forehead*
le genou, *knee*
goûter, *taste*
la grammaire, *grammar*
la jambe, *leg*
la joue, *cheek*
la langue, *tongue*
lequel, laquelle, lesquels, lesquelles,
     which (relative pronoun used after
     prepositions)
la lèvre, *lip*
mâcher, *chew*
la main, *hand*
le menton, *chin*

* An asterisk (*) placed *before* a verb indicates that this verb is irregular. You have already studied both *apprendre* (Lesson 15) and *comprendre* (Lesson 17) with their more common meanings.

le nez, *nose*

ni . . . ni, *neither . . . nor*

l'œil (*m. sing.*), *eye*

l'oreille (*f.*), *ear*

où, *when* (§ 36 E)

le pied, *foot*

la poitrine, *chest*

le poumon, *lung*

pratique, *practical*

réunir, *unite*

le sang, *blood*

sentir (2), *smell*

sourd, *deaf*

sourd-muet, *deaf-mute*

le squelette, *skeleton*

la Suédoise, *Swedish girl*

se terminer, *finish, end*

le tronc, *trunk*

utile, *useful*

le visage, *face*

les yeux (*m. pl.*), *eyes*

A (2) indicates an *-ir* verb of the second class. (§ 44 C)

aimer mieux, *like better, prefer*

de chaque côté, *on each side*

tous les jours, *every day*

Devoirs

A. 1. We hear with our [1] ears, see [2] with our [1] eyes and smell [2] with our [3] noses. 2. He [4] who cannot see is blind. 3. Those who cannot hear are deaf. 4. Did you notice the fountain pen with which I am writing? 5. These courses are easier than those. 6. This university is nearer Baton Rouge than that one. 7. The country in which my friend lives is very small. 8. The train by which you go to Paris is the one [4] that I take every morning. 9. Do you like these novels [5] better than the ones [4] that you are reading?

[1] Use the definite article.   [2] Use a subject pronoun with this verb.

[3] Use a singular form of the definite article followed by a singular noun.

[4] Express this word by a form of the demonstrative pronoun.   [5] Supply *-ci*.

B. 1. Tell Charles that you like your French course better than your geography course. 2. Ask Richard to close his [1] mouth. 3. Tell Helen that those who cannot see are blind. 4. Ask Marcelle if she is interested in [2] literature [1].

[1] Use the definite article.   [2] *à*

★ ★ ★

Le petit navire

Il était un petit navire[1], il était un petit navire,

Qui n'avait ja-ja-jamais navigué, Qui n'avait ja-ja-jamais navigué, Ohé! Ohé!

Il partit pour un long voyage, (bis)

Sur la mer Mé-Mé-Méditerranée, (bis) Ohé! Ohé!

Au bout de cinq à six semaines, (bis)

Les vivres [2] vin-vin-vinrent à manquer[3]. (bis) Ohé! Ohé!, etc.

[1] *boat*   [2] *provisions*   [3] *be lacking*

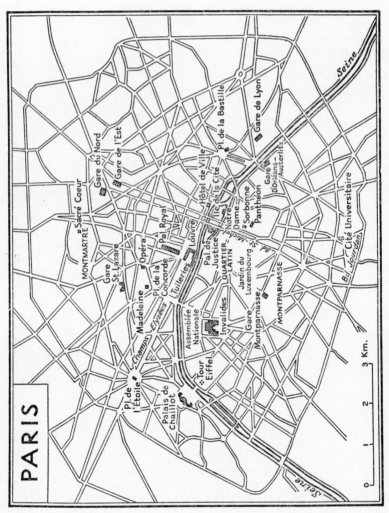

PARIS

Seine
Gare du Nord
Gare de l'Est
Gare de Lyon
Sacré Cœur
MONTMARTRE
Pl. de la Bastille
Hôtel de Ville
Île de la Cité
Notre Dame
Gare d'Orléans-Austerlitz
Gare St. Lazare
Opéra
Louvre
Pal. Royal
Tuileries
Sorbonne
Panthéon
Madeleine
Pl. de la Concorde
Pal. de Justice
QUARTIER LATIN
Bd. St. Michel
Bd. Jourdan
Cité Universitaire
Champs Élysées
Assemblée Nationale
Invalides
Jardin du Luxembourg
Gare Montparnasse
MONTPARNASSE
Pl. de l'Étoile
Palais de Chaillot
Tour Eiffel
Seine

0   1   2   3 Km.

Paris a de très nombreux quartiers et chacun
d'eux a son charme tout particulier

Premières impressions de Paris

Paris, le 17 juillet 1948

Cher Lewis,

Je suis arrivé à Paris le 20 juin, mais j'espère que vous me pardon-
nerez de [1] vous écrire aujourd'hui seulement. Quand vous saurez combien
Paris est magnifique, vous me comprendrez — les jours ne sont pas
assez longs pour tout voir et pour tout admirer. Que de merveilles!
Aucune autre ville au monde ne ressemble à Paris! Aucune n'est [5
aussi jolie!

Lorsque vous aurez des économies suffisantes, il faudra absolument venir avec votre frère. Paris vous enchantera aussitôt que vous
y serez et vous l'aimerez tout de suite. Vous ne finirez pas de contempler
les splendeurs qu'il y a partout. Vous [2] penserez avoir tout vu et [10
vous découvrirez encore d'autres richesses. Chaque promenade que
vous ferez dans les rues de Paris vous apportera de merveilleuses sur-
prises!

Paris a de très nombreux quartiers et chacun d'eux a son charme
tout particulier: l'Opéra avec les grands boulevards; le Quartier [15
latin, si animé avec ses étudiants; Montparnasse avec ses cafés et ses
artistes; Montmartre et ses boîtes de nuit; le quartier ouvrier de la
Bastille; l'Étoile, si riche en souvenirs de l'histoire de France — et
tant d'autres encore . . . !

L'architecture des monuments de Paris est également très [20
variée: Notre-Dame, magnifique cathédrale de style gothique; l'église
de la Madeleine, qui ressemble à un temple grec; le Sacré-Cœur, église
de style byzantin; la Tour Eiffel, construction métallique moderne,
etc. Vous ne trouverez pas ici de gratte-ciel, style d'architecture si
caractéristique de New York.   [25

Dès que vous serez à Paris, vous remarquerez aussi des choses
qui vous paraîtront très curieuses. L'aspect des rues parisiennes,
notamment, vous étonnera beaucoup. Ces rues sont très différentes
des rues américaines et les maisons vous sembleront étranges. Elles
ont presque toutes plusieurs étages et comprennent de nombreux [30
appartements. Elles bordent le trottoir; il n'y a pas d'espace entre
les maisons et le trottoir. Il n'y a pas d'espace entre les maisons non
plus; elles se [3] touchent. En banlieue, cependant, les maisons ne sont

---

[1] *for waiting until today to write you.*
[2] *You will think that you have seen everything.* Literally — *You will think to have seen everything.* The past infinitive of *voir* is *avoir vu.*
[3] *each other.* Here, *se* is a reciprocal pronoun.

pas toujours si près les unes des autres. Chaque famille a sa propre maison entourée d'un petit jardin.   [35

Quand vous viendrez en France, tâchez donc de passer le 14 juillet à Paris. Cela vous intéressera certainement. Ce jour-là, la ville est très gaie; il y a beaucoup de monde et on entend de la musique partout. La veille et le soir du 14 juillet vous verrez les gens danser sur les places et aux carrefours.   [40

(*à suivre*)[1]

QUESTIONS

1. Quand Robert est-il arrivé à Paris? 2. Pourquoi n'a-t-il pas écrit plus tôt à ses amis en Amérique? 3. Citez des quartiers intéressants de Paris. 4. Citez un monument de Paris de style gothique; de style byzantin. 5. Quel est le style d'architecture qui ne se trouve pas à Paris? 6. Qu'est-ce qui vous étonnera dans les rues de Paris? 7. Y a-t-il de l'espace entre les maisons et la rue à Paris? 8. Comment sont les maisons de banlieue? 9. Qu'est-ce que vous entendrez dans les rues de Paris la veille et le soir du 14 juillet?

DEVOIRS

A. Suivez les indications:

1. Demandez à Charles quand il corrigera les fautes de votre lettre. 2. Dites à Suzanne que vous lui montrerez cette lettre dès qu'elle aura le temps de la regarder. 3. Demandez à Louis quand il voyagera dans le midi de la France. 4. Dites à Hélène que vous lui écrirez une longue lettre quand vous serez en France.

B. Mettez au futur les verbes suivants. Tous ces verbes sont RÉGULIERS *au futur.* EXEMPLE: nous avons cherché — nous chercherons.

1. il parle   2. nous nous sommes habillés   3. vous finissiez 4. ils ont dormi   5. je sors   6. perdiez-vous?   7. j'ai entendu   8. sont-elles parties   9. se sont-ils couchés

C. Mettez au futur les verbes suivants. Tous ces verbes sont IRRÉGULIERS *au futur.* EXEMPLE: pouvait-elle — pourra-t-elle

1. elle reçoit   2. il est   3. je vais   4. vous avez fait   5. elles avaient   6. j'ai voulu   7. il voyait   8. elles sont mortes   9. je suis venu   10. il doit   11. il pleut   12. vous avez couru   13. a-t-il envoyé 14. je sais   15. nous avons pu

[1] *to be continued.*

D. Mettez le récit suivant au futur:

1. Cet été j'ai visité Bordeaux. 2. Quand nous étions dans cette ville, nous sommes allés chez nos amis. 3. Ils nous attendaient chez eux. 4. Dès qu'ils nous ont vus, ils nous ont parlé de l'Amérique. 5. Il y avait beaucoup de monuments à voir à Bordeaux. 6. Lorsque nous y étions, nous avons entendu de la musique dans les cafés. 7. On nous a servi de la bière dans ces cafés. 8. Êtes-vous allé voir le port de Bordeaux? 9. Il y avait des bateaux sud-américains. 10. J'ai vu plusieurs lycées dans la ville. 11. Les élèves du lycée obéissent à leurs professeurs. 12. Le soir nous nous sommes couchés à onze heures. 13. Ma mère a très bien dormi. 14. Elle était contente d'être à Bordeaux. 15. Aussitôt qu'elle est venue nous voir, je l'ai envoyée chez vous.

GRAMMAIRE

1. What is the real nature of the French future? (Page 339, note 1) How is the future of a French verb regularly formed? (§ 48)

2. What are the forms of the future of *donner*, *finir*, *servir*, and *perdre*? (Page 178)

3. Relatively few verbs are irregular in the future, and the verbs that are irregular form a pattern. Learn the future of the irregular verbs *aller*, *avoir*, *courir*, *devoir*, *envoyer*, *être*, *faire*, *falloir*, *mourir*, *pleuvoir*, *pouvoir*, *recevoir*, *savoir*, *tenir*, *valoir*, *venir*, *voir*, and *vouloir*, given in § 85 D.

4. What is the general use of the future? (§ 49 A)

5. In which cases is the future used in French where a present is required in English? (§ 49 B)

6. Use in sentences the present, imperfect, future and *passé composé* of *découvrir* and *paraître*. (Page 178)

═══════════ *TRENTE-DEUXIÈME LEÇON* ═══════

La concierge

(*suite*)

Ce qui m'a le plus étonné en France, c'est [1] de trouver des habitudes différentes des nôtres. Prenez comme exemple une grande maison à Paris. Généralement la porte est ouverte pendant la journée. On entre dans un couloir et on demande à la concierge à quel étage habite

---

[1] Whenever *ce qui* or *ce que* begins a clause which is the subject of the verb *être*, *ce* must be repeated before forms of *être* unless that verb is followed by an adjective.

ce qui = only "what"
que

la personne que l'on vient voir. Toutes les grandes maisons de [5
Paris ont une concierge. Elle demeure d'ordinaire au rez-de-chaussée
dans sa loge, petite pièce près de la porte qui donne sur la rue et de
laquelle elle peut surveiller ce qui arrive. Elle balaie les couloirs,
nettoie les escaliers, reçoit le courrier et le distribue aux locataires.
Elle indique aux visiteurs l'appartement des personnes qu'ils vien- [10
nent voir. Elle sait tout[1] ce qui se passe dans la maison et tous les
locataires la respectent ou la craignent.

Ce qui est surtout curieux, c'est la façon d'entrer dans la maison
la nuit. En effet, la concierge ferme la porte vers dix heures du soir.
Même les locataires n'ont pas la clé de la porte qui ouvre sur la rue. [15
Dans quelques maisons, celui qui veut entrer appuie sur un bouton qui
ouvre la porte automatiquement. Mais dans d'autres maisons, il
faut sonner et c'est la concierge qui appuie sur un bouton électrique
qui ouvre la porte. Quand il est tard, la concierge dort et il faut
quelquefois sonner assez longtemps. Celui qui entre dit son nom [20
quand il passe devant la loge. De cette façon, la concierge sait qui
est entré.

Voilà mes premières impressions de la France. Lisez-les et dites-moi
ce que vous en pensez. Je n'ai pas eu le temps d'écrire à tout le monde.
Allez donc chez nos camarades avec ma lettre et montrez-la-leur, [25
s'il vous plaît. Allez aussi chez notre professeur et racontez-lui ce
que je vous ai écrit, mais ne lui montrez pas la lettre. Ne la lui montrez
pas; vous savez bien pourquoi.

Écrivez-moi ce que vous faites en Amérique pendant les vacances.
Racontez-le-moi en détail. Ne me dites pas que vous n'avez pas le [30
temps. Je vous en prie, ne me le dites pas. Répondez à ma lettre
tout de suite. Envoyez votre réponse à l'adresse que je vous ai donnée
avant mon départ. Envoyez-la par avion. J'attends de vos nouvelles
avec grande impatience.

Je vous serre bien cordialement la main,

ROBERT

QUESTIONS

1. Qu'est-ce que la concierge? 2. Où habite-t-elle? 3. Que fait
la concierge dans la maison? 4. A quelle heure la concierge ferme-t-elle
la porte de la maison le soir? 5. Est-ce que les locataires ont la clé
de la porte qui ouvre sur la rue? 6. Comment entre-t-on dans une

---

[1] The construction EVERYTHING WHICH or ALL THAT is expressed in French by *tout* CE *qui*
(subject) and *tout* CE *que* (object).

maison parisienne la nuit? 7. Que faut-il dire quand on passe devant la loge la nuit? 8. Pourquoi Robert n'écrit-il pas à tout le monde? 9. A qui Lewis doit-il montrer la lettre? 10. Pourquoi ne doit-il pas montrer la lettre au professeur? 11. Quand doit-il répondre à la lettre?

DEVOIRS

A. Suivez les indications:

1. Dites à Robert de vous écrire tout de suite. 2. Dites à votre camarade d'aller chez le professeur avec la lettre et de la lui montrer. 3. Demandez à Marie de vous dire ce qu'elle fait. 4. Demandez à Georges de nous dire ce qui est sur le bureau du professeur.

B. Remplacez les mots en italique par des pronoms compléments. Ensuite, mettez la phrase à la forme négative. EXEMPLE: Montrez-moi *la lettre.* (a) Montrez-*la*-moi. (b) Ne me *la* montrez pas.

1. Donnez-moi *votre adresse.* 2. Montrez-moi *sa voiture.* 3. Envoyez *les fleurs à Marie.* 4. Dites-nous *son nom.* 5. Rendez-moi *ces lettres.* 6. Lisez-moi *ce¹ que vous écrivez.* 7. Racontez-nous *ce¹ que vous faites.*

C. Remplacez les mots en italique par des pronoms compléments. Ensuite, mettez la phrase à la forme affirmative. EXEMPLE: Ne racontez pas *ce¹ que vous faites à votre mère.* (a) Ne *le lui* racontez pas. (b) Racontez-*le-lui.*

1. Ne donnez pas *la lettre au professeur.* 2. Ne me montrez pas *cette maison.* 3. Ne nous dites pas *la date.* 4. N'envoyez pas *ces livres à Paul.* 5. Ne m'expliquez pas *ces choses.* 6. Ne lisez pas *à Robert ce¹ que vous écrivez.*

D. Remplacez les tirets par la forme convenable de l'expression française qui exprime what²:

1. Il me dit toujours —— il fait. 2. —— vous lisez est intéressant. 3. Dites-moi —— votre frère a trouvé sur le trottoir. 4. —— m'a le plus étonné, c'est le repas français. 5. Écrivez-vous —— vous pensez? 6. —— j'aime surtout, c'est la musique. 7. Il ne sait pas —— il veut. 8. Savez-vous —— vous voulez? 9. J'aime lire —— n'est pas trop difficile. 10. Écrivez-moi —— vous faites.

---

¹ Entire expressions such as these are replaced by *le* (it).
² In such constructions, English usage requires either *what* or *that which*; French uses the *that which* form. These blanks require two words each.

E. Mettez les verbes indiqués (a) *au présent* (b) *au futur.* Exemple:
Nous (appuyer) sur le bouton. (a) Nous *appuyons* sur le bouton.
(b) Nous *appuierons* sur le bouton.

1. Les concierges (balayer) le couloir et (nettoyer) l'escalier.
2. Qui (nettoyer) la salle? 3. Vous (appuyer) sur le bouton.

Grammaire

1. What is the general rule for the position of object pronouns
with reference to the verb? (§ 29 A) When does the object pronoun
follow the verb? (§ 29 B)

2. What happens to the weak object pronoun *me* when it is placed
after the verb? Why? (Page 317, note 2; § 29 C) What happens to
the strong form *moi* when it is placed before the verb? Why?

3. What is the relative order of object pronouns when one of them
begins with *l-*? when both begin with *l-*? (§ 30 C, D)

4. How is the relative pronoun *what* expressed as the subject of
its clause? as the direct object of its clause? (§ 36 G)

5. Give the forms of the present, imperfect, *passé composé*, and
future of the irregular verbs *craindre, ouvrir, plaire,* and *recevoir*. (Page
179)

6. What are the forms of the present and future of the verbs
balayer, nettoyer, and *appuyer*? (Page 179) What governs the use of
-i- or *-y-* as the final vowel of the stem of these verbs? (§ 82 C)

===== *TRENTE-TROISIÈME LEÇON* =====

Les moyens de transport à Paris

Paris, le 6 août 1948

Ma chère tante,

J'ai reçu hier avec beaucoup de plaisir la lettre dans laquelle vous
me demandez quelques détails sur la vie à Paris. Je suis en France
depuis six semaines et il y a dix jours que je suis seule dans une pension
dont la propriétaire est très gentille.

Vous me demandez notamment quels sont les moyens de trans- [5
port à Paris. Autrefois, il y avait des tramways, mais voilà plusieurs
années qu'il n'y en a plus. Actuellement[1], il y a beaucoup de voitures

1 Meaning?

L'entrée du métro se trouve sur le trottoir

. . .un restaurant avec des tables non seulement à l'intérieur mais aussi sur le trottoir

Il est d'usage en France de boire du vin aux repas

Nous sommes sortis du métro
Place de l'Opéra

Avec chaque plat on mange du pain

Cette place s'appelle ainsi parce que dans toutes les directions partent de larges avenues qui lui donnent la forme d'une étoile

La Place de la Concorde est une des plus vastes et des plus belles du monde

et de nombreux taxis qui gênent la circulation, comme en Amérique
d'ailleurs. Il y a l'autobus, dans lequel on peut voyager très rapidement, et le métro, train souterrain qui permet d'aller où l'on veut.   [10

Il y a partout à Paris des stations de métro, mais on n'arrive pas
souvent à destination sans changer de train: il faut prendre une correspondance.   *Prendre une correspondance* veut[1] dire *changer de train*.
On est parfois obligé de prendre plusieurs correspondances.

L'entrée du métro se trouve sur le trottoir.   A chaque entrée, [15
de larges escaliers donnent accès à une vaste salle souterraine où les
voyageurs peuvent prendre leurs billets et parfois même acheter le
journal. Partout dans les couloirs du métro, des plans de Paris indiquent
très clairement le parcours des trains.

Pour arriver sur le quai où s'arrête le train que l'on veut prendre, [20
il faut suivre un couloir souterrain.   Au bout du couloir se trouve un
portillon (petite porte) automatique.   Dès que le train entre dans la
station, ce portillon se ferme automatiquement pour empêcher les
voyageurs de se précipiter sur le quai pendant que le train est là.   Dès
que le train s'en va, le portillon s'ouvre et les voyageurs peuvent [25
à nouveau passer sur le quai où ils attendent le train suivant.

Marie Deschamps, dont vous connaissez la famille, est l'amie avec
qui je sors le plus souvent à Paris.   Hier, je suis allée Place de l'Opéra
avec elle et son frère.   Nous avons pris le métro à une heure où il y
avait beaucoup de monde.   Nous sommes allés de la station Mont- [30
parnasse à Châtelet, où nous avons dû prendre la correspondance.
A Châtelet nous avons suivi de longs couloirs voûtés pour arriver
jusqu'à notre quai.   Nous y avons attendu le train.   Marie s'impatientait:

— Voici trois minutes que nous attendons et le train n'est pas [35
encore là, disait-elle.

Le métro est arrivé plein de voyageurs.   Heureusement, il n'y
a que quatre stations entre Châtelet et Opéra.   Nous sommes sortis
du métro Place de l'Opéra.

(à suivre)

QUESTIONS

1. Depuis combien de temps habitez-vous cette ville? 2. Depuis
combien de semaines assistez-vous à ce cours de français? 3. Y a-t-il
des tramways à Paris? 4. Quels sont les principaux moyens de transport à Paris? 5. Qu'est-ce que le métro? 6. Quelles sont les villes
des États-Unis qui ont un métro? 7. Que veut dire *prendre la correspondance*? 8. Où se trouve l'entrée du métro? 9. Où distribue-t-on

[1] *means* (literally *wishes to say*)

les billets de métro? 10. Qu'est-ce qui indique le parcours des trains dans le métro parisien? 11. Qu'est-ce qui empêche les voyageurs qui arrivent par le couloir de se précipiter sur le quai pendant qu'un train est dans la station? 12. A quelle station Louise et ses amis ont-ils pris le métro? 13. A quelle station ont-ils pris la correspondance? 14. Pourquoi Marie s'impatientait-elle à Châtelet? 15. Où les jeunes gens sont-ils sortis du métro?

DEVOIRS

A. Suivez les indications:

1. Dites à votre camarade que vous êtes à Paris depuis un mois. 2. Demandez à Robert ce que veut dire *métro*. 3. Demandez à David comment on dit en français *changer de train*. 4. Demandez à Marie depuis quand elle est en France.

B. Écrivez les phrases suivantes en employant (1) il y a *(2)* depuis. EXEMPLE: Voilà deux semaines que nous sommes à Paris. (1) *Il y a* deux semaines que nous sommes à Paris. (2) Nous sommes à Paris *depuis* deux semaines.

1. Voilà une heure que je lis ce journal. 2. Voici plusieurs mois que nous prenons cet autobus. 3. Voilà vingt minutes que Mme Chevalier cause avec Mme Lequin.

C. Introduisez dans la phrase les mots indiqués entre parenthèses. EXEMPLE: La France est un pays (*whose president*) est élu par le Parlement. La France est un pays *dont le président* est élu par le Parlement.

1. Montrez-moi cette salle (*whose windows*) sont ouvertes. 2. Nous avons parlé avec un jeune homme (*whose wife*) est en vacances. 3. Connaissez-vous ce pays (*whose inhabitants*) sont tous heureux?

D. Introduisez dans la phrase les mots indiqués entre parenthèses. EXEMPLE: (*whose address*) Avez-vous écrit à l'employé... je vous ai donné...? Avez-vous écrit à l'employé *dont* je vous ai donné l'adresse?

1. (*whose history*) Il est plus intéressant de visiter un pays... on a lu... 2. (*whose owner*) Mais il est surtout agréable de passer quelques jours dans une maison... vous connaissez... 3. (*whose car*) Est-ce que notre ami vous a parlé d'un monsieur... il a trouvé...?

E. Remplacez les tirets par la forme convenable [1] *du pronom relatif:*

1. Cet après-midi Paul va chez un camarade —— a acheté une voiture. 2. Il veut voir cette voiture —— son camarade lui a parlé. 3. Il veut lui demander aussi —— il va faire lundi soir. 4. La rue —— son camarade demeure est dans un quartier peu connu. 5. L'autobus —— Paul prend n'est pas celui —— va dans ce quartier. 6. Au moment —— il cause avec des gens dans l'autobus, Paul s'aperçoit qu'il doit changer de direction. 7. Il prend un autre autobus —— le mène près de la maison de son camarade. 8. Cet ami, —— s'appelle René, travaille chez lui. 9. René ouvre la porte et mène Paul dans la pièce —— il travaille. 10. Ensuite, il lui montre la voiture —— il a achetée. 11. Il explique à Paul tout —— l'intéresse. 12. Les jeunes gens sortent dans la voiture et visitent des monuments —— Paul ne savait rien. 13. Les rues par —— ils passent sont très jolies. 14. Ils rencontrent une jeune fille avec —— René parle pendant quelques minutes. 15. Savez-vous —— est intéressant à voir dans votre ville? 16. Dites-moi —— vous avez vu en France.

GRAMMAIRE

1. Explain the idiomatic use of *depuis*, *il y a*, *voici*, and *voilà* with the present tense. (§ 45 B)

2. You have already learned that the relative *qui* is used as the subject, that the relative *que* is used as the object of its clause, and that the relative *lequel* is used after a preposition, especially to refer to things. What other relative pronoun, referring only to persons, is used after prepositions? (§ 36 F)

3. What is the relative pronoun of place and time? How is the relative of time expressed in English? (§ 36 E)

4. Explain the use of the relative pronoun *dont*. Give examples of two types of sentences in which *dont* is used. (§ 36 D)

5. Present in outline form all the relative pronouns, including the indefinites *ce qui* and *ce que*. (§ 36 B)

6. Study the irregular verbs *s'en aller* and *permettre*. Like what verbs are they conjugated? (Page 181)

---

[1] Some of these blanks will require two words (*ce qui, ce que* or *ce qu'*) to complete the meaning of the sentence. Note especially the expressions *tout ce qui* and *tout ce que*.

Le repas au restaurant

(*suite*)

En sortant, nous nous sommes trouvés devant l'Opéra.   Maurice
m'a dit en regardant sa montre:

— Avez-vous faim?   Voulez-vous venir déjeuner au restaurant
avec nous?

Après avoir cherché un peu dans le quartier, nous avons trouvé [5
un restaurant avec des tables non seulement à l'intérieur mais aussi
sur le trottoir.   En entrant, nous avons vu beaucoup de personnes à
table.   De nombreux garçons servaient les clients.   Chacun d'eux
s'occupait d'un certain nombre de tables.

Nous nous sommes mis à table et le garçon a apporté la carte [10
(le menu).   Avant de choisir, Maurice nous a demandé si nous voulions
boire du vin.   Il est d'usage en France de boire du vin aux repas, mais
parfois on boit de la bière ou du cidre.

Le repas de midi, c'est-à-dire le déjeuner, commence d'ordinaire par
un hors-d'œuvre: radis, olives, œufs durs, tomates, sardines, pâté. [15
Puis on choisit un plat du jour: poisson ou viande.   On sert les légumes
avec ou après la viande.   On mange, par exemple, des pommes de terre
frites avec un bifteck, des haricots verts avec une côtelette de porc.
Après la viande et les légumes, on prend généralement une salade.   La
salade de laitue, entre autres, est très appréciée en France.   On la [20
prépare en la mélangeant dans un grand saladier avec du sel, du poivre,
de l'huile et du vinaigre.   Après la salade, on mange du fromage.   Les
fromages de France et de Suisse, tels que le Roquefort, le Camembert,
le Brie et le Gruyère, sont réputés et les Français en mangent à presque
tous les repas.   Avec chaque plat on mange du pain.   Au dessert [25
on prend souvent des fruits ou de la pâtisserie.   Il y a parfois une glace,
mais on en mange beaucoup moins souvent en France que chez nous.

Le repas [1] du soir s'appelle le dîner.   Il est plus léger que le déjeuner.
Au lieu de commencer par un hors-d'œuvre, il commence souvent par
un potage ou par de la soupe.   Après, on sert un ou deux légumes, [30
quelquefois des œufs, de la salade, du fromage et un dessert, mais
souvent ni viande ni poisson.

Après avoir fini de manger, Maurice a demandé l'addition au

---

[1] What is said concerning the evening meal is true especially in the ordinary French
family and since the first World War.   In restaurants and in the family when there are
guests, the evening meal is usually as complete or more complete than the noon meal.

garçon, qui la lui a apportée. Il l'a payée en laissant un pourboire [1] de dix pour-cent. Le «dix pour-cent pour le service» est une coutume [35 française.

J'ai beaucoup d'autres choses à vous raconter, mais je dois vous quitter sans en écrire davantage aujourd'hui. Je termine, espérant recevoir bientôt de vos bonnes nouvelles, en vous envoyant mes sentiments affectueux. [40

LOUISE

QUESTIONS

1. En quoi les restaurants français sont-ils différents des restaurants américains? 2. Qui sert les clients d'un restaurant? 3. Qu'est-ce que le garçon a apporté aux jeunes gens? 4. Que boit-on aux repas en France? 5. Par quoi commence le déjeuner? le dîner? 6. Citez quelques hors-d'œuvre. 7. En quoi consiste le plat du jour? 8. Comment prépare-t-on la salade de laitue? 9. Citez des fromages appréciés en France. 10. Que mange-t-on au dessert? 11. En quoi le dîner français est-il différent du déjeuner? 12. Que demande-t-on au garçon après avoir mangé? 13. Pourquoi laisse-t-on dix pour-cent de l'addition au garçon?

DEVOIRS

A. *Remplacez les tirets par le mot convenable indiqué à droite:*

1. Quand on a ——, on entre dans un restaurant. 2. On regarde la —— et ensuite on commande au garçon les plats qu'on désire. 3. On commence souvent le dîner par un ——. 4. Le bifteck se mange avec des —— frites. 5. Après le dessert, on demande l'—— au garçon et on la paie en laissant au garçon un pourboire de dix pour-cent pour le service. 6. Après avoir —— le repas, on cherche un cinéma du quartier.

a. addition
b. carte
c. dur
d. faim
e. menu
f. pommes de terre
g. potage
h. terminé

B. *Écrivez* (1) la première personne pluriel du présent (2) le participe présent *des verbes suivants.* EXEMPLE: 1. vous écoutez —— nous écoutons —— écoutant 2. il s'est arrêté —— nous nous arrêtons —— s'arrêtant.

1. il habite 2. nous perdons 3. elle choisit 4. il a pris 5. nous

[1] This ten per cent paid to the waiter should perhaps not be called a tip, since in many restaurants and cafés it constitutes his only compensation. Since the second World War, some of the Parisian restaurants have been asking twelve and even fifteen per cent of the cost of the meal for the service.

avons eu   6. vous avez été   7. elle lisait   8. avez-vous envoyé   9. elle
meurt   10. je veux   11. il mange   12. il sait   13. je bois   14. elle a
vu   15. il dit   16. elle a commencé   17. il met   18. je viens   19. j'ai
reçu

C. Remplacez, s'il[1] y a lieu, le présent de l'infinitif par le participe
présent ou le passé de l'infinitif:

1. En (marcher) vite, nous sommes arrivés tôt au restaurant.
2. Avant d'(aller) à Tours, il faut lire l'histoire de la Renaissance.
3. (obéir) à ses parents, il a suivi des cours à la Faculté de Droit.
4. Au lieu de (prendre) un billet au guichet, il a causé avec une jeune
fille.   5. Avant de (dire) son nom, il a demandé qui j'étais.   6. (savoir)
qu'il était là, je ne pouvais rien dire.   7. Après (voir) le professeur, il
a annoncé son intention de partir pour Toulouse.   8. En (sortir) de la
maison, Mme Paquet a rencontré sa sœur.   9. Avant de (recevoir)
l'argent, Maurice a dû apporter les livres.   10. Après (regarder) sa
montre, Charles a dit qu'il fallait se dépêcher.   11. Sans (parler) de
son travail, il a quitté la maison.   12. Après (arriver) à la gare, il
m'a téléphoné.

D. Dans chacune des phrases suivantes, on aurait un participe présent en
anglais.   En français, on n'emploie pas un participe présent dans ces
phrases.   Introduisez les mots entre parenthèses dans les phrases et
expliquez ce qu'on emploie au lieu du participe présent:

1. Nous (*are writing*) une lettre.   2. Ils (*were eating*) du pain
quand Charles est entré dans la salle.   3. Avant de (*receiving*) son
ami, il a fermé la porte de la chambre.   4. Après (*reading*) le journal,
il est monté dans sa chambre.   5. Ils sont allés au cinéma sans (*knowing*)
où vous étiez.

GRAMMAIRE

1. What is the ending of the present participle in English? in
French? (§ 66 A) How is the present participle usually formed?
(§ 66 B) What about the present participle of most *-ir* verbs? (§ 66 C)
What general rule may be applied for all verbs? (§ 66 D)

2. Give the present participles of *donner, finir, dormir, répondre, être,*
avoir, and *savoir.* (Page 182)

3. How is the present participle used? (§ 67 A) With what preposition and in what sense is it sometimes used? (§ 67 B) When and
with what does the present participle agree? (§ 67 C)

---

[1] *if necessary.*

4. In English we normally use the present participle after prepositions. We say: *without thinking, instead of telling*, etc. What construction does French use here? How does French express the very common *before ── -ing*? (§ 71 A; page 350, note 1)

5. In English, a past infinitive is a form such as *to have spoken*. In French, it is a form such as *avoir parlé*. With what preposition in this lesson is the past infinitive always used? (Page 350, note 1)

6. In English the present participle is often used to form what are known as the PROGRESSIVE TENSES. One says: I *am reading*, he *was speaking*. Such forms do not exist in French. How does French express these PROGRESSIVE TENSES? (§ 45 A, § 47 A 2)

═══════ *TRENTE-CINQUIÈME LEÇON* ═══════

De l'Étoile à la Concorde

Paris est vraiment pittoresque. Tout le long de la Seine il y a des quais sur lesquels se trouvent de nombreuses *boîtes* [1] où l'on vend de vieux livres et des gravures anciennes. Toutes sortes de gens feuillettent ces vieilles éditions qui ont quelquefois une assez grande valeur. Un vieil homme (le bouquiniste) surveille parfois plusieurs [5 boîtes et renseigne les curieux sur le prix des livres.

La Seine divise Paris en deux parties: la rive gauche où se trouvent de vieux quartiers et de vieilles rues et la rive droite où se trouvent les nouveaux quartiers élégants des Champs-Élysées et de l'Opéra avec de larges avenues modernes. [10

Un après-midi, je me trouvais Place de l'Étoile avec Maurice. Cette place s'appelle ainsi parce que dans toutes les directions partent de larges avenues qui lui donnent la forme d'une étoile. Plusieurs de ces avenues portent les noms de grandes victoires et de généraux de Napoléon. Au centre de la place il y a un immense monument érigé [15 en l'honneur des armées de Napoléon: l'Arc de Triomphe. Sous ce bel arc de triomphe se trouve le tombeau du soldat inconnu, sur lequel brûle continuellement une flamme en souvenir des soldats tués pendant la guerre de 14.

L'Avenue des Champs-Élysées mène de la Place de l'Étoile à la [20 Place de la Concorde. Elle est large et animée. De chaque côté,

---

[1] *Boîte* means BOX. Here it refers to the large boxes used to display books and etchings along the wharves of the Seine.

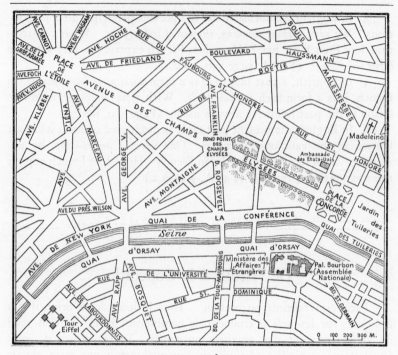

L'Avenue des Champs-Élysées mène de la
Place de l'Étoile à la Place de la Concorde

il y a de belles maisons, de grands magasins et des cafés élégants. De
nombreuses voitures montent et descendent l'avenue et beaucoup de
personnes se promènent sur les trottoirs en regardant les vitrines des
magasins.   [25

— Promenons-nous, m'a dit Maurice.

En descendant l'avenue, nous avons vu beaucoup de gens assis
aux terrasses des cafés. Près de la Place de la Concorde, les Champs-
Élysées sont bordés de chaque côté par de beaux jardins.

La Place de la Concorde est une des plus vastes et des plus belles [30
du monde. Au centre se trouvent des fontaines, des statues et un
vieil obélisque qui a [1] été rapporté d'Égypte en 1831. Les voitures
passent sur la place si rapidement en tous sens qu'il est difficile de la
traverser à pied.

Arrivé au centre de la place, Maurice m'a dit: [35

— Voici devant nous le Jardin des Tuileries et le Louvre.

[1] *was brought back.* Note that this French passive construction parallels the English
passive construction. (§ 79 A)

J'ai vu, en effet, un beau parc et, au loin, un immense édifice.

— Tournez-vous à gauche.

A gauche, au bout de la rue Royale, nous avons vu l'Église de la Madeleine, belle construction de style classique.   [40

— Tournez-vous à droite.

A droite et de l'autre côté de la Seine, j'ai vu le Palais Bourbon, lui aussi de style classique, où se réunit l'Assemblée Nationale.

— Et maintenant, retournez-vous.

Je me suis retourné pour regarder de nouveau les Champs-Élysées [45 et, au loin, le bel Arc de Triomphe.

QUESTIONS

1. Qu'est-ce qui se trouve à Paris le long des quais de la Seine? 2. Qui surveille les *boîtes*? 3. Sur quelle rive de la Seine se trouvent les vieux quartiers? 4. Pourquoi la Place de l'Étoile s'appelle-t-elle ainsi? 5. Quel monument se trouve au centre de la Place de l'Étoile? 6. Qu'est-ce qui se trouve sous l'Arc de Triomphe? 7. Décrivez les Champs-Élysées. 8. Qu'y a-t-il au centre de la Place de la Concorde? 9. Pourquoi est-il difficile de traverser la Place de la Concorde à pied? 10. Quand on est au centre de la Place de la Concorde en regardant les Champs-Élysées, qu'y a-t-il à droite? à gauche? derrière?

DEVOIRS

A. Répondez aux questions suivantes par une phrase complète, en commençant par oui ou non:

1. Un vieil homme renseigne-t-il les gens sur le prix des livres? 2. Les vieux quartiers et les vieilles rues se trouvent-ils sur la rive gauche de la Seine? 3. La flamme du souvenir brûle-t-elle en souvenir des soldats tués pendant les guerres de Napoléon? 4. Est-il facile de traverser la Place de la Concorde à pied? 5. L'Arc de Triomphe est-il beau? 6. La Place de l'Étoile est-elle belle?

B. Remplacez les tirets par les formes convenables de (1) beau (2) vieux (3) nouveau. EXEMPLE: les —— maisons (1) les belles maisons (2) les vieilles maisons (3) les nouvelles maisons.

1. un —— quartier 2. la —— église 3. les —— rues 4. de —— villes 5. le —— arc 6. les —— livres 7. de —— avenues 8. un —— tableau 9. le —— édifice 10. un —— ami

C. Donnez les impératifs (1) nous (2) vous des verbes suivants. EXEMPLE: choisir (1) choisissons (2) choisissez.

1. écouter 2. obéir 3. dormir 4. répondre 5. se tourner 6. se promener 7. se laver

D. *Mettez les phrases suivantes à la forme négative.* EXEMPLE: Promenons-nous au bord de la Seine. Ne nous promenons pas au bord de la Seine.

    1. Couchez-vous à neuf heures.   2. Levons-nous tout de suite. 3. Spécialisez-vous en mathématiques.   4. Réunissons-nous dans la cour.

E. *Écrivez les quatre premiers temps* [1] *primitifs des verbes suivants.* EXEMPLE: monter — montant — monté — je monte.

    1. chercher   2. entendre   3. partir   4. punir   5. boire   6. être 7. écrire   8. faire   9. lire   10. mettre   11. ouvrir   12. prendre   13. savoir   14. venir

GRAMMAIRE

    1. What are the three singular forms of *beau*? of *vieux*? of *nouveau*? When is each used? What are the plural forms of these adjectives? Note that *fou* and *mou* also have three singular forms. (§ 9 G)

    2. To what forms of the present indicative does the ordinary *vous* imperative correspond? (§ 72 A) the *nous* or *"let us"* imperative? (§ 72 B) Give the *nous* and *vous* imperatives of *donner, finir, dormir,* and *vendre.* (Page 183)

    3. How is the imperative of reflexive verbs written? the negative imperative? (§ 72 D) Give the *nous* and *vous* imperatives of *se tourner* and *se promener.* (Page 183)

    4. Each English verb has three principal parts, as *use, used, used; write, wrote, written.* Each of these principal parts is used to form certain tenses. Each French verb has five principal parts. You have already studied four of these principal parts. What are they? (§ 84 A 1–4) What are the first four principal parts of *donner? finir? dormir? perdre?* (§ 84 B and page 183)

    5. Which tense you have studied is derived from the infinitive? which tenses you have studied are derived from the present participle? from the past participle? (§ 84 C)

    6. Study the regular verbs *parler* and *finir* with their first four principal parts and the tenses you already know, as in the outline in § 84 D.

---

[1] Principal parts of an irregular verb may be found by turning to § 86 of the *Grammaire* and consulting the first two columns. See, for instance, *aller:* in the first column are *aller, allant, allé,* the first three principal parts, and the first form in the second column is *je vais,* the fourth principal part.

Les Tuileries et le Louvre

De l'autre côté de la Place de la Concorde nous avons vu un grand jardin. C'est le jardin des Tuileries. Il est magnifique. C'est un immense parc avec des statues, des fontaines et de grandes allées. Il est d'autant plus beau qu'il y a des fleurs partout.

Au bout du Jardin des Tuileries se trouve l'Arc de Triomphe [5 du Carrousel et, plus loin, un vaste palais. C'est le Louvre. C'est un des musées les plus célèbres du monde. Il comprend plusieurs bâtiments construits à différentes époques. C'est une ancienne résidence des rois de France, commencée au moyen âge.

Les salles du Louvre sont très nombreuses. Elles contiennent [10 des objets d'art de toutes sortes. Ce sont soit les peintures, soit les sculptures, soit les meubles des différentes époques de l'histoire de France qui ont surtout retenu notre attention.

Nous avons vu d'abord les sculptures. Il y en a deux que nous avons beaucoup admirées. Ce sont *la Victoire de Samothrace* et *la* [15 *Vénus de Milo.*

Ensuite nous avons parcouru les nombreuses salles de peinture. On voit des tableaux de tous les pays et de toutes les époques. Ce sont surtout les maîtres de la peinture française depuis le moyen âge jusqu'à nos jours qui sont représentés au Louvre. Nous avons vu un ex- [20 cellent portrait de François Ier, roi de France au seizième siècle. C'est lui qui a encouragé les artistes de la Renaissance. Nous avons remarqué beaucoup de paysages des grands peintres du dix-septième siècle, pay- sages souvent inspirés de sujets antiques. On peut voir aussi *l'Em- barquement pour Cythère* de Watteau, qui exprime l'atmosphère des [25 fêtes élégantes et des plaisirs royaux au dix-huitième siècle. Il y a des œuvres de Corot, de Millet et de beaucoup d'autres artistes du dix- neuvième siècle et du début du vingtième.

Après avoir vu les peintures françaises, nous avons visité une longue galerie. D'un côté il y a des œuvres de la Renaissance ita- [30 lienne: de Raphaël, de Léonard de Vinci et de Michel-Ange; des pein- tures espagnoles et flamandes et, de l'autre côté, des peintures de l'école hollandaise.

Puis nous avons parcouru une longue suite de salles où se trouvent des meubles splendides des différentes époques de l'histoire de France. [35 Les styles Louis XIII, Louis XIV, Louis XV, Louis XVI, Directoire, Empire (époque de Napoléon Ier), etc. y sont représentés.

QUESTIONS

1. Quel est le jardin qui se trouve de l'autre côté de la Place de la Concorde? 2. Que trouve-t-on dans les Tuileries? 3. Qu'est-ce que le Louvre? 4. Que voit-on dans les salles du Louvre? 5. Quelles sont les sculptures que nous avons surtout admirées? 6. Quel est le roi de France qui a encouragé les peintres de la Renaissance? 7. Citez trois peintres français du dix-neuvième siècle. 8. Citez trois peintres italiens de la Renaissance. 9. De quel style sont les meubles qui se trouvent au Louvre? 10. Y a-t-il un musée de peinture dans la ville que vous habitez? 11. Quels sont les musées de peinture les plus célèbres des États-Unis? 12. Citez trois peintres américains.

DEVOIRS

A. Répondez aux questions suivantes par une phrase complète, en commençant par oui *ou* non *et en employant comme sujet de la réponse* ce *ou* UN PRONOM PERSONNEL.

1. Est-ce que le Louvre est un des plus grands musées du monde? 2. Les peintures du Louvre sont-elles surtout de l'époque contemporaine? 3. Millet est-il un peintre du seizième siècle? 4. Les peintres du dix-septième siècle ont-ils souvent été inspirés par des sujets antiques? 5. Les meubles du Louvre datent-ils de différentes époques de l'histoire de France?

B. Écrivez en francais:

Francis [1] I; Charles IX; Henry [2] IV; Louis XIII; Louis XIV; Louis XVI; Napoleon III; Napoleon I; George [3] VI.

C. Remplacez les tirets par des pronoms personnels (il, elle, ils, elles) *ou par le pronom démonstratif* ce:

1. Voilà un grand édifice; —— est le Louvre. 2. —— est très vaste. 3. —— est un musée. 4. Voici de belles peintures. —— sont des peintures italiennes. 5. —— sont célèbres. 6. —— sont des peintures de Léonard de Vinci. 7. Regardez les sculptures. —— sont au Louvre.

D. Remplacez les tirets par des pronoms personnels (il, elle, ils, elles) *ou par le pronom démonstratif* ce. *Expliquez oralement votre choix.*

1. Charles est avec nous. —— est Français. 2. —— est étudiant à la Faculté de Droit. 3. —— est un étudiant sérieux. 4. Travaille-t-il beaucoup? —— est nécessaire. 5. Voilà Paul et Marie. —— sont

[1] *François*   [2] *Henri*   [3] *Georges*

nos camarades. 6. —— sont avec nous tout le temps. 7. J'ai tout entendu. —— est intéressant. 8. Regardez ces statues. —— sont près de notre école. 9. —— est vrai. 10. Voyez-vous ces jeunes gens? —— sont des élèves du lycée Louis-le-Grand. 11. —— sont eux qui se spécialisent en littérature. 12. Qui est là? —— est moi. 13. Qui est à la porte? —— est vous. 14. Qui est de l'autre côté de la rue? —— est ma sœur. 15. —— est jolie, n'est-ce pas? 16. Robert est mon frère. —— est à l'école. 17. —— est celui qui a perdu ses livres. 18. —— est triste!¹

E. *Quels sont les temps primitifs de ces verbes?*
  1. voir   2. vouloir   3. aller   4. dormir   5. tenir   6. jouer
7. courir   8. choisir

GRAMMAIRE

1. Review the formation of the ordinals. Count by ordinals from 1 to 30. When are ordinals used with dates and with names of kings and emperors? (§ 17 A, B, D, E)

2. The invariable demonstrative *ce* is very common in French. It is generally used with the verb *être*. When is the singular of the verb *être* used with *ce*? When is the plural used? (§ 34 A, B)

3. Explain why *ce* is used in the following sentences: *C'*est mon père qui parle français. *C'*est lui qui a voyagé en France. *C'*est possible. (§ 34 C)

4. Explain why personal pronouns are used in the following sentences: Mon père est professeur. *Il* est en France. *Il* est célèbre. *Il* est là. (§ 34 D)

5. Study the verbs *dormir* (§ 83, no. 4) and *perdre* (§ 83, no. 3) with their principal parts and tenses derived therefrom, as indicated in Lesson 35. Like what simple verbs are *parcourir* and *retenir* conjugated?

¹ Explain the meaning of the pronoun in this sentence.

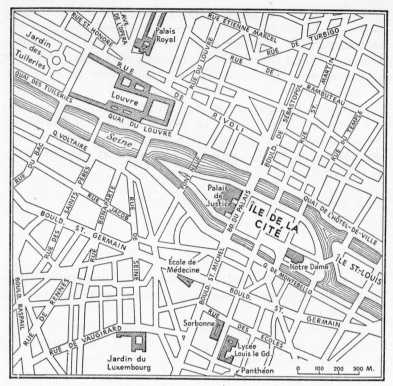

C'est l'île de la Cité. C'est là que Paris a été fondé

Notre-Dame de Paris

Nous étions restés au Louvre presque deux heures et j'avais vu beaucoup d'œuvres d'art lorsque Maurice m'a rappelé qu'il était déjà quatre heures et qu'il fallait partir.

En sortant du Louvre, [je me suis rendu compte] que j'avais beaucoup marché et que j'étais fatigué. Nous avons décidé de nous [5 reposer à la terrasse d'un petit café où Maurice était déjà allé plusieurs fois. Ensuite nous avons repris notre chemin.

En route, en longeant les quais, j'ai vu une île au milieu de la Seine. J'ai demandé à Maurice:

— Qu'est-ce que c'est que ça? [10

— Ça? C'est l'île de la Cité. C'est là que Paris a été fondé. La

160

tribu des Parisii s'y était déjà établie quand César est venu en Gaule.
Plusieurs empereurs romains y ont habité. Puis, la ville s'est dé-
veloppée, d'abord sur la rive gauche, plus tard sur la rive droite.

En arrivant devant l'île de la Cité, nous avons traversé un pont [15
qui la relie à la rive droite. Nous sommes [1] passés devant un grand
édifice très ancien: le Palais de Justice. Maurice m'a dit qu'il avait
été construit au moyen âge, puis détruit et rebâti. Mais avec sa couleur
sombre et ses tours, il conserve encore aujourd'hui une apparence
féodale.   [20

Bientôt nous nous sommes trouvés sur une grande place devant
Notre-Dame de Paris. C'est une magnifique cathédrale de l'époque
gothique. Maurice m'a raconté qu'elle avait été commencée au douzième siècle et terminée au treizième sous le règne de Saint-Louis.
Nous en avons admiré la façade imposante avec ses trois portes [25
grandioses et ses deux tours symétriques. Au-dessus de la porte centrale
il y a une rosace splendide. Nous avons longuement regardé les
sculptures délicates qui ornent les entrées et racontent l'histoire sainte.
Puis, nous sommes entrés dans la cathédrale. Des colonnes montent
très haut, puissantes et légères. Une odeur d'encens s'élevait dans [30
l'église. Le jour, pénétrant à travers les vitraux, diffusait une douce
lumière. Ces vitraux, très anciens, montrent des scènes bibliques.

Ensuite, nous sommes montés dans une des tours. Du sommet de
la cathédrale nous pouvions apercevoir des monuments de tous côtés
et, à nos pieds, la Seine qui traverse toute la ville. L'île de la [35
Cité semblait un immense navire. J'avais étudié un plan de la ville
et je [2] croyais la connaître. Mais j'avais de la peine à m'orienter et il [3]
me fallait demander à Maurice:

— Qu'est-ce que c'est que ça?

— Ça, c'est le Sacré-Cœur, cette église toute [4] blanche qui [40
domine la ville des hauteurs de Montmartre. Ceci? La gare de Lyon.
Quant à cela, ai-je besoin de vous dire que c'est la Tour Eiffel?

QUESTIONS

1. Pourquoi Maurice et son ami ont-ils quitté le Louvre à quatre
heures? 2. Pourquoi sont-ils allés dans un petit café? 3. Comment
s'appelle l'île qui se trouve au milieu de la Seine? 4. Quelle était la
tribu qui était établie dans cette île quand César est venu en Gaule?

---

[1] The French uses both *avoir* and *être* with *passer* as an intransitive verb of motion.
[2] *I thought I knew it.*   [3] *I had to ask;* (literally — *It was necessary for me to ask*)
[4] *toute* is an adverb here.   It agrees like an adjective when immediately preceding a
feminine adjective with an initial consonant or aspirate *h*. Elsewhere it is invariable.

5. Quand le Palais de Justice a-t-il été construit? 6. De quelle époque
date Notre-Dame? 7. Décrivez la façade de Notre-Dame. 8. Décrivez
l'intérieur de la cathédrale. 9. Que racontent les vitraux de Notre-
Dame? 10. A quoi ressemble l'île de la Cité? 11. Que peut-on voir
du sommet des tours de Notre-Dame?

A. *Suivez les indications:*

1. Vous voyez quelque chose. Demandez à Marcel ce que c'est.
2. Dites à Richard que vous aviez déjà lu le journal quand Robert vous
a parlé de cette nouvelle. 3. Demandez à Léonie si elle était déjà
partie quand vous êtes arrivé. 4. Dites à Jean que vous aviez déjà vu
beaucoup d'œuvres d'art quand il a fallu sortir du musée.

B. *Mettez les verbes suivants* (1) *au passé composé* (2) *au plus-que-
parfait.* EXEMPLE: elle fera (1) elle a fait (2) elle avait fait.

1. ils habitaient 2. vous vous rappelez 3. elle partira 4. nous
nous reposons 5. il est 6. je vais

C. *Mettez les verbes suivants au plus-que-parfait:*

1. nous écrivons 2. il s'élève 3. elle ne vient pas 4. voulez-vous
5. je ne m'habille pas 6. elles meurent 7. peut-il 8. je dors 9. je
ne dis pas 10. nous aurons 11. vous ne vous coucherez pas

D. *Remplacez l'infinitif par le plus-que-parfait:*

1. Nous (lire) plusieurs romans français avant d'aller en France.
2. (mettre)-vous la lettre à la poste avant son arrivée? 3. Elle (mourir)
avant le soir. 4. Il (venir) voir le nouveau professeur. 5. Elle (croire)
qu'il était riche. 6. Elles (se voir) à Marseille.

E. *Remplacez les tirets par* ceci *ou* cela:

1. Remarquez ——. 2. Préférez-vous —— ou ——? 3.
Choisissons-nous —— ou ——? 4. Écrivez ——, n'écrivez pas ——.
5. Regardez ——.

F. *Remplacez les tirets par* celui, celle, ceux, celles, ceci *ou* cela,
selon le sens, en ajoutant -ci *ou* -là *où il faut.*

1. Faites ——, ne faites pas ——. 2. Ce garçon-ci est plus jeune
que ——. 3. Ne lisez pas ——. 4. Lisez ce livre-ci, ne lisez pas ——.
5. Voilà deux chambres. Préférez-vous —— ou ——? 6. Voici trois
desserts. Choisissez——. 7. Ne dites pas ——. 8. Voilà deux restaurants. Dites-moi —— que vous préférez. 9. Ne regardez pas ——.

*La Madeleine ressemble
à un temple grec*

*Tout le long de la Seine il y a des quais
sur lesquels se trouvent de nombreuses
boîtes où l'on vend de vieux livres*

Du sommet de la cathédrale nous pouvions
apercevoir la Seine qui traverse toute la ville

*Au-dessus de la porte centrale
il y a une splendide rosace*

*Au bout du Jardin des Tuileries se
trouve l'Arc de Triomphe du Carrousel
et, plus loin, un vaste palais*

C'est le Louvre

10. —— prend beaucoup de temps. 11. Voici quelques livres. —— sont plus intéressants que —— qui est sur la table.

GRAMMAIRE

1. Give an example of an English sentence with the pluperfect (sometimes called the past perfect). How is the pluperfect used in French? (§ 58)

2. Of what two parts does the pluperfect consist? With what auxiliary is it conjugated? (§ 57 A, B) Conjugate in the pluperfect the verbs *parler*, *entrer*, and *se laver*. (Page 186)

3. Explain the uses of *ceci*, *cela*, and *ça*. (§ 33 A, B, C)

4. Review the uses of the definite demonstrative pronouns *celui*, *celle*, *ceux*, and *celles*. (§ 32 A, B, C)

5. When does one use a definite and when an indefinite demonstrative pronoun? (§ 33 D)

6. Give the principal parts of and study all tenses you have already taken up of the irregular verbs *avoir* (§ 83, no. 8) and *croire* (§ 86, no. 10). To what family of verbs does *détruire* belong? [1]

===================== *TRENTE-HUITIÈME LEÇON* =======

Une soirée au théâtre

— Aimeriez-vous aller au théâtre un de ces soirs, Robert?

— Oui, j'irais avec plaisir. A quel théâtre iriez-vous de préférence?

— Vous savez, il y a beaucoup de théâtres à Paris comme dans les autres grandes villes d'Europe, mais en outre, il y a cinq théâtres nationaux, c'est-à-dire cinq théâtres qui appartiennent à l'État et [5 qui sont subventionnés par le gouvernement: la Comédie-Française, qui s'appelle aussi le Théâtre-Français, l'Odéon [2], l'Opéra, l'Opéra-Comique et le Palais de Chaillot. Nous pourrions aller à un de ces théâtres. Il serait intéressant d'en connaître un. D'ailleurs, nous verrions une bonne pièce ou un bon opéra, car on y joue ce qu'il y [10 a de mieux. Auquel de ces théâtres préféreriez-vous aller?

[1] To determine how an irregular verb is conjugated, look it up in the French-English vocabulary at the end of the book. For instance, for *détruire*, you will find a reference to § 86, no. 6, which is *conduire*. That means that *détruire* is conjugated exactly like *conduire*.

[2] In 1946, the name of the *Odéon* was changed to the *Comédie-Française, Salle Luxembourg*, and that of the *Théâtre-Français* was changed to the *Comédie-Française, Salle Richelieu*. Parisians continue to use the traditional names of the two well-known theaters.

— J'aimerais mieux voir une bonne pièce. Quels sont les meilleurs auteurs français? Quel est le Shakespeare français?

— J'aurais du mal à vous le nommer, mais je dirais que Corneille et Racine sont nos meilleurs auteurs tragiques, tandis que Molière [15 a écrit nos meilleures comédies. Tous les trois vivaient au dix-septième siècle. Je crois qu'on joue *le Cid* de Corneille au Théâtre-Français demain ou après-demain. Nous pourrions y aller. Mais il vaudrait mieux prendre nos billets d'avance pour avoir de bonnes places.

Le lendemain soir, en arrivant au théâtre, les jeunes gens ont [20 remis leurs billets à une ouvreuse, c'est-à-dire à une femme qui conduit les spectateurs à leurs places. Ils ont donné à l'ouvreuse un pourboire. Le pourboire au théâtre et au cinéma est un usage en France.

La représentation du *Cid* était remarquable et la prononciation des acteurs très nette. Ils ont prononcé chaque son comme on devrait [25 le prononcer.

Le Cid, dont l'action se passe en Espagne au moyen âge, est l'histoire d'un jeune noble espagnol, Rodrigue, qui aime la belle Chimène. Pour une question de rang à la cour, le père de Chimène insulte le père de Rodrigue. Trop vieux pour se battre lui-même, celui-ci demande [30 à son fils de défendre son honneur. Après un grave conflit moral, Rodrigue se bat avec le père de Chimène et le tue. Chimène, malgré l'amour qu'elle garde pour Rodrigue, essaie de venger la mort de son père. Mais Rodrigue s'en va combattre les Maures et la fin de la pièce laisse [1] espérer qu'un jour il épousera Chimène. [35

De tous les usages du théâtre, ce sont les entr'actes qui ont le plus étonné Robert. L'entr'acte est un intervalle entre les actes qui dure de quinze à vingt-cinq minutes. Au milieu de la pièce il y a un entr'acte plus long que les autres. Pendant les entr'actes, les spectateurs peuvent sortir de la salle. Ils vont souvent au foyer, [40 vaste salle où se trouvent les statues de grands auteurs dramatiques français. On se promène au foyer. Souvent, il y a là des écrivains, des critiques, des auteurs connus. Quelquefois on sort du théâtre pour aller dans un café boire rapidement quelque chose.

QUESTIONS

1. Quels sont les cinq théâtres de Paris qui appartiennent à l'État?
2. Quels sont les meilleurs auteurs tragiques? 3. Connaissez-vous les œuvres de Molière? 4. Lesquelles de ses comédies avez-vous lues?
5. Il y a cinq théâtres nationaux en France. Dans lesquels y a-t-il des

[1] *allows one to hope*

représentations d'opéras? 6. Qu'est-ce qu'une ouvreuse? 7. Comment les acteurs prononcent-ils le français? 8. Où se passe l'action du *Cid*? 9. Qui est Rodrigue? 10. Pourquoi le père de Chimène insulte-t-il le père de Rodrigue? 11. Pourquoi le père de Rodrigue ne se bat-il pas lui-même? 12. Qui tue le père de Chimène? 13. Qu'est-ce qu'un entr'acte? 14. Que fait-on pendant les entr'actes?

DEVOIRS

A. *Répondez par une phrase complète aux questions suivantes. Commencez votre réponse par* oui *ou* non. *Soulignez les verbes au conditionnel.*

1. Aimeriez-vous aller à l'Opéra? 2. Vaudrait-il mieux voir une pièce de théâtre qu'un opéra? 3. Aurais-je du mal à comprendre le français à Paris? 4. Avez-vous dit que vous dormiriez mieux la nuit que le jour? 5. Croyez-vous que nous entendrions mieux là-bas? 6. Épouseriez-vous une femme qui parle trop? 7. Vous battriez-vous pour une question de rang?

B. *Remplacez les infinitifs par la forme convenable du verbe:*

1. Marie a dit qu'elle (venir) demain. 2. Je croyais qu'ils (choisir) leur président demain. 3. Vous avez dit que vous (lire) sa lettre tout de suite. 4. Avez-vous dit que vous (aller) au cinéma ce soir? 5. Je croyais qu'il (pleuvoir) pendant la nuit.

C. *Mettez les verbes suivants au conditionnel:*

1. ils ont reçu 2. vous racontez 3. j'écris 4. elle est morte 5. je perds 6. nous avons vu 7. il faut 8. il est 9. elle dort 10. vous voulez 11. elles doivent 12. elle a fait 13. nous pouvons 14. il a eu 15. vous avez pris 16. je sais

D. *Remplacez les tirets par la forme convenable de* lequel:

1. Il y a cinq théâtres nationaux en France. —— de ces théâtres préférez-vous? 2. *Faust*, *Phèdre* et *Macbeth* sont des pièces très célèbres. —— de ces pièces est française? 3. Madison, Polk, Lincoln, McKinley et Wilson ont été à la tête des États-Unis pendant une guerre. —— de ces présidents ont voyagé en France? 4. Victor Hugo a écrit beaucoup d'œuvres. —— avez-vous lues? 5. Vous m'avez dit que vous connaissez presque tous les pays d'Europe. Dans —— de ces pays avez-vous voyagé après la guerre? 6. Il y a plusieurs cinémas dans cette rue. A —— de ces cinémas voulez-vous aller?

E. *Remplacez les tirets par une forme de* meilleur *s'il faut un adjectif et par* mieux *s'il faut un adverbe:*

1. Racine et Corneille sont parmi les —— écrivains de tragédie de la littérature française. 2. J'aime —— le théâtre que le cinéma. 3. Jean est un —— élève que Robert. 4. Il comprend —— que son frère. 5. Victor Hugo écrit bien, mais il y a d'autres auteurs qui écrivent —— que lui. 6. Les romans de Balzac sont-ils —— que les romans de Victor Hugo?

GRAMMAIRE

1. How is the conditional formed? (§ 50) Give the conditional of *donner, punir,* and *répondre.* (Page 188)

2. Have you noted that both the future and the conditional are formed on the infinitive? If one is irregular, the other will be irregular in the same way. There are eighteen common verbs (and their compounds) which are irregular in the future and conditional. It may help you to learn these irregular tenses by dividing the verbs into classes. Give the irregular conditionals of *aller, avoir, courir, devoir, envoyer, être, faire, falloir, mourir, pleuvoir, pouvoir, recevoir, savoir, tenir, valoir, venir, voir,* and *vouloir.* (§ 85 D)

3. How is the conditional used? (§ 51 A, B)

4. How is the interrogative pronoun *which one* expressed in French? (§ 35 E)

5. The French *meilleur* and *mieux* both mean *better.* Yet they cannot be used interchangeably. Distinguish between them. (§ 12 E, § 20 B)

6. Study the verbs *se battre* (§ 86, no. 4), *conduire* (§ 86, no. 6), *valoir* (§ 86, no. 33), and *vivre* (§ 86, no. 35). Like what simple verbs are *appartenir* and *combattre* conjugated?

===== *TRENTE-NEUVIÈME LEÇON* =====

Projets de vacances

Madame Antoine et madame Morel sont deux jeunes femmes d'une trentaine d'années qui sont de très bonnes amies. Une après-midi elles se rencontrent aux Champs-Élysées. Madame Antoine se promène avec son petit chien Chou-Chou.

— Bonjour, Denise.

— Bonjour, Suzanne.

[5

— Comment vas-tu? Tu as l'air un peu fatigué.

— Oui, ce matin j'avais mal à la tête. Il fait très chaud à Paris depuis huit jours.

— Oh oui; moi, j'ai eu chaud cette nuit. Je ne pouvais pas [10 m'endormir. Aussi [1] j'ai sommeil cet après-midi.

— Je crois que nous avons besoin de vacances. Ce sera bientôt la saison. Dès que mon mari sera revenu [2] d'Angleterre, je lui en parlerai.

— Il est parti en Angleterre, ton mari?   [15

— Il est parti il y a quinze jours pour un voyage d'affaires. Il a passé quelques jours en Allemagne, un jour au Danemark, deux jours en Suède et huit jours en Angleterre. Je sais qu'il a également l'intention d'aller en Irlande. Je viens de recevoir une lettre de Londres. Il revient en France la semaine prochaine. Mais où passeras-tu tes [20 vacances cet été?

— Nous avons pensé [3] aller au Portugal et en Espagne. Peut-être [4] irons-nous aussi en Algérie ou au Maroc. Moi, j'aimerais passer un mois dans la vieille Espagne. On est tellement tranquille là-bas. Mais ne restons pas sur ce trottoir. Si [5] nous allions nous [25 asseoir à la terrasse d'un café? J'ai soif. Viens, Chou-Chou. Tu as faim? Pauvre petite bête!

A la terrasse d'un élégant café des Champs-Élysées devant une tasse de thé, madame Antoine ajoute: *adds*

— Et toi, où vas-tu passer tes vacances?   [30

— Si c'est possible, j'aurais envie d'aller dans la libre Amérique. Ce serait merveilleux de passer quelques jours au Canada, de faire un séjour à Québec, de voyager aux États-Unis, de rester huit jours à New York et de voir la Californie. J'ai eu beau en parler plusieurs fois à mon mari, il ne veut pas. Il dit que j'ai tort et je crois que nous [35 finirons par aller tout simplement en Suisse. Du moins, il [6] l'espère. Y es-tu déjà allée? *summer last*

— Oui. L'été dernier, pour la seconde [7] fois! Nous avons fait le voyage en auto. D'abord nous sommes allés à Chamonix. Nous avons fait quelques excursions dans la région du mont Blanc. [40

---

[1] Meaning?   [2] *returns*. This is the *futur antérieur* or future perfect, used much more frequently in French than in English. See § 59 and § 60.

[3] *thought of going*. Note the meaning of *penser* followed by the infinitive.

[4] After *peut-être* and a few other adverbial constructions, inverted word order is often used. See § 19 D.

[5] *What about sitting on a café terrasse?* or *Suppose we sat on a café terrasse*. French expresses this idea by *si* and the imperfect.

[6] *he hopes so.*   [7] For the difference between *second* and *deuxième*, see § 17 C.

Nous avons eu froid là-haut même au mois d'août. Tu n'es jamais
allée à Chamonix? Ça en vaut la peine.

— Oh oui! tu as raison. Mais Chamonix est en France. Qu'est-ce
que tu as vu en Suisse?

— Chamonix n'est pas loin de Genève. Genève est en Suisse, [45
mais c'est une ville où l'on parle français. Il y a des plages magnifiques
au bord du lac de Genève. Nous allions nous y baigner tous les jours.
Ensuite, nous avons longé le bord du lac en bateau jusqu'à Lausanne.

— Ça a dû être magnifique. A propos de voyages, puisque je te
vois, j'en profite pour te demander si tu peux venir dîner chez nous [50
jeudi soir. Il y aura un ami qui vient d'arriver de Chine et du Japon.

— Mais avec plaisir. Oh, il est déjà cinq heures! J'ai honte
d'être si bavarde. Je dois rentrer.

— Alors, au revoir. A jeudi.

QUESTIONS

1. Où se rencontrent madame Antoine et madame Morel? 2. Comment va madame Morel? 3. Dans quels pays voyage le mari de madame
Morel? 4. Où madame Antoine a-t-elle voulu passer ses vacances?
5. Où madame Morel aimerait-elle passer ses vacances? 6. Où madame
Antoine et son mari ont-ils passé leurs vacances il y a un an? 7. A-t-on
froid à la montagne en été? 8. Où est Chamonix? 9. Citez une ville
suisse où l'on parle français. 10. Pourquoi les touristes aiment-ils la
ville de Genève? 11. D'où arrive l'ami de madame Antoine?

DEVOIRS

A. Remplacez les tirets par les mots convenables indiqués à droite:

1. Dans les pays du nord, les habitants ont
—— en hiver. 2. Quand j'étais à l'école, j'avais
—— du professeur, car il me punissait souvent.
3. Je me coucherai quand j'aurai ——. 4. Ce
pauvre élève a —— travailler, il ne réussira pas.
5. Si vous marchez trop, vous aurez —— aux
pieds. 6. Oui, vous avez ——; il est mort en 1945.
7. Mais Jean a ——; il n'est pas mort en 1944.
8. Voulez-vous écrire? Avez-vous —— d'un stylo?
9. J'ai échoué à mon examen. J'ai —— de le dire
à mes camarades. 10. Voilà le bassin des Tuileries.
J'ai —— de jouer avec un petit bateau. 11. On ne
devrait manger que quand on a ——. 12. En été
on a souvent très ——. 13. Je voudrais boire, car
j'ai ——.

a. beau
b. besoin
c. chaud
d. envie
e. faim
f. froid
g. honte
h. mal
i. peur
j. raison
k. soif
l. sommeil
m. tort

B. *Remplacez les tirets par la préposition convenable (avec l'article défini s'il y a lieu).*

1. Cet été je suis allé ——— France. 2. Je suis parti ——— États-Unis le 15 juin. 3. Je suis arrivé ——— France le 22 juin. 4. Nous ne sommes pas restés ——— Cherbourg. 5. Nous sommes allés ——— Paris. 6. Nous sommes sortis ——— Paris pour faire des voyages ——— Versailles, ——— Fontainebleau et ——— Chartres. 7. Le 30 juin nous sommes partis ——— France. 8. Nous sommes allés ——— Allemagne, ——— Danemark, ——— Angleterre et ——— Suède. 9. N'êtes-vous pas allés ——— Italie, ——— Espagne et ——— Portugal? 10. Non, mais nous avons rencontré des amis qui venaient ——— Portugal et d'autres qui venaient ——— Russie. 11. Ils avaient l'intention d'aller ——— Chine et ——— Japon. 12. Et vous, êtes-vous allés ——— Mexique? Oui, nous y avons passé quinze jours. 13. Nous sommes partis ——— Mexique le 31 août. 14. L'année prochaine, j'irai ——— Canada.

C. *Remplacez les verbes, les adjectifs et les pronoms de la deuxième personne du pluriel par des verbes, des adjectifs et des pronoms de la deuxième personne du singulier.* EXEMPLE: *Vous* ne *pouvez* pas trouver *votre* stylo; *prenez* le mien avec *vous*. *Tu* ne *peux* pas trouver *ton* stylo; *prends* le mien avec *toi*.

1. Vous avez reçu la lettre que je vous ai écrite. 2. Écrivez-moi où vous allez passer vos vacances. 3. Racontez-moi l'histoire de votre ami. 4. Serez-vous à Paris avec votre fille? 5. Vous étiez à Paris quand votre sœur y est arrivée. 6. Je serai avec vous demain. 7. Habillez-vous vite et sortez avec votre chien. 8. Aimeriez-vous aller en Bretagne avec vos sœurs?

GRAMMAIRE

1. List the personal idiomatic expressions used with *avoir*. (§ 91 B)
2. Which countries are masculine? which are feminine? (§ 6 B 3 b)
3. How are *in*, *at*, or *to* expressed with feminine countries? with masculine countries? with cities? with any place modified by an adjective?[1] (§ 39 A, B, C, D, E)
4. How is *from* expressed with places in French? (§ 40 A, B, C)
5. When do the French use the familiar pronoun *tu*? (§ 22 B) Give the *tu* forms of present, imperfect, future, conditional, and *passé composé*

---

[1] The construction *dans* + a MODIFIED PLACE NAME is very rare.

of *parler, finir, dormir, perdre, entrer,* and *se tourner.* (Page 189)   What can you say of the familiar imperatives? (§ 72 C, D) What are the familiar imperatives of these verbs?

6. Give the *tu* forms of the possessive adjectives (§ 13 A); of the disjunctive pronouns (§ 26 A); of the direct object (§ 23 A); the indirect object (§ 24 A); the reflexive pronouns (§ 25 A).

7. What are the principal parts of *être* (§ 83, no. 9) and *aller* (§ 86, no. 2)? Study these verbs as in § 84 D.

QUARANTIÈME LEÇON

Les vacances en France

En France l'été est la saison des grandes vacances. Dès le 1er juin commencent les examens des grandes écoles et des facultés; les universités se vident peu à peu; on n'entend plus personne dans leurs grands couloirs déserts, d'ordinaire si pleins de bruit. Après le 14 juillet ni les écoles primaires ni les lycées ne sont ouverts. Ni [5 étudiants ni professeurs ne fréquentent alors les salles de conférence. On ne voit plus dans les rues les élèves portant négligemment leurs livres sous le bras.

Un élève négligent, ayant oublié [1] son livre d'anglais, se présente au lycée mais n'y trouve que le silence. Racontant ce fait à un [10 camarade, il demande:

— Devine qui j'ai vu au bout de quelques instants.

— Personne, répond l'autre, qui sait bien qu'il n'y a personne à l'école pendant les vacances.

— Comment, personne? N'y a-t-il pas toujours un concierge [15 même en été?

— Jamais. N'ayant trouvé [1] personne, tu n'as pu rien faire?

— Rien. C'est alors que j'ai décidé de prendre de vraies vacances.

L'été est la saison des vacances non seulement pour les étudiants mais aussi pour les ouvriers, les employés, les propriétaires, les do- [20 mestiques, les femmes de ménage, en somme, pour toutes les classes de la société française. Les vacances prennent une importance de plus en plus grande. Il n'y a guère de Français qui se passe de vacances. Les ouvriers d'usine et les employés de bureau et de magasin, entre autres,

[1] *having forgotten, having found.* The present participle of the auxiliary and the past participle of the main verb are used to form a compound participle.

ont droit à un congé payé de quinze jours par an. Pendant que leur [25
personnel est en vacances, les établissements cessent le travail et ferment,
de sorte que pendant les mois de juillet et d'août il faut parfois chercher
très longtemps pour trouver un coiffeur, une blanchisseuse ou même un
boulanger qui travaille. Le gouvernement a facilité les voyages en
créant des trains spéciaux de vacances à prix réduits. Tant de [30
personnes quittent Paris l'été qu'on dit: «Il n'y a personne à Paris
après le quatorze juillet. Il n'y a que des étrangers.» Évidemment,
c'est exagéré, mais sans aucun doute, il y a beaucoup moins de Parisiens
à Paris en été qu'en hiver.

En général, les Français passent leurs vacances en France. Ils [35
voyagent relativement peu à l'étranger. Ils vont à la montagne, au
bord de la mer ou à la campagne. Pourtant, les voyages en Afrique
du Nord deviennent de plus en plus courants.

Les vacances en famille s'organisent différemment selon les classes
sociales, les ressources et les goûts. Beaucoup de personnes qui [40
habitent Paris ont des parents en province. Ces personnes ont souvent
l'habitude de passer quelques jours ou quelques semaines chez leurs
parents. Elles n'ont que le voyage à payer; aussi [1] les vacances ne leur
reviennent-elles pas trop cher. D'ailleurs, leurs parents de province
leur rendent parfois visite l'hiver quand ils viennent à Paris. D'autres [45
familles partent en voiture; on commence même à voir des roulottes
sur les routes et parfois les soirs d'été la grande place du village est
pleine de ces grosses voitures.

Les petits Français ont souvent l'occasion d'aller pendant quelques
semaines d'été quelque part au bord de la mer ou à la campagne même [50
si leurs parents n'ont pas la possibilité de partir avec eux. Des organisations privées et même d'état s'occupent des enfants pendant leurs
vacances; sans ces organisations, beaucoup d'entre eux ne connaîtraient
jamais ces bons moments.

Les jeunes gens partent souvent en groupe à la mer ou à la [55
montagne. Il y en a qui vont de ville en ville à bicyclette. Le sac
sur le dos, ils apprennent ainsi à connaître leur pays mieux que par
aucun autre moyen. Certains d'entre eux passent la nuit dans des
établissements réservés spécialement aux jeunes gens. Ces établissements s'appellent *les auberges de la jeunesse*. On y vit à très bon [60
marché. Le mouvement *boy-scout* est aussi très répandu en France et
permet à beaucoup de jeunes gens de passer des vacances profitables,
puisqu'ils apprennent à se rendre utiles tout en faisant un séjour
agréable.

[1] Meaning of *aussi* in this position?

QUESTIONS

1. Quelle est la saison des grandes vacances en Amérique? 2. Qui entend-on dans les couloirs des lycées en été? 3. Si vous alliez chercher un livre dans un lycée pendant les vacances d'été, qui verriez-vous? 4. Les Français se passent-ils facilement de vacances? 5. A combien de jours de vacances les ouvriers français ont-ils droit? 6. Pourquoi est-il difficile de trouver un coiffeur à Paris pendant le mois d'août? 7. Qui reste à Paris pendant l'été? 8. Où les Français passent-ils leurs vacances? 9. Comment les familles modestes peuvent-elles passer leurs vacances à la campagne? 10. Les Français ont-ils l'habitude de voyager à l'étranger? 11. Comment les enfants peuvent-ils aller au bord de la mer ou à la montagne en été? 12. Qui s'occupe des enfants pendant les vacances? 13. Qu'est-ce que *les auberges de la jeunesse*? 14. Pourquoi le mouvement *boy-scout* est-il utile?

DEVOIRS

A. Suivez les indications:

1. Dites à Charles que vous n'avez rien oublié. 2. Dites à Gérard que vous n'avez vu personne sur la plage. 3. Demandez à Roger s'il n'y a aucun moyen de partir en vacances au mois d'août. 4. Dites à Madeleine que vous n'avez ni le temps ni la possibilité de partir cette année.

B. Donnez les adverbes qui correspondent aux adjectifs suivants:

1. vrai 2. négligent 3. relatif 4. particulier 5. agréable 6. récent 7. élégant 8. général 9. évident 10. suffisant

C. Introduisez les mots indiqués entre parenthèses dans les phrases suivantes. EXEMPLE: (*never*) Nous parlons français en classe. Nous *ne* parlons *jamais* français en classe.

1. (*only*) Nous avons quinze jours de vacances. 2. (*scarcely*) Il y a assez de temps pour aller au Canada. 3. (*not at all*) Écrivez-moi [1] cet été. 4. (*never*) J'ai visité Québec. 5. (*no longer*) Il veut passer ses vacances à Montréal. 6. Combien de lettres avez-vous reçues? — (*None.*) 7. Quand irez-vous au Canada? — (*Never.*) 8. Assistez-vous aux cours de l'université? — (*Not any longer*) maintenant. 9. Qui est venu vous voir ce matin? — (*No one*)

D. Remplacez les expressions en italique par les mots indiquées entre parenthèses. EXEMPLE: (*nothing*) Nous cherchons *quelque chose*. Nous *ne* cherchons *rien*.

1. (*no one*) *On* parle allemand au Canada. 2. (*no one*) Nous

[1] What happens to *-moi* in the negative imperative?

avons vu *quelqu'un* dans la rue. 3. (*no one*) J'ai donné mon livre à *quelqu'un*. 4. (*nothing*) Il y a *quelque chose* pour vous dans le courrier. 5. (*nothing*) Il a fait *quelque chose*.[1] 6. (*nothing*) Il y a *quelque chose* sur la table. 7. (*no*) J'ai *une* raison pour le faire. 8. (*no*) *Un* élève a sonné à la porte. 9. Qui est à la porte? — (*No one*.) 10. Qu'est-ce que vous avez? — (*Nothing*.)

E. *Introduisez* neither . . . nor *dans les phrases suivantes. Faites tous les changements nécessaires.* EXEMPLES: 1. Il y a des professeurs et des élèves dans les corridors du lycée. Il *n'*y a *ni* professeurs *ni* élèves dans les corridors du lycée. 2. Il m'a montré l'église et les écoles de la ville. Il *ne* m'a montré *ni* l'église *ni* les écoles de la ville.

1. Les élèves portent des livres et des cahiers. 2. Nous lisons des journaux et des revues. 3. Ils écriront le nom et l'adresse de leurs parents. 4. Vous connaissez la capitale et les principales villes de ce pays. 5. J'ai trouvé des mers et des montagnes en Suède. 6. En se promenant en voiture, on voit des arbres et des fleurs.

GRAMMAIRE

1. How are adverbs usually formed from adjectives? adverbs from adjectives in -*ant* and -*ent*? (§ 18 A, B)

2. List the negative words commonly used with *ne*. Give their English equivalents. (§ 21 E)

3. What can you say of the position of *ne* in the negative sentence? (§ 21 F 1) of *guère, jamais, plus*, and *point*? (§ 21 F 2) of *personne* and *rien*? (§ 21 F 3) of *que*? (§ 21 F 4) of *aucun*? (§ 21 F 5)

4. What can you say of negatives used in a sentence without a verb? (§ 21 G)

5. When a sentence is made negative by *ne* . . . *ni* . . . *ni*, which article is retained before the noun it governs and which is dropped? (§ 21 H)

6. According to the outline in § 84 D, study the verbs *boire* (§ 86, no. 5) and *courir* (§ 86, no. 8).

[1] What change in word order is necessary?

★ ★ ★

Frère Jacques

Frère Jacques, Frère Jacques,
Dormez-vous? Dormez-vous?
Sonnez les matines [1], Sonnez les matines,
Ding, din, don! Ding, din, don!

[1] *morning bells*

LEÇONS 31 A 40

NOMS IMPORTANTS

Identifiez en français les noms suivants:

Camembert
Carrousel
Chamonix
Cid
Comédie-Française
Corneille
Eiffel
Étoile
Gruyère

Lausanne
Louvre
Madeleine
Maroc
Molière
Mont Blanc
Montmartre
Notre Dame
Odéon
Opéra

Palais Bourbon
Palais de Chaillot
Palais de Justice
Parisii
Racine
Roquefort
Sacré-Cœur
Tuileries
Watteau

QUESTIONS

Répondez par des phrases complètes aux questions suivantes:

1. Citez des quartiers connus de Paris. 2. De quel style est Notre-Dame de Paris? la Madeleine? le Sacré-Cœur? 3. En quoi les rues parisiennes sont-elles différentes des rues américaines? 4. Quel est le travail de la concierge? 5. Comment peut-on entrer dans une grande maison de Paris après dix heures du soir? 6. Qu'est-ce que la loge de la concierge? 7. Citez les principaux moyens de transport à Paris. 8. Vous êtes à la gare Montparnasse. Vous voulez aller Place de l'Opéra. Racontez ce que vous faites pour y aller par le métro. 9. Qu'est-ce qui empêche les voyageurs du métro de se précipiter sur le quai quand le train est dans la station? 10. Que boit-on aux repas en France? 11. Quels sont les plats qui constituent le déjeuner français? 12. Avec quels plats mange-t-on du pain en France? 13. Où se trouve l'Arc de Triomphe? 14. Décrivez les Champs-Élysées. 15. Que peut-on voir quand on est au milieu de la Place de la Concorde? 16. Où se trouve l'Arc de Triomphe du Carrousel? 17. Citez des peintures françaises qui se trouvent au Louvre. 18. Quel est le style des meubles qui se trouvent au Louvre? 19. Qu'est-ce que l'île de la Cité? 20. Quel est le bâtiment dans l'île de la Cité qui conserve une apparence féodale? 21. Qu'est-ce qui orne les portes de Notre Dame? 22. Quel est le Shakespeare français? 23. En quoi les usages du théâtre en France sont-ils différents de ceux de chez nous? 24. Racontez l'histoire du *Cid*. 25. Qu'est-ce que Chamonix? 26. Quelle est la langue qu'on parle à Genève? 27. Où est Lausanne? 28. Pourquoi est-il difficile de trouver une blanchisseuse à Paris au mois d'août? 29. Où les

Parisiens passent-ils les vacances? 30. Qui organise des voyages de vacances pour les petits Français?

COMPOSITION

Écrivez une composition sur un des sujets suivants:

1. Les divers quartiers de Paris 2. Les repas français 3. Le métro parisien 4. La maison parisienne 5. Les Champs-Élysées 6. Le Louvre 7. L'île de la Cité 8. Le théâtre à Paris 9. Le Cid 10. Les vacances en France

DEVOIRS

A. *Remplacez les tirets par la forme convenable de* (1) nouveau (2) vieux (3) beau. EXEMPLE: Ces —— voitures coûtent cher. (1) Ces *nouvelles* voitures coûtent cher. (2) Ces *vieilles* voitures coûtent cher. (3) Ces *belles* voitures coûtent cher.

1. Cette —— école a été détruite pendant la guerre. 2. Avez-vous vu ce —— édifice? 3. Les —— magasins et les —— rues se trouvent dans ce quartier-là.

B. *Remplacez les expressions en italique par un pronom complément. Ensuite, mettez la phrase au négatif.* EXEMPLE: Dites-nous *l'heure.* (1) Dites-*la*-nous. (2) Ne nous *la* dites pas.

4. Donnez-moi *cette clé.* 5. Montrez-nous *ces cafés.* 6. Lisez *ce journal à votre mère.* 7. Expliquons *la leçon aux élèves.*

C. *Remplacez les tirets par la forme convenable du pronom démonstratif:*

8. —— qui a écrit cette lettre doit l'envoyer. 9. Il ne veut pas faire ——. 10. Voilà trois restaurants. Lequel préférez-vous? ——? Non, ——.

D. *Remplacez les tirets par la forme* [1] *convenable du pronom relatif:*

11. Le jour —— il arrivera, je m'en irai. 12. C'est une lettre de l'oncle —— les fils sont en Afrique du Nord. 13. Il a acheté avant la guerre la voiture dans —— il se promène. 14. Savez-vous —— mon père a fait hier? 15. Il nous a montré le paquet —— sa tante lui avait envoyé. 16. Dites-moi —— est sur la table.

E. *Remplacez les tirets par* il, elle, ils, elles *ou* ce:

17. Voilà Notre Dame. —— est une cathédrale. 18. —— est située dans l'île de la Cité. 19. —— est lui qui a dit cela.

---

[1] Some of these blanks will require two words (*ce qui, ce que*) to complete the meaning of the sentence.

F. Remplacez les tirets par la préposition convenable:

20. Cet été, j'irai —— Hollande, —— Belgique, —— Danemark et ensuite —— Amiens en France. 21. Pendant la guerre, je suis allé —— Mexique, —— Brésil et ensuite —— Japon et —— Chine. 22. Mon frère est revenu —— Canada et ma sœur —— France.

G. Remplacez le mot en italique par l'équivalent français du mot indiqué entre parenthèses. Faites les changements nécessaires dans les phrases:

23. (*nothing*) J'ai écrit *quelque chose.* 24. (*no one*) Il a vu *quelqu'un.* 25. (*no one*) Qui est là? — *Un homme.*

H. Remplacez le passé composé par (1) *le présent* (2) *le futur:*

26. Qui a nettoyé ma chambre et a balayé le couloir? 27. Vous avez appuyé sur le bouton, n'est-ce pas?

I. Écrivez les impératifs (1) *tu* (2) *nous* (3) *vous.* EXEMPLE: (effacer) le tableau. (1) *Efface* le tableau. (2) *Effaçons* le tableau. (3) *Effacez* le tableau.

28. (Finir) le devoir et (remettre)-le. 29. (Chercher) le plan de Paris et (montrer)-le-leur. 30. (Sortir) avec le chien et ne le (perdre) pas.

J. Mettez les verbes suivants (1) *au futur* (2) *au conditionnel* (3) *au plus-que-parfait:*

31. il écoute 32. elle part   33. elles se dirigent

K. Remplacez l'infinitif par la forme convenable du verbe. Faites attention surtout au temps:

34. Nous (travailler) depuis une heure. 35. Quand Gérard (arriver), nous lui montrerons ce que nous avons écrit. 36. En (corriger) les phrases, il trouvera des fautes. 37. Avant de les lui (remettre), il faut les lire. 38. Après (téléphoner) à ma mère, je sortirai. 39. Dès que je (voir) mon camarade, je lui dirai que vous êtes ici. 40. Il y a un an que vous (aller) à cette école. 41. Au lieu de (rester) à Paris, nous passerons quelques jours en province.

AUX LEÇONS 31 A 40

TRENTE ET UNIÈME LEÇON

VOCABULAIRE

absolument
admirer
animé
la Bastille
byzantin
caractéristique
certainement
la construction
contempler
curieux, curieuse

danser
Eiffel
enchanter
gothique
intéresser
la Madeleine
merveilleux, merveilleuse
métallique
Montmartre
l'Opéra (*m.*)

pardonner
parisien, parisienne
remarquer
ressembler †
la richesse
le Sacré-Cœur
la splendeur
la surprise
le temple
se toucher

aucun . . . ne, *no*
aussitôt que, *as soon as*
la banlieue, *suburbs*
chacun, *each*
cher, chère, *dear*
*découvrir, *discover;* découvert,
   discovered
dès que, *as soon as*
les économies (*f.*), *savings*
également, *equally*
l'espace (*m.*), *space*
l'Étoile (*f.*), *public square in form of a
   star of which the* Arc de Triomphe
   is the center
étonner, *surprise*
étrange, *strange*
le gratte-ciel, *skyscraper*
grec, grecque, *Greek*

lorsque, *when*
la merveille, *wonder, marvel*
non plus, *neither*
notamment, *especially, in particular*
Notre-Dame, *well-known cathedral at
   Paris*
la nuit, *night*
ouvrier, ouvrière, *working man's*
*paraître, *appear;* paru, *appeared*
penser, *think*
la place, *public square*
que de, *how many*
sembler, *seem*
suffisant, *sufficient*
tâcher, *try*
tant, *so much, so many*
la tour, *tower*
la veille, *day before, night before, eve*

la boîte de nuit, *night club*
faire une promenade, *take a walk*
les grands boulevards, *refers to the wide thoroughfares
   in the center of Paris*
à suivre, *to be continued*

---

* An asterisk (*) placed *before* a verb indicates that this verb is irregular. The forms that
you will be required to know are listed below.
† This verb requires *à* before the noun it governs. EXAMPLE: La Madeleine ressemble *à* un
temple grec.

VERBES

THE FUTURE

INFINITIVE + present of *avoir*

-er *verbs*	-ir *verbs*	-re *verbs*
je donner*ai*	je finir*ai*	je perdr*ai*
tu donner*as*	tu finir*as*	tu perdr*as*
il donner*a*	il finir*a*	il perdr*a*
nous donner*ons*	nous finir*ons*	nous perdr*ons*
vous donner*ez*	vous finir*ez*	vous perdr*ez*
ils donner*ont*	ils finir*ont*	ils perdr*ont*

The future of regular verbs may be found in § 83, col. 5, of irregular verbs in § 86, col. 6.

Study § 85 D for the future of the irregular verbs.

découvrir, découvert; je découvrirai, j'ai découvert — *conjugated like* ouvrir. (§ 86, no. 22)

paraître, paru; je paraîtrai, j'ai paru — *conjugated like* connaître. (§ 86, no. 7)

DEVOIRS

A. 1. You will pardon me when you know why I have not written to you. 2. As soon as you have enough time, you will come here to [1] see Paris. 3. As soon as my parents arrive in France, they will see things which will seem very curious to them.   4. You will not find any [2] skyscrapers [3] in Europe.   5. When you are in Paris, we shall go to a night club.   6. You will like the Latin Quarter as soon as you see it.   7. I shall not be able to leave [4] before six o'clock.   8. Will your sister be at home when I telephone her [5]?   9. We shall send you a letter as soon as we receive a telephone call.

[1] Omit in translation.   [2] For this construction, see § 5 C 2.   [3] The plural of this word does not add -*s*.   [4] Use a form of *partir*.   [5] Indirect object.

B. 1. Tell your mother that you will see your brother as soon as he arrives in Paris.   2. Ask Denise if she will be in France this summer.   3. Tell Roger that your friend will write him a letter when he is in England.   4. Tell Helen you will go to see him as soon as he wishes.

TRENTE–DEUXIÈME LEÇON

VOCABULAIRE

l'adresse (*f.*)	le détail	indiquer
automatiquement	distribuer	la personne
le bouton	électrique	la réponse
cordialement	l'impatience (*f.*)	respecter
le départ		le visiteur

appuyer, *press down*
arriver, *happen*
l'avion (*m.*), *airplane*

balayer, *sweep*
bien, *very*
ce qui, ce que, *what, that which*

la clé (*also written* la clef), *key*

le, la concierge, *combination house porter and janitor peculiar to Parisian apartment houses*

le courrier, *mail*

*craindre, *be afraid, fear*; craint, *feared*

l'escalier (*m.*), *stairway*

la façon, *way, manner, fashion*

le locataire, *renter, tenant*

la loge, *small apartment occupied by the concierge*

nettoyer, *clean*

donner sur (la rue), *look out upon (the street)*

d'ordinaire, *ordinarily*

en effet, *in fact*

le nôtre, *ours*

*ouvrir, *open*; ouvert, *opened*

se passer, *happen*

la pièce, *room*

*plaire, *please*; plu, *pleased*

prier, *ask, beg*

*recevoir, *receive*; reçu, *received*

le rez-de-chaussée, *first floor*, **ground** *floor*

serrer, *press*

sonner, *ring*

la suite, *continuation*

je vous en prie, *I beg of you*

je vous serre la main, *I shake your hand*

s'il vous plaît, *please (if you please)*

VERBES

VERBS IN -*ayer* *balayer*	VERBS IN -*oyer* *nettoyer*	VERBS IN -*uyer* *appuyer*
	Present	
je balaie	je nettoie	j'appuie
tu balaies	tu nettoies	tu appuies
il balaie	il nettoie	il appuie
nous balayons	nous nettoyons	nous appuyons
vous balayez	vous nettoyez	vous appuyez
ils balaient	ils nettoient	ils appuient
	Future	
je balaierai	je nettoierai	j'appuierai
tu balaieras	tu nettoieras	tu appuieras
il balaiera	il nettoiera	il appuiera
nous balaierons	nous nettoierons	nous appuierons
vous balaierez	vous nettoierez	vous appuierez
ils balaieront	ils nettoieront	ils appuieront

craindre, craint	ouvrir, ouvert	plaire, plu	recevoir, reçu
je crains	j'ouvre	je plais	je reçois
tu crains	tu ouvres	tu plais	tu reçois
il craint	il ouvre	il plaît	il reçoit
nous craignons	nous ouvrons	nous plaisons	nous recevons
vous craignez	vous ouvrez	vous plaisez	vous recevez
ils craignent	ils ouvrent	ils plaisent	ils reçoivent
je craindrai, *etc.*	j'ouvrirai, *etc.*	je plairai, *etc.*	je recevrai, *etc.*
j'ai craint, *etc.*	j'ai ouvert, *etc.*	j'ai plu, *etc.*	j'ai reçu, *etc.*

* An asterisk (*) placed *before* a verb indicates that this verb is irregular. The forms that you will be required to know are listed below.

Devoirs

A. 1. Write me that letter. Don't write it to me. 2. Tell that person your name. Tell it to him. Don't tell it to him. 3. Do not show those exercises to the teacher. Do not show them to him. Show them to him. 4. Read us what you are writing. Read it to us. Don't read it to us. 5. Show her what is in your room. Show it to her. Don't show it to her. 6. Who cleans the halls and sweeps the stairs? 7. We clean our room but we will not sweep the stairs. 8. He is afraid [1] of airplanes [2]. 9. We opened the door and we received our mail.

[1] Use a form of *craindre*.   [2] Use a form of the definite article.

B. 1. Tell Paul to write you a letter as soon as he arrives in Bordeaux. 2. Tell him to send it by airmail. 3. Ask Richard if he knows what Louise is doing. 4. Ask your teacher if he knows what is on the table.

TRENTE-TROISIÈME LEÇON

Vocabulaire

automatique	la destination	le taxi
le Châtelet	*permettre, permis	le tramway
l'entrée (*f.*)	la station	le transport

Watch out for words which resemble English but have a different meaning!

actuellement, *at present*
*s'en aller, *go away, leave*
l'amie (*f.*), *girl friend*
la circulation, *traffic*
clairement, *clearly*
la correspondance, *transfer*
depuis, *since, for*
dont, *whose, of which*
se fermer, *close*
gêner, *impede, hinder*
heureusement, *fortunately*
hier, *yesterday*
le journal, *newspaper*

le métro, *subway*
le moyen, *means*
*s'ouvrir, *open;* ouvert, *opened*
le parcours, *route, course*
le plan, *map (of a city); plan*
le portillon, (*little*) *door*
se précipiter, *rush forward*
sans, *without*
souterrain, *underground*
suivant, *following, next*
*vouloir dire, *mean*
voûté, *arched*

à nouveau, *again*   à destination, *to its destination*

$$\left\{ \begin{matrix} \text{il y a} \\ \text{voici} \\ \text{voilà} \end{matrix} \right\} + \begin{matrix} \text{EXPRESSION} \\ \text{OF TIME} \end{matrix} + \text{que} + \begin{matrix} \text{PRESENT} \\ \text{TENSE} \end{matrix} = \begin{matrix} \text{PRESENT PERFECT} \\ \text{TENSE} \end{matrix} + for + \begin{matrix} \text{EXPRESSION †} \\ \text{OF TIME} \end{matrix}$$

prendre une correspondance, *take a transfer*

* An asterisk (*) placed *before* a verb indicates that this verb is irregular. The forms that you will be required to know are listed below.
† *Il y a* SIX MOIS *que* NOUS APPRENONS le français. = We HAVE BEEN LEARNING French *for* SIX MONTHS.

VERBES

s'en aller, allé; je m'en irai, je m'en suis allé — *conjugated like* aller. (§ 86, no. 2)
permettre, permis; je permettrai, j'ai permis — *conjugated like* mettre. (§ 86, no. 19)

DEVOIRS

A. 1. I know a teacher whose pupils will send me stamps. 2. We have been looking for [1] our mail for an hour. 3. He went off the week when we were in Paris. 4. I have been here for an hour, but the train of which you were speaking has not yet arrived. 5. Yesterday I saw Louise, whose parents are spending the winter at Nice. 6. He is speaking to the little boy whose mother we saw in the subway. 7. The travelers get [2] their tickets and rush toward the train. 8. The day that I arrived in Paris, I received the letter in which you asked me details concerning [3] French newspapers [4]. 9. How long have you been in France? [5]

[1] Included in the verb.   [2] Use a form of *prendre*.   [3] *sur*   [4] Use a form of the definite article.
[5] Model this sentence after questions 1 and 2.

B. 1. Ask Madeleine how long she has been in France. 2. Tell Claude you have been reading the newspaper for ten minutes. 3. Ask Edward where the book is he spoke to you about. 4. Tell Susan that you have been waiting in the subway for five minutes.

TRENTE-QUATRIÈME LEÇON

VOCABULAIRE

affectueux, affectueuse	l'olive (*f.*)	la salade
le Brie	payer	la sardine
le Camembert	le porc	le sentiment
le Gruyère	le pour-cent	la soupe
le dessert	le Roquefort	la tomate
le menu		le vinaigre

l'addition (*f.*), *bill, check*
apprécié, *popular*
le bifteck, *steak*
la carte, *menu*
la côtelette, *chop*
davantage, *more*
déjeuner, *lunch*
dur, *hard*
la faim, *hunger*
frit, *fried*
la glace, *ice cream*
le haricot, *bean*
le hors-d'œuvre (*m.*), *relish*; *radishes*, *tomato salad, sardines, etc.*
l'huile (*f.*), *oil*
la laitue, *lettuce*

léger, légère, *light*
mélanger, *mix*
l'œuf * (*m.*), *egg*
le pâté, *pastry containing cold spiced meat*
la pâtisserie, *pastry*
le plat, *course, dish*
le poisson, *fish*
le poivre, *pepper*
la pomme de terre, *potato*
le potage, *soup*
le radis, *radish*
le saladier, *salad dish*
le sel, *salt*
tel, telle, *such*
terminer, *finish*

* The *f* is pronounced in the singular but is silent in the plural. [œnœf, dezɸ]

à table, *at table*

au lieu de, *instead of*

avoir faim, *be hungry*

de vos bonnes nouvelles, *good news from you*

d'ordinaire, *ordinarily*

d'usage, *usually*

le haricot vert, *green bean*

se mettre à table, *sit down at table*

l'œuf dur, *hard egg*

le plat du jour, *the main course*

la salade de laitue, *lettuce salad*

tel que, *such as*

VERBES

THE PRESENT PARTICIPLE

	infinitive	*1st person plural present*	*present participle*
-er verbs	donn*er*	nous donn*ons*	donn*ant*
most *-ir* verbs	fin*ir*	nous fin*issons*	fin*issant*
2d class *-ir* verbs	dorm*ir*	nous dorm*ons*	dorm*ant*
-re verbs	répond*re*	nous répond*ons*	répond*ant*

For all verbs, both regular and irregular, one may say that the present participle is formed by dropping the ending *-ons* from the NOUS-form of the present indicative and adding *-ant*.

THREE EXCEPTIONS

infinitive	*present participle*
être	étant
avoir	ayant †
savoir	sachant

DEVOIRS

A. 1. On arriving in front of a restaurant, I asked Robert [1] if he was hungry. 2. Before ordering the meal, we asked for [2] the menu. 3. After finishing the first course, we ordered a steak with French-fried potatoes. 4. Then we asked for [2] the bill and we paid it, leaving fifty francs for the service. 5. After leaving [3] the restaurant, we looked for [2] the post office. 6. Seeing that we were foreigners, the clerk explained to us that one could send letters by airmail [4]. 7. Instead of buying stamps, we talked with the clerk, asking him questions [5] about [6] the service.   8. Looking at my watch, I asked my friend if he wanted to go to the movie.   9. Without waiting, he said that he would like to go to the movie.

[1] Supply *à*.   [2] Included in the verb.   [3] Use a form of *sortir de*.
[4] *par avion*   [5] Use a form of *poser une question à quelqu'un*.   [6] *sur*

B. 1. Tell John that you will telephone him before ordering your meal. 2. Ask Philip what he did after leaving the restaurant. 3. Tell your mother that you will send her a letter on arriving in Tours. 4. Tell Michel that you saw many people at tables on entering the restaurant.

† Pronounced [ɛjã].

TRENTE–CINQUIÈME LEÇON

VOCABULAIRE

l'arc (m.)
classique
continuellement
l'édition (f.)
l'Égypte (f.)

la flamme
la fontaine
la forme
le général
l'honneur (m.)

l'obélisque (m.)
la sorte
la statue
le triomphe
la victoire

beau, bel, belle, *beautiful*
la boîte, *box (along the docks of the Seine used to display books and etchings)*
le bouquiniste, *the one who tends these boxes*
brûler, *burn*
descendre, *go down*
ériger, *erect*
l'étoile, *star*
feuilleter, *leaf through, peruse rapidly*
la gravure, *etching*
nouveau, nouvel, nouvelle, *new*
le prix, *price*

le quai, *wharf, dock*
rapporter, *bring back*
renseigner, *inform*
se retourner, *turn around*
la rive, *bank*
le soldat, *soldier*
sous, *under*
le tombeau, *tomb*
tuer, *kill*
la valeur, *value*
vieux, vieil, vieille, *old*
la vitrine, *show window*
vraiment, *truly*

à pied, *on foot*
au loin, *in the distance*

VERBES

IMPERATIVES

infinitive	nous *imperative*	vous *imperative*
donner	donnons	donnez
finir	finissons	finissez
dormir	dormons	dormez
vendre	vendons	vendez
se promener	promenons-nous	promenez-vous
se tourner	tournons-nous	tournez-vous

THE PRINCIPAL PARTS

infinitive	*present participle*	*past participle*	*present*
donner	donnant	donné	je donne
finir	finissant	fini	je finis
dormir	dormant	dormi	je dors
perdre	perdant	perdu	je perds

Study *parler* and *finir* according to the outline given in § 84 C, D (Page 368). If you are not sure of the forms, consult the paradigms in § 83, nos. 1 and 2 on pages 362–363.

Devoirs

A. 1. Near the old quarter there is a beautiful garden, a new building, and some¹ old houses. 2. Let us ask this old man² the price of those new books. 3. Look at those old streets. 4. Let us burn this old letter. 5. Get up. No, don't get up. 6. Let us walk³ along⁴ this new avenue. Let us not walk along⁴ that old wharf. 7. Stop⁵ in front of those beautiful buildings. 8. Let us visit those old ruins and that old castle. 9. Let us ask the new prices of those editions.

¹ How is this construction expressed? (§ 5 C 3)   ² Supply *à* before this expression.
³ Use a form of *se promener*.   ⁴ *le long de*   ⁵ Use a form of *s'arrêter*.

B. 1. Ask the old man the price of those old books. 2. Tell John to turn to the right. 3. Tell Maurice to turn around. 4. Ask the soldier if he visited Paris during the war.

TRENTE-SIXIÈME LEÇON

Vocabulaire

antique	inspirer	l'objet (*m.*)
l'atmosphère (*f.*)	Léonard de Vinci	le portrait
l'attention (*f.*)	Louis XIII	Raphaël
l'Empire (*m.*)	Louis XV	la résidence
encourager	Louis XVI	royal
la galerie	le Louvre	Watteau
hollandais	Michel-Ange	

le début, *beginning*
le Directoire, *Directory*
exprimer, *express*
la fête, *festivity*
flamand, *Flemish*
le maître, *master*
l'œuvre (*f.*), *work*

le palais, *palace*
parcourir, go through; parcouru, *went through*
retenir, hold; retenu, *held*
soit . . . soit . . . soit, *either . . . or . . . or*
la suite, *series*

l'Arc de Triomphe du Carrousel, *triumphal arch located at one end of the Tuileries Gardens just before the Louvre*
autant plus . . . que, *so much the more . . . since*
l'Embarquement pour Cythère, *the "Embarkation for Cytherea," a well-known painting of Watteau*
retenir l'attention, *attract attention*
la Vénus de Milo, *ancient statue now in the Louvre*
la Victoire de Samothrace, *Victory of Samothrace, famous ancient statue now in the Louvre*

* An asterisk (*) placed *before* a verb indicates that this verb is irregular. The irregular verbs in this lesson are compound verbs which are conjugated like simple verbs you have already studied. If you are in doubt as to their conjugation, consult § 86, nos. 8 and 31.

Devoirs

A. 1. There is Louis. He is near the door. 2. He is a good pupil. 3. He is very young. 4. That is interesting. 5. Who is with you? It is Susan. 6. She is Mr. Dupont's daughter. 7. She is with Marie. 8. Where are Charles and Maurice? They are in the library. 9. They are our friends. 10. It is true.

B. 1. Ask George if he has seen the Louvre. 2. Tell him that it is Francis I who encouraged the painters of the Renaissance. 3. Ask Helen if the Louvre is made up of several buildings. 4. Tell Jeanne that Watteau's painting expresses the atmosphere of the eighteenth century.

TRENTE–SEPTIÈME LEÇON

Vocabulaire

l'apparence (f.)
César
la couleur
décider
se développer
délicat

diffuser
l'encens (m.)
fatigué
grandiose
l'odeur (f.)

pénétrer
romain
la scène
le sommet
symétrique
la tribu

au-dessus, *above*
biblique, *biblical*
ça, *that*
ceci, *this*
la colonne, *column*
*croire, *believe;* cru *believed*
*détruire, *destroy;* détruit, *destroyed*
s'élever, *rise*
établir, *establish*
la façade, *front, facade*
féodal, *feudal*
la fois, *time*
la Gaule, *Gaul*
la hauteur (f.), *height*
imposant, *imposing*
longuement, *for a long time*
le milieu, *middle*
le navire, *ship*

s'orienter, *see where one is, ascertain
   one's position*
orner, *ornament*
les Parisii, *the tribe that settled on the
   île de la Cité*
le pont, *bridge*
puissant, *powerful*
rappeler, *remind*
rebâtir, *reconstruct, rebuild*
le règne, *reign*
relier, *link*
se reposer, *rest*
la rosace, *rose-window*
saint, *holy, of the saints*
Saint-Louis, *Louis IX*
la tour, *tower*
le vitrail, les vitraux, *stained-glass
   window*

à travers, *through*
le Palais de Justice, *the Court House on the* ÎLE DE LA CITÉ

* An asterisk (*) placed *before* a verb indicates that this verb is irregular.

VERBES

THE PLUPERFECT

ALL VERBS	VERBS OF MOTION	REFLEXIVE VERBS
conjugated with avoir	*conjugated with* être	*conjugated with* être
j'avais parlé	j'étais entré(e)	je m'étais lavé(e)
tu avais parlé	tu étais entré(e)	tu t'étais lavé(e)
il avait parlé	il était entré	il s'était lavé
elle avait parlé	elle était entrée	elle s'était lavée
nous avions parlé	nous étions entré(e)s	nous nous étions lavé(e)s
vous aviez parlé	vous étiez entré(e)(s)	vous vous étiez lavé(e)(s)
ils avaient parlé	ils étaient entrés	ils s'étaient lavés
elles avaient parlé	elles étaient entrées	elles s'étaient lavées

DEVOIRS

A. 1. Read this, don't read that. 2. Don't do that. 3. Had the soldiers already destroyed the bridge? 4. We had come to the middle of the river when we noticed the cathedral. 5. She had already awakened when you telephoned. 6. They had gone to the restaurant and had rested before crossing the bridge. 7. He believed that they had decided to [1] destroy the ship. 8. When I am [2] tired, I shall rest. 9. Do you believe that? I believe it.

[1] Use a form of *décider de*　　　[2] What tense is used?

B. 1. Tell David that you had already sent the letter when George arrived. 2. Ask Denise if she wrote that. 3. Ask Jack not to do that. 4. Tell the teacher that Louise said that she had corrected her mistakes.

★ ★ ★

Jean Vagona

Jean Vagona savait djoya [1], Jean Vagona savait djoya,
Savait djoya de la clarinette, Savait djoya de la clarina.
Cla-cla-cla de la clarinette, Cla-cla-cla de la clarina.

Bonhomme, bonhomme, tu n'es pas maître en ta maison,
Car nous y sommes, Car nous y sommes.

Jean Vagona savait djoya, Jean Vagona savait djoya,
Savait djoya de la flûtinette, Savait djoya de la flûtina.
Flû-flû-flû de la flûtinette, Flû-flû-flû de la flûtina,
Cla-cla-cla de la clarinette, Cla-cla-cla de la clarina.

Bonhomme, (etc.)

le violon, le trombone, le triangle, la grosse caissette, le violon-celle, etc., etc.

[1] Dialect for *jouer*.

TRENTE–HUITIÈME LEÇON

VOCABULAIRE

l'acte (*m.*)
l'acteur (*m.*)
l'action (*f.*)
l'auteur (*m.*)
Chimène
le Cid
*combattre, combattu
la comédie
le conflit
Corneille

le critique
dramatique
insulter
l'intervalle (*m.*)
Molière
moral
le noble
l'Odéon (*m.*)
l'opéra (*m.*)

la préférence
Racine
remarquable
la représentation
Rodrigue
Shakespeare †
le spectateur
le théâtre
tragique
venger

*appartenir, *belong*, appartenu, *belonged*
après-demain, *the day after tomorrow*
auquel (à + lequel), *to which*
*se battre, *fight;* battu, *beaten*
*conduire, *lead;* conduit, *led*
la cour, *court (of the king)*
devrais (*conditional of* devoir), *should, ought to*
l'entr'acte (*m.*), *intermission*
épouser, *marry*
le fils, *son*
le foyer, *lobby*
lequel, laquelle, *which one, which*
le mal, *difficulty, trouble, evil*
malgré, *in spite of*

les Maures, *Moors*
meilleur (*comparative of* bon), *better, best*
la mort, *death*
net, nette, *clear*
l'ouvreuse (*f.*), *usheress*
la pièce, *play*
la place, *seat (in a theater)*
le rang, *rank*
la soirée, *evening*
le son, *sound*
subventionner, *support, subsidize*
tandis que **, *while*
*valoir, *be worth;* valu, *was worth*
*vivre, *live;* vécu, *lived*

d'avance, *in advance*
de préférence, *preferably*
en outre, *moreover*
la Comédie-Française, *national French theater*
l'Opéra-Comique, *state theater where light opera is shown*

le Palais de Chaillot, *theater situated on the site of the old Trocadero*
le Théâtre-Français, *national French theater*
tous les trois, *all three*
*valoir mieux, *to be better*

* An asterisk (*) placed *before* a verb indicates that this verb is irregular.
† Pronounced in French [ʃɛkspir].
** For the difference between *pendant que* (WHILE) and *tandis que* (WHILE), see page 412, nos. 104–105.

VERBES

THE CONDITIONAL

INFINITIVE + IMPERFECT ENDINGS

-er *verbs*	-ir *verbs*	-re *verbs*
je donner*ais*	je punir*ais*	je répondr*ais*
tu donner*ais*	tu punir*ais*	tu répondr*ais*
il donner*ait*	il punir*ait*	il répondr*ait*
nous donner*ions*	nous punir*ions*	nous répondr*ions*
vous donner*iez*	vous punir*iez*	vous répondr*iez*
ils donner*aient*	ils punir*aient*	ils répondr*aient*

IRREGULAR FUTURES AND CONDITIONALS

Futures and conditionals of regular verbs may be found in § 83, col. 5 and 6, of irregular verbs in § 86, col. 6 and 7.

Study the forms of the common verbs irregular in the future and conditional as outlined in § 85 D.

DEVOIRS

A. 1. Would you like to go to the post office with me? 2. He said that he would be in France in April. 3. I should like [1] to [2] speak French better. 4. He said that you would read the works of the best French writers. 5. It would be better to marry [3] a rich man's son. 6. Where are those chairs? He said that I would know which one belonged to him. 7. There are many theaters in this city. Which ones do you prefer? 8. In [4] which century did he live [5]? 9. He should [6] read better.

[1] Use the proper form of *vouloir*.   [2] Omit in translation.   [3] Use a form of *épouser*.
[4] *En*.   [5] Use a form of *vivre*.   [6] Use a form of *devoir*.

B. 1. Ask Philip if he would like to go to the theater. 2. Ask Jeanne which play she prefers. 3. Tell the other students that Molière is the best writer of comedies. 4. Ask Ruth if she would go to the movies with you.

TRENTE-NEUVIÈME LEÇON

VOCABULAIRE

Antoine	l'excursion (*f.*)	oh!
l'auto (*f.*)	l'Irlande (*f.*)	le Portugal
la Californie	le Japon	le projet
Chamonix	Lausanne	Québec
la Chine	Londres	simplement
Chou-Chou	le Maroc	Suzanne
le Danemark	le mont Blanc	tranquille *
	Morel	

* Pronounce the *-l-*. [trãkil]

les affaires (f.), *business*
bavard, *talkative*
la bête, *beast*
bonjour, *good day*
le chien, *dog*
s'endormir, *go to sleep;* endormi, *having gone to sleep, asleep*
là-haut, *up there*
merci, *thank you*

prochain*, *next*
le séjour, *stay*
la Suède, *Sweden*
la tasse, *cup*
tellement, *so*
la trentaine, *about thirty*
venir de + INFINITIVE, *have just* + PAST PARTICIPLE

à jeudi, *until Thursday*
au revoir, *good bye*
avoir beau + INFINITIVE, DO *something in vain*
avoir chaud, *be hot, be warm*
avoir envie (de), *feel like*
avoir froid, *be cold*
avoir l'intention (de), *intend*
avoir mal, *hurt, be ill*
avoir mal à la tête, *have a headache*
avoir raison, *be right*
avoir soif, *be thirsty*

avoir sommeil, *be sleepy*
avoir tort, *be wrong*
cette nuit, *last night* †
du moins, *at least*
faire un voyage, *take a trip*
finir par + INFINITIVE, *finally DO something*
huit jours, *a week*
il y a une semaine, *a week ago* **
quinze jours, *two weeks*
valoir la peine, *be worth the trouble*
le voyage d'affaires, *business trip*

VERBES

Up to this lesson, the *tu*-forms of the verb have not been used in the text. In this lesson you meet these forms. You should learn to recognize the tenses in which these forms are frequently used, but you should avoid using the *tu*-form yourself at this stage of learning French.

	-er *verb*	-ir *verb*	-ir (2d)	-re *verb*	intransitive verb of motion	reflexive verb
PRESENT	tu demandes	punis	dors	réponds	entres	te tournes
IMPERFECT	tu demandais	punissais	dormais	répondais	entrais	te tournais
FUTURE	tu demanderas	puniras	dormiras	répondras	entreras	te tourneras
CONDITIONAL	tu demanderais	punirais	dormirais	répondrais	entrerais	te tournerais
COMPOUND PAST	tu as demandé	as puni	as dormi	as répondu	es entré(e)	t'es tourné(e)
FAMILIAR IMPERATIVE	demande	punis	dors	réponds	entre	tourne-toi

* This adjective is not used with the past tense as in English. See page 411, nos. 54-55.
† Note this manner of expressing LAST NIGHT.
** Note this second and rather common meaning of *il y a*.

DEVOIRS

A. 1. Last summer I went to England, to France, to Germany, to Denmark, and to Sweden. 2. Do you feel like seeing my friends in Paris? 3. We intend to leave [1] France on [2] January 30, [3] and we shall go to London. 4. I never have a headache, but I am often sleepy in summer. 5. Did you leave [1] China or Japan in 1941? 6. He arrived in Canada, went to the United States, and now he lives in St. Louis. 7. You are right, we were hot last night [4]. 8. She speaks in vain to her husband, he always takes a trip [5] to North Africa in winter. 9. You are wrong, he did not go from Italy to Germany.

[1] Use a form of *partir*.   [2] Omit in translation.   [3] See § 17 E for French method of writing dates.   [4] *cette nuit*   [5] Use a form of *faire un voyage*.

B. 1. Tell your father that you would like to go to France, England, Holland, Belgium, and Denmark. 2. Ask Mrs. Dupont if she was warm in Mexico. 3. Tell her that you have returned from Canada and England and that you will soon go to China and Japan. 4. Ask your mother if she was sleepy in Marseilles.

QUARANTIÈME LEÇON

VOCABULAIRE

le boy-scout	l'instant (*m.*)	profitable
cesser	le mouvement	réserver
désert	négligemment †	la ressource
différemment †	négligent	le silence
le doute	l'organisation (*f.*)	social
évidemment †	s'organiser	la société
exagérer	le Parisien	spécial
fréquenter	la possibilité	spécialement

l'auberge (*f.*), *inn*
la blanchisseuse, *wash woman, laundress*
le boulanger, *baker*
le bruit, *noise*
le bureau, *office*
la campagne, *country* (*opposite of* city)
le coiffeur, *barber*
courant, *common*
dès, *from, since*
deviner, *guess*
le, la domestique, *servant*
le dos, *back*
le fait, *fact*
le goût, *taste*
guère, *scarcely*
la jeunesse, *youth*
le ménage, *household, family*

oublier, *forget*
l'ouvrier (*m.*), *working-man*
le parent, *relative*
se passer de, *do without, get along without*
personne . . . ne, *no one*
le personnel, *personnel*
porter, *carry*
se présenter, *offer itself*
primaire, *primary*
réduire, reduce; réduit, *reduced
répandu, *common*
rien . . . ne, *nothing*
la roulotte, *trailer*
le sac, *knapsack*
l'usine (f.), *factory*
se vider, *empty*
vrai, *true*

* An asterisk (*) placed *before* a verb indicates that this verb is irregular.
† The adverbial ending *-emment* is pronounced [amã].

à bon marché, *cheap*

à la campagne, *in the country*

l'auberge de la jeunesse (*f.*), *youth hostel*

de plus en plus + ADJECTIVE, *more and more* + ADJECTIVE

de sorte que, *so that*

de ville en ville, *from city to city*

en somme, *in short*

en vacances, *on a vacation*

la femme de ménage, *maid, cleaning woman*

peu à peu, *little by little*

quelque part, *somewhere*

rendre visite à quelqu'un, *visit* * *someone*

se rendre + ADJECTIVE, *make oneself* + ADJECTIVE

revenir cher, *be expensive*

la salle de conférence, *lecture room*

DEVOIRS

A. 1. No one is carrying my knapsack. 2. Evidently she never learned that language. 3. He has written nothing recently. 4. At present [1], we have only one office. 5. They saw no one on [2] the street. 6. We no longer forget our youth. 7. I find neither the names nor the addresses. 8. He wants neither auto nor trailer. 9. Neither my father nor my relatives live in the country.

[1] Use the adverbial form of *actuel*.   [2] *dans*

B. 1. Tell Thomas that no one leaves Paris in the winter. 2. Tell Jeanne that you did nothing last evening. 3. Tell Charles that you never saw that beach. 4. Tell Henry that you met no one on the street.

* For ways of expressing *visit*, see page 412, nos. 98–99.

★ ★ ★

Il est né, le divin [1] *Enfant*

Il est né, le divin Enfant, Jouez, haut-bois [2], résonnez [3], musettes [4];
Il est né, le divin Enfant; Chantons tous son avènement [5]!

1. Depuis plus de quatre mille ans, Nous le promettaient les Prophètes;
   Depuis plus de quatre mille ans, Nous attendions cet heureux temps.
   Il est né, etc.

2. Ah! qu'il est beau, qu'il est charmant, Que ses grâces sont parfaites!
   Ah! qu'il est beau, qu'il est charmant, Qu'il est doux, le divin Enfant!
   Il est né, etc.

3. Une étable [6] est son logement [7], Un peu de paille [8], sa couchette [9],
   Une étable est son logement, Pour un Dieu, quel abaissement [10]!
   Il est né, etc.

4. O Jésus! O Roi tout puissant! Tout petit enfant que vous êtes,
   O Jésus! O Roi tout puissant! Régnez sur nous entièrement!
   Il est né, etc.

[1] Pronounce [divinãfã]   [2] *oboes*   [3] *resound*   [4] *bagpipes*   [5] *coming*   [6] *stable*
[7] *lodging*   [8] *straw*   [9] *bed*   [10] *humiliation*

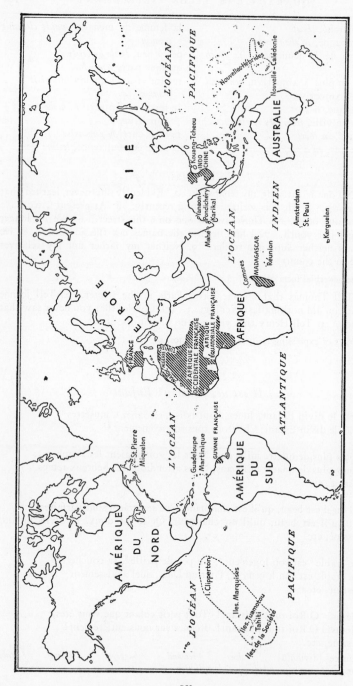

La France a des colonies dans tous les continents

L'Union française

Comme je me promenais dans la rue avec Jean, j'ai remarqué un homme qui portait un vêtement tout différent des nôtres. J'ai demandé qui c'était et ce qu'il faisait en France.

— C'est un Arabe, a répondu Jean; on en voit beaucoup dans les grandes villes de France. Ils viennent des colonies vendre leurs [5 marchandises.

— La France a-t-elle beaucoup de colonies?

— Oh oui! Si vous regardez une carte du monde, vous verrez qu'elle en a dans tous les continents. La France, comme les autres puissances européennes, avait envoyé des explorateurs vers le nouveau [10 monde. Au milieu du dix-huitième siècle, elle possédait tout le centre de l'Amérique du Nord, la plus grande partie du Canada et, en Asie, l'Inde. Si elle avait gardé ces territoires, elle serait sûrement devenue la nation la plus puissante du monde. Mais après la guerre de Sept ans (1756–63), elle a perdu le Canada et l'Inde et, en 1803, [15 Napoléon a vendu l'immense territoire de la Louisiane aux États-Unis pour quinze millions de dollars. Si la France possédait le territoire de la Louisiane aujourd'hui, on parlerait peut-être le français en Amérique.

— Quand donc la France a-t-elle acquis son empire actuel?

— Au dix-neuvième siècle et au début du vingtième. Vers [20 1830 elle a commencé la conquête de l'Algérie, qui forme aujourd'hui trois départements français, et après la guerre de 70, elle a conquis la Tunisie et le Maroc, qui sont des protectorats. Elle occupe ainsi une grande partie de l'Afrique du Nord. Elle a fondé deux autres grandes colonies importantes: l'Afrique-Équatoriale française et [25 l'Afrique-Occidentale française. Cette dernière est très importante parce que sa capitale Dakar est le point de l'Afrique le plus rapproché du nouveau monde. Si l'Allemagne avait pu prendre Dakar pendant la guerre de 39, elle aurait contrôlé les voies de communication vers l'Amérique du Sud. De plus, la France possède l'île de Madagascar, [30 qui est tout près du continent africain et sur la route des Indes. En Asie elle possède l'Indochine et, dans le Pacifique, quelques îles dont les plus connues sont la Nouvelle-Calédonie et Tahiti. En Amérique elle a, entre autres, la Guyane, la Guadeloupe et la Martinique, qui sont des départements français. Tous ces territoires ont une im- [35 portance économique considérable. Ils échangent toutes sortes de produits avec la France, à laquelle ils fournissent du blé, de la viande, du riz, du coton, de l'huile, du caoutchouc, etc.

— Quels sont les liens qui unissent la France et ses colonies?

— Le régime administratif et politique dépend du degré de [40 civilisation de chaque colonie, mais ces colonies ont une liberté de plus en plus grande. Elles forment avec la France métropolitaine *l'Union française* et envoient des députés à l'Assemblée Nationale. Une grande partie des soixante millions d'habitants des colonies sont considérés comme des citoyens français. Pendant la guerre, ces colonies auraient [45 pu se révolter si elles avaient voulu, mais elles ne l'ont pas fait. Aujourd'hui, malgré de sérieuses difficultés, la France conserve son empire colonial.

QUESTIONS

1. Quels sont les territoires d'outre-mer que la France possédait avant la fin de la guerre de Sept ans? 2. Quels sont les territoires qu'elle a perdus à la fin de cette guerre? 3. Si elle avait gardé tous ces territoires, que serait-elle devenue? 4. Si elle avait la Louisiane aujourd'hui, quelle langue parlerait-on au centre de l'Amérique du Nord? 5. Quels sont les territoires que la France possède en Afrique du Nord? 6. Si les Allemands avaient pu prendre Dakar pendant la guerre de 39, qu'est-ce qu'ils auraient fait ensuite? 7. Où est Madagascar? 8. Quelles sont les colonies que la France possède en Amérique? 9. Quelles sont les îles que la France possède dans le Pacifique? 10. Citez des produits que les colonies envoient en France. 11. Que forment les colonies avec la France métropolitaine? 12. Combien y a-t-il d'habitants dans les colonies? 13. Est-ce que les habitants des colonies sont considérés comme des citoyens français? 14. Qu'est-ce que les colonies auraient pu faire pendant la guerre si elles avaient voulu? 15. Qu'est-ce que l'Union française?

DEVOIRS

A. Suivez les indications:

1. Dites à Charles que vous irez à la campagne avec lui si vous finissez vos devoirs. 2. Dites à Yvonne que si elle avait lu le journal, elle y aurait vu son nom. 3. Dites à Philippe que s'il savait le français, il pourrait aller en France. 4. Dites à Jean que vous seriez allé au cinéma avec lui s'il vous avait téléphoné.

B. Mettez les verbes suivants au conditionnel passé EXEMPLE: je viens — je serais venu:

1. il parlera. 2. nous finirons 3. elle perdait 4. vous devriez 5. elle a fait 6. ils se couchent 7. je viendrai 8. nous irons 9. elle

Yvon

*Ça, c'est le Sacré-Cœur, cette église toute blanche
qui domine la ville des hauteurs de Montmartre*

Gendreau

Tu n'es jamais allée à Chamonix? Ça en vaut la peine.

ndreau

*Pendant dix minutes nous
avons vu défiler les coureurs*

*Si l'on désire le mariage religieux,
une grande cérémonie a lieu à l'église*

*C'est là que fut signé en 1919 le
célèbre traité de Versailles*

*. . . la vue de ces jardins aux lignes
régulières évoque la beauté du passé*

s'était arrêtée   10. elle se lavait   11. vous offriez   12. nous recevrons
13. je verrais   14. vous croyez   15. elle écrira   16. je peux   17. vous
pourrez

C. Remplacez les infinitifs par le temps convenable:

1. Si nous avons le temps, nous (aller) chez vous.   2. Si vous
ne (venir) pas, nous saurons que vous êtes malade.   3. Si ma mère
(être) là, elle parlerait avec votre père.   4. Si Jean (avoir) assez de
temps, il irait en Europe.   5. Si vous aviez vu les châteaux de la Loire,
vous (dire) qu'ils sont très beaux.   6. Si nous (être) en France, nous
aurions acheté des livres français.   7. Ma sœur ne travaillerait pas
si elle (être) mariée.   8. Qu'est-ce que vous auriez fait, si vous (savoir)
cela?   9. Si nous (finir) ce devoir, nous irons au cinéma.   10. S'il
(parler) à son camarade, il lui aurait dit de partir.

D. Mettez les verbes indiqués au temps convenable:

1. Si l'Allemagne (commencer) la guerre en 1938, elle l'aurait peut-
être gagnée.   2. Si les Russes (venir) aux États-Unis, ils verraient comment nous vivons.   3. Si la France n'empêche pas l'Allemagne de
se préparer à la guerre, elle (être) envahie de nouveau.   4. Si l'armée
française ne s'était pas rendue en 1940, une grande partie du pays (être)
détruite.   5. La France sera très pauvre si elle (perdre) ses colonies.
6. Si la France (avoir) de bons chefs, elle n'aurait pas perdu tant de
colonies.   7. Si les États-Unis n'avaient pas envoyé de troupes en
France en 1917, est-ce que l'Allemagne (gagner) la guerre?

GRAMMAIRE

1. How is the past conditional formed? With what auxiliary verbs
is it conjugated? (§ 63 A, B) Conjugate *demander, entrer,* and *se laver*
in the past conditional. (Page 230)

2. How is the past conditional used? (§ 64)

3. Of what two parts does a conditional sentence consist? Outline and illustrate three types of conditional sentences common in
French. (§ 65 A, B)

4. Study the verbs *devoir* (§ 86, no. 11) and *dire* (§ 86, no. 12) according to the outline in § 84 D.

5. Consult the vocabulary for the past participles of the irregular
verbs *acquérir* and *conquérir.*

La guerre de 14

Les premières années du vingtième siècle furent marquées par une grande rivalité entre les principales nations d'Europe, qui, toutes, voulaient dominer les petits pays européens et les territoires africains. Il existait deux grands systèmes d'alliance: la Triple Entente entre la France, la Russie et l'Angleterre, et la Triple Alliance entre [5 l'Allemagne, l'Autriche-Hongrie et l'Italie. Chacune des grandes puissances cherchait à obtenir la suprématie économique et politique. Toutes les nations, mais surtout l'Allemagne, se préparaient à la guerre. Ces rivalités et ces préparatifs rendaient un conflit presque inévitable. Pourtant, tout semblait calme en 1914 lorsqu'un jeune Serbe assassina [10 l'archiduc héritier d'Autriche-Hongrie. Voulant profiter de cet incident pour dominer enfin le sud-est de l'Europe, l'Autriche-Hongrie déclara la guerre à la Serbie. En peu de temps, les nations les unes après les autres furent entraînées dans le conflit. Aussi, au bout de dix jours, l'Autriche-Hongrie et l'Allemagne se trouvèrent en état de [15 guerre avec la Russie, la France et l'Angleterre.

Pour gagner la guerre le plus vite possible, l'Allemagne se décida à attaquer la France par le nord. Les armées allemandes, violant le traité qui garantissait la neutralité de la Belgique, traversèrent rapidement ce petit pays, pénétrèrent en France, et, dès les premières [20 semaines de la guerre, arrivèrent tout près de Paris. Heureusement les Français réussirent à les arrêter sur la Marne et un front de plus de mille kilomètres s'établit de la mer du Nord à l'Alsace-Lorraine. Malgré de terribles batailles comme celle de Verdun, ce front resta à peu près le même jusqu'à l'offensive finale des alliés. [25

La guerre de 14 fut beaucoup moins que les autres une guerre de mouvement. Ce fut surtout une guerre de tranchées. On employa pour la première fois les gaz et des engins motorisés tels que des tanks, des avions et des sous-marins. Elle coûta la vie à des millions d'hommes et détruisit une grande partie du nord et du nord-est de la France. [30

Ce fut pendant quatre ans une lutte épuisante. Mais finalement, avec l'aide des États-Unis d'Amérique qui entrèrent en guerre en 1917, les alliés remportèrent la victoire et l'Allemagne fut obligée de demander l'armistice. Il fut signé le 11 novembre 1918.

Par le traité de Versailles, qui mit fin à la guerre de 14, l'Alsace- [35 Lorraine fut rendue à la France. L'Allemagne perdit de nombreux territoires sur ses frontières orientales ainsi que toutes ses colonies. On lui imposa des réparations pour compenser les dégâts causés par ses armées. Elle dut aussi limiter son armée et sa flotte.

QUESTIONS

1. Quels sont les deux grands systèmes d'alliance qui existaient en Europe pendant les premières années du vingtième siècle? 2. Quelle nation surtout se préparait à la guerre? 3. Qui a assassiné l'archiduc héritier d'Autriche-Hongrie? 4. Pourquoi l'Allemagne s'est-elle décidée à violer la neutralité de la Belgique? 5. Où les Français ont-ils arrêté les Allemands? 6. Le front a-t-il beaucoup changé pendant les quatre années de guerre? 7. Quelles armes a-t-on employées pour la première fois pendant la guerre de 14? 8. Quelles sont les parties de la France qui ont été détruites pendant cette guerre? 9. Pourquoi les États-Unis sont-ils entrés en guerre en 1917? 10. Qui a gagné la guerre de 14? 11. Quelle a été la date de l'armistice? 12. Quel est le traité qui a mis fin à la guerre de 14? 13. Quels sont les territoires qui ont été rendus à la France? 14. Quels territoires l'Allemagne a-t-elle perdus? 15. Pourquoi l'Allemagne a-t-elle été obligée de payer des réparations?

DEVOIRS

A. *Répondez aux questions suivantes par une phrase complète, en commençant la réponse par* oui *ou* non. *Soulignez les prépositions employées devant les infinitifs.*

1. Les principales nations de l'Europe voulaient-elles dominer les petits pays? 2. Toutes les nations européennes se préparaient-elles à la guerre? 3. Chacune des grandes puissances a-t-elle cherché à obtenir la suprématie économique et politique? 4. L'Allemagne s'est-elle décidée à attaquer la France par l'est? 5. Les armées allemandes ont-elles réussi à prendre Paris? 6. Le front a-t-il beaucoup changé pendant la guerre de 14? 7. La guerre de 14 a-t-elle coûté la vie à beaucoup d'hommes? 8. Les Allemands ont-ils remporté la victoire? 9. L'Allemagne a-t-elle été obligée de demander l'armistice? 10. L'Angleterre a-t-elle dû limiter sa flotte à la fin de la guerre?

B. *Mettez* (1) *au présent* (2) *au passé composé les verbes suivants, qui sont tous* RÉGULIERS. EXEMPLE: ils parlèrent. (1) ils parlent (2) ils ont parlé

1. elle arriva 2. nous nous décidâmes 3. ils déclarèrent 4. il finit 5. ils punirent 6. vous perdîtes 7. elle répondit 8. ils se dirigèrent 9. il servit 10. elle s'établit

C. *Mettez à l'imparfait les verbes suivants, qui sont tous* IRRÉGULIERS *au passé simple.*

1. il fut 2. nous bûmes 3. ils conduisirent 4. il crut 5. elle dut 6. elles mirent 7. il ouvrit 8. il suivit 9. il vint 10. je voulus

D. Remplacez les tirets par une préposition s'il [1] y a lieu:

1. L'Allemagne a cherché —— gagner la guerre. 2. Mais elle
ne pouvait pas —— résister aux alliés. 3. Après la guerre, elle a dû
—— limiter son armée. 4. Avez-vous réussi —— lire l'histoire de la
guerre de 14? 5. Je voudrais —— voyager en France. 6. Qui a été
obligé —— partir cette semaine? 7. Je me suis décidé —— quitter
Paris. 8. Les alliés ont oublié —— surveiller l'Allemagne après la
guerre. 9. Ils ont refusé —— croire qu'elle ferait une autre guerre.
10. Cette fois ils ont appris —— la surveiller. 11. Ils ont bien regretté
—— avoir permis à l'Allemagne —— devenir si puissante une seconde
fois.

GRAMMAIRE

1. How is the *passé simple* of verbs in *-er, -ir, -re,* and *-oir* formed?
(§ 52)

2. Study the passé simple of the verbs *parler, finir, perdre, recevoir,
avoir,* and *être.* (Page 232)

3. What orthographical changes would be necessary in the
passé simple of verbs in *-cer* and *-ger*? (§ 82 A, B) What is the *passé
simple* of *effacer? manger?* (Page 232)

4. The *passé simple* constitutes the fifth of the principal parts
of the French verb. (§ 84 C, D) What does the *passé simple* of irregular
verbs often resemble? (§ 85 E) To find the *passé simple* of irregular
verbs, consult the fourth column of the table in § 86.

5. When is the passé simple used? (§ 53)

6. In English, we say *I can go, I want* TO *go,* and *I insist* ON *going,*
without any apparent reason. Likewise, in French, certain verbs
follow an infinitive without any preposition, others require *de,* others *à,*
and still others different prepositions. In order to speak French
correctly, it is necessary to learn these constructions. In your reading
lesson, find examples of verbs followed by infinitives. Then study
§ 41 of the *Grammaire.*

QUARANTE-TROISIÈME LEÇON

La guerre de 39

La défaite fut vivement ressentie par l'Allemagne. Les premières
années furent difficiles. Les réparations imposées par les alliés étaient
énormes; l'Allemagne cherchait un moyen de ne pas [2] les payer.

---

[1] *if necessary*   [2] For this word order, see § 21 I.

Cependant, elle commença à réorganiser son industrie et à reconstituer son commerce, grâce aux capitaux prêtés par des puissances étrangères. [5 Mais, quand arriva la crise financière mondiale de 1929, la situation intérieure de l'Allemagne s'aggrava. En 1933, les nationaux-socialistes profitèrent des circonstances pour s'emparer du pouvoir et imposèrent la dictature d'Hitler. Dès lors, les Allemands n'eurent plus que deux buts: dénoncer le traité de Versailles et devenir les maîtres de [10 l'Europe.

Ils commencèrent par réarmer. Puis, ils réoccupèrent la rive gauche du Rhin. Ils prétendirent manquer d'espace vital et réclamèrent tous les territoires qui pouvaient être considérés comme germaniques à un titre quelconque. C'est ainsi qu'ils annexèrent l'Autriche et [15 une partie de la Tchécoslovaquie. En même temps, ils s'appliquèrent à devenir la première puissance aérienne du monde, afin de pouvoir menacer toute l'Europe.

Pendant ce temps, la France subissait, elle aussi, une crise économique qui amena en 1936 un gouvernement de «front populaire». Ce [20 fut une réelle victoire de la classe ouvrière. Ce gouvernement entreprit beaucoup de réformes sociales et créa notamment la semaine de quarante heures et les congés payés. Mais cette période fut marquée par des grèves et des difficultés politiques. Malheureusement le gouvernement négligea la défense nationale et en particulier l'aviation.   [25

Pendant tout l'été de 1939, l'Allemagne menaça de s'emparer de la ville libre de Dantzig, port de première importance pour la Pologne. La France et l'Angleterre comprirent enfin l'esprit de domination et les ambitions de conquête de l'Allemagne. Elles virent qu'il devenait dangereux de la laisser s'étendre davantage et conclurent [30 avec la Pologne un traité d'assistance mutuelle.

Le 1er septembre 1939, l'Allemagne envahit la Pologne et bombarda ses villes. Deux jours après, l'Angleterre et la France lui déclarèrent la guerre. Mais la Pologne fut vite écrasée. Par contre, pendant les premiers mois, les opérations militaires à l'ouest restèrent [35 très limitées. Les Français, n'étant pas suffisamment forts pour attaquer, prirent position derrière la ligne Maginot, système de défenses fortifiées établi le long de la frontière franco-allemande mais pas au delà. Pendant huit mois il ne se passa rien d'important. C'est ce que les Français appellent «la drôle de guerre». Mais, en avril 1940, les Allemands [40 envahirent le Danemark et la Norvège et soudain, le 10 mai, ils attaquèrent la Hollande et la Belgique, malgré les traités de non-agression qu'ils avaient conclus avec ces deux pays.

QUESTIONS

1. Pourquoi l'Allemagne cherchait-elle un moyen de ne pas payer les réparations? 2. Comment l'Allemagne a-t-elle pu réorganiser son industrie? 3. A quel moment la situation intérieure de l'Allemagne s'est-elle aggravée? 4. Quand les nationaux-socialistes se sont-ils emparés du pouvoir? 5. Quel a été le but des Allemands après 1933? 6. Comment les Allemands ont-ils commencé à violer le traité de Versailles? 7. Quels sont les territoires que les armées allemandes ont occupés? 8. Pourquoi les Allemands ont-ils réclamé tous les territoires qui pouvaient être considérés comme germaniques? 9. Quels sont les pays que les Allemands ont annexés? 10. Comment ont-ils menacé toute l'Europe? 11. Que faisait le gouvernement français à cette époque? 12. Pourquoi la France et l'Angleterre ont-elles conclu un traité d'assistance mutuelle avec la Pologne? 13. Comment a commencé la guerre de 39? 14. Pourquoi la France et l'Angleterre ont-elles déclaré la guerre à l'Allemagne? 15. Pourquoi les Français n'ont-ils pas attaqué l'Allemagne dès le début de la guerre? 16. Qu'est-ce que la ligne Maginot? 17. Qu'est-ce que la «drôle de guerre»? 18. Quels sont les pays que les Allemands ont envahis au printemps de 1940?

DEVOIRS

A. Suivez les indications:

1. Demandez comment l'Allemagne a pu réorganiser son industrie après la guerre de 14. 2. Demandez pourquoi elle a accepté la dictature d'Hitler. 3. Demandez comment les Allemands ont commencé à devenir les maîtres de l'Europe. 4. Demandez quels sont les pays que les Allemands ont annexés. 5. Demandez pourquoi le gouvernement français a négligé la défense nationale. 6. Demandez quand l'Allemagne a menacé de prendre Dantzig. 7. Demandez dans quel pays la guerre de 39 a commencé. 8. Demandez combien de pays l'Allemagne a attaqués. 9. Demandez pourquoi la France n'avait pas étendu la ligne Maginot au delà de la frontière franco-allemande.

B. Écrivez les questions suivantes sans employer . . . est-ce que . . .:

EXEMPLE: Pourquoi est-ce que la France a déclaré la guerre à l'Allemagne? Pourquoi la France a-t-elle déclaré la guerre à l'Allemagne?

1. Comment est-ce que l'Allemagne a attaqué la Pologne? 2. Pourquoi est-ce que la Belgique a résisté aux Allemands? 3. Quand est-ce que la Belgique a été obligée de se rendre? 4. Où est-ce qu'on a signé le traité de Versailles?

C. Écrivez les questions suivantes en employant . . . est-ce que . . . :

EXEMPLE: Comment la France a-t-elle perdu la Louisiane?
Comment est-ce que la France a perdu la Louisiane?

1. Quand arrivera votre frère? 2. Pourquoi le professeur n'a-t-il pas corrigé les devoirs? 3. Où votre oncle habite-t-il?

D. Remplacez les tirets par une préposition, s'il [1] *y a lieu:*

1. Aimeriez-vous —— apprendre le français? 2. Nous commencerons —— étudier une pièce de théâtre. 3. Ou préféreriez-vous —— lire un roman? 4. Si vous hésitez —— choisir, regardez les livres de français de votre professeur. 5. Il essaiera —— vous montrer plusieurs pièces de théâtre. 6. Il faut vous habituer —— lire des romans. 7. Vous devez —— lire rapidement. 8. Si vous pouvez —— comprendre sans chercher les mots dans le vocabulaire, vous lirez avec plus de facilité. 9. Le professeur vous dira —— choisir plusieurs livres. 10. Avez-vous réussi —— comprendre la grammaire française? 11. Oseriez-vous —— aller en France tout seul? 12. N'oubliez pas —— répéter les phrases après le professeur. 13. Cela vous aidera —— prononcer mieux. 14. N'ayez pas peur —— causer. 15. Si vous refusez —— parler, vous n'apprendrez jamais —— parler.

GRAMMAIRE

1. Examine the questions in this lesson in order to discover the word order used in a question with a noun-subject when the question begins with *où, comment, quand, combien* or *quel* modifying a noun. How does a direct object in such a sentence limit the word order? What about questions which begin with *pourquoi*? (§ 87 F, G)

2. What types of word order may be used in asking a question with a pronoun subject which begins with *où, comment, combien, quand, pourquoi,* or *quel* modifying a noun? (§ 87 E)

3. Study the list of prepositions governing dependent infinitives. (§ 41)

4. Study the irregular verbs *écrire* (§ 86, no. 13) and *envoyer* (§ 86, no. 14) according to the outline in § 84 D.

----

[1] *if necessary*

L'Occupation

La Hollande et la Belgique furent écrasées en peu de jours. Les Allemands atteignirent rapidement la frontière franco-belge et, au grand désespoir [1] des Français, contournèrent [2] la ligne Maginot à Sedan. A l'intérieur de la France ils avaient constitué une «cinquième colonne» qui répandait de fausses nouvelles et facilitait la désorga- [5 nisation des armées françaises. Aidées par leur aviation, leurs forces blindées [3] avancèrent rapidement. Les troupes françaises se trouvaient continuellement dépassées au cours de leur retraite.

Les Français qui habitaient les territoires envahis pendant la guerre de 14 avaient quitté leurs villes pour échapper à la fureur de [10 la bataille et aux rigueurs de l'occupation. Les Parisiens, menacés eux aussi, se mirent en route vers le sud. Les chemins étaient encombrés [4] de bicyclettes, de voitures chargées de tout ce qu'il était possible d'emporter et même de personnes à pied. Pour accroître la confusion et démoraliser la population civile, les avions ennemis mitraillaient [5] [15 ces pauvres gens qui fuyaient. Cela dura plusieurs longs jours. C'est ce qu'on appelle «l'exode» [6].

Quand les Allemands arrivèrent à la Loire, toute résistance parut impossible et, le 17 juin 1940, le maréchal Pétain demanda l'armistice. La France fut coupée en deux parties: la zone occupée par les Alle- [20 mands, c'est-à-dire la partie nord et la côte de l'Atlantique jusqu'aux Pyrénées, et le reste, appelé «zone libre», sous l'autorité du gouvernement du maréchal Pétain à Vichy, belle ville d'eaux dans le Massif Central. Ces deux zones subsistèrent [7] jusqu'à l'invasion de l'Afrique du Nord par les alliés, car, à ce moment-là, les troupes allemandes [25 occupèrent toute la France. D'autre part, dès le 18 juin 1940, le général de Gaulle avait lancé un appel aux Français pour les engager à poursuivre la lutte contre l'envahisseur [8]. C'est sous son commandement que les «Forces Françaises libres» s'organisèrent à Londres aussitôt après l'armistice. [30

L'occupation fut très pénible pour les Français. Plus d'un million d'entre eux restaient prisonniers de guerre en Allemagne. Beaucoup

---

* In this and in several subsequent lessons, the particular nature of the material makes it necessary to use a number of low-frequency non-cognates. In order not to oblige the student to learn such words actively, they have been placed in the footnotes and are not included in the lesson-vocabulary.

[1] *despair*   [2] *went around, outflanked*   [3] *armored*   [4] *obstructed*   [5] *machine-gunned*
[6] *exodus, going out*   [7] *continued to exist*   [8] *invader*

d'autres furent déportés pour travailler dans des usines de guerre allemandes, d'autres encore furent fusillés ou bien enfermés dans des
camps de concentration tantôt simplement pour leurs opinions po- [35
litiques anti-nazies, tantôt pour leur activité dans «la résistance». Ils
moururent bien souvent de faim, de froid, de mauvais traitements ou
même des tortures qu'on leur infligeait[1]. La France dut payer plus de
300,000,000 de francs par jour pour couvrir les frais de l'occupation.
Les Nazis prélevaient[2] la plus grande partie des richesses du pays [40
et la situation alimentaire[3] devint vite catastrophique.   Pendant ce
temps la guerre continuait, les alliés bombardaient sans cesse les villes
françaises, détruisant les centres industriels, les ports, les ponts et les
moyens de communication.   Certaines villes telles que Lorient, Brest
et le Havre furent presque entièrement anéanties[4].   [45
    Les Français n'ont jamais admis l'occupation. Des patriotes
s'organisèrent pour lutter secrètement contre l'ennemi. Ces organisations formèrent «la résistance». Elles recevaient des armes parachutées
et cherchaient à combattre les Allemands par tous les moyens: sabo-
tages, attentats[5], transmission de renseignements aux alliés, etc. [50
Les résistants se groupaient dans des régions isolées pour s'entraîner à
l'action militaire. Ils constituaient ce qu'on a appelé «le maquis».
D'autres s'échappèrent en Afrique du Nord ou en Angleterre et se
joignirent aux forces du général de Gaulle.
    Pendant cette période, l'Angleterre et les États-Unis préparaient [55
l'invasion du continent, cette invasion que les Français attendaient[6]
depuis si longtemps avec tant d'impatience. Les troupes alliées dé-
barquèrent d'abord en Afrique du Nord, puis en Italie. Enfin, le
6 juin 1944, ce fut le grand débarquement sur la côte française de Normandie. Après de violents combats, les armées américaines et britan- [60
niques s'y établirent solidement. La France paya son tribut à cette
gigantesque entreprise car, durant la bataille acharnée[7] que les alliés
durent soutenir pour enfoncer les défenses allemandes, un grand nombre
de villes et de villages normands et bretons furent complètement
détruits. Enfin, sous la pression[8] gigantesque des troupes anglo- [65
américaines, les Allemands durent battre en retraite. La libération
de la France commençait.

QUESTIONS

    1. En combien de temps la Hollande et la Belgique ont-elles été
écrasées? 2. Où la ligne Maginot a-t-elle été contournée par les Alle-

---

[1] *inflicted*   [2] *took away*   [3] *food*   [4] *obliterated*   [5] *assassinations*   [6] *had been awaiting*
[7] *relentless*   [8] *pressure*

mands? 3. Par qui les troupes françaises étaient-elles continuellement dépassées au cours de leur retraite? 4. De quoi les routes étaient-elles encombrées pendant l'exode? 5. Par quoi les gens qui fuyaient étaient-ils mitraillés? 6. Comment s'appelle cette période de la guerre? 7. Par qui une «cinquième colonne» avait-elle été constituée en France? 8. En combien de zones la France a-t-elle été coupée? Lesquelles? 9. A quel moment toute la France a-t-elle été occupée par les Allemands? 10. Quel est le général sous le commandement duquel les «Forces Françaises libres» se sont organisées à Londres? 11. Pourquoi les Français ont-ils été déportés en Allemagne? 12. Pourquoi les Français ont-ils été enfermés dans des camps de concentration? 13. Par qui les villes françaises ont-elles été bombardées pendant l'occupation? 14. Citez des villes qui ont été presque entièrement détruites. 15. Qu'est-ce que «le maquis»? 16. Où les alliés ont-ils débarqué d'abord? 17. Quelle est la date du grand débarquement sur la côte française de Normandie? 18. Qu'est-ce que les Allemands ont été obligés de faire?

DEVOIRS

A. Répondez aux questions suivantes par des phrases complètes, en commençant la réponse par oui *ou* non. *Soulignez tous les verbes qui sont à la voix passive.*

1. Est-ce que la Hollande et la Belgique ont été écrasées par l'Allemagne? 2. S'il y a une autre guerre, est-ce que les villes ennemies seront bombardées par des avions? 3. Est-ce que l'Allemagne aurait été battue si elle avait envahi l'Angleterre? 4. Est-ce que l'invasion du continent avait été préparée par les alliés? 5. Est-ce que les Allemands ont été obligés de battre en retraite?

B. Remplacez la forme active du verbe par la forme passive. EXEMPLE: Dix soldats *défendaient* le château. Le château *était défendu* par dix soldats.

1. Le Président des États-Unis nomme les hauts fonctionnaires du gouvernement. 2. Napoléon a vendu la Louisiane en 1803. 3. Tout le monde admirait les peintures du Louvre. 4. On[1] a reçu la lettre vers la fin du mois. 5. La concierge avait ouvert la porte. 6. Le journal a raconté les événements du jour. 7. On[1] a commencé Notre-Dame vers le douzième siècle. 8. Un grand général sauvera le pays. 9. Les Français et les Anglais exploraient le nouveau monde. 10. Le peuple proclamera une nouvelle république. 11. On[1] perdra les livres.

---

[1] When the active form has *on* as the subject, the agent is not expressed at all in the passive form. EXAMPLE: On vendra la maison. La maison sera vendue.

C. Mettez les phrases suivantes à la forme active. Exemples: 1. Ces lettres ont été écrites par ma mère. Ma mère a écrit ces lettres. 2. Le livre a été vendu. On a vendu le livre.

1. L'enfant avait été trouvé par un chien. 2. Ces personnes ont été tuées près du pont. 3. La France serait-elle attaquée par la Russie? 4. Plus de mille soldats avaient été pris par l'ennemi. 5. Le gouvernement a été renversé. 6. L'invasion sera préparée par les alliés. 7. Les préfets sont nommés par le Président de la République. 8. Les maisons seront occupées par les troupes.

Grammaire

1. Give examples of the English passive voice. With what auxiliary is it conjugated? With what auxiliary is the French passive formed? (§ 79 A, B) Conjugate the verb *choisir* in the passive voice of the present, imperfect, and *passé composé*. (Page 235)

2. How does the past participle of the passive verb agree? (§ 79 C)

3. How is the passive voice used in French? (§ 80 A)

4. How do the French avoid the use of the passive? (§ 80 B)

5. How is *by* expressed in French after the passive verb? (§ 80 C)

6. Study the verbs *faire* (§ 86, no. 15) and *lire* (§ 86, no. 18) according to the outline in § 84 D.

QUARANTE-CINQUIÈME LEÇON

La Libération

Il y avait quelques jours que Paris attendait anxieusement. Une Française qui s'y trouvait vous raconte ses impressions:

«Depuis quelques jours, dit-elle, on voyait fuir les Allemands: d'abord les civils, puis les infirmiers [1], ensuite les soldats. C'était un défilé [2] ininterrompu de véhicules qui traversaient Paris dans [5 la direction du nord-est, chargés d'armes, de bagages, de toutes sortes d'objets. A ce moment-là tous les Parisiens ont compris que les troupes françaises libres et les troupes alliées n'étaient pas loin. Cela a tout de même duré une quinzaine [3] de jours. Peu avant le 15 août et sans attendre l'arrivée des libérateurs, les «Forces Françaises de l'Inté- [10 rieur» qui se trouvaient dans Paris, aidées par une grande partie de la population parisienne, se soulevèrent contre les Allemands qui restaient

---

[1] *hospital attendants*   [2] *procession*   [3] *about fifteen*

au nombre d'environ vingt mille. Les armes étaient rares, alors que les
Allemands, pour tenir Paris, disposaient de canons, de mitrailleuses[1] et
de tanks en grande quantité. Les FFI[2] attaquèrent les Allemands à [15
l'aide de bouteilles d'essence[3] qu'ils brisaient sur leurs tanks. On
prenait les armes des morts et des blessés allemands. En même temps
la police se révolta contre les occupants et se joignit aux résistants.
De leur côté, tous les cheminots[4] et les postiers[5] se mirent en grève,
si bien que Paris se trouva absolument isolé du monde extérieur et [20
il n'y avait plus ni transports, ni gaz, ni lait. Quant à l'électricité, le
courant était donné une demi heure seulement dans la soirée, ce qui
rendait très difficile l'écoute[6] des émissions de la radio. D'une manière
générale, Paris se trouva privé de nouvelles sûres, mais tous les jours
le bruit courait que les alliés allaient arriver. Le ravitaillement[7] [25
était limité au pain et à quelques légumes qu'on achetait à prix d'or.
Les combats entre résistants et Allemands devenaient de plus en plus
meurtriers[8]   A tout instant on entendait le bruit des mitrailleuses[1].
Paris se couvrait de barricades afin d'empêcher les tanks allemands de
circuler. Bientôt de petites affiches apparurent sur les murs, disant [30
à la population parisienne de tenir bon car la libération était proche.
Un grand nombre de mairies[9] étaient occupées par les insurgés[10]
et les Allemands étaient peu à peu refoulés[11] de partout. On se battait
même dans le métro.

«Le vendredi 25 août au soir, tout à coup les cloches de Notre- [35
Dame et de toutes les églises se mirent à sonner et bientôt la nouvelle
se répandit que le général Leclerc venait d'arriver à l'Hôtel de Ville.
Dans la nuit les Allemands, retranchés[12] aux alentours[13] de Paris,
soumirent la ville au feu de leurs canons à longue portée pour faire
comprendre qu'ils étaient encore là.   [40

«Le samedi 26 août, devant toute la ville pavoisée[14] aux couleurs
françaises et alliées et au milieu d'une émotion indescriptible, la division Leclerc défilait dans Paris. On apprenait que le général de Gaulle
était là et que, d'autre part, le gouverneur militaire allemand s'était
rendu au général Leclerc.   [45

«Le lendemain, le général de Gaulle descendit à pied les Champs-
Élysées et se rendit à Notre-Dame. Des miliciens[15], groupe de police
auxiliaire au service des Allemands, qui étaient cachés depuis quelques
jours sur les toits, tiraient sur la foule. Au moment où de Gaulle

[1] *machine guns*   [2] abbreviation for FORCES FRANÇAISES DE L'INTÉRIEUR   [3] *gasoline*
[4] *railroad workers*   [5] *postal employes*   [6] *hearing*   [7] *food supply*   [8] *murderous*
[9] *building containing mayor's offices*   [10] *insurgents*   [11] *driven back*
[12] *having entrenched themselves*   [13] *neighborhood*   [14] *decked out with flags*
[15] *name of French "collaborators" who helped the Germans police France during the occupation*

arriva devant Notre-Dame, une fusillade [1] éclata, mais les traîtres [2] [50 furent poursuivis et vite arrêtés. Paris était délivré!»

Vers la fin de l'été 1944, la plus grande partie de la France était libérée, mais les Allemands continuèrent à résister. C'est seulement après que les armées américaines, anglaises, françaises et russes eurent envahi l'Allemagne qu'au mois de mai 1945 les chefs nazis se suici- [55 dèrent et que quelques généraux allemands signèrent la capitulation sans conditions de l'Allemagne d'Hitler.

QUESTIONS

1. Que voyait-on à Paris quelques jours avant la libération? 2. Qui est-ce qui s'est soulevé contre les Allemands? 3. Comment a-t-on attaqué les tanks allemands? 4. Qu'est-ce que la police a fait? 5. Qui s'est mis en grève? 6. Quand les Parisiens avaient-ils de l'électricité à Paris? 7. Qu'est-ce qu'on avait à manger? 8. Pourquoi ne pouvait-on pas écouter les émissions de la radio? 9. Racontez ce qui est arrivé le soir du 25 août. 10. Quels sont les deux généraux français qui étaient entrés à Paris? 11. Qu'est-ce que les miliciens? 12. Quand la plus grande partie de la France s'est-elle trouvée libérée? 13. Quelles sont les armées qui ont envahi l'Allemagne? 14. Qu'est-ce que les chefs nazis ont fait? 15. Qui a signé la capitulation de l'Allemagne?

DEVOIRS

A. Remplacez les tirets par les mots convenables indiqués à droite:

1. Des —— ont apparu disant qu'il fallait se rendre avant le soir. 2. De cette —— on espérait influencer la population. 3. Pendant plusieurs semaines avant la libération les habitants ont été —— de gaz et d'électricité. 4. Des soldats étaient cachés sur les —— des maisons depuis quelques jours. 5. Ils ont —— sur la foule qui passait en bas.

a. affiches
b. bouteilles
c. cloches
d. façon
e. privés
f. tiré
g. toits

B. Indiquez le genre des mots suivants. EXEMPLES: bateau — le bateau; ambition — l'ambition (*f.*)

commencement	civilisation	vêtement	plateau
courage	fromage	mère	tempérament
romantisme	arbre	ménage	monsieur
moitié	paysage	latin	question
chapeau	changement	printemps	monument
musée	homme	olivier	tableau
réception	jeudi	reine	duc
frère	vieillard	bœuf	tragédie

[1] *discharge of guns*   [2] *traitors*

C. Remplacez les expressions anglaises par l'équivalent français:

1. Nous (*had been speaking*) français depuis plusieurs années.
2. Voilà trois ans qu'il (*had been working*) dans l'usine quand la guerre a éclaté. 3. Il y avait dix minutes que nous (*had been writing*) quand votre mère est arrivée. 4. Elle (*had been reading*) depuis une heure quand le téléphone a sonné.

D. Remplacez les tirets par l'article partitif ou par de. Expliquez oralement votre choix dans chaque cas.

1. Les voitures des Allemands étaient chargées —— toutes sortes d'objets. 2. On voyait aussi —— troupes allemandes dans la rue. 3. Il n'y avait pas —— soldats français à Paris. 4. Il n'y avait plus —— lait dans la ville. 5. Paris se trouvait privé —— nouvelles. 6. —— petites affiches apparaissent sur les murs. 7. Les Allemands ont construit un mur —— pierre. 8. La plupart —— soldats avaient peur des Français. 9. Avait-on assez —— temps pour partir? 10. Bien —— fois les Allemands ont tué des prisonniers. 11. Avaient-ils besoin —— viande? 12. La ville était pleine —— voitures. 13. Il y avait —— tanks, mais il n'y avait pas —— essence. 14. Il y avait —— nombreux combats entre les Allemands et la population. 15. Le pays se composait —— départements.

GRAMMAIRE

1. In what ways can one recognize the gender of French words? (§ 6 B 1, 4, 5, 6, C)

2. How do the French use the imperfect with *depuis, il y avait . . . que, voilà . . . que,* and *voici . . . que*? (§ 47 B)

3. Explain the omission of the definite article after *de* in sentences such as *Les véhicules étaient chargés* D'*armes* and *Nous avons besoin* DE *timbres.* (§ 5 C 5) Explain also the use of *de* in the expression *bouteilles* D'*essence.* (§ 5 C 4) List three other cases in which *de* is used instead of the partitive article. Give an illustration of each case. (§ 5 C 1, 2, 3)

4. In this lesson you will find the sentence *C'est seulement après que les armées américaines, anglaises, françaises et russes* EURENT ENVAHI *l'Allemagne qu'au mois de mai 1945 les chefs nazis se suicidèrent . . .* What tense is EURENT ENVAHI? Is it used in conversation? Of what two parts does it consist? With what auxiliary is it conjugated? (§ 61 A, B) When is it used? (§ 62) Study the *passé antérieur* of *donner, entrer,* and *laver.* (Page 236)

5. Study the verbs *mettre* (§ 86, no. 19) and *mourir* (§ 86, no. 20) according to the outline in § 84 D.

Y va-t-on ou n'y va-t-on pas?

Il y a quelques mois maintenant que vous apprenez le français.
Vous savez déjà beaucoup de mots. Vous lisez facilement. Mais il
faut que vous appreniez des expressions tout à fait usuelles si vous
voulez parler couramment. Il est peu probable que vous trouviez ces
expressions-là dans la littérature, mais il est impossible que vous [5
compreniez une conversation courante sans les connaître. Il est bon que
vous sachiez saluer un ami, prendre un billet de cinéma, etc. Il est
nécessaire aussi que vous étudiiez le subjonctif. Le subjonctif s'emploie
très peu en anglais, mais on s'en sert souvent en français. Le subjonctif
marque le doute et indique des actions ou des états vagues, des désirs, [10
des craintes, etc. Par conséquent, il faut employer le subjonctif après
des verbes tels que *vouloir, désirer, douter* et *craindre,* et après des expressions telles que *c'est dommage, il faut, il est possible, il est peu probable,
il est nécessaire, il est bon,* etc.

Je voudrais que vous imaginiez une conversation entre Jacques [15
Dupont et Roger Leblanc, deux jeunes Français qui se rencontrent dans
la rue. Ils se serrent la main, car d'ordinaire les Français se serrent la
main en se rencontrant et en se quittant. Écoutez leur conversation:
«Bonjour, mon vieux, comment ça va?

— Ça va bien, et toi? [20

— Moi, aussi.

— Qu'est-ce que tu fais en ce moment?

— Je vais en classe, je travaille un petit peu, je me promène et je
m'amuse comme je peux.

— Qu'est-ce que tu fais ce soir? [25

— Mon père veut que je reste à la maison, mais je voudrais bien
aller au cinéma.

— Moi, aussi, j'ai envie de voir le film qui passe au *Rex.* Il paraît
qu'il est épatant! Mais j'ai des devoirs à faire.

— Qu'est-ce que tu décides, alors? [30

— Il vaudrait mieux que je finisse mon travail avant de sortir. Il
est peu probable que je sorte avant neuf heures et demie. Mais après,
il est possible que j'aille au cinéma quand même.

— Avec qui?

— Je n'en sais rien. Veux-tu venir avec moi? [35

— Je voudrais bien. Il est possible que je sois libre à cette heure-là.
Veux-tu que je te donne un coup de téléphone ce soir vers neuf heures
et quart?

— Oui, c'est ça, si tu peux sortir.
— Bon. A tout à l'heure.   [40

*   *   *   *   *   *   *   *   *   *   *   *

Le soir arrive. Jacques, qui s'attend à recevoir un coup de téléphone de Roger, est installé dans le salon à sa table de travail sur
laquelle tous ses papiers de classe sont rangés avec ordre. Il songe
qu'il va peut-être passer une bonne soirée avec son camarade. Son
père, assis dans un fauteuil, jette un coup d'œil sur le journal. Sa [45
maman, de son côté, écoute à la radio *La Tribune de Paris*, émission au
cours de laquelle une vive discussion sur les problèmes du jour s'élève
entre les meilleurs journalistes des grands quotidiens. Mais la transmission est mauvaise et elle éteint (ferme) l'appareil.

Vers neuf heures le téléphone sonne. Jacques se précipite et [50
saisit le récepteur:
— Allô!
— C'est toi, Jacques?
— Oui; tu as fini ton travail?
— Oui, si tu veux aller au cinéma, allons-y tout de suite, car il [55
faut que je sois à la maison à onze heures et demie.
— Bon; je vais te chercher avec la voiture. A tout à l'heure.
— A tout à l'heure.

QUESTIONS

1. Depuis quand apprenez-vous le français? 2. Que faut-il que
vous appreniez pour parler couramment? 3. Pourquoi faut-il connaître
des expressions courantes? 4. Le subjonctif s'emploie-t-il plus souvent
en anglais qu'en français? 5. Quelles sortes d'actions le subjonctif
indique-t-il? 6. Après quels verbes le subjonctif s'emploie-t-il? 7.
Après quelles expressions le subjonctif s'emploie-t-il? 8. Comment
Jacques et Roger se saluent-ils? 9. Qu'est-ce que Roger veut faire le
soir? 10. Qu'est-ce que son père veut qu'il fasse? 11. Vaudrait-il
mieux que Jacques finisse ses devoirs avant de sortir? 12. Vaudrait-il
mieux que vous fassiez vos devoirs avant de venir en classe? 13. Est-il
nécessaire que vous ayez vos devoirs avec vous quand vous venez en
classe? 14. Où est installé Jacques le soir? 15. A quoi s'attend-il?
16. A quoi songe-t-il? 17. Où est assis son père? 18. Que fait son père?
19. Quelle émission sa mère écoute-t-elle à la radio? 20. Pourquoi
éteint-elle l'appareil? 21. Qu'est-ce que Jacques entend sonner vers
neuf heures du soir? 22. Roger a-t-il fini son travail? 23. Avec quoi
Jacques va-t-il chercher son camarade? 24. A quelle heure faut-il que
Roger revienne à la maison?

DEVOIRS

A. Suivez les indications:

1. Dites à Jean qu'il faut que vous soyez à la maison avant onze heures. 2. Dites à votre père que vous ne voulez pas qu'il parte. 3. Dites à Denise qu'il vaudrait mieux que vous finissiez les devoirs. 4. Demandez à Georges s'il est possible qu'il sache sa leçon.

B. Mettez les verbes suivants au présent du subjonctif. EXEMPLE: il a entendu, qu'il entende.

1. je raconte   2. tu as puni   3. elle entendra   4. vous saviez
5. nous sommes restés   6. il a obéi   7. il sert   8. elle avait appris
9. ils choisiraient   10. vous avez attendu   11. je pars   12. nous aurons
13. tu es   14. j'ai pris   15. tu es sorti   16. j'ai perdu   17. vous avez
salué   18. je vais   19. nous serons   20. vous faites

C. Remplacez l'infinitif par une forme du subjonctif s'il y a lieu:

1. Il est possible de (partir) à neuf heures. 2. Voulez-vous que je (rester) à la maison? 3. Il faut que je (sortir) tout à l'heure. 4. Il faut (donner) un coup de téléphone à votre mère. 5. Il est important que nous (savoir) s'il viendra. 6. Il vaudrait mieux (payer) un peu plus. 7. M. Dupont veut que ses enfants (apprendre) le français. 8. Il veut (aller) en France avec eux. 9. Faut-il que nous (être) là? 10. Il est possible que votre professeur (aller) à Détroit. 11. Est-il possible qu'il (finir) son travail avant le mois de mars? 12. Il est bon que vous (être) en classe. 13. Je voudrais (aller) au cinéma. 14. Il est peu probable que nous (comprendre) ce monsieur.

D. Les verbes des phrases suivantes sont au subjonctif. Faites les change-
   ments nécessaires pour écrire les phrases en employant l'infinitif.
   Remarquez le changement du sens de la phrase.[1] EXEMPLE: Je voudrais que *vous appreniez* le français. Je voudrais APPRENDRE
   le français.

1. Il veut que je sois à la maison. 2. Il est possible que vous parliez français. 3. Il vaudrait mieux que je parte tout de suite. 4. Il est impossible que vous compreniez ces pages. 5. Il faut que nous soyons à Paris.

[1] In other words, the subjunctive is used when the subject of the second clause is not the same as the subject of the main clause. When the two subjects would be the same, the infinitive is used. The above example is translated: *I wish that you would learn French.* Changing to the infinitive, it may be translated: *I wish that I would learn French;* or *I should like to learn French.*

E. *Les verbes des phrases suivantes sont à l'infinitif. Faites les change-*
ments nécessaires pour employer vous *avec le subjonctif.* EXEMPLE:
Il voudrait ALLER au cinéma. Il voudrait que *vous* ALLIEZ au
cinéma.

1. Je désire parler à votre père. 2. Il vaudrait mieux savoir une
langue vivante. 3. Il est possible de choisir plusieurs cours. 4.
Faut-il demander le prix?

GRAMMAIRE

1. What is the nature of the subjunctive? (§ 76) How is the
subjunctive of regular verbs formed? (§ 73 A) Give the forms of the
present subjunctive of *donner, punir, dormir,* and *répondre.* (Page 238)

2. How is the subjunctive of irregular verbs formed? (§ 73 B)
Give the forms of the subjunctive of *boire, devoir, mourir, prendre,* and
venir. (Page 238)

3. There are a certain number of subjunctives whose stems are
completely irregular. Learn these verbs. What are the forms of the
subjunctive of the verbs *aller, avoir, être, faire, falloir, pouvoir, savoir,*
valoir, and *vouloir?* (§ 73 C)

4. What two uses of the subjunctive do you find in this lesson?
(§ 76 A, B)

5. When does one use the infinitive instead of the subjunctive
after impersonal expressions and after verbs of wishing? (§ 78 A, B)

6. Study the verbs *pouvoir* (§ 86, no. 26) and *prendre* (§ 86, no. 27)
according to the outline in § 84 D. Add the present subjunctive to your
outline.

========= *QUARANTE-SEPTIÈME LEÇON* =========

Comment on fait la connaissance d'une jeune
fille française

Depuis quelques jours, ce jeune Américain cherche à faire la
connaissance d'une jeune fille française qui veuille bien sortir avec
lui. Mais il ne connaît personne qui puisse lui indiquer comment
faire. Enfin, il rencontre Charles.

— J'aimerais bien connaître quelqu'un qui me dise comment [5
faire en France la connaissance d'une jeune fille. Je m'étonne que
cela ne soit pas plus facile. Je serais très content de sortir avec une

Française. J'ai essayé au moins dix fois, mais je doute que ces jeunes filles aient approuvé ma façon de me présenter, et j'ai peur maintenant de les effrayer. Vous allez rire de moi, mais j'ose à peine le leur [10 proposer. Je crains d'être mal jugé.

— Eh bien! C'est dommage que vous ne m'ayez pas demandé cela plus tôt. J'aurais pu vous donner des indications. Je regrette que les choses soient si différentes à cet égard de ce qui se passe chez vous. Oui, je crains qu'il soit plus difficile ici de faire la connaissance [15 de jeunes filles de bonne famille, mais je m'étonne que vous n'en ayez pas déjà eu l'occasion. Ce n'est pourtant pas impossible, croyez-moi, puisque — et je suis heureux de vous en faire part — je vais épouser bientôt la plus charmante d'entre elles.

— Allons donc! Ah mais . . . tous mes compliments! Et [20 puis-je vous demander où vous avez fait la connaissance de votre fiancée?

— Oh, nous sommes des amis d'enfance. Du reste, mes parents et les siens sont eux-mêmes de vieux amis et ils ne s'étonnent certaine-ment pas du tout de voir notre amitié aboutir au mariage. Mais [25 cela ne résoud pas votre problème, car vos amies d'enfance à vous [1] sont en Amérique. Voyons . . . je serais très heureux que vous ac-ceptiez de venir à mon mariage le 1er juillet prochain, et là, j'en profi-terais pour vous présenter à plusieurs jeunes filles.

— Je vous remercie beaucoup, mais je suis désolé de ne pas avoir [30 su cela plus tôt, car je vais sur la Côte d'Azur et il ne me sera pas possible d'assister à la cérémonie.

— Eh bien! justement, les vacances sont une excellente occasion de faire des connaissances. Au bout de quelques jours à la plage ou à la montagne, tout le monde se connaît. Les jeunes filles y sont beau- [35 coup plus libres qu'à la ville. Je suis sûr que vous aurez bien des occasions d'en voir, de danser et d'aller vous promener avec elles. Je ne doute pas que plus d'une vous plaise. N'ayez pas peur de leur demander de les revoir à votre retour à Paris. Je doute que cela se fasse encore beaucoup, mais il serait peut-être préférable de demander [40 la permission aux parents des jeunes filles. Cela ne m'étonnerait pas qu'ils vous accompagnent la première fois que vous sortirez [2] avec leur fille. Enfin, soyez patient. Vos amies vous emmèneront alors à des soirées dansantes chez leurs amis. Vous y verrez beaucoup de jeunes Françaises. [45

(à suivre)

---

[1] The *à vous* is used to emphasize *vous*. In English, we should italicize *your* in writing and stress it in speaking to gain the same effect.

[2] How would you explain the use of this future?

QUESTIONS

1. Que cherche ce jeune Américain? 2. Pourquoi a-t-il peur d'effrayer les jeunes filles françaises? 3. Est-il plus difficile de faire la connaissance d'une Française que d'une Américaine? 4. Comment Charles a-t-il connu sa fiancée? 5. Les parents de Charles s'étonnent-ils que leur fils se marie avec cette jeune fille? 6. Quand aura lieu le mariage de Charles? 7. Pourquoi cet Américain ne peut-il pas assister au mariage? 8. Pourquoi les vacances sont-elles une très bonne occasion de faire des connaissances? 9. Comment l'Américain aura-t-il l'occasion de revoir à Paris ses amies de vacances? 10. Serait-il préférable de demander la permission des parents avant de sortir avec une Française? 11. Est-ce que cela vous étonnerait que les parents accompagnent leur fille quand vous sortez avec elle?

DEVOIRS

A. Répondez aux questions suivantes par une phrase complète en commençant par oui *ou* non. *Soulignez les verbes au subjonctif et à l'infinitif dans vos réponses.*

1. L'Américain veut-il connaître une Française qui veuille sortir avec lui? 2. Connaît-il quelqu'un qui puisse lui indiquer la façon de faire des connaissances? 3. Seriez-vous content de sortir avec un Français ou une Française? 4. Seriez-vous heureux que le père de la jeune fille sorte avec vous? 5. Serait-il difficile de connaître des Françaises à la plage?

B. Mettez les verbes suivants (1) *au présent du subjonctif* (2) *au passé du subjonctif.* EXEMPLE: elle dormait (1) qu'elle dorme (2) qu'elle ait dormi.

1. nous avons trouvé 2. elle finira 3. nous avons 4. vous partez. 5. ils entendent 6. elle viendra 7. vous pouvez 8. il a été 9. nous nous tournons 10. elle se dirigeait

C. Remplacez l'infinitif par le présent ou le passé du subjonctif s'il y a lieu:

1. Nous cherchons un Français qui (pouvoir) nous expliquer la Constitution française. 2. Je crains que vous n'en (trouver) pas facilement. 3. Êtes-vous content de (rester) ici tout le temps? 4. C'est dommage que votre tante (être) à Tours hier. 5. Il pleuvait tant que j'avais peur de (sortir) de la maison. 6. Mon père est désolé que nous (aller) en Europe l'année prochaine. 7. Nous regrettons de (quitter)

New York demain.   8. Avez-vous peur de (traverser) l'Atlantique?
9. Nous craignons qu'il y (avoir) trop de monde sur le bateau si nous
partons au mois de juin.   10. C'est dommage que vous (voyager) sur
un bateau américain la dernière fois.   11. Nous allons voir si nous
pouvons trouver une chambre qui (avoir) l'eau chaude et l'eau froide.

> D. *Un des verbes dans chacune des phrases suivantes est au subjonctif.*
> *Faites les changements nécessaires pour mettre ce verbe à l'infinitif.*
> *Remarquez le changement de sens.* EXEMPLES: 1. J'ai peur qu'*il*
> *parte.* J'ai peur de PARTIR.   2. Craignez-vous qu'*ils aient perdu*
> leur argent? Craignez-vous d'AVOIR PERDU leur argent?

    1. Il est content que vous puissiez venir.   2. Nous regrettons qu'ils
soient en retard.   3. Je suis étonné que vous ayez trouvé ce livre.   4. Il
a peur que nous partions sans Robert.

> E. *Un des verbes des phrases suivantes est à l'infinitif.* *Faites les change-*
> *ments nécessaires pour l'écrire avec* ils *et le subjonctif.* EXEMPLE:
> Nous avons peur de *sortir.* Nous avons peur qu'*ils* SORTENT.

    1. Elle est étonnée de trouver leurs cahiers.   2. Nous craignons de
partir plus tôt.   3. Je suis content d'avoir entendu de la musique.   4.
Il a peur de faire le voyage.

GRAMMAIRE

    1. What types of verbs and expressions used in this lesson are
followed by the subjunctive in a dependent clause? (§ 76 C, D)
    2. When is the subjunctive and when is the infinitive used after
such verbs and expressions?   Give examples of sentences with each
type of construction. (§ 78 A, B, C)
    3. In a sentence such as: *J'aimerais connaître quelqu'un qui me* DISE
comment faire la connaissance d'une jeune fille, why would the subordinate
verb *dise* be put in the subjunctive? (§ 76 E)
    4. What kind of time is expressed by the *passé du subjonctif*? (§ 77 B)
How is the *passé du subjonctif* formed? (§ 75 A)   Conjugate *donner,*
entrer, and *se laver* in the *passé du subjonctif.* (Page 239)
    5. Study the verbs *rire* (§ 86, no. 28) and *venir* (§ 86, no. 34) ac-
cording to the outline in § 84 D.

Le mariage en France

(suite)

— Vous voyez qu'il est nécessaire d'avoir des parents ou des amis pour faire des connaissances intéressantes. C'est le plus sûr moyen qu'il y ait. Les parents [1] jouent aussi un plus grand rôle qu'en Amérique dans les préliminaires du mariage. Ainsi cela vous amusera peut-être de savoir que souvent le jeune homme qui veut se marier [5 ne consulte pas d'abord les parents de la jeune fille mais plutôt les siens. Ce sont eux qui vont chez les parents de la jeune fille pour la demander en mariage, car ce sont les seuls qui puissent régler les questions de détails.

— Je crains de ne pas savoir ce que vous entendez par questions [10 de détails.

— Il y a très souvent des questions d'argent comme la dot [2], vous savez, la somme d'argent que la jeune fille apporte à son mari au moment du mariage. Elle doit être en rapport avec la situation financière du jeune homme. C'est la question la plus délicate qui soit à [15 régler.

— Je m'étonne que ces questions d'argent interviennent dans un mariage d'amour comme le vôtre. Ou bien, est-ce qu'on ne se marie pas par amour en France?

— Je crains de ne pas vous avoir donné suffisamment d'explica- [20 tions. Autrefois, quand les différences entre les classes sociales étaient plus marquées, le mariage était souvent une alliance entre familles de condition égale. On épousait souvent une jeune fille pour sa dot ou un jeune homme pour sa position sociale. Les jeunes gens suivaient alors aveuglément les désirs de leurs parents, et ils se mariaient [25 souvent sans s'aimer. Aujourd'hui, les mariages de convenance, qui se faisaient pour des raisons uniquement financières ou sociales, ont à peu près disparu. Mais la coutume de la dot s'est parfois maintenue. Je crains que vous ne compreniez pas son but. Elle constitue la plus grande sécurité que l'on puisse donner au [30 mariage. Elle permet au mari de vivre à l'aise avec sa femme et de s'établir solidement dans ses affaires en attendant qu'il puisse gagner assez d'argent pour économiser et mettre de côté à son tour une dot pour leurs enfants quand ils en auront.

---

[1] Some years ago, it was necessary by law to have the permission of the parents in a marriage up to the age of twenty-five. Now the age is twenty-one.

[2] In some circles of French society, the dowry has disappeared entirely. In others, it still exists. It is much less common now than formerly.

— Je comprends. Mais est-ce qu'on reste longtemps fiancé en [35 France?

— Généralement d'un à six mois. Il y a d'abord les fiançailles, célébrées dans un grand dîner de famille, où l'on félicite les fiancés et où le jeune homme offre à la jeune fille la plus jolie bague qu'il ait pu acheter. Ensuite, quand la date du mariage approche, les bans, [40 c'est-à-dire l'annonce du mariage, sont publiés à l'église et à la mairie.

— Et comment se passe la cérémonie du mariage?

— En France, il y a deux cérémonies: le mariage civil, établi par le Code Napoléon, et le mariage religieux, si on le désire. Le mariage civil est célébré dans une salle spéciale de la mairie qui s'appelle [45 *la salle des mariages*. Le maire lit aux jeunes gens les articles du Code Civil relatifs aux devoirs et aux droits des époux, puis il leur demande s'ils veulent être mari et femme. Ils répondent «oui» et signent un registre devant deux témoins. Le même jour ou un autre jour, si l'on désire le mariage religieux, une grande cérémonie a lieu à [50 l'église. Dans certains cas, le prêtre fait un sermon sur la beauté du mariage. Ensuite, tous les invités assistent à un grand repas souvent suivi d'un bal, généralement chez les parents de la jeune fille.

— Je vois que vos coutumes sont assez différentes des nôtres. Merci bien de vos conseils. Je tâcherai de les suivre dès que je serai sur [55 la Côte d'Azur.

QUESTIONS

1. Quand il veut se marier, le Français consulte-t-il d'abord les parents de la jeune fille ou les siens? 2. En Amérique, quand vous voulez vous marier, consultez-vous les parents de la jeune fille ou les vôtres? 3. Qu'est-ce que la dot? 4. A quoi sert la dot? 5. Qu'est-ce que le mariage de convenance? 6. Combien de temps reste-t-on fiancé en France? 7. Qu'est-ce que les fiançailles? 8. Où sont publiés les bans? 9. Quelles sont les deux cérémonies de mariage en France? 10. Où a lieu le mariage civil? 11. Que lit le maire pendant la cérémonie du mariage civil? 12. De quoi est suivie la cérémonie du mariage?

DEVOIRS

A. Suivez les indications:

1. Dites à Philippe que vous craignez de ne pas comprendre l'utilité de la dot. 2. Dites à Gérard que vous vous étonnez de ne pas avoir vu sa femme. 3. Dites à Charles que ses parents sont plus jeunes que les vôtres. 4. Dites à Yvonne que vos fenêtres sont plus grandes que les siennes.

B. Remplacez les infinitifs par la forme convenable du verbe:

1. *Quatre-vingt-treize* est le dernier roman de Victor Hugo qui (être) intéressant. 2. Nice est la seule ville qu'ils (visiter) l'été dernier. 3. Balzac est le meilleur écrivain français que vous (connaître). 4. Est-ce que *Souvenir* est la plus belle poésie de Musset que vous (lire) hier? 5. Quels sont les plus hauts édifices que vous (voir) à Paris l'année dernière?

C. Un des verbes de chaque phrase est au subjonctif. Faites les changements nécessaires pour mettre ce verbe à l'infinitif. Remarquez le changement de sens. EXEMPLES: 1. Il a peur que je *ne sache pas* la leçon. Il a peur de NE PAS SAVOIR la leçon. 2. Êtes-vous content que Jean *ne soit pas* monté? Êtes-vous content de NE PAS ÊTRE monté?

1. Je m'étonne que Marie ne comprenne pas cette poésie. 2. Avez-vous peur qu'elle n'aille pas en classe? 3. Je regrette qu'il n'ait pas travaillé cette année. 4. Nous sommes contents qu'ils ne soient pas partis ce matin. 5. Il craint que vous n'ayez pas assez d'argent. 6. Ma mère est désolée que vous n'ayez pas vu Paris.

D. Remplacez les expressions en italique par des pronoms possessifs. EXEMPLES: 1. Sa sœur est plus âgée que *ma sœur.* Sa sœur est plus âgée que *la mienne.* 2. Je préfère nos villes *à vos villes.* Je préfère nos villes *aux vôtres.*

1. Votre bibliothèque est différente de *ma bibliothèque.* 2. Leur appartement est plus grand que *mon appartement.* 3. Mon stylo n'a pas d'encre. Donnez-moi *votre stylo.* 4. La littérature française est aussi intéressante que *notre littérature.* 5. Les coutumes des Bretons sont différentes de *nos coutumes.* 6. Ma chambre est plus petite que *votre chambre.* 7. Sa maison est plus grande que *leur maison.* 8. Je donnerai de l'argent à mon frère; donnez-en à *votre frère.* 9. L'Arabe portait un costume différent de *nos costumes.*

E. Exprimez chaque phrase de deux façons différentes. EXEMPLE: Ce chien est le mien. 1. Ce chien est à moi. 2. Ce chien m'appartient.

1. Cette encre est la sienne. 2. Ces livres sont à eux. 3. Ce stylo est à vous. 4. Ces maisons m'appartiennent.

GRAMMAIRE

1. What types of words sometimes require a subjunctive in a following modifying clause? (§ 76 F)

2. When are *ne* and *pas* placed immediately before the verb? Does this rule hold in case of a past infinitive? (§ 21 I)

3. Give an English sentence containing a possessive pronoun. What are the French possessive pronouns. (§ 31 A, B) Distinguish in pronunciation between the possessive adjectives *notre* and *votre* and the possessive pronouns *nôtre* and *vôtre*. (§ 31 C)

4. With what and how do possessive pronouns agree? (§ 31 D)

5. What are various methods of indicating possession in French? (§ 31 E)

6. Study the verbs *voir* (§ 86, no. 36) and *vouloir* (§ 86, no. 37) according to the outline in § 84 D.

QUARANTE-NEUVIÈME LEÇON

La course-cycliste

Un jour, en me promenant dans une petite ville de France avec un camarade, j'ai vu une grande foule qui se massait des deux côtés de la rue. Des gendarmes empêchaient les gens de traverser.

— Dépêche-toi, à moins que tu veuilles rester ici, m'a dit mon camarade. Il y en a pour un quart d'heure avant que nous puissions [5 continuer notre promenade.

— Ça m'est égal si c'est quelque chose d'intéressant. Mais que font tous ces gens-là?

— Ils attendent les coureurs-cyclistes du «Tour de France». Tu vois ces gendarmes? Ils dégagent la route jusqu'à ce que les coureurs [10 soient passés. Dépêche-toi pour que nous traversions la route tout de suite — à moins que tu préfères rester ici.

— Pourvu que ça ne dure pas trop longtemps, j'aimerais bien voir passer les coureurs. Mais explique-moi de quoi il s'agit. Je n'y connais rien. [15

— Tu n'as jamais entendu parler des courses de bicyclettes? Bien que les Français ne soient pas aussi sportifs que les autres peuples d'Europe, ils aiment bien suivre les résultats de ces courses. La course-cycliste est un des sports les plus populaires que je connaisse. On désigne généralement les courses par le nom de la ville où le départ [20 a lieu et celui de la ville où a lieu l'arrivée. Il y a, par exemple, Paris-

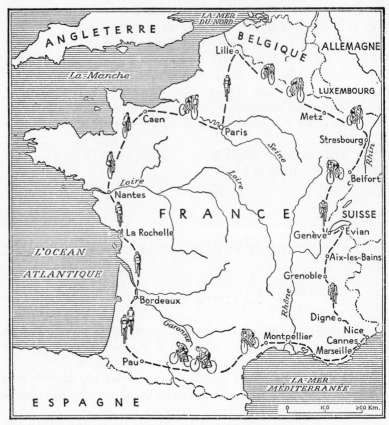

Le Tour de France est la course la plus populaire que nous ayons

Lille, Paris-Nice, Bordeaux-Paris, le Tour de France, etc. Certaines
courses ne durent qu'un jour, d'autres durent plusieurs jours et se
font par étapes de cent à trois cents kilomètres.

   ·   Les coureurs partent de bonne heure le matin et la course dure [25
jusqu'à la fin de l'après-midi. Le Tour de France, qui est la course
la plus populaire que nous ayons, dure trois semaines. Il commence
et finit à Paris. L'itinéraire, qui fait à peu près le tour de tout le pays,
n'est pas toujours le même. L'année dernière, les coureurs sont passés
par Lille, Metz, Belfort, Évian, Aix-les-Bains, Grenoble, Digne, [30
Nice, Cannes, Marseille, Montpellier, Pau, Bordeaux, La Rochelle,
Nantes, Caen et Paris. Les courses-cyclistes sont organisées en général
par des journaux sportifs. Il y aurait beaucoup d'accidents si on ne

dégageait pas la route pendant le passage des coureurs. Mais attention!
Les voilà! [35

Pendant dix minutes nous avons vu défiler les coureurs. Un grand
nombre de voitures de publicité suivaient le peloton. Il y en avait de
toutes les tailles et de toutes les couleurs, formant une vraie caravane.
Il y avait des voitures commerciales qui avaient acheté le droit de suivre
la course. On offre une somme d'argent au coureur qui arrive le [40
premier en haut des plus grandes côtes du parcours. La valeur publicitaire des courses est énorme.

Sur tout le parcours la foule se masse le long de la route. Les
paysans quittent leur travail aux champs pour voir le passage des
coureurs et pour encourager leur favori. [45

Après le passage des coureurs, la foule s'est dispersée et mon camarade m'a dit:

— Tu as vu ta première course-cycliste. Mais ce n'est pas le seul
sport que nous pratiquions. Quoique les Français ne fassent pas
autant de sports que les Anglais et les Américains, ils en font. [50
Écoute. (à suivre)

QUESTIONS

1. Qui empêchait les jeunes gens de traverser la route? 2. Qu'est-ce
que ces gens attendaient? 3. Quel est le sport le plus populaire aux
États-Unis? 4. Citez quelques courses-cyclistes. 5. Quelle est la
course-cycliste la plus populaire de France? 6. Combien de jours durent
ces courses? 7. Comment sont organisées les courses qui durent plusieurs jours? 8. Qu'est-ce qui suit le peloton des coureurs? 9. Qui
offre une somme d'argent au coureur qui arrive le premier en haut
des plus grandes côtes du parcours?

DEVOIRS

A *Suivez les indications:*.

1. Dites à Michel que vous partirez à moins qu'il veuille que
vous restiez. 2. Demandez à Philippe s'il travaillera jusqu'à ce qu'il
ait fini ses devoirs. 3. Dites à Jeanne que vous lui donnerez un coup
de téléphone avant qu'elle sorte. 4. Demandez à Jacques s'il a acheté
la voiture pour que vous puissiez partir en vacances ensemble.

B. *Remplacez l'infinitif par la forme convenable du verbe:*

1. Avant que nous (partir), je voudrais vous dire son nom. 2. Je
vous le dis pour que vous (pouvoir) lui écrire. 3. Bien que vous
(apprendre) le français, vous ne pourrez pas lire facilement un écrivain

du seizième siècle.   4. J'irai à Chamonix faire des excursions dans les
Alpes à moins que ma mère me (défendre) d'y aller.   5. Continuez à
travailler jusqu'à ce qu'on vous (dire) de vous arrêter.   6. On vous
verra pourvu que vous y (être).   7. Quoique vous (avoir) beaucoup à
faire, vous venez toujours me voir à l'hôpital.   8. Ne partez pas sans
que votre père vous (donner) la permission.   9. Autant que je (savoir),
il me la donnera.   10. Quoi que vous (faire), il ne sera pas très content.
11. Il m'a envoyé ce livre afin que je le (lire).

    C. Un des verbes dans chacune des phrases suivantes est au subjonctif.
    Faites les changements nécessaires pour le mettre à l'infinitif. Re-
    marquez le changement de sens. EXEMPLE: Robert a ouvert la
    porte pour que vous *entriez* dans la maison.   Robert a ouvert la
    porte pour ENTRER dans la maison.

    1. Paul me donnera un journal avant que je sorte.   2. Marie restera
à la maison pour que les enfants entendent cette histoire.   3. J'écrirai
à mes parents afin que vous sachiez où est Roger.

    D. Un des verbes dans chacune des phrases suivantes est à l'infinitif.
    Faites les changements nécessaires pour employer le subjonctif avec
    vous.   EXEMPLE: Hélène montrera les livres à tout le monde
    avant de *sortir.*   Hélène montrera les livres à tout le monde
    avant que *vous* SORTIEZ.

    1. J'achèterai une voiture afin de voir le pays.   2. Jean prendra les
billets avant de monter dans le train.   3. Suzanne ira au restaurant
avec nous pour faire la connaissance de ce jeune homme.

GRAMMAIRE

    1. After what subordinate conjunctions is the subjunctive used
in French?   (§ 76 G)
    2. When must *a preposition* + *an infinitive* be used instead of *a
subordinate conjunction* + *a subjunctive?*   (§ 76 G)
    3. By what prepositions are the following subordinate conjunc-
tions replaced: *afin que, pour que, à moins que, avant que, sans que?* (§ 76 G)
    4. Study the irregular subjunctives of the common simple verbs.
(Page 242)
    5. Study the verbs *savoir* (§ 86, no. 29) and *suivre* (§ 86, no. 30)
according to the outline in § 84 D.

Le sport en France

(*suite*)

— A propos de sports, il faut distinguer entre le sport des profes-
sionnels et le sport des amateurs, entre les sports qui se jouent par
équipes, comme le football et le basket-ball, et ceux qui sont individuels
et auxquels chacun peut participer pour son compte personnel. Je crois
qu'en France nous nous intéressons presque autant aux sports profes- [5
sionnels que dans les autres pays, mais je ne crois pas qu'il y ait autant
de gens qui fassent du sport. Il est certain en tout cas que nous portons
plus d'intérêt aux sports aujourd'hui qu'auparavant.

— Crois-tu que le football, par exemple, soit aussi populaire en
France qu'en Amérique? [10

— Il est très difficile de faire une comparaison, parce que l'organisation et même la façon de jouer sont tout à fait différentes. Il est certain,
d'ailleurs, qu'après les courses-cyclistes, le football professionnel est le
sport le plus populaire et le plus répandu chez nous. Avant 1932 le
football était uniquement un sport d'amateurs. A ce moment-là il a [15
été organisé comme sport professionnel. Je ne crois pas qu'il soit tout
à fait comme votre football américain. Chez nous la saison commence
vers la fin d'août et ne se termine qu'au mois de mai. Les équipes sont
organisées par les villes ou par les clubs plutôt que par les écoles. Et
puis, je crois que la façon de jouer au football français est différente. [20
En France, c'est vraiment avec les pieds qu'on joue. On n'a pas le
droit de toucher le ballon avec les mains. Je pense que votre football
américain ressemble au rugby, qui se joue aussi en France.

— Et le basket-ball?

— Le basket-ball se joue surtout l'hiver. Il est organisé par [25
des équipes d'amateurs.

— Et le base-ball?

— Il est presque inconnu en France. Je suis sûr que la plupart des
Français n'avaient jamais entendu parler du base-ball avant l'arrivée
des soldats américains en France en 1944. [30

— Y a-t-il d'autres sports d'équipe?

— Le hockey se joue l'hiver. Mais peut-être que c'est l'athlétisme
qui est le plus populaire. L'athlétisme consiste en course à pied [1],
saut [2], lancement du poids [3], du javelot [4], du marteau [5], etc. L'athlétisme est généralement organisé par des clubs. [35

— Mais les lycées et les grandes écoles? Je suis sûr qu'on fait du
sport dans les écoles. Chez nous, c'est une partie du programme.

---

[1] *track* [2] *high jump* [3] *shot-put* [4] *javelin* [5] *hammer-throw*

— Je ne crois pas que tu comprennes bien la mentalité française.
Tout récemment, les autorités des lycées ont commencé à s'intéresser
aux récréations. Autrefois dans beaucoup de lycées et dans les [40
grandes écoles[1], les sports qui existaient étaient organisés par les
élèves eux-mêmes et tolérés par l'administration. Des équipes de football, par exemple, organisaient des rencontres entre elles, mais sans l'intervention de l'administration. Aujourd'hui seulement, cette administration commence à s'intéresser à l'organisation officielle des sports. [45

— Ça m'étonne. Je n'aurais pas pensé que les Français soient si peu
sportifs. En tout cas, le tennis et le golf doivent se jouer couramment.

— Je suis sûr que tu verras souvent jouer au tennis en France.
Mais on y joue parmi les gens d'un certain milieu. Il est beaucoup
moins répandu qu'en Amérique. Je ne crois pas qu'il y ait beaucoup [50
de joueurs de golf dans le pays. Le golf existe, évidemment, mais on n'y
joue pas beaucoup; les hommes d'affaires français ne s'y habituent pas.

— D'où vient cette différence?

— Chaque peuple a sa façon de s'amuser. Le Français est plus
individualiste. Et pourtant, n'oublie pas que c'est un Français, [55
Pierre de Coubertin, qui a fondé en 1894 les nouveaux Jeux Olympiques.

QUESTIONS

1. Après les courses-cyclistes, quel est le sport le plus répandu en
France? 2. Le football français est-il un sport amateur ou professionnel?
3. Quelle est la différence entre le football américain et le football
français? 4. A quoi ressemble le football américain? 5. Le basket-ball
se joue-t-il en France? 6. A quelle époque les Français ont-ils commencé à connaître le base-ball? 7. Citez d'autres sports d'équipe qui
se jouent en France. 8. Comparez l'importance des sports dans les
écoles américaines et dans les écoles françaises. 9. Qui est Pierre de
Coubertin?

DEVOIRS

A. *Répondez aux questions suivantes par une phrase complète, en commençant la phrase par* oui *ou* non.

1. Croyez-vous que nous nous intéressions trop aux sports? 2.
Croyez-vous que le basket-ball soit plus intéressant que le football?
3. Les Russes croient-ils que nous sommes forts? 4. Les Allemands
croyaient-ils qu'ils avaient vraiment perdu la guerre de 14? 5. Pensez-
vous qu'il y ait une nouvelle guerre? 6. Pensez-vous que le football
devrait être une partie du programme des écoles?

[1] *higher institutions of learning*, including universities and technical schools

B. Remplacez l'infinitif par l'indicatif ou le subjonctif. Expliquez oralement votre choix. Attention au temps des verbes.

1. Je crois qu'il (pleuvoir) demain. 2. Est-il certain que vous (recevoir) de l'argent hier? 3. Il pense que vous (être) à Paris lundi dernier. 4. Elle ne croit pas que nous (avoir) une voiture maintenant. 5. Êtes-vous sûr que votre père (partir) demain? 6. Êtes-vous sûr que votre père (partir) hier? 7. Nous pensons que vous (faire) trop de choses pour lui quand il était chez vous. 8. Croyez-vous qu'il (vouloir) connaître M. Dupont? 9. Je suis certain qu'il (être) chez lui demain. 10. Nous ne croyons pas qu'il (pouvoir) arriver à Chicago avant dix heures demain. 11. Ils croient que nous (aller) les voir. 12. Je ne pense pas que mon frère (savoir) jouer au tennis. 13. Nous sommes sûrs qu'il n'y (avoir) pas de guerre avant l'année prochaine. 14. Ils ne croient pas que j'(entendre) ce qu'ils disaient. 15. Croit-il que vous (venir) chez moi hier matin?

C. Introduisez les adverbes entre parenthèses dans les phrases suivantes.

EXEMPLE: (bien) Vous avez parlé. Vous avez *bien* parlé.

1. (hier) J'ai voulu voir votre équipe de football. 2. (encore) Je ne l'ai pas vu. 3. (lentement) Je me suis approché du village. 4. (peut-être) Je verrai des joueurs de tennis. 5. (déjà) J'en avais vu à Paris. 6. (demain) Vous verrez le club de la ville. 7. (certainement) Il y aura de bons joueurs de golf. 8. (toujours) Mon oncle a joué au golf et au tennis. 9. (souvent) Il disait qu'il voudrait passer toute sa vie à faire du sport. 10. (tard) Je suis arrivé chez moi. 11. (beaucoup) J'avais travaillé tout l'après-midi. 12. (trop) Vous avez écrit. 13. (assez) C'est parce que je n'ai pas pensé à ce que j'écrivais. 14. (aujourd'hui) Je suis allé voir le lycée. 15. (ici) Non, je ne suis pas venu. 16. (peut-être) Vous viendrez demain. 17. (hier) Êtes-vous allé à votre cours de littérature? 18. (aussi [1]) Vous avez entendu la conférence sur le roman contemporain.

GRAMMAIRE

1. When does one use the subjunctive after expressions of thinking and believing? after expressions such as *Je suis sûr*, etc.? (§ 76 H)

2. How do you account for the subjunctive after verbs of thinking and believing used negatively and interrogatively but not affirmatively? Do the French always use the subjunctive in this case?

3. What is the difference in time between the present and the past subjunctive in clauses following such verbs? (§ 77)

[1] Used in the sense of *therefore*.

4. What is the usual position of adverbs in a French sentence?
(§ 19 A)

5. Where is the adverb placed in sentences with compound tenses?
in negative sentences with compound tenses? (§ 19 B)

6. What about long adverbs and adverbs of time and place in sentences with compound tenses? (§ 19 C)

7. What special word-order is often found with *peut-être* and *aussi*
(so)? (§ 19 D)

8. Study the verbs *tenir* (§ 86, no. 31) and *vivre* (§ 86, no. 35) according to the outline in § 84 D.

★ ★ ★

Il était une bergère

Il [1] était un' [2] bergère [3]
Et ron, ron, ron, petit patapon,
Il était un' bergère
Qui gardait ses moutons,
    Ron, ron,
Qui gardait ses moutons.

Elle fit un fromage,
Et ron, ron, ron, petit patapon,
Elle fit un fromage
Du lait de ses moutons,
    Ron, ron,
Du lait de ses moutons.

Le chat qui la regarde,
Et ron, ron, ron, petit patapon,
Le chat qui la regarde
D'un petit air fripon [4],
    Ron, ron,
D'un petit air fripon.

Si tu y mets la patte [5],
Et ron, ron, ron, petit patapon,
Si tu y mets la patte,
Tu auras du bâton [6],
    Ron, ron,
Tu auras du bâton.

Il n'y mit pas la patte,
Et ron, ron, ron, petit patapon,
Il n'y mit pas la patte
Il y mit le menton,
    Ron, ron,
Il y mit le menton.

La bergère en colère,
Et ron, ron, ron, petit patapon,
La bergère en colère
Tua son p'tit chaton [7],
    Ron, ron,
Tua son p'tit chaton.

---

[1] *There*   [2] *Pronounce as* une [yn].   [3] *shepherdess*   [4] *mischievous*   [5] *paw*
[6] *stick*   [7] *kitten*

Leçons 41 à 50

Noms importants

Identifiez en français les noms suivants:

Afrique-Équatoriale
française
Afrique-Occidentale
française
Code Civil
Code Napoléon
Coubertin
Dakar
Dantzig
FFI

France métropolitaine
de Gaulle
Hitler
Jeux Olympiques
Leclerc
Louisiane
Madagascar
Maginot
Marne
Martinique

Nouvelle-Calédonie
Pétain
Tahiti
Tour de France
Triple Alliance
Triple Entente
Tunisie
Union française
Verdun
Versailles

Questions

Répondez aux questions suivantes:

1. Citez les territoires français en Afrique. 2. Quelles sont les colonies françaises les plus importantes du Pacifique? 3. Quels sont les liens qui unissent la France avec ses colonies? 4. Par quel incident la guerre de 14 a-t-elle commencé? 5. En quoi la guerre de 14 a-t-elle été différente des autres guerres? 6. Quels sont les territoires que l'Allemagne a perdus par le traité de Versailles? 7. Comment les nationaux-socialistes ont-ils pu imposer la dictature d'Hitler en Allemagne? 8. Qu'est-ce que le gouvernement de *front populaire* a entrepris en France? 9. Pourquoi les Français ont-ils pris position derrière la ligne Maginot pendant «la drôle de guerre»? 10. Expliquez la défaite de la France en 1940. 11. Qu'est-ce que l'exode? 12. Qu'ont fait les Français pour résister aux Allemands pendant l'occupation? 13. Qu'est-ce qui se passait dans Paris juste avant la libération? 14. Qu'est-ce que les Parisiens avaient à manger pendant ces jours-là? 15. Quand l'Allemagne s'est-elle rendue? 16. Le subjonctif s'emploie-t-il souvent en français? 17. Avec quelles sortes d'expressions faut-il employer le subjonctif? 18. A quelle heure faut-il que vous soyez à la maison ce soir? 19. Comment un jeune homme français peut-il faire la connaissance d'une jeune Française de bonne famille à Paris? 20. Pourquoi est-il plus facile de faire la connaissance d'une Française pendant les vacances? 21. Pourquoi est-il préférable qu'un jeune homme demande aux parents la permission de sortir avec leur fille? 22. En quoi les coutumes françaises de mariage sont-elles différentes des nôtres? 23. Où les bans sont-ils publiés? 24. Où se passe le mariage civil? le mariage

religieux? 25. Les Français s'intéressent-ils aux sports autant que les autres peuples d'Europe? 26. Comment sont organisées les courses-cyclistes? 27. Quelle est la valeur commerciale des courses-cyclistes? 28. Quel est le sport américain qui est presque inconnu en France? 29. Comment est organisé le football en France? 30. En quoi consiste l'athlétisme?

COMPOSITION

Écrivez une composition sur un des sujets suivants:

1. L'Union française 2. La guerre de 14 3. «La drôle de guerre» 4. L'exode 5. L'occupation allemande 6. Le débarquement 7. La libération de Paris 8. Le mariage en France 9. Le football en France

DEVOIRS

A. Remplacez l'infinitif par la forme convenable du verbe:

1. Si les élèves français faisaient plus de sport, ils n'(apprendre) peut-être pas autant de latin et de grec. 2. Jacques (parler) anglais s'il avait su que votre camarade ne comprend pas le français. 3. Je vous (voir) ce soir si mon père me laisse sortir.

B. Mettez les phrases suivantes à la voix passive:

4. Des avions anglais ont détruit cette ville. 5. Les Américains reconstruiront la bibliothèque. 6. On connaît cet écrivain.

C. Remplacez les tirets par une préposition où il y a lieu:

7. Avez-vous appris —— parler français? 8. Allez-vous —— continuer —— étudier le français? 9. Voulez-vous —— visiter la France? 10. N'oubliez pas —— regarder tous ces beaux édifices dont vous avez lu la description. 11. Nous espérons que vous continuerez —— aimer la France et les Français.

D. Écrivez les questions suivantes sans . . . est-ce-que . . . :

12. Où est-ce que le roi est mort? 13. Pourquoi est-ce que les Allemands ont pris l'Autriche et une partie de la Tchécoslovaquie?

E. Remplacez les expressions en italique par un pronom possessif.

EXEMPLE: Nos coutumes sont moins pittoresques que *leurs coutumes.* Nos coutumes sont moins pittoresques que *les leurs.*

14. Nos sports se jouent par équipe; *vos sports* sont individuels. 15. Voici ma radio. Où est *la radio de Georges?* 16. Ma voiture est plus vieille que *la voiture de madame Lemonier.*

F. Mettez la forme convenable du verbe indiqué:

17. Je suis certain que vous (s'intéresser) aux coutumes françaises.
18. C'est dommage que nous n'(avoir) pas assez de temps pour vous (dire) quelques mots sur les autres coutumes françaises, mais vous (pouvoir) lire des livres qui (parler) uniquement de ces coutumes. 19. Noël est peut-être la fête la plus populaire qu'il y (avoir) en France. 20. Il y a quinze jours de vacances pour que les étudiants (pouvoir) passer Noël dans leur famille. 21. Bien que la France (être) plus au nord que le centre des États-Unis, il ne (neiger) pas souvent à Paris. 22. Mais dans la région des Alpes il y (avoir) beaucoup de neige en hiver. 23. Aimeriez-vous (être) en France à ce moment-là, ou craignez-vous que les sports d'hiver (être) trop dangereux? 24. Les Français (faire) plus de sports si l'hiver (être) plus rude. 25. Êtes-vous content qu'il ne (pleuvoir) pas souvent l'hiver? 26. A moins que notre climat ne (changer) beaucoup, il ne (pleuvoir) jamais ici l'hiver autant qu'en France.

G. Remplacez l'infinitif par le présent ou le passé composé de l'indicatif ou par le présent ou le passé du subjonctif selon le sens:

27. Voilà le gratte-ciel le plus haut que je (connaître). 28. Je ne suis pas sûr que Monsieur Dupont (arriver) déjà. 29. Je crois qu'il (aller) chez sa sœur. 30. A moins que vous me (dire) votre nom, je ne pourrai pas vous envoyer ce paquet. 31. Je suis content que vous (recevoir) cette bague il[1] y a huit jours. 32. Il est vrai que nous (habiter) Paris longtemps, mais nous ne l'(habiter) plus aujourd'hui. 33. C'est la seule langue qu'il (savoir). 34. Il est peu probable qu'il (apprendre) l'anglais avant son arrivée en Amérique. 35. Il se peut que nous (arriver) en retard demain. 36. Je regrette que vous (trouver) la porte fermée quand vous (sonner) hier soir.

H. Introduisez les adverbes indiqués dans les phrases suivantes. EXEMPLE: (déjà) Il a fait ses devoirs. Il a *déjà* fait ses devoirs.

37. (encore) Il n'a pas écrit sa lettre. 38. (bientôt) Nous serons en France. 39. (demain) Vous verrez la Madeleine. 40. (peut-être) Il est parti.

---

[1] *a week ago.* The phrase *il y a* with expressions of time often means AGO.

AUX LEÇONS 41 A 50

QUARANTE ET UNIÈME LEÇON

VOCABULAIRE

l'Afrique-Équatoriale
française (f.)
l'Afrique-Occidentale
française (f.)
l'Arabe (m., f.)
l'Asie (f.)
la communication
*conquérir, conquis
contrôler
le coton

Dakar
le degré
dépendre
le dollar
économique
l'empire (m.)
l'explorateur (m.)
l'Indochine (f.)
la liberté
la Louisiane
Madagascar

métropolitain
le million
la Nouvelle-Calédonie
le Pacifique
le point
le protectorat
le régime
se révolter
Tahiti
la Tunisie

*acquérir, *acquire*; acquis, *acquired*
actuel, actuelle, *present*
le blé, *wheat*
le caoutchouc, *rubber*
le citoyen, *citizen*
échanger, *exchange*
l'Inde (f.), *India*
les Indes (f.), *Indies*
le lien, *tie*
la marchandise, *merchandise*

perdre, *lose*
porter, *wear*
la puissance, *power*
rapprocher, *bring together*; rapproché,
near
le riz, *rice*
sûrement, *surely*
le vêtement, *garment*
la voie, *way, road*

la France métropolitaine, *France proper, European France, referring
to France without her colonies*
l'Union française (f.), *France with all her colonies*
la guerre de 14, *now used to refer to World War I* (1914–18)
la guerre de Sept ans, *the Seven Years' War* (1756–63)

VERBES

THE PAST CONDITIONAL

ALL VERBS *conjugated with* avoir	VERBS OF MOTION *conjugated with* être	REFLEXIVE VERBS *conjugated with* être
j'aurais demandé	je serais entré(e)	je me serais lavé(e)
tu aurais demandé	tu serais entré(e)	tu te serais lavé(e)
il aurait demandé	il serait entré	il se serait lavé
elle aurait demandé	elle serait entrée	elle se serait lavée
nous aurions demandé	nous serions entré(e)s	nous nous serions lavé(e)s
vous auriez demandé	vous seriez entré(e)(s)	vous vous seriez lavé(e)(s)
ils auraient demandé	ils seraient entrés	ils se seraient lavés
elles auraient demandé	elles seraient entrées	elles se seraient lavées

* An asterisk (*) placed *before* a verb indicates that this verb is irregular.

Devoirs

A. 1. If a country has colonies, these colonies will send her various products. 2. If you had spoken French, he would have understood you. 3. If we should lose those territories, we would have less [1] wheat and rice. 4. They will go to the movies if they have the time. 5. France would not have sold Louisiana to the United States if Napoleon had not needed money. 6. They would wear other clothes if they had any. 7. If you had worked this afternoon, you would have finished your exercises. 8. If they arrive before six o'clock, I shall see them. 9. You would not be able to go there if you did not know his mother.

[1] What preposition follows adverbs of quantity? (§ 5 C 1) This preposition must be repeated before each of these nouns.

B. 1. Tell your teacher that you will see him this summer if he is in France. 2. Ask him what he would do if he were rich. 3. Tell John that if he had sent the telegram, you would have received it yesterday. 4. Tell Paul that you would have gone to Tours if you had known that he was there.

QUARANTE–DEUXIÈME LEÇON

Vocabulaire

l'aide (*m.*)	final	la réparation
l'alliance (*f.*)	finalement	la rivalité
l'archiduc (*m.*)	le front	le Serbe
l'arme (*f.*)	garantir	la Serbie
l'armistice (*m.*)	le gaz	signer
assassiner	l'incident (*m.*)	le sous-marin
attraper	inévitable	la suprématie †
l'Autriche-Hongrie (*f.*)	la Marne	le tank
compenser	motorisé	la Triple Alliance
se décider à *	la neutralité	la Triple Entente
déclarer	l'offensive (*f.*)	Verdun
employer	possible	Versailles
l'engin (*m.*)	le préparatif	violer

chercher, *seek to, try to*	gagner, *win*
coûter, *cost*	l'héritier (*m.*) *heir*
le dégât, *damage*	oriental, *east*
entraîner, *draw in, drag in*	remporter, *carry off*
épuisant, *exhausting*	le traité, *treaty*
s'établir, *establish*	la tranchée, *trench*
la flotte, *fleet*	

à peu près, *about*	remporter la victoire, *win, carry off the victory*
l'archiduc-héritier, *crown prince*	le traité de Versailles, *the treaty that ended*
mettre fin à, *put an end to*	*World War I in 1919*

* *se décider à* means MAKE UP ONE'S MIND (after some reflection) as compared with *décider de* which indicates a more rapid decision.

† The *-tie* is pronounced as English *see*. [sypremasi]

Verbes

THE SIMPLE PAST

-er verbs	-ir verbs	-re verbs	-oir verbs
je parlai	je finis	je perdis	je reçus
tu parlas	tu finis	tu perdis	tu reçus
il parla	il finit	il perdit	il reçut
nous parlâmes	nous finîmes	nous perdîmes	nous reçûmes
vous parlâtes	vous finîtes	vous perdîtes	vous reçûtes
ils parlèrent	ils finirent	ils perdirent	ils reçurent

avoir	être	-cer verbs	-ger verbs
j'eus	je fus	j'effaçai	je mangeai
tu eus	tu fus	tu effaças	tu mangeas
il eut	il fut	il effaça	il mangea
nous eûmes	nous fûmes	nous effaçâmes	nous mangeâmes
vous eûtes	vous fûtes	vous effaçates	vous mangeâtes
ils eurent	ils furent	ils effacèrent	ils mangèrent

Devoirs

A. *The instructor will indicate to the class whether to express simple past action by the literary* passé simple *or by the conversational* passé composé *in this exercise.*

1. In 1914 Germany decided to attack France by the north. 2. The German armies crossed Belgium rapidly [1]. 3. The French succeeded in stopping the Germans. 4. In World War I, they used airplanes for the first time. 5. After four years, France and her allies won the war. 6. Germany was obliged to ask for [2] an [3] armistice. 7. In the Treaty of Versailles, which put an end to World War I, Germany lost all her colonies. 8. She had to limit her army and her fleet. 9. But some years later, she began to prepare [4] for [5] another war.

[1] See § 19 A B for the position of the adverb.   [2] Omit in translation.   [3] *l'*
[4] Use a form of *se préparer.*   [5] *à*

B. 1. Ask Mary why she refused to go out last evening. 2. Tell John that you are learning to read French. 3. Tell George that you are trying to find your notebook. 4. Ask your mother if she forgot to buy a newspaper.

QUARANTE-TROISIÈME LEÇON

Vocabulaire

s'aggraver	la circonstance	Hitler
l'ambition (f.)	la crise	la Hollande
annexer	Dantzig	Maginot
s'appliquer	dénoncer	menacer
l'assistance (f.)	la dictature	mutuel, mutuelle
l'aviation (f.)	la domination	le national-socialiste
bombarder	financier, financière	négliger
le capital	franco-allemand	la non-agression

l'opération (*f.*) réel, réelle réorganiser
la position la réforme la situation
réarmer réoccuper la Tchécoslovaquie

aérien, aérienne, *aerial*
afin de, *in order to*
amener, *bring, bring about*
au delà, *beyond*
l'Autriche (*f.*), *Austria*
le but †, *aim*
*conclure, *conclude*; conclu, *concluded*
la défaite, *defeat*
drôle, *funny, strange*
écraser, *crush*
s'emparer, *seize, take possession of*
*entreprendre, *undertake*; entrepris,
    undertaken
s'étendre, *extend oneself*
grâce à, *thanks to*
la grève, *strike*

la ligne, *line*
lors, *then, that moment*
malheureusement, *unfortunately*
manquer, *lack*
mondial, *world-wide*
la Pologne, *Poland*
prétendre, *claim*
prêter, *lend*
quelconque, *any whatsoever*
réclamer, *demand*
reconstituer, *build up*
ressentir (2), *feel*
suffisamment, *sufficiently*
le titre, *title*
vital, *living*
vivement, *deeply, acutely*

(2) indicates an -*ir* verb of the second class. (§ 44 C)

à un titre quelconque, *in any way whatever*
les congés payés, *vacations with pay*
la crise financière, *the depression*
la «drôle de guerre», *the "phony war" (refers to the period in World War II
    between September 1939 and May 1940, when England and France took absolutely
    no aggressive action against Germany, although a state of war had been declared.*
l'espace vital, *"living room" or what the Germans called «Lebensraum» in
    the late 1930's in their propaganda for taking more territory*
le «front populaire», *the popular front, referring to the leftist government of Léon
    Blum, which came to power in May 1936, and which contained a coalition of the
    parties favoring the working classes*
la ligne Maginot, *Maginot Line*
par contre, *on the contrary*

Devoirs

A. 1. How were the Germans able to reconstruct their country? 2. Why did
Hitler demand [1] more territory? 3. How many countries did Germany
take before the beginning of the war? 4. When did France and England
declare war on [2] Germany? 5. Where did the war begin? 6. To what
part of the country did France send soldiers? 7. Why did Italy ask Germany[3]
to withdraw its troops from Poland? 8. In [4] what year [5] did Germany
promise to respect Belgium's neutrality? 9. Why did she continue to
attack countries with which she had concluded non-aggression treaties?

[1] Use a form of *réclamer.*   [2] *à*   [3] This is the indirect object.   [4] *En*   [5] *année*

* An asterisk (*) placed *before* a verb indicates that this verb is irregular.
† Pronounced either [by] or [byt].

B. 1. Ask your teacher why France refused to declare war on Germany in 1938. 2. Ask him where the war began. 3. Ask your mother how the Germans succeeded in rebuilding their industry. 4. Ask her when your brother tried to go to France.

QUARANTE–QUATRIÈME LEÇON

Vocabulaire

l'activité (f.)	durant	le Nazi
aider	ennemi (adj.)	normand
anglo-américain	entièrement	parachuter
anti-nazi	l'entreprise (f.)	le patriote
l'appel (m.)	la force	Pétain
l'autorité (f.)	formidable	le prisonnier
avancer	franco-belge	la résistance
britannique	la fureur	le résistant
le camp	le général	le reste
catastrophique	gigantesque	la rigueur
civil	se grouper	le sabotage
le combat	l'hostilité (f.)	secrètement
le commandement	impossible	Sedan
la concentration	industriel, industrielle	solidement
la confusion	l'invasion (f.)	la torture
le débarquement	isolé	la transmission
débarquer	la libération	le tribut
démoraliser	Lorient	Vichy
déporter	le maquis	violent
la désorganisation	le maréchal	la zone

*accroître, *increase*; accru, *increased*
*admettre, *admit*; admis, *admitted*
*atteindre, *attain*, *reach*; atteint, *attained*, *reached*
aussitôt, *immediately*
bien, *indeed*
chargé, *loaded*
couper, *cut*
*couvrir, *cover*; couvert, *covered*
dépasser, *pass by*
l'eau (f.), *water*
échapper †, *escape*
s'échapper †, *escape*
emporter, *carry off*
enfermer, *enclose*, *shut in*
enfoncer, *break into*
engager, *persuade*, *ask*

s'entraîner, *train themselves*
faux, fausse, *false*
les frais (m.), *expenses*
le froid, *cold*
*fuir, *flee*; fui, *fled*
fusiller, *shoot*
*se joindre, *join*; joint, *joined*
lancer, *launch*
lutter, *struggle*
pénible, *painful*
la population, *people (of a town)*
le renseignement, *information*
répandre, *spread*
la retraite, *retreat*
tantôt . . . tantôt, *now . . . now, sometimes . . . other times*
le traitement, *treatment*

---

* An asterisk (*) placed *before* a verb indicates that this verb is irregular.
† Note the difference of the use of the reflexive and non-reflexive forms of this verb: (1) Il échappe à la prison. *He escapes prison.* (Meaning that he was never in prison.) (2) Il s'échappe de la prison. *He escapes from prison.* (Meaning that he was in prison and got out of it.)

battre en retraite, *retreat*
la cinquième colonne, *fifth column*
d'autre part, *on the other hand, moreover*

se mettre en route, *start out*
sans cesse, *without cease*

VERBES

THE PASSIVE VOICE

The passive voice consists of the auxiliary verb *être* with the past participle of the verb. This past participle agrees in gender and number with the subject.

PRESENT PASSIVE	IMPERFECT PASSIVE	COMPOUND PAST PASSIVE
je suis choisi(e)	j'étais choisi(e)	j'ai été choisi(e)
tu es choisi(e)	tu étais choisi(e)	tu as été choisi(e)
il est choisi	il était choisi	il a été choisi
elle est choisie	elle était choisie	elle a été choisie
nous sommes choisi(e)s	nous étions choisi(e)s	nous avons été choisi(e)s
vous êtes choisi(e)(s)	vous étiez choisi(e)(s)	vous avez été choisi(e)(s)
ils sont choisis	ils étaient choisis	ils ont été choisis
elles sont choisies	elles étaient choisies	elles ont été choisies

The passive of all other tenses is formed in a similar manner. Consult § 79 B.

DEVOIRS

A. 1. False [1] news was being spread by the "fifth column." 2. The house will be constructed by his father. 3. The prefect is named by the President of the Republic. 4. All France was occupied by German troops. 5. An appeal had been launched by General [2] de Gaulle. 6. Frenchmen will be deported to work in German factories. 7. The invasion was being prepared [3]. 8. Many villages were completely destroyed. 9. France would have been attacked sooner if Poland had not resisted.

[1] This adjective precedes the noun. What happens to the partitive article in such cases? (§ 5 C 3)   [2] Use the article with a title unless addressing the person.   [3] Use the reflexive form of the verb.

B. 1. Ask Charles if the château was built in the sixteenth century. 2. Tell the owner that his house will be sold tomorrow. 3. Tell Gérard that the newspaper was read by everyone. 4. Ask Yvonne if the letter was received.

QUARANTE-CINQUIÈME LEÇON

VOCABULAIRE

anxieusement
arrêter
auxiliaire
les bagages (*m.*)
la barricade
le canon
la capitulation
le civil

le courant
délivré
l'électricité (*f.*)
l'émotion (*f.*)
le gouverneur
indescriptible
ininterrompu
Leclerc
le libérateur

libérer
la manière
l'occupant (*m.*)
la police
la radio
rare
se suicider
le véhicule

l'affiche (f.), *poster, announcement*
*apparaître, *appear*; apparu, *appeared*
le blessé, *the wounded (one)*
la bouteille, *bottle*
briser, *break*
cacher, *hide*
la cloche, *bell*
défiler, *march, parade*
disposer de, *have, have at one's disposal*
l'émission (f.), *program, broadcast*
le feu, *fire*

la foule, *crowd*
le mort, *the dead (man)*
l'or (m.), *gold*
priver, *deprive*
proche, *near*
se rendre, *surrender; go, betake oneself* †
russe, *Russian*
se soulever, *rise up*
*soumettre, *submit*; soumis, *submitted*
sûr, *sure*
le toit, *roof*

à longue portée, *long range*
alors que, *since*
le bruit court, *the rumor spreads*
l'hôtel de ville, *city hall*
se mettre à + INFINITIVE, *begin to* + INFINITIVE

se mettre en grève, *strike*
tenir bon, *hold out*
tout à coup, *all of a sudden*
tout de même, *all the same*
tirer sur, *fire at, shoot at*

VERBES

PAST ANTERIOR

ALL VERBS *conjugated with* avoir	VERBS OF MOTION *conjugated with* être	REFLEXIVE VERBS *conjugated with* être
j'eus donné	je fus entré(e)	je me fus lavé(e)
tu eus donné	tu fus entré(e)	tu te fus lavé(e)
il eut donné	il fut entré	il se fut lavé
elle eut donné	elle fut entrée	elle se fut lavée
nous eûmes donné	nous fûmes entré(e)s	nous nous fûmes lavé(e)s
vous eûtes donné	vous fûtes entré(e)(s)	vous vous fûtes lavé(e)(s)
ils eurent donné	ils furent entrés	ils se furent lavés
elles eurent donné	elles furent entrées	elles se furent lavées

A. 1. He had been traveling for some days when he arrived at Cannes. 2. The Russian soldiers do not have any radios. 3. Is the table covered with bottles? 4. They had been working for a week when they learned that there was not any fire in the house. 5. We need electricity. 6. We had been talking for an hour when our friends arrived. 7. There is a bottle of wine on the table. 8. The train was full of travelers. 9. Other travelers had been waiting on the platform for an hour when they heard the train whistle.

B. 1. Tell Paul that you had been reading for a long time when her brother arrived. 2. Ask Jeanne if the bottle is full of ink. 3. Tell Robert that we had been in the store for ten minutes when we saw him. 4. Ask Marie if the table is covered with books.

* An asterisk (*) placed *before* a verb indicates that this verb is irregular.
† Note that this verb is used in both senses in the reading lesson.

QUARANTE-SIXIÈME LEÇON

VOCABULAIRE

le désir	imaginer	probable
désirer	le journaliste	Rex †
la discussion	la maman	le subjonctif
douter	l'ordre (*m.*)	usuel
l'expression (*f.*)	le papier	vague
le film		le verbe

allô, *exclamation used in answering telephone in France, equivalent to "hello"*
l'appareil (*m.*), *apparatus*
s'attendre à, *expect*
couramment, *fluently*
la crainte, *fear*
épatant, *fine, "swell"*
*éteindre, *turn off*; éteint, *turned off*
s'employer, *be used*
le fauteuil, *armchair*

jeter, *throw*
peut-être, *perhaps*
le quotidien, *daily newspaper*
ranger, *arrange*
le récepteur, *telephone mouthpiece*
saisir, *seize*
le salon, *living room, drawing room, parlor*
se servir de (2), *use*
songer, *think, dream*
vif, vive, *lively*

(2) indicates an -*ir* verb of the second class. (§ 44 C)

à la maison, *at home*
à tout à l'heure, *until later, so long*
l'appareil de radio, *radio (receiving) set*
au cours de, *in the course of*
ça va bien, *that's fine, everything's going along well*
c'est ça, *that's right*
c'est dommage, *it's too bad*
comment ça va? *How are you? How are things?*
le coup d'œil, *glance*
je n'en sais rien, *I know nothing of it*
mon vieux, *old top, old man (familiar greeting, used between intimate friends of any age)*
par conséquent, *therefore*
un petit peu, *a little bit*
peu probable, *unlikely*
quand même, *even so*
table de travail, *work table*
tout à fait, *entirely, quite*
tout à l'heure, (WITH FUTURE) *in a little while*; (WITH PAST) *just now, a little while ago*
la Tribune de Paris, *popular radio program consisting of a discussion of current events by leading French newspapermen*

* An asterisk (*) placed *before* a verb indicates that this verb is irregular.
† A popular name for movie houses in France. Pronounced [rɛks].

VERBES

THE PRESENT SUBJUNCTIVE

a. Regular verbs:

-er *verbs*	*most* -ir *verbs*	*2d* CLASS -ir *verbs*	-re *verbs*
que je donne	que je punisse	que je dorme	que je réponde
que tu donnes	que tu punisses	que tu dormes	que tu répondes
qu'il donne	qu'il punisse	qu'il dorme	qu'il réponde
que nous donnions	que nous punissions	que nous dormions	que nous répondions
que vous donniez	que vous punissiez	que vous dormiez	que vous répondiez
qu'ils donnent	qu'ils punissent	qu'ils dorment	qu'ils répondent

b. Irregular verbs following principle given in § 73 B:

	boire	*devoir*	*mourir*	*prendre*	*venir*
que je	boive	doive	meure	prenne	vienne
que tu	boives	doives	meures	prennes	viennes
qu'il	boive	doive	meure	prenne	vienne
que nous	buvions	devions	mourions	prenions	venions
que vous	buviez	deviez	mouriez	preniez	veniez
qu'ils	boivent	doivent	meurent	prennent	viennent

c. Verbs completely irregular in the present subjunctive:

The verbs *aller, avoir, être, faire, pouvoir, savoir, valoir,* and *vouloir* are completely irregular in the present subjunctive. The forms of the present subjunctive of these verbs are listed in § 73 C and may also be found in the next to the last column of the paradigms in § 83 and § 86.

DEVOIRS

A. 1. It is necessary that he leave [1] immediately.   2. It is possible that I shall finish my work before nine o'clock.   3. It is good that you should know the lesson.   4. It is better [2] that he should learn those verbs.   5. I want to understand French [3].   6. He wants me to understand French [3].   7. We want to answer [4] the letter.   8. We want him to answer [4] the letter.   9. It is unlikely that he will sleep ten hours.

[1] Use a form of *partir.*   [2] Use a form of *valoir mieux.*   [3] Supply the definite article.
[4] This verb requires *à* before its object.

B. 1. Tell Helen that you want to write a letter.   2. Tell Henry that you want him to write a letter.   3. Tell Suzanne that it is possible that your father will arrive this afternoon.   4. Tell Francis that it is necessary that you read the newspaper.

QUARANTE–SEPTIÈME LEÇON

VOCABULAIRE

accepter	la fiancée	patient
approuver	l'indication (*f.*)	préférable
la cérémonie	juger	proposer
le compliment	le mariage	regretter

aboutir, *end*
l'amitié (*f.*), *friendship*
dansant, *dancing*
désolé, *sorry*
effrayer, *frighten*
l'égard (*m.*), *regard, respect*
emmener, *take, take off*
l'enfance (*f.*), *childhood*
s'étonner, *be surprised*
la Française, *French woman, French girl*
justement, *precisely*

mal, *badly, wrong*
oser, *dare*
la peur, *fear*
se présenter, *introduce oneself*
remercier, *thank*
*résoudre, *resolve*; résolu *and* résous,
   resolved
*revoir, *see again*; revu, *seen again*
*rire, *laugh;* ri, *laughed*
le sien, *his*
voyons! *look here*

à cet égard, *in this respect*
à peine, *scarcely*
allons donc!   *well, for goodness sakes!*
   you don't say!
au moins, *at least*
avoir peur, *be afraid*

du reste, *moreover*
faire part à quelqu'un, *inform
   someone*
se marier avec †, *marry, get married to*
la soirée dansante, *dance*

Verbes

THE PAST SUBJUNCTIVE

ALL VERBS *conjugated with* avoir	VERBS OF MOTION *conjugated with* être	REFLEXIVE VERBS *conjugated with* être
que j'aie donné	que je sois entré(e)	que je me sois lavé(e)
que tu aies donné	que tu sois entré(e)	que tu te sois lavé(e)
qu'il ait donné	qu'il soit entré	qu'il se soit lavé
qu'elle ait donné	qu'elle soit entrée	qu'elle se soit lavée
que nous ayons donné	que nous soyons entré(e)s	que nous nous soyons lavé(e)s
que vous ayez donné	que vous soyez entré(e)(s)	que vous vous soyez lavé(e)(s)
qu'ils aient donné	qu'ils soient entrés	qu'ils se soient lavés
qu'elles aient donné	qu'elles soient entrées	qu'elles se soient lavées

Devoirs

A. 1. I am afraid that they will be too far away [1]. I am afraid that they were too far away [1]. 2. We are afraid that we will have too much work. We are afraid that we had too much work. 3. He is glad that you are selling the house. He is glad that you sold the house. 4. We are glad that we will travel in Spain. We are glad that we traveled in Spain. 5. It is too bad that he is not coming. 6. Are you sorry that she will be here? Are you sorry that she is here? Are you sorry that she was here? 7. Are you sorry that you are here? Are you sorry that you were here? 8. We have a teacher who knows Russian. We are looking for a teacher who knows Russian. 9. There is no one who can tell us the name of that monument.

[1] *trop loin*

* An asterisk (*) placed *before* a verb indicates that this verb is irregular.
† Study and learn how to express the following ideas: (1) Paul *gets married. Paul* SE MARIE. (2) Paul MARRIES Louise. *Paul* SE MARIE AVEC *Louise.* — or — *Paul* ÉPOUSE *Louise.*

B. 1. Ask Dorothy if she is glad that you are here. 2. Tell John that it is too bad he arrived late. 3. Tell Mrs. Jones that you are surprised that she did not receive your letter. 4. Tell Mr. Smith that you are afraid that you lost your notebook.

QUARANTE-HUITIÈME LEÇON

Vocabulaire

amuser	le code	publier
l'annonce (f.)	consulter	le registre
l'article (m.)	*intervenir, intervenu	le rôle
le bal	*se maintenir, maintenu	la sécurité
la beauté	le préliminaire	le sermon
célébrer		uniquement

l'aise (f.), *ease, comfort*
l'argent (m.), *money*
aveuglément †, *blindly*
la bague, *ring*
le ban, *bann, publication of marriage*
le conseil (*usually used in the plural*) *advice*
la convenance, *convenience*
le devoir, *duty*
la dot, *dowry*
économiser, *save*
égal, *equal*
entendre, *understand*
les époux (m.), *husband and wife*
féliciter, *congratulate*

les fiançailles (f.), *official promise of marriage, engagement*
fiancé, *engaged*
fiancer, *become engaged*
gagner, *earn*
l'invité (m.), *guest*
le lieu **, *place*
le maire, *mayor*
le prêtre, *priest*
le rapport, *relation*
régler, *arrange*
la somme, *sum*
le témoin, *witness*
le tour, *turn*

à l'aise, *at (one's) ease*
à son tour, *in (his) turn*
avoir lieu **, *take place*
le Code Civil, *civil code*
le Code Napoléon, *civil code, made by Napoleon*

de côté, *aside*
en rapport, *in relation*
le mariage de convenance, *"marriage of convenience," marriage for money and position*
mettre de côté, *put aside, save*

---

* An asterisk (*) placed *before* a verb indicates that this verb is irregular.
† For the formation of this type of adverb, see § 18 C.
** This word is rarely used except in expressions such as *avoir lieu* (to take place), *au lieu de* (in place of), *chef-lieu* (main city in a *département*), etc. The common word for PLACE is *endroit*.

DEVOIRS

A. 1. Paris is the only[1] city that we shall visit. 2. These books belong to my parents. Mine are not here. 3. *Madame Bovary* is the most interesting novel we have read this year[2]. 4. He is surprised that he has not received a letter from you. 5. Your room[3] is very small; ours is larger. 6. What[4] is the most beautiful poem that you know? 7. Are you glad that you are no longer in England? 8. Our customs are different from theirs. 9. I am afraid that I shall not see their garden.

[1] Use a form of the adjective *seul*.   [2] *année*   [3] *chambre*   [4] *Quel*

B. 1. Tell Jack that New York is the largest city we saw. 2. Tell Marie that your brother is smaller than hers. 3. Ask Paul if he is afraid not to go to class. 4. Tell Louise that her books and ours are at your aunt's.

QUARANTE–NEUVIÈME LEÇON

VOCABULAIRE

l'accident (*m.*)	Évian	Pau
Aix-les-Bains *	l'itinéraire	pratiquer
Belfort	La Rochelle	la publicité
la caravane	Lille	le résultat
Digne	Metz	le sport
se disperser	Montpellier	sportif, sportive
	organiser	

s'agir de, *be a question of*
attention! *look out!*
autant (de), *as many*
bien que, *although*
se connaître à, *be acquainted with*
la côte, *hill, slope*
le coureur, *racer* (in this lesson *bicycle racer*)
le coureur-cycliste, *bicycle racer*
la course, *race*
dégager, *free, clear*

se dépêcher, *hurry*
l'étape (*f.*), *stage*
le favori, *favorite*
le gendarme (*state*) *police*
se masser, *crowd, mass in a group*
le paysan, *peasant*
le peloton, *group, company*
pourvu que, *provided that*
publicitaire, *publicity*
quoique, *although*
la taille, *size, height*

à moins que, *unless*
ça m'est égal, *that's all the same to me*
des deux côtés, *on both sides*
en haut de, *at the top of*
il y en a pour un quart d'heure, *it will last a quarter of an hour*
je n'y connais rien, *I don't know anything about it*
jusqu'à ce que, *until*
pratiquer un sport, *participate in a sport*
quelque chose d'intéressant, *something interesting*
le Tour de France, *the name of the most popular bicycle race in France*

* Pronounced [εkslebɛ̃].

VERBES

The following simple verbs follow the principles given in § 73 B to form their irregular present subjunctives. You can also find the complete present subjunctive of these verbs by consulting column 9 of the paradigms in § 86.

INFINITIVE	PRESENT SUBJUNCTIVE		INFINITIVE	PRESENT SUBJUNCTIVE	
	que je	*que nous*		*que je*	*que nous*
boire	boive	buvions	mettre	mette	mettions
connaître	connaisse	connaissions	mourir	meure	mourions
courir	coure	courions	naître	naisse	naissions
craindre	craigne	craignions	ouvrir	ouvre	ouvrions
croire	croie	croyions	plaire	plaise	plaisions
devoir	doive	devions	pleuvoir (il) pleuve		
dire	dise	disions	recevoir	reçoive	recevions
écrire	écrive	écrivions	suivre	suive	suivions
envoyer	envoie	envoyions	tenir	tienne	tenions
falloir (il) faille			vivre	vive	vivions
lire	lise	lisions	voir	voie	voyions

DEVOIRS

A. 1. We are going to France in order that she may know[1] Paris. We are going to France in order that we may know Paris. 2. He will give me the letter before you leave[2]. He will give me the letter before he leaves. 3. Although I understand the grammar, I do not know the language. 4. Write until I tell you to[3] stop[4]. 5. They will not buy that house unless you help them. 6. We shall go to the movie provided that it does not rain. 7. As far as[5] I know, the Americans like sports[6] as much as[5] the English. 8. Whatever he does, you must be here at three o'clock. 9. The policeman crossed the street in order that he might help us.

[1] Use a form of *connaître*.   [2] Use a form of *partir*.   [3] *de*   [4] *vous arrêter*
[5] *autant que*   [6] Use the definite article with this noun.

B. 1. Tell your friend to write you before he comes to see you. 2. Ask your teacher if he bought the car in order that his wife might go to New York. 3. Tell Robert that you will stay until he finishes his work. 4. Ask Yvonne if John is in class as far as she knows.

CINQUANTIÈME LEÇON

VOCABULAIRE

l'administration (*f.*)
l'amateur (*m.*)
le base-ball
le basket-ball
le cas
le club
Coubertin
distinguer

le football
le golf
le hockey
individualiste
individuel, individuelle
l'intérêt (*m.*)
l'intervention (*f.*)
officiel, officielle
participer

personnel, personnelle
le professionnel
professionnel,
   professionnelle
réellement
le rugby
le tennis
tolérer

auparavant, *formerly*
autant que, *as much as, as far as*
le ballon, *football*
le compte, *count*
l'équipe (*f.*), *team*
s'habituer, *become accustomed to*
le joueur, *player*

la mentalité, *nature, psychological make-up (of a person or people)*
le milieu, *center, environment, class*
Pierre, *Peter*
le poids, *weight*
récemment, *recently*

à son compte, *on his own; by himself*
en tout cas, *in any case*
faire du sport, *take part in sports*

l'homme d'affaires, *business man*
les Jeux Olympiques, *Olympic games*

DEVOIRS

A. 1. I am sure that you are interested [1] in sports. 2. I believe that sports are important at the university. 3. Do you think that they will have a team next year? 4. We do not think that you will find a great deal of golf in France. 5. Are you sure that he knows how [2] to play [3] tennis? 6. He thinks he will go to the Olympic games at London. 7. We believe that professional football [4] will be more common later. 8. Perhaps you will find French football [4] different from ours. 9. Is he sure that there are many golf players in France?

[1] Use a form of *s'intéresser à*.   [2] Included in the verb.   [3] Before a game, this verb requires the preposition *à*.   [4] Supply the definite article with this noun.

B. 1. Tell Helen that perhaps you will go to the movies tomorrow evening. 2. Tell George that you do not believe that your friends are in California. 3. Ask Philip if he thinks that George knows his lesson. 4. Ask John if they believe that you can speak French.

★ ★ ★

La Marseillaise

Allons, enfants de la patrie [1].
Le jour de gloire [2] est arrivé;
Contre nous de la tyrannie [3]
L'étendard [4] sanglant [5] est levé [6],
Entendez-vous dans ces campagnes
Mugir [7] ces féroces soldats?
Ils viennent jusque dans nos bras
Égorger [8] nos fils, nos compagnes [9]!

Aux armes, citoyens! formez vos bataillons [10]!
Marchons, marchons!
Qu'un sang impur abreuve [11] nos sillons [12].

[1] *fatherland*   [2] *glory*   [3] *tyranny*   [4] *standard*   [5] *bloody*   [6] *raised*
[7] *bellow*   [8] *slaughter*   [9] *wives*   [10] *battalion*   [11] *water*   [12] *fields, furrows*

Pasteur

La science et ses découvertes sont bien plus importantes dans l'évolution du progrès humain que les rois, les luttes politiques, les manœuvres diplomatiques et les guerres. La science n'a pas de patrie. Ses bienfaits se [1] font sentir partout. Chaque nation y a apporté sa contribution. En France, aucun savant n'est plus célèbre que Pasteur. [5

Avant Pasteur on n'avait qu'une idée très vague de la cause des maladies contagieuses. Les recherches de ce savant bouleversèrent les connaissances scientifiques de son époque. Grâce à ses travaux [2] et à ceux de savants anglais et allemands, beaucoup de vies humaines furent sauvées. [10

Pasteur consacra sa vie à la science. Professeur de chimie à l'Université de Strasbourg, il commença par des études sur la fermentation du lait et des alcools qui lui firent découvrir un nouveau procédé de stérilisation appelé *pasteurisation*. Plus tard, il établit la théorie des germes et détermina son application en médecine. [15

A ce moment-là, beaucoup d'animaux domestiques mouraient d'une maladie contagieuse contre laquelle Pasteur venait de [3] découvrir un vaccin. La Société d'Agriculture de Melun voulant des preuves de l'efficacité de ce vaccin, proposa de faire une expérience publique de la nouvelle méthode. Vingt-cinq moutons et six vaches devaient être [20 vaccinés; on leur inoculerait ensuite la maladie, ainsi qu'à vingt-cinq autres moutons et quatre vaches non-vaccinés. Pasteur accepta. L'expérience fut couronnée de succès, car tous les animaux vaccinés survécurent, tandis que tous les autres moururent.

Or, Pasteur n'avait jamais oublié l'impression que lui avait faite [25 dans son enfance une personne mordue par un chien enragé. Il se mit à étudier la rage. Il expérimentait une méthode de traitement qu'il avait déjà appliquée à des animaux, quand le 6 juillet 1885 une femme vint frapper à sa porte avec son enfant Joseph Meister, âgé de neuf ans. L'enfant avait été sérieusement mordu le 4 juillet. Le chien avait été [30 examiné et on avait vu qu'il était enragé.

Pasteur savait que son traitement avait déjà guéri des chiens malades. La question se posa: avait-il le droit d'essayer un tel traitement sur un être humain? L'enfant ne portait pas moins de [4] quatorze

---

[1] *are felt*   [2] plural of *travail*. (§ 7 D)
[3] *had just*. The imperfect of the idiom *venir de* is expressed by a pluperfect in English.
[4] For the use of *de* to express THAN, see § 12 B.

blessures et il était condamné. Seul restait le secours éventuel du [35 vaccin.

Pasteur hésita encore. Après avoir pris l'avis d'un médecin, affirmant que le malheureux enfant ne pouvait pas échapper à la rage, il se décida à tenter l'expérience qui avait jusqu'alors réussi sur les chiens. [40

Les inoculations furent faites chaque jour du 7 au 16 juillet; treize inoculations furent faites en quinze jours [1]. Pendant tout le traitement Pasteur fut très inquiet. Le jour il passait de longues heures à marcher seul dans les bois. Mais ce fut un grand succès: le vaccin avait produit l'effet espéré et Joseph Meister ne présenta plus le moindre [45 symptôme de rage. A partir de ce jour la méthode de Pasteur se pratiqua couramment.

QUESTIONS

1. Pourquoi la science est-elle plus importante dans l'évolution du progrès humain que les rois et les guerres? 2. Quel est le nouveau procédé de stérilisation qui a été découvert grâce aux études de Pasteur sur la fermentation du lait? 3. Racontez l'expérience de Pasteur sur les animaux de Melun. 4. Qui est venu frapper chez Pasteur le 6 juillet 1885? 5. Pourquoi Pasteur a-t-il hésité à appliquer son traitement à Joseph Meister? 6. Qu'est-ce qui l'a décidé à tenter l'expérience sur un être humain? 7. Combien d'inoculations ont été faites en quinze jours? 8. Quels ont été les résultats de ce traitement?

DEVOIRS

A. Indiquez le genre des noms suivants. EXEMPLE: tradition (*f.*), homme (*m.*)

1. contribution   2. médecin   3. tableau   4. mariage   5. renseignement   6. mécanisme   7. lundi   8. nuage   9. Canada   10. femme   11. traitement   12. Belgique   13. été   14. formation

B. Écrivez le pluriel des noms suivants. EXEMPLE: le général — les généraux

1. le prix   2. la cause   3. le travail   4. le bateau   5. le nez   6. le jour   7. l'animal   8. le feu   9. le bois   10. le journal   11. le succès

C. Écrivez les quatre formes des adjectifs suivants. EXEMPLE: important, importante, importants, importantes.

1. malheureux   2. quel   3. scientifique   4. enragé   5. malade

[1] meaning?

6. inquiet 7. sportif 8. égal 9. bon 10. blanc 11. doux 12. frais
13. gentil 14. faux

> D. *Introduisez les adjectifs indiqués dans la phrase pour modifier le nom*
> *en italique. Expliquez oralement pourquoi on met l'adjectif avant*
> *ou après le nom.* EXEMPLE: (nouveau) Il a proposé de faire une
> expérience de la *méthode*. Il a proposé de faire une expérience
> de la NOUVELLE *méthode*.

1. (domestique) Beaucoup d'*animaux* mouraient d'une maladie
inconnue. 2. (blanc) Le médecin habitait à Strasbourg dans une *maison*.
3. (isolé) Une femme qui habitait dans une *région* de France avait un
enfant qui avait été mordu par un chien. 4. (malheureux) L'*enfant* ne
pouvait pas échapper à la rage. 5. (pauvre) La *femme* est venue frapper
à la porte de Pasteur. 6. (vieux) Ce *savant* savait que l'enfant était
condamné. 7. (excellent) Il avait une *raison* pour essayer son traitement. 8. (français) Les travaux des *savants* ont sauvé de nombreuses
vies. 9. (long) Auriez-vous fait un *voyage* pour voir un grand médecin?

> E. *Remplacez les tirets par la forme convenable du comparatif ou du*
> *superlatif des adjectifs indiqués.* EXEMPLE: Bismarck a organisé
> une des armées (fort) d'Europe. Bismarck a organisé une des
> armées *les plus fortes* d'Europe.

1. Est-ce que Montréal est la (grand) ville du Canada? 2. Il est
(important) de voyager que de lire. 3. Quelle est la (bon) façon
d'apprendre une langue étrangère? 4. Pasteur est le savant (connu)
de France. 5. Il est (célèbre) que tous les autres savants français.

> F. *Remplacez les tirets par le mot convenable. Expliquez oralement la*
> *raison.*

1. La Belgique est plus petite —— la France. 2. Montmartre
est le quartier le plus animé —— Paris. 3. Les femmes parlent-elles
plus —— les hommes? 4. J'ai lu plus —— quinze pages de votre
livre.

GRAMMAIRE [1]

A. The gender of nouns. (§ 6)
B. The plural of nouns. (§ 7)

---

[1] Because of the broad nature of the review exercises, the grammar is stated topically
instead of in questions. The letters indicating the topics correspond to the letters at
the head of the exercises.

You will know many of these principles from your former lessons. If you can do the
exercises without reference to the grammar, this indicates that you have mastered the
principles involved. If you cannot, read over the grammar references before doing the
exercises.

C. The feminine and plural of adjectives. (§ 9, § 10)
D. The position of adjectives. (§ 11)
E. The comparison of adjectives. (§ 12 A, C, E)
F. Ways of expressing *than* with the comparative and *in* with
the superlative. (§ 12 B, D)

CINQUANTE-DEUXIÈME LEÇON

Louis XIV

La France n'a pas toujours été une république. Du règne de Clovis
(481–511) à la Révolution française (1789–94), elle a été gouvernée par
des rois. Pendant de longs siècles, et surtout au moyen âge, ces rois
avaient peu de pouvoir. Chaque province était alors gouvernée par un
seigneur féodal qui se considérait comme le chef absolu de son propre [5
territoire et qui était parfois aussi puissant que le roi lui-même. A
cette époque la France n'était pas encore une très grande nation. Mais
peu à peu, les rois unifièrent le royaume et la France acquit de plus en
plus de prestige parmi les nations du monde.

C'est sous le règne de Louis XIV (1643–1715) que la France [10
parvint à l'apogée de sa gloire et de sa puissance. Elle possédait de
vastes territoires en Amérique; elle avait une forte armée qui lui permettait d'être la première puissance militaire et politique d'Europe;
sa littérature, arrivée grâce à Corneille, Racine et Molière à son plus
haut degré de perfection, servait de modèle à tous les écrivains du [15
continent; son art et son architecture étaient célèbres et imités partout.
Le français était devenu la langue diplomatique et on le parlait dans
tous les milieux cultivés d'Europe.

En même temps, le pouvoir personnel du roi s'étendit de plus en
plus. C'est ainsi qu'au dix-septième siècle le pouvoir royal devint [20
absolu et que le roi gouverna seul. Louis XIV, qui dirigea personnellement les affaires du royaume pendant cinquante-quatre ans et acheva la
centralisation du pouvoir, fut le plus absolu de tous les rois de France.
On disait alors que la monarchie était de droit divin, que le roi était le
représentant de Dieu sur la terre. Louis XIV, cependant, eut l'in- [25
telligence et la sagesse de s'entourer de ministres dont certains furent
pour lui de remarquables conseillers. A l'intérieur du pays, il s'ap-
pliqua à rétablir l'ordre dans l'administration; il encouragea l'agriculture, l'industrie et les travaux publics; il créa une marine, réorganisa

l'armée et fortifia les frontières; enfin et surtout, il acheva l'unifica- [30
tion territoriale du pays. A l'étranger, il entreprit une longue série
de guerres qui assurèrent à la France un grand prestige.

Mais si le règne de Louis XIV représente l'apogée de la gloire
française, on peut y trouver aussi les germes de son déclin. Louis XIV
fut un roi despotique et, à partir de 1685, sa haine contre les protes- [35
tants, dont il voulait interdire la doctrine, entraîna de violentes querelles
religieuses. La cour, dont il aimait s'entourer, comprenait de dix-sept
à dix-huit mille personnes et son entretien absorbait une grande partie
des revenus du royaume. Ces luttes religieuses, les dépenses extrava-
gantes qu'occasionnaient le train de vie et les fêtes de la cour, la [40
corruption de la cour elle-même, les guerres lointaines si coûteuses,
tout cela finit par affaiblir le pays.

QUESTIONS

1. Quand la France a-t-elle été gouvernée par des rois? 2. Les
rois de France avaient-ils beaucoup de pouvoir au moyen âge? 3. Par
qui étaient gouvernées les provinces au moyen âge? 4. Qu'est-ce qui
permettait à la France d'être la première puissance militaire et politique
d'Europe sous le règne de Louis XIV? 5. A qui la littérature française
servait-elle alors de modèle? 6. Où étaient imités l'architecture et l'art
français? 7. Qu'était devenue la langue française et où la parlait-on
pendant le règne de Louis XIV? 8. Dans quel continent les milieux
cultivés parlent-ils encore le français? 9. Quels sont actuellement les
langues diplomatiques? 10. Quand le pouvoir royal est-il devenu
absolu en France? 11. A quelle époque la France a-t-elle atteint
l'apogée de sa gloire et de sa puissance? 12. De qui disait-on que le roi
était le représentant sur la terre? 13. De qui Louis XIV s'est-il
entouré? 14. Quelles ont été les grandes réformes de Louis XIV?
15. Qu'est-ce qui a été achevé sous son règne? 16. Qu'ont assuré à la
France les guerres de Louis XIV? 17. Quelle doctrine Louis XIV voulait-il interdire? 18. Qu'occasionnaient le train de vie et les fêtes de
la cour de Louis XIV?

DEVOIRS

A. Remplacez[1] *les tirets par l'article défini ou indéfini s'il y a lieu.
Expliquez oralement chaque emploi ou omission de l'article.*

1. Aimez-vous ―― musique et ―― art? 2. Nous commencerons
un nouveau roman ―― mercredi. 3. Monsieur Lefort est ―― bon

―――――――――
[1] *Fill out the blanks with the definite or indefinite article where necessary.* The expression *s'il y a
lieu* implies that some blanks require no word to complete the meaning of the sentence.

professeur. 4. Pierre est resté à Chamonix, —— petite ville de France près du mont Blanc. 5. Le mari de madame Perrot est —— médecin. 6. Est-ce que —— commerce et —— industrie sont importants aux États-Unis? 7. Avez-vous déjà visité —— Suisse? 8. Non, j'ai passé mes vacances en —— France. 9. Pasteur était —— professeur à l'Université de Strasbourg. 10. Nous n'avons jamais de classe —— samedi. 11. Votre camarade partira-t-il de —— Suède ou de —— Danemark? 12. Louis XIV, —— roi de France au dix-septième siècle, s'est entouré de bons ministres. 13. Je viens de sortir de —— Russie.

B. *Remplacez les tirets par l'article partitif ou par de. Expliquez oralement l'emploi ou l'omission de chaque article partitif.*

1. Pendant —— longs siècles la France a été gouvernée par —— rois qui avaient peu —— pouvoir. 2. Au dix-septième siècle elle possédait —— vastes territoires en Amérique. 3. Avez-vous besoin —— argent? 4. La gare était pleine —— voyageurs. 5. Ce paysan habitait une maison —— bois. 6. Voulez-vous —— bon lait? 7. Il n'y a pas —— beurre sur la table. 8. Ce ne sont pas —— hommes, ce sont —— bêtes. 9. La plupart —— étudiants aiment chanter les chansons françaises. 10. Les touristes rapportent bien —— choses avec eux. 11. Y a-t-il assez —— encre dans votre stylo? 12. Notre maison est entourée —— fleurs. 13. Le bureau du professeur est couvert —— livres. 14. Il y a beaucoup —— avions près des grandes villes. 15. On ne peut pas trouver —— riz en France. 16. Nous avons vu —— belles femmes à Paris. 17. Nous sommes allés au cinéma bien —— fois.

C. *Remplacez les tirets par la préposition qui veut dire* in, at *ou* to:

1. J'irai d'abord —— Londres, ensuite —— Paris. 2. Nous resterons —— France deux mois, ensuite, nous irons —— Espagne, —— Portugal, —— Italie, —— Allemagne, —— Danemark et —— Angleterre. 3. Allez-vous aussi —— Amérique? 4. Oui, je vais —— Amérique du Nord. 5. Avez-vous été —— États-Unis et —— Mexique? 6. Non, je suis resté —— Canada. 7. Je passerai l'hiver —— Marseille ou —— Nice.

D. *Remplacez les tirets par la préposition qui exprime* from:

1. Votre oncle est-il revenu —— États-Unis et —— Canada? 2. Il est parti —— Angleterre hier, il reviendra —— Suisse la semaine prochaine et —— Portugal au mois de décembre. 3. Cette dame-ci vient —— Russie, celle-là vient —— Japon.

GRAMMAIRE

A. The uses and omission of the definite and indefinite articles.
(§ 3, § 4)

B. The uses and omission of the partitive article. (§ 5)

C. The prepositions of place *to, in, at*. (§ 39 A, B, C, D)

D. The preposition of place *from*. (§ 40)

============ *CINQUANTE-TROISIÈME LEÇON* ============

Le Château de Versailles

La cour de Louis XIV était la plus brillante du continent. C'est
pour donner à cette cour une résidence digne de son éclat que Louis
XIV construisit à vingt kilomètres de Paris le château de Versailles.

Dès qu'on le voit, le château donne une impression de majesté
grandiose, avec sa vaste cour d'honneur [1] entourée de hautes grilles. [5
Son immense façade semble encore agrandie par la perspective des deux
ailes. Derrière le château on aperçoit de magnifiques jardins au delà
desquels une vaste forêt s'étend à perte de vue. Cette forêt, ces jardins
et le château lui-même évoquent non seulement l'époque de Louis XIV
mais encore bien d'autres souvenirs de l'histoire de France.   [10

Le château contient de très nombreuses salles. Dans les unes on
peut admirer des peintures qui représentent les principaux épisodes de
l'histoire de France, dans d'autres il y a des statues de rois et de reines
de France, dans d'autres enfin on voit les meubles des styles les plus
purs des différentes époques.   [15

La plus belle salle du château est une longue pièce éclairée par dix-
sept grandes fenêtres donnant sur les jardins. En face de ces fenêtres
se trouvent dix-sept grands miroirs. Cette salle, appelée la Galerie
des Glaces, est célèbre dans l'histoire pour deux raisons principales:
d'abord, c'est là qu'en 1871 le roi de Prusse fut proclamé empereur [20
d'Allemagne et que naquit l'Empire allemand; ensuite, c'est là que fut
signé en 1919 le traité de Versailles qui mit fin à la guerre de 1914.

Les jardins de Versailles sont caractéristiques de l'époque où fut
construit le château. Il est impossible de dire à quel point la vue
de ces jardins aux [2] lignes régulières évoque la beauté du passé! Ces [25

[1] Here stands the equestrian statue of Louis XIV which appears on the cover of *Beginning French*.

[2] *with straight lines*. The preposition *à* is often used to introduce a phrase indicating a characteristic quality of the noun it modifies.

jardins à la française sont dessinés géométriquement avec deux grandes allées centrales perpendiculaires. De chaque côté de ces allées, des massifs et des parterres de fleurs sont disposés avec une symétrie parfaite. Les jardins de ce genre sont l'expression du goût classique du dix-septième siècle. Ils montrent comment la nature devait être [30 ordonnée pour plaire aux Français de cette époque. Ils font contraste avec les jardins de style *rock garden*, qui sont l'expression du romantisme du dix-neuvième siècle. Les jardins de Versailles furent imités partout en Europe: en Angleterre, en Allemagne et en Espagne.

Dans le parc se trouve le Grand Trianon, magnifique édifice en [35 marbre de couleur, construit par Louis XIV lorsqu'il s'aperçut que le grand château manquait d'intimité. Tout près de là se trouve le Petit Trianon où habita jadis la femme de Louis XVI, la reine Marie-Antoinette.

Aujourd'hui, le château est devenu un musée national. Chaque [40 jour, des centaines de touristes le visitent et reviennent à Paris vivement impressionnés par sa beauté et par les vestiges du passé qu'ils y rencontrent à chaque pas.

QUESTIONS

1. Dans quel but Louis XIV a-t-il construit le château de Versailles? 2. Quelle impression a-t-on en regardant la façade du château? 3. Que contiennent les différentes salles du château? 4. Quels sont les deux événements qui ont rendu célèbre la Galerie des Glaces? 5. Comment sont dessinés les jardins à la française? 6. Quel goût expriment les jardins à la française? 7. Dans quels pays les jardins de Versailles ont-ils été imités? 8. Quand Louis XIV a-t-il construit le Grand Trianon? 9. Quelle est la reine qui a autrefois habité le Petit Trianon? 10. Qu'est devenu aujourd'hui le château de Versailles? 11. Qu'est-ce qui impressionne les touristes qui visitent ce château?

DEVOIRS

A. Mettez les verbes suivants au présent. Ils sont tous RÉGULIERS. EXEMPLE: elle parlera — elle parle

1. je donnerai 2. ils perdraient 3. j'aurais dormi 4. nous nous sommes dépêchés. 5. elle a fini 6. je répondis 7. vous étiez partis

B. Indiquez le temps des verbes suivants et mettez-les au présent de l'indicatif. Ces verbes sont tous IRRÉGULIERS *au présent.* EXEMPLE: elle aurait vu —— conditionnel passé; —— elle voit —— présent

1. il faudra 2. ils pourraient 3. ils avaient cru 4. il sut 5. elles

viendraient   6. j'étais   7. elle est morte   8. il tint   9. j'enverrais
10. j'ai pris   11. nous avons connu   12. elles reçurent   13. j'aurais
lu   14. vous vous êtes assis   15. vous direz   16. elle s'est mise   17. ils
firent   18. ils iront   19. je devrais

C. *Donnez les trois formes de l'impératif des verbes suivants.* EXEMPLE:
(manger) cette pomme. (1) Mange cette pomme. (2) Mangeons
cette pomme. (3) Mangez cette pomme.

1. (regarder) ce tableau. 2. Ne (punir) pas cet enfant. 3. (partir)
tout de suite. 4. (répondre) à la question. 5. (se dépêcher). 6. (être)
là à huit heures du matin. 7. N'(avoir) pas peur.

D. *Remplacez les expressions anglaises par l'équivalent français:*

1. Charles (*is laughing*) parce que Madeleine (*is running*) à l'école.
2. Nous (*have been*) à Lyon depuis trois jours. 3. Je (*am reading*) un
bon livre. 4. Voilà dix minutes que le professeur (*has been writing*)
au tableau. 5. Il y a un an que vous (*have been learning*) le français.

E. *Remplacez l'infinitif par la forme convenable du verbe, s'il y a lieu:*

1. En (passer) devant la loge la nuit, on est obligé de (dire) son
nom à la concierge. 2. Avant d' (entrer) dans la maison, il faut sonner
à la porte. 3. Après (sonner), on attend que la concierge se réveille.
4. Au lieu d'(ouvrir) la porte avec une clé, on attend devant la maison.
5. (savoir) que Paul était malade, je suis allé le voir. 6. Sans (regarder)
sa mère, le garçon est monté dans sa chambre. 7. Après (arriver) à la
gare, j'ai cherché un taxi. 8. Avant de (monter) dans le taxi, j'ai
demandé où était la rue principale. 9. Au lieu de (prendre) l'autobus,
le vieux professeur a décidé d'aller à pied. 10. (avoir) peur que le
train parte, j'ai couru à la gare.

GRAMMAIRE

A. The present indicative of regular verbs. (§ 44, § 83)
B. The present indicative of irregular verbs. (§ 85 B, § 86)
C. The imperative. (§ 72, § 83, § 86)
D. Uses of the present tense. (§ 45)
E. Constructions of verbs used after prepositions. (§ 67 B, § 71 A;
page 350, note 1)

L'automne

Avec l'automne tout le monde rentre de vacances pour se remettre au travail. Les jours deviennent plus courts et les nuits sont, au contraire, plus longues. A la campagne les champs sont déserts, car la moisson [1] est déjà rentrée [2]. Très haut dans le ciel les oiseaux de passage volent [3] vers le sud. Les feuilles des arbres prennent des [5 couleurs jaunes, rouges et dorées [4] et tombent aussi bien sur les grands boulevards de Paris que dans les forêts solitaires ou dans les chemins de campagne. Tout le monde éprouve plus ou moins la mélancolie de cette saison. Paul Verlaine, pour qui la poésie était avant tout une musique, chante la profonde tristesse de son âme dans *Chanson d'automne*. [10

Les sanglots [5] longs
Des violons [6]
    De l'automne
Blessent mon cœur
D'une langueur [7]   [15
    Monotone.

Tout suffocant [8]
Et blême [9], quand
    Sonne l'heure,
Je me souviens   [20
Des jours anciens
    Et je pleure.

Et je m'en vais
Au vent mauvais
    Qui m'emporte   [25
Deçà, delà, [10]
Pareil à la
    Feuille morte.

Dès les tout premiers jours d'octobre, les élèves des écoles primaires, des collèges [11] et des lycées retournent à leurs études. Le célèbre [30 romancier [12] Anatole France, dans un style très délicat, évoque à ce propos ses souvenirs d'enfance:

Je vais vous dire ce que me rappellent, tous les ans, le ciel agité de l'automne, les premiers dîners à la lampe et les feuilles

---

[1] *harvest*   [2] *gathered*   [3] *fly*   [4] *golden*   [5] *sobs*   [6] *violins*   [7] *languor*   [8] *stifling*
[9] *pale*   [10] *here and there*   [11] *municipal or private secondary schools*   [12] *novelist*

qui jaunissent [1] dans les arbres qui frissonnent [2]; je vais vous [35
dire ce que je vois quand je traverse le Luxembourg dans les premiers jours d'octobre, alors qu'il est un peu triste et plus beau que
jamais; car c'est le temps où les feuilles tombent une à une sur les
blanches épaules des statues. Ce que je vois alors dans ce jardin,
c'est un petit bonhomme [3] qui, les mains dans les poches et sa [40
gibecière [4] au dos, s'en va au collège [5] en sautillant [6] comme un
moineau [7]. Ma pensée seule le voit; car ce petit bonhomme [3] est
une ombre; c'est l'ombre du moi [8] que j'étais il y a vingt-cinq
ans . . .

Il y a vingt-cinq ans, à pareille époque, il traversait, avant [45
huit heures, ce beau jardin pour aller en classe. Il avait le cœur
un peu serré [9]: c'était la rentrée [10].

L'automne est aussi la saison des vendanges [11]. De tous les
grands travaux de la campagne, c'est le dernier de l'année. De bonne
heure le matin, les vendangeurs [12] partent pour les vignes. Avec [50
leurs ciseaux [13] ils coupent les grappes [14] de raisin [15] qu'on transporte
ensuite à la ferme sur des voitures à chevaux. Dans quelques endroits
reculés [16], un usage pittoresque s'est parfois maintenu. Les vendangeurs montent dans les cuves [17], retroussent [18] leurs pantalons [19] ou
leurs robes et écrasent les raisins avec leurs pieds nus. A la fin des [55
vendanges, les vignerons [20] se réunissent pour prendre part à une petite
fête qui consiste à la fois en un joyeux repas, en danses et en chansons.

Un autre événement de l'automne est l'ouverture de la chasse,
qui est fixée au début de septembre. Les chasseurs [21] ont déjà préparé
leurs fusils et leurs cartouches [22]; ils connaissent d'avance les en- [60
droits où ils auront le plus de chances de trouver du gibier [23]. Le
jour de l'ouverture ils partent avant le lever [24] du soleil, accompagnés
de leurs chiens. D'autres chasseurs parcourent déjà la plaine. Soudain,
à l'autre bout du champ, des perdrix [25] ont senti le danger et s'envolent [26]
avec un grand bruit d'ailes. Les chasseurs visent [27] rapidement et [65
tirent. Quelques oiseaux, touchés, tombent par terre et les chiens se
précipitent pour les rapporter. Plus tard, c'est un lièvre [28] qui s'enfuit,
chassé par le chien. A midi, les chasseurs [21] s'arrêtent au coin d'un
bois et déjeunent en plein air. L'après-midi, la chasse recommence
et quand vient le soir, ils rentrent chez eux, fiers de montrer à leurs [70
voisins le gibier [23] qu'ils ont tué.

[1] *turn yellow*   [2] *tremble*   [3] *fellow*   [4] *book bag*   [5] *municipal or private secondary school*
[6] *jumping about*   [7] *sparrow*   [8] *being*   [9] *heavy*   [10] *reopening of school*   [11] *grape gathering*
[12] *grape gatherers*   [13] *scissors*   [14] *bunches*   [15] *grapes*   [16] *remote, backward*   [17] *tubs*
[18] *roll up*   [19] *trousers*   [20] *wine growers*   [21] *hunters*   [22] *cartridges*   [23] *game*
[24] *sunrise*   [25] *partridges*   [26] *fly off*   [27] *aim*   [28] *hare*

QUESTIONS

1. En quelle saison l'aspect de la nature inspire-t-il de la mélancolie? 2. Quels sont les aspects caractéristiques de l'automne? 3. Quel est le poète pour qui la poésie devait être avant tout une musique? 4. Quelle est la date de la rentrée des classes en France? 5. Qui est Anatole France? 6. Quel est à la campagne le dernier des grands travaux de l'année? 7. Avec quoi les vendangeurs coupent-ils les grappes de raisin? 8. Comment les vendangeurs écrasent-ils parfois les raisins? 9. A quelle époque la chasse est-elle ouverte? 10. Que font les chasseurs ce jour-là? 11. Que fait le chien quand le chasseur a tué un oiseau? 12. Que montre le chasseur à ses voisins en rentrant chez lui le soir?

DEVOIRS

A. *Remplacez les tirets par le pronom* qui *convient au sens.* EXEMPLE: Cherchez-vous des pommes? Non, j' —— ai trouvé et je —— ai achetées. Non, j'*en* ai trouvé et je *les* ai achetées.

1. Voilà Henri. Dites- —— que nous —— verrons ce soir. 2. N'avez-vous pas vu mes cahiers? Je —— cherche depuis hier. 3. Je connais ces enfants; je —— ai donné des timbres. 4. Maurice est très heureux, car ses parents —— ont promis une nouvelle bicyclette. 5. Marie est heureuse aussi, car ses parents —— ont promis une robe. 6. Elle —— a déjà cinq. 7. Si Jean le veut bien, vous pouvez aller avec —— au cinéma. 8. Paul et Pierre sont partis. Je ne sais pas ce que je ferai sans ——.

B. *Répondez aux questions suivantes en employant des pronoms compléments. Soulignez les pronoms.* EXEMPLE: Allez-vous en classe demain? Oui, j'*y* vais.

1. Aimez-vous l'automne? 2. Faites-vous des promenades en automne? 3. Combien de pièces françaises avez-vous lues? 4. Connaissez-vous Anatole France? 5. Allez-vous à la campagne avec Hélène dimanche? 6. Avez-vous vu des nuages dans le ciel? 7. Y a-t-il des chasseurs dans les champs? 8. Restez-vous longtemps chez vos amis?

C. *Introduisez les pronoms compléments dans les phrases, en les mettant dans l'ordre convenable.* EXEMPLE: (la, me) Il expliquera. Il *me l'*expliquera.

1. (le, lui) Nous avons donné. 2. (les, me) Vous montrerez.

3. (les, nous) Envoyez. 4. (la, leur) Lisez. 5. (les, lui) Ne demandez pas. 6. (en, lui) Jean a donné. 7. (en, me) Envoyez. 8. (en, leur) Demandons. 9. (y) Allez. 10. (y) Ne restez pas.

D. *Remplacez les expressions en italique par des pronoms compléments:*

1. Le professeur montre une *carte aux élèves*. 2. Elle nous donne *des livres*. 3. Raconte-t-il *des histoires à ces garçons?* 4. Écrivez-moi *des lettres*. 5. Indiquez-nous un *bon roman*. 6. Lisez *des journaux aux élèves*. 7. Ne me racontez pas *d'histoires*. 8. Ne donnez pas *de papier à cet élève*. 9. Montrez-moi *cette rue*. 10. Je vous demanderai quatre *francs*.

E. *Remplacez les expressions en italique par un pronom:*

1. Nous rentrerons chez *nos parents*. 2. Ce sont *Louise et Marie* qui vont en France cet été. 3. Qui ouvrira la porte? *Richard*. 4. Le paquet est pour *Charles et moi*. 5. Ce sont *vos frères* qui vont chasser.

F. *Remplacez les expressions en italique par des pronoms en faisant les autres changements nécessaires dans la phrase:*

1. La propriétaire s'intéresse aux *pensionnaires*. 2. Ma mère s'intéresse à *sa maison*. 3. Vous vous souvenez de *notre professeur,* n'est-ce pas? 4. Je me souviens bien de *cette ville*. 5. Robert pense à *son camarade*. 6. Il pense rarement à *ses leçons*. 7. Parlez de *votre sœur*. 8. Ne parlons plus de *notre voyage*. 9. Répondez au *professeur*. 10. Répondez à *ma question*.

GRAMMAIRE

A. Direct and indirect object pronouns, disjunctive pronouns, *y* and *en*. (§ 23, § 24, § 26, § 27, § 28)

B. Direct and indirect object pronouns, disjunctive pronouns, *y* and *en*. (§ 23, § 24, § 26, § 27, § 28)

C. Position and order of object pronouns. (§ 29, § 30)

D. Position and order of object pronouns. (§ 29, § 30)

E. Disjunctive pronouns. (§ 26)

F. Special uses of the pronouns *y* and *en*. (§ 27 C, § 28 C)

Le dix-huitième siècle

Au dix-huitième siècle l'absolutisme royal avait conduit à de véritables abus. Il n'y avait plus ni liberté de parole, ni liberté de la presse, ni liberté de religion. La noblesse et le clergé jouissaient de nombreux privilèges. Seul le peuple payait les impôts et, comme ils étaient très lourds, la misère était générale. La prodigalité extravagante de la [5 cour et l'incompréhension totale des besoins du peuple, qui ont caractérisé la fin de l'Ancien régime, ruinaient peu à peu le pays.

Cet absolutisme du pouvoir royal et tous les abus qu'il entraînaît amenèrent les penseurs de l'époque à mettre en doute les principes mêmes sur lesquels reposait l'Ancien régime. Ils arrivèrent, malgré [10 les difficultés qu'il y avait à le faire, à les critiquer ouvertement. Les œuvres de Montesquieu, de Voltaire et de Rousseau notamment répandirent la notion des Droits de l'homme. Malgré les efforts du gouvernement royal pour empêcher la diffusion des idées nouvelles, elles ne tardèrent pas à se répandre et gagnèrent même l'étranger. En [15 Amérique elles influencèrent profondément les auteurs de la Déclaration d'indépendance et ceux de la Constitution américaine. En France, elles contribuèrent beaucoup à amener la chute de l'Ancien régime.

L'autorité royale reçut un coup décisif en 1789. Louis XVI, voyant le trésor vide, dut convoquer les États-Généraux, assemblée [20 nationale qui n'avait pas été réunie depuis 1614. Les représentants du peuple, qui formaient dans ces États-Généraux ce qu'on appelait le *tiers état*, refusèrent de voter les nouveaux impôts que demandait le roi si, en échange, quelques libertés n'étaient pas accordées au peuple. Les membres du tiers état se séparèrent des représentants de la [25 noblesse et du clergé, se constituèrent en assemblée nationale et jurèrent de ne pas se séparer avant d'avoir établi une constitution. Devant cette attitude du tiers état, le roi se décida à agir et rassembla des troupes. Il était trop tard. Déjà le peuple de Paris commençait à se soulever contre l'autorité royale et l'on sentait partout une atmosphère [30 de révolution.

Le 14 juillet 1789, le peuple marcha sur la Bastille, s'empara de cette prison qui était le symbole de l'autorité royale et libéra les prisonniers politiques qui s'y trouvaient enfermés. A la suite de cette première victoire du peuple, les États-Généraux votèrent l'abolition [35 des privilèges, détruisant ainsi la base de l'Ancien régime. Peu après, la famille royale fut emprisonnée. Vers 1791 se forma le parti républicain, qui demanda l'abolition de la monarchie. En 1792 une nouvelle assemblée révolutionnaire, la Convention nationale, proclama la République et prépara une constitution. Elle condamna Louis XVI à [40 la guillotine. Avec la mort du roi, presque tout l'ordre établi disparut. On changea le calendrier, on adopta le système métrique des poids et mesures et on substitua à Dieu la déesse Raison.

Alors commença la Terreur. Le Comité de Salut public envoya chaque jour de nombreuses victimes à la guillotine. Les prisons [45 étaient pleines de *suspects*, c'est-à-dire de tous ceux que l'on soupçonnait de ne pas aimer la République. Parmi bien d'autres, le jeune poète André Chénier et Lavoisier, fondateur de la chimie moderne, moururent guillotinés.

La Terreur prit fin en 1795 avec l'établissement du Directoire. [50 Mais le changement de régime politique avait alarmé les rois des autres pays d'Europe qui craignaient de voir s'introduire chez eux les idées nouvelles de liberté. Dès la proclamation de la République en France, ils avaient commencé à s'armer contre elle. Gouvernée à l'intérieur par un Directoire faible et menacée à l'extérieur sur ses [55 frontières, la France était en danger. C'est alors qu'apparut Napoléon.

QUESTIONS

1. A quels abus l'absolutisme royal avait-il conduit? 2. Qui payait les impôts sous l'Ancien régime? 3. Qu'est-ce qui a ruiné la France pendant le dix-huitième siècle? 4. Citez des écrivains du dix-huitième siècle dont les œuvres ont répandu la notion des Droits de l'homme. 5. Quels sont les Droits de l'homme? 6. Qui les idées de Voltaire et de Rousseau ont-elles influencé en Amérique? 7. Pourquoi le roi Louis XVI a-t-il dû convoquer les États-Généraux? 8. Qu'est-ce que les États-Généraux? le tiers état? 9. A quelle condition le tiers état aurait-il voté de nouveaux impôts? 10. Que sentait-on partout à Paris à ce moment-là? 11. Qu'est-ce que la Bastille? 12. Qu'ont fait les États-Généraux pour détruire la base de l'Ancien régime? 13. Comment est mort Louis XVI? 14. Qu'a fait la Convention nationale pour changer l'ordre établi? 15. Qu'est-ce que la Terreur? 16. Citez des hommes célèbres guillotinés pendant la Terreur. 17. Pourquoi les rois des autres pays d'Europe ont-ils commencé à s'armer contre la France? 18. Qui est apparu à ce moment-là?

DEVOIRS

A. Remplacez l'infinitif par le participe passé de ces verbes de mouvement conjugués avec être.

1. Nous sommes (revenir) à la maison à quatre heures. 2. La reine est (mourir) en 1901. 3. Nos amis sont (aller) voir les chiens de

chasse. 4. Êtes-vous (arriver) à Orléans hier matin? 5. Les voyageurs sont (partir) de Blois en autobus.

B. *Mettez ces phrases au passé composé. Attention à l'accord des participes passés.*

1. Ces dames s'installent dans un compartiment. 2. Louis se réveille, se lève et se lave la figure. 3. Georges et Paul se parlent pendant deux heures. 4. Nous nous souvenons de cet incident. 5. Les colonies se séparent de l'Angleterre. 6. Pourquoi l'Allemagne s'arme-t-elle de nouveau?

C. *Remplacez l'infinitif par le participe passé de ces verbes conjugués avec avoir. Attention à l'accord du participe passé.*

1. Avez-vous (voir) les beaux tableaux que nous avons (acheter)? 2. Je cherche les romans dont Charles a (parler). 3. Quelle nouvelle avez-vous (entendre) à la radio? 4. Où est la maison que cet homme d'affaires vous a (vendre)? 5. Nous avons (parler) des livres que nous avions (lire). 6. Cet enfant a (prendre) la pomme que j'avais (mettre) sur la table et l'a (manger).

D. *Remplacez les infinitifs de ce récit par la forme convenable de l'impar-fait ou du passé composé, selon le cas.*[1]

Hier soir, je (aller) au cinéma avec mon camarade Jacques. Comme le cinéma est loin de chez nous, nous (prendre) un autobus. Nous (monter) dans l'autobus rue Montpellier et nous en (descendre) avenue Lafayette. Quand nous (arriver) devant l'entrée du cinéma, il y (avoir) déjà beaucoup de monde devant le guichet. Il (faire) froid [5 dehors. Nous (attendre) dix minutes pour prendre nos billets. Pendant que nous (attendre), nous (causer). Enfin, nous (pouvoir) entrer dans le cinéma.

Nous (trouver) une place et nous (s'asseoir). Il y (avoir) à côté de nous une femme, son mari et un enfant de six ans. Pendant [10 qu'on (montrer) le film, cette femme (parler) continuellement. L'enfant (manger) du chocolat. Souvent il (demander) à son père de lui ex-pliquer ce qui (se passer) dans le film.

Nous (rester) là deux heures. Le film (être) bon. Il me (plaire). Enfin, nous (sortir) et nous (reprendre) l'autobus.   [15

Autrefois, je (aller) souvent au cinéma. Je (aimer) voir les films. Je (attendre) avec impatience le samedi après-midi.

---

[1] In deciding whether to use the compound past or the imperfect, keep in mind that all main actions, that is, those which contribute to forwarding the action of the story, are in the compound past. All background, accessory or incidental actions which embellish the principal actions are in the imperfect.

E. Remplacez les verbes en italique par le passé composé ou l'imparfait selon le sens.[1]

Un soir d'hiver, un voyageur *entre* dans une auberge. Il *est* fatigué et il *a* faim. Il *neige* dehors et comme il *fait* très froid, beaucoup de gens *sont* assis autour du feu dans la grande salle de l'auberge, de sorte qu'il n'y *a* plus de place. Ces personnes *discutent* entre elles et ne *font* pas attention au nouveau venu.   [5

Le voyageur *se demande* comment trouver une place près du feu. Enfin il *dit* tout haut:

— Garçon, veuillez[2] apporter un plat d'huîtres[3] à mon cheval.

Cela *étonne* le garçon, car il *sait* que les chevaux ne mangent pas d'huîtres. Il lui *répond:*   [10

— Mais, monsieur, votre cheval ne mangera pas d'huîtres.

Très calme, le voyageur lui *dit:*

— Apportez-les à mon cheval. Vous verrez.

Les autres *entendent* ces paroles et *veulent* voir un cheval qui mange des huîtres. Ils *se lèvent* et *vont* avec le garçon.   [15

Dès qu'ils *sortent*, le voyageur *se met* près du feu. Après un moment, tout le monde *revient* dans la salle. Le voyageur *est* assis près du feu.

—Monsieur, *dit* le garçon, ne vous ai-je pas dit que votre cheval ne mangerait pas d'huîtres?

Le voyageur le *regarde* d'un air surpris et amusé et lui *répond:* [20

— Eh bien, apportez-les-moi. Je les mangerai moi-même.

GRAMMAIRE

A. Formation of the *passé composé* of verbs of motion and the agreement of the past participles of such verbs. (§ 54 C, D; § 70 C)

B. Formation of the *passé composé* of reflexive verbs and the agreement of the past participles of such verbs. (§ 54 E; § 70 B)

C. Agreement of the past participles of verbs conjugated with *avoir.* (§ 70 A)

D. The uses of the imperfect and the *passé composé.* (§ 47 A; § 56)

E. The uses of the imperfect and the *passé composé.* (§ 47 A; § 56)

---

[1] In deciding whether to use the compound past or the imperfect, keep in mind that all main actions, that is, those which contribute to forwarding the action of the story, are in the compound past. All background, accessory or incidental actions which embellish the principal actions are in the imperfect.

[2] *please.* This is the imperative of *vouloir.*   [3] *oysters*

La radio en France

Ici Paris. Radiodiffusion [1] française. Programme [2] national. Mesdames, mesdemoiselles, messieurs, nous vous prions d'écouter notre quatrième bulletin d'informations. Ce matin, le Président de la République a inauguré [3] la foire-exposition [4] de Bordeaux. . . .

Le speaker [5] de la radiodiffusion [1] nationale française continue alors la lecture des principales nouvelles aux centaines de milliers d'auditeurs qui sont à l'écoute [6] aussi bien à l'étranger qu'en France. En effet, un ensemble de treize stations formant la *Chaîne nationale* diffuse [7] ce programme sur ondes [8] moyennes [9] pour la France métro- [5 politaine et l'Europe tandis que des émetteurs [10] d'ondes [8] courtes le diffusent pour l'Union française et les pays étrangers des autres continents. Un deuxième programme est transmis [11] par un groupe de dix stations formant ce qu'on appelle la *Chaîne parisienne*, bien que ces stations, sauf une seule, soient en province. Enfin, quelques émet- [10 teurs moins importants et notamment *Radio-Inter*, construit pendant la guerre par les Américains pour distraire leurs soldats, sont utilisés par la radiodiffusion [1] française pour des émissions [12] de portée plus réduite.

Avant la guerre, la radio française comprenait vingt stations d'État et douze stations privées. La publicité commerciale constituait à ce [15 moment-là la principale ressource des stations privées et même de la plupart des stations d'État. La qualité des émissions [12] en souffrait beaucoup. Entre une symphonie de Beethoven et un concerto de Mozart on entendait le speaker vanter [13] les mérites d'une marque de moutarde [14] ou de pâte [15] dentifrice. Les programmes s'adressaient [20 surtout aux masses populaires.

Au moment de la défaite de 1940, les postes [16] émetteurs français ont cessé leur activité sur l'ordre des Allemands. Seul Radio-Paris a continué ses émissions [12]: ce sont les Allemands eux-mêmes qui l'utilisaient pour leur propagande. C'est ainsi que, bien souvent, [25 ils déformaient à leur avantage les nouvelles militaires. Aussi chantait-on en France, à ce moment-là, sur l'air de la *Cucaracha*, un refrain qu'avait lancé la radio de Londres:

Radio-Paris ment [17], Radio-Paris ment,
Radio-Paris est allemand. [30

Pendant toute la durée [18] de la guerre, en effet, la radio de Londres

[1] *broadcasting system*   [2] *network*   [3] *opened*   [4] *fair*   [5] *announcer* [spikɛr]   [6] *listening*
[7] *broadcasts*   [8] *waves*   [9] *medium*   [10] *stations*   [11] *transmitted*   [12] *programs*
[13] *praise*   [14] *mustard*   [15] *toothpaste*   [16] *broadcasting stations*   [17] *lies*   [18] *duration*

— on appelait ainsi la B. B. C. — était très écoutée par les Français. Ils avaient peu de confiance dans les nouvelles que donnaient les Allemands et ne croyaient guère à toutes les victoires que ces derniers annonçaient tous les jours. Nombreuses étaient les maisons où le [35 soir, à 21 heures 15, la voix d'un speaker de la B. B. C. annonçait:

«Ici Londres. Aujourd'hui, 17 septembre 1943, 1125ème jour de la résistance du peuple français à l'oppression . . .»

Les nouvelles apportaient alors à chaque famille anxieuse parfois une désillusion mais souvent un espoir. [40

Aujourd'hui la radio a heureusement cessé d'être une arme de guerre. Elle a repris son rôle du temps de paix: enseigner, renseigner et distraire [1]. Les anciens postes privés sont passés sous le contrôle de l'État. En même temps, la radio nationale étant subventionnée par l'État, la réclame [2] commerciale a disparu. Les émissions [3] [45 se sont perfectionnées et sont devenues beaucoup plus intéressantes.

La radio est d'un usage très courant en France. Chaque famille a son poste [4] récepteur, même dans les fermes les plus isolées au fond des campagnes. Dans presque toutes les maisons, à l'heure des repas et surtout le soir après dîner, on ouvre (met) la radio pour [50 écouter en famille les programmes que l'on aime.

Actuellement, ces programmes sont très variés et chacun peut trouver une émission [5] à son goût. Les conférences que l'on retransmet [6] depuis la Sorbonne et les causeries [7] scientifiques sont destinées à l'élite intellectuelle. Ceux qui aiment la musique peuvent écouter les [55 concerts magnifiques que donnent les grands orchestres français et étrangers ou les retransmissions [6] d'opéras et d'opérettes. Les amateurs de théâtre ont souvent l'occasion d'entendre des pièces de toutes sortes. Les jeunes gens trouvent leur plaisir dans les heures de «swing» que leur offrent les meilleurs jazz de Paris. Le grand public se passionne [60 pour les émissions [6] de variétés [8] où les airs à la mode et l'esprit des chansonniers [9] font oublier pendant quelques heures les soucis quotidiens [10]. Par la T. S. F. [11] on peut suivre les reportages des grands matches de football ou de tennis, des principaux combats de boxe, etc. De temps en temps la radio française retransmet [12] sur ses antennes les [65 grandes émissions [6] des radios étrangères: anglaise, américaine, suisse, italienne, etc. Plusieurs fois par jour les émissions [6] d'informations tiennent tout le monde au courant des nouvelles et les revues de presse critiquent les principaux articles des journaux français et étrangers.

---

[1] *entertain*   [2] *advertising*   [3] *programs*   [4] *receiving set*   [5] *program*
[6] *broadcasts*   [7] *talks*   [8] *variety programs*   [9] *popular song artists*   [10] *daily*
[11] *radio* (la télégraphie sans fil)   [12] *relays*

CHOIX D'ECOUTE

MUSIQUE

12.01 Musique variée. P.P.
12.30 Airs d'opéras. P.N.
14.05 Grands jazz américains. P.I.
14.32 Récital d'orgue. P.P.
18.30 Musique pour rêver. P.I.
20.30 Orch. Pierre Spiers. P.P.

THEATRE

15.00 «Le Barbier de Séville». P.N
15.25 «L'amour des trois oranges».
P.I.
22.10 «Aucassin et Nicolette». P.P.

VARIETES

13.35 Vacances pour ceux qui n'en
ont pas. P.P.
14.30 L'Histoire de France en
poèmes et en chansons. P.N.
15.35 Echos du monde. P.N.
18.41 L'album de famille. P.N.
20.05 La muse au cabaret. P.N.
21.00 Vous avez la parole. P.P.

NATIONAL

431 m. 70

6.30 Horloge parlante
JOURNAL PARLÉ DE FRANCE
40 Mosaïque musicale
7.00 Musique militaire:
Le téméraire (Mougeot). – Le
chant du départ (Méhul-Dupont).
Chant : Georges Thill. – Marche
du 37ᵉ R.I. (Marius Millot).
15 Culture physique
par Robert –H. Raynaud.
30 Horloge parlante.
JOURNAL PARLÉ DE FRANCE.
Revue de presse.
55 Bulletin économique : Conseils
pratiques.
59 Horloge parlante.
8.00 LE JOURNAL PARLÉ DE FRANCE
Nouvelles sportives.

10 (Paris seulement) : O.N.M.
régional. – Mémento du ravitaillement.
Agenda de Paris.
10 (Autres postes): Disque :
Les noces de la rose (Léon Jessel).
17 Conseils d'hygiène pratique
par Georges Jouin.
30 Musique symphonique
Le Lac enchanté (Liadow) : Orchestre symphonique de Boston sous
la direction de Serge Koussevitzky.
– Mon lac, pour piano et orchestre
(Witkowski) Soliste : Robert Casa-
desus, et orchestre sous la direction
de l'auteur.
9:15 Heure de Culture française:
L'Union Française:
L'Afrique Noire (II)
1° Géographie : Les colonies du
Soudan et du Sahel. – 2° Histoire :
L'installation française en A.O.F.,
par M. Jullien, professeur à l'Ecole
de la France d'Outre-Mer. – 3° Les
transformations de l'agriculture in-
digène, par M. Dresch, professeur à
la Faculté de Strasbourg et à l'Ecole
de la France d'Outre-Mer.
10.00 Cours de langues vivantes:
Littérature espagnole.

11.50 Emission en langue arabe

12.00 Horloge parlante.
O.N.M. régional.
01 Disques :
Le Carnaval des animaux (Saint-
Saëns) : Introduction et marche
royale du lion. Poules et coqs, La
tortue, l'éléphant, Le coucou au
fond des bois.
13.00 Horloge parlante
JOURNAL PARLÉ DE FRANCE
05 L'Hebdomadaire de la Femme
L'actualité sociale. – Conseils médi-
caux. – Le point de vue de l'Assistance sociale. – Petits conseils
pratiques. – Le sport. – Nouvelles
féminines.

*Extrait d'un hebdomadaire
de radio*

conseils (*m.pl.*) *advice*, coq (*m.*) *rooster*, disque (*m.*) *record*, extrait (*m.*) *extract, excerpt,
selection*, hebdomadaire (*m.*) *weekly*, horloge (*f.*) *clock*, orgue (*m.*) *organ*, P.I. Paris-Inter,
P.N. Poste National, P.P. Poste Parisien, parole (*f.*) *word*, poule (*f.*) *chicken*, pratique
practical, rêver *dream*, téméraire *bold*, tortue (*f.*) *tortoise*

Les chefs du gouvernement et les ministres ont pris l'habitude [70
de parler au pays par la voix de la radio. Ils expliquent aux citoyens les
mesures importantes qui sont prises en matière politique, financière et
sociale. Dans la journée, pendant les heures de travail quand les auditeurs sont moins nombreux, ont lieu quelques émissions [1] spéciales:
leçons de culture physique le matin, cours de langues vivantes, cau- [75
series [2] médicales, financières, agricoles, ou encore des émissions [1]
destinées aux anciens prisonniers de guerre, aux mères de famille, aux
enfants, aux malades des hôpitaux, etc.

La radio, moyen d'expression extrêmement rapide, joue un rôle
important dans la vie nationale de la France. A l'avenir son impor- [80
tance deviendra plus considérable encore, surtout avec le développement
de la télévision.

QUESTIONS

1. Quelle est la principale différence entre la *Chaîne nationale* et
la *Chaîne parisienne*? 2. Qu'est-ce qui constituait, avant la guerre, la
principale ressource des stations privées en France? 3. Comment les
Allemands ont-ils utilisé la radio pendant la guerre? 4. Pourquoi les
Français ont-ils écouté la radio de Londres pendant la guerre? 5.
Quelle est le rôle de la radio en temps de paix? 6. Pourquoi ne fait-on
pas actuellement de publicité à la radio française? 7. A quelles heures
surtout écoute-t-on la T. S. F. en France? 8. Citez des programmes
destinés à l'élite. 9. Citez des émissions destinées au grand public.
10. Comment les chefs du gouvernement utilisent-ils la radio en
France? 11. Citez des programmes spéciaux. 12. Quels sont vos programmes favoris à la radio?

DEVOIRS

A. Remplacez les expressions entre parenthèses par l'équivalent français:

1. Nous (*are waiting for*) mon oncle, qui nous mènera au musée.
2. Je (*am looking for*) quelqu'un qui puisse m'aider. 3. Qui (*asked
for*) cet argent? 4. Les élèves (*listen to*) les explications du professeur.
5. Nous avons payé (*two dollars for this book*). 6. Elle (*looked at*)
son mari tout étonnée.

B. Remplacez les mots indiqués entre parenthèses par l'équivalent français:

1. Quelle est (*his* [3]) origine? 2. Où est (*your*) voiture? 3. (*Mine*)
est derrière la maison. 4. J'ai acheté (*my*) poste de radio il y a un an.
5. Quand avez-vous acheté (*yours*)? 6. Avez-vous compris (*my*)

[1] *broadcasts*   [2] *talks*   [3] Consult especially § 13 C.

explication? 7. (*Theirs*) est plus facile à comprendre. 8. Avez-vous vu (*his*) frère et (*his*) sœur? 9. (*Our*) oncle et (*our*) tantes de province viennent nous voir dimanche. 10. (*Their*) professeur va en Espagne voir (*his*) parents. 11. Paul a trouvé (*my*) journaux et (*my*) carte de France sur (*my*) bureau. 12. Où avez-vous trouvé (*his*)? 13. Où est (*her*) élegante robe? 14. Avez-vous vu (*ours*)?

C. *Remplacez les tirets de ce récit par les pronoms relatifs qui conviennent au sens:*

Un paysan —— un chien avait mordu est allé voir un avocat [1] —— était son voisin. Il lui a dit:

— J'ai été mordu par un chien et je sais à —— il appartient. Que faut-il faire pour obtenir des réparations?

— C'est très facile, a répondu l'avocat. Vous pouvez réclamer [5 deux mille francs à la personne —— le chien vous a mordu.

— Eh bien, a répondu le paysan —— cette réponse a enchanté, c'est votre chien —— m'a mordu. Donnez-moi donc les deux mille francs —— vous me devez.

— Certainement, a répondu l'avocat, à —— cette idée n'a pas [10 plu, je le ferai. Mais il faut me payer quatre mille francs les conseils —— je vous ai donnés.

D. *Remplacez les tirets par le pronom relatif qui convient:*

1. Dites-moi —— font ces gens. 2. Voilà la dame —— vous avez vu le mari. 3. Où est la lettre —— vous m'avez écrite? 4. Les voitures —— je parlais sont déjà parties. 5. Je voudrais vous parler des camarades avec —— votre fils joue tous les jours. 6. Avez-vous retrouvé le stylo avec —— vous avez écrit vos devoirs? 7. Le jour —— nous avons commencé un autre travail, le président est parti en vacances. 8. N'oubliez pas —— vous m'avez promis. 9. Au moment —— ces troupes arriveront, j'irai en Amérique. 10. Dites-lui —— vous empêche de travailler.

E. *Écrivez ces verbes (1) au présent (2) à l'imparfait:*

1. il a changé 2. nous avons mangé 3. j'ai effacé 4. nous avons commencé

F. *Écrivez ces verbes (1) au présent (2) au futur:*

1. j'essayais 2. vous vous êtes levé 3. vous avez payé 4. il nettoyait 5. nous avons essuyé 6. j'ai mené 7. elle espérait 8. nous appelions 9. ils se jetaient

---

[1] *lawyer.*

GRAMMAIRE

A. Verbs governing nouns without a preposition. (§ 42 B)
B. Possessive adjectives and pronouns. (§ 13, § 31)
C. Relative pronouns. (§ 36)
D. Relative pronouns. (§ 36)
E. Orthographical changing verbs in -*cer* and -*ger*. (§ 82 A, B)
F. Orthographical changing verbs in -*yer*, in -*e-er*, and in -*é-er*.
   (§ 82 C, D, E)

CINQUANTE-SEPTIÈME LEÇON

Napoléon Ier

Si Napoléon Bonaparte était né un an plus tôt, il aurait été Italien,
car il naquit en Corse en 1769 un an après que cette île fut devenue
française. Il était général à vingt-quatre ans, et à vingt-sept il com-
mandait en chef l'armée d'Italie. Il remporta une série de victoires sur
l'empereur d'Autriche au cours de la campagne d'Italie. A son re- [5
tour à Paris il fut l'objet de l'admiration générale. Il proposa au Directoire d'aller conquérir l'Égypte, d'où les Français pourraient menacer les
possessions anglaises de l'Inde. Le Directoire, jaloux des succès de
Bonaparte, lui donna une armée pour se débarrasser de lui et l'envoya
en Égypte. Mais là, Bonaparte gagna la célèbre bataille des Pyra- [10
mides et revint en France plus populaire que jamais.

En 1799, Bonaparte, profitant de la faiblesse du Directoire et de
la grave situation extérieure, fit un coup d'état et prit le pouvoir.
Il fut alors nommé premier consul.

Les guerres d'Italie continuaient. Une fois victorieux, Bonaparte [15
s'occupa de l'administration de la France, car s'il menaça la paix de
l'Europe par ses ambitions de conquête, il fit beaucoup de réformes à
l'intérieur du pays. Il réunit toutes les lois dans ce qu'on appelle le
Code Napoléon ou le Code Civil. Ce code forme encore aujourd'hui la
base du droit civil en France, en Belgique, en Hollande, en Suisse [20
et même en Louisiane. Bonaparte établit un nouveau système financier,
dont la Banque de France était la partie la plus importante. Il rétablit
l'ordre dans les départements. Il conclut avec le pape un concordat
rétablissant la religion catholique en France. En 1802 il se fit nommer
consul à vie et en 1804 il se proclama empereur et prit le nom de [25
Napoléon Ier.

L'Angleterre, la Russie, la Suède et l'Autriche, craignant le développement de sa puissance, s'unirent pour le combattre. Napoléon aurait aimé faire passer ses armées en Angleterre, mais la flotte française n'était pas assez forte. Napoléon dut se contenter de faire la guerre [30 sur le continent, à l'Autriche et à la Russie, alliées de l'Angleterre. Dans une série de victoires, il sépara l'Autriche et la Prusse de l'Angleterre. Il entra à Berlin et devint maître des états allemands. Il établit le blocus continental contre les Anglais, en interdisant à tous les autres pays de vendre leurs produits à l'Angleterre. En 1808 il fit monter [35 son frère Joseph sur le trône d'Espagne. Au nord il prit possession de la Hollande. En 1812 il envahit la Russie. Mais au lieu d'accepter la bataille, les Russes reculèrent toujours, brûlant tout sur leur passage. En arrivant à Moscou, les troupes de Napoléon ne trouvèrent rien à manger. Vaincu par le froid et la faim, Napoléon décida de [40 battre en retraite. Poursuivie par les Russes, une petite partie seulement de la Grande Armée réussit à rentrer en France. Victor Hugo décrit d'une manière saisissante la retraite de Moscou dans son œuvre *l'Expiation:*

Il neigeait. On était vaincu par sa conquête. [45
Pour la première fois l'aigle [1] baissait [2] la tête.
Sombres jours! l'empereur revenait lentement,
Laissant derrière lui brûler Moscou fumant [3].
Il neigeait. L'âpre [4] hiver fondait [5] en avalanche.
Après la plaine blanche une autre plaine blanche. [50
On ne connaissait plus les chefs ni le drapeau [6].
Hier la grande armée, et maintenant troupeau [7].

Épuisé, Napoléon continua la lutte contre les armées des pays d'Europe. Peu à peu ses forces diminuèrent, et il fut enfin vaincu à la bataille de Leipzig en 1813. Les alliés victorieux poursuivirent [55 Napoléon jusqu'au Rhin et ensuite la France fut envahie à son tour. Enfin Napoléon abdiqua et les alliés l'exilèrent à l'île d'Elbe, dans la Méditerranée. Six mois après, il rentra en France. Rassemblant ses troupes il reprit Paris à Louis XVIII, frère du roi Louis XVI et réorganisa l'armée. Mais il fut battu en 1815, cette fois définitivement, [60 à la bataille de Waterloo. On l'envoya à Sainte-Hélène, île perdue au milieu de l'Atlantique, où il devait mourir en 1821. Louis XVIII reprit son trône et la France redevint un royaume.

Certes, Napoléon fut vaincu, mais il inspire toujours de l'admiration à bien des Français et reste pour eux un des plus grands héros [65 de la France.

---

[1] *eagle*   [2] *lowered, bowed*   [3] *smoking*   [4] *harsh*   [5] *rushed forth as*   [6] *flag*   [7] *herd*

QUESTIONS

1. Où est né Napoléon? 2. S'il était né un an plus tôt, quelle aurait été sa nationalité? 3. A quel âge est-il devenu général? 4. Qu'a-t-il proposé au Directoire? 5. Pourquoi le Directoire lui a-t-il donné une armée? 6. Quelle est la bataille que Napoléon a gagnée en Égypte? 7. Quand Napoléon a-t-il été nommé premier consul? 8. Qu'est-ce que le Code Napoléon? 9. Dans quels pays le Code Napoléon est-il la base du droit civil? 10. Pourquoi les autres pays d'Europe se sont-ils unis contre Napoléon? 11. Pourquoi Napoléon n'a-t-il pas envahi l'Angleterre? 12. Qu'est-ce que le blocus continental? 13. Racontez la campagne de Russie. 14. Quelle est l'œuvre de Victor Hugo qui décrit la retraite de Russie? 15. A quelle bataille Napoléon a-t-il été vaincu? 16. Où a-t-il été exilé? 17. Qu'a-t-il fait six mois après? 18. Qui était roi de France à ce moment-là? 19. Où Napoléon a-t-il été battu de nouveau? 20. Où a-t-il été exilé la deuxième fois?

DEVOIRS

A. Mettez les verbes suivants (1) *au futur* (2) *au futur antérieur.*

EXEMPLE: il trouvait — il trouvera — il aura trouvé:

1. il voit 2. nous avions fait 3. vous êtes 4. j'écris 5. elle se couche 6. tu sais 7. ils reviennent 8. je pouvais

B. Mettez les verbes suivants (1) *au conditionnel* (2) *au conditionnel passé.* EXEMPLE: nous avons perdu — nous perdrions — nous aurions perdu

1. il pleut 2. je voulais 3. ils vont 4. nous sommes morts 5. vous avez envoyé 6. il fallait

C. Remplacez l'infinitif par la forme convenable du verbe:

1. Si ces gens (pouvoir) prendre leurs billets, ils seraient partis tout de suite. 2. Si vous ne travaillez pas, vous ne (réussir) pas à votre examen. 3. Si vous (rester) avec nous, vous verrez l'exposition de Lyon. 4. S'il avait plu, nous (passer) l'après-midi à la maison. 5. Si nous (voyager) toute la journée, nous arriverons à Marseille vers neuf heures du soir. 6. Si j'étais en Russie, je (être) probablement surveillé.

D. Remplacez les mots entre parenthèses par l'équivalent français:

1. Quand nous (were) en France, nous avons visité la forêt de Fontainebleau. 2. Quand je (am) en France, je vais toujours à Tours.

3. Quand vous (*are*) en France, vous verrez certainement la Tour Eiffel.
4. Dès que je (*see*) Jacques, je lui parlerai de vous. 5. Lorsque vous (*have*) assez d'argent, achetez une voiture. 6. Quand nous (*finish*) notre travail, nous sortirons tout de suite. 7. Dès que nous (*have read*) le journal, nous téléphonerons à Madeleine. 8. Quand Marie (*has learned*) à parler français, elle fera un voyage en France.

E. *Introduisez dans la phrase l'adverbe indiqué entre parenthèses.* EXEMPLE: (bien) Vous avez travaillé ce matin. Vous avez *bien* travaillé ce matin.

1. (toujours) Ces jeunes gens s'arrêtent devant notre maison. 2. (tard) Les voyageurs sont arrivés à l'auberge. 3. (beaucoup) Nous avons appris cette année. 4. (souvent) Les Français écoutent les émissions de la radio. 5. (rarement) Vous allez à Cherbourg. 6. (hier) Michel est parti pour Tours. 7. (déjà) Les étudiants ont pris leurs billets. 8. (encore) Nous ne sommes pas montés jusqu'aux tours de la cathédrale. 9. (peut-être) Nous reviendrons demain. 10. (lentement) Nous avons marché le long de la Seine. 11. (aussi [1]) Nous ne sommes pas fatigués.

GRAMMAIRE

1. Formation of the future and the future perfect. (§ 48, § 59)
2. Formation of the conditional and the past conditional. (§ 50, § 63)
3. Conditional sentences. (§ 65)
4. Uses of the future and the future perfect. (§ 49, § 60)
5. Position of adverbs. (§ 19)

===== *CINQUANTE-HUITIÈME LEÇON* =====

Noël

Il fait déjà froid en décembre: c'est l'époque des longues soirées au coin du feu où l'on entend le vent siffler sous la porte et où dehors, le sol et les toits sont souvent recouverts de neige. C'est l'époque aussi des fêtes de Noël. Dans les écoles, les vacances de Noël commencent le 23 décembre après la classe et durent jusqu'au 3 janvier. [5 Les élèves et les étudiants rejoignent leurs familles. En effet, parmi

[1] *therefore*

toutes les grandes fêtes de l'année, Noël est avant tout la fête de la famille et, comme ailleurs, c'est pour les enfants surtout que Noël est un grand jour.

Noël est en même temps une très grande fête religieuse et la [10 tradition veut que l'on se rende, la veille de Noël, à la messe [1] de minuit. Vous ne pouvez pas vous figurer avec quelle émotion on entend tout à coup, dans le silence d'une nuit de décembre, toutes les cloches de toutes les églises qui appellent les fidèles à venir célébrer la naissance du Christ! L'église est brillamment éclairée et on chante des can- [15 tiques [2] de Noël, dont le plus connu est:

> Minuit! Chrétiens, c'est l'heure solennelle
> Où l'homme Dieu descendit jusqu'à nous
> Pour effacer la tache [3] originelle
> Et de son Père arrêter le courroux [4].   [20
> Le monde entier tressaille [5] d'espérance
> A cette nuit qui lui donne un Sauveur [6]!
> Peuple à genoux, attends ta délivrance,
> Noël! Noël! Voici le Rédempteur [7]!
> Noël! Noël! Voici le Rédempteur [7]!   [25

Au* retour de la messe l'arbre de Noël attend les enfants. C'est un petit sapin [8] illuminé [9] de bougies [10] multicolores, orné d'étoiles d'or et d'argent et chargé de cadeaux [11]. Les enfants poussent des cris de joie en admirant ce spectacle et vont prendre leurs jouets [12] dans le sapin [8]. Ensuite, la famille se réunit autour d'une table pour le [30 réveillon [13]. Généralement, c'est un repas léger où l'on mange surtout de la charcuterie et des gâteaux, mais, dans certaines maisons, c'est à ce moment-là qu'a lieu le véritable repas de Noël et la fête se prolonge alors très tard dans la nuit.

Les tout petits, trop jeunes pour assister à la messe de minuit, [35 sont couchés depuis longtemps. Il y a déjà plusieurs semaines qu'ils ont écrit au Père Noël pour lui demander les cadeaux dont ils ont le plus envie. Car c'est aussi la veille de Noël pendant la nuit que le Père Noël descend dans les cheminées déposer des jouets [12], des bon-

---

* Christmas customs differ considerably in different families. Some families receive the gifts on Christmas eve, others on Christmas morning, still others on Christmas afternoon.

---

[1] *mass*   [2] *carols*   [3] *blemish*   [4] *anger*   [5] *tremble*   [6] *Saviour*   [7] *Redeemer*
[8] *pine tree*   [9] *lighted*   [10] *candles*   [11] *gifts*   [12] *toys*   [13] *lunch or dinner eaten after midnight mass on Christmas eve*

bons [1] et des gâteaux. Le matin de Noël, ils se précipitent vers [40 la cheminée où ils avaient mis leurs sabots [2] ou leurs souliers bien propres et bien rangés. C'est pour eux une joie sans pareille de découvrir parmi les paquets l'auto mécanique ou la poupée [3] dont ils *dreamt* rêvaient depuis si longtemps. Et les parents ne sont pas moins heureux à la vue de cet enthousiasme que fait naître chaque année le mystère [45 enfantin [4] des jouets [5] venus du ciel. *coming*

Le jour de Noël, au déjeuner, la famille se réunit pour manger une dinde [6] ou une oie [7] rôtie [8] et, au dessert, la traditionnelle bûche [9] de Noël, gâteau au chocolat qui ressemble à une grosse branche d'arbre et dont chacun reçoit un grand morceau. Dans l'après-midi, des [50 amis ou des voisins viennent se joindre au cercle de famille et les enfants dansent des rondes [10] et chantent des chansons de Noël.

En France, la fête de Noël n'est pas l'occasion d'échange de vœux [11]. C'est au premier janvier, le jour de l'an, qu'on envoie des vœux [11] de «bonne année» et qu'on fait de nombreuses visites. [55

QUESTIONS

1. En quelle saison le sol est-il recouvert de neige? 2. Où les étudiants passent-ils généralement les vacances de Noël? 3. Où va-t-on la veille de Noël? 4. De quoi est illuminé l'arbre de Noël? 5. Qu'est-ce que le réveillon? 6. Où les enfants mettent-ils leurs souliers la veille de Noël? 7. Que leur apporte le Père Noël? 8. Pourquoi les parents sont-ils aussi heureux que les enfants le matin de Noël? 9. Que mange-t-on au déjeuner le jour de Noël? 10. Qu'est-ce que la bûche de Noël? 11. A quoi ressemble-t-elle? 12. Qui vient se joindre à la famille l'après-midi? 13. La fête de Noël est-elle l'occasion d'échange de vœux? 14. Quand envoie-t-on des vœux en France?

DEVOIRS

A. Remplacez les tirets par une préposition où il y a lieu:

1. N'oubliez pas —— mettre votre nom sur les lettres que vous enverrez. 2. Mon père vous invite —— passer quelques jours chez nous. 3. Michel m'a dit —— me dépêcher. 4. Désirez-vous —— venir avec moi? 5. Non, je préfère —— aller avec René. 6. La sœur de Denise commencera —— travailler demain. 7. Elle espère —— voir toutes ses amies là-bas. 8. Je veux —— vous voir un moment. 9. Oui, Jean a hésité —— venir nous voir. 10. Vous n'osez pas —— le lui dire, n'est-ce pas? 11. Pourquoi continuez-vous —— y aller?

[1] *candy*   [2] *wooden shoes*   [3] *doll*   [4] *childish*   [5] *toys*   [6] *turkey*   [7] *goose*
[8] *roasted*   [9] *log*   [10] *rounds*   [11] *greetings*

12. Demandez au Père Noël —— vous apporter beaucoup de jouets.
13. Nous avons essayé —— passer nos vacances de Noël chez nos
parents. 14. Pourquoi le propriétaire de la maison a-t-il refusé ——
vous permettre —— prendre des vacances à Noël? 15. Oh, je vais
réussir —— partir la veille de Noël.

B. *Remplacez les tirets par la préposition*[1] *convenable en y ajoutant
l'article où il y a lieu.*

1. Avez-vous assisté —— votre classe de français ce matin? 2. Je
me suis approché —— la ville où je suis né. 3. Je préfère jouer ——
tennis tandis que Marie préfère jouer —— violon. 4. Vous ressemblez
beaucoup —— votre père. 5. Le professeur a essayé d'apprendre ——
élèves à parler français. 6. Paul s'est aperçu —— son erreur et il a
corrigé sa faute. 7. Dans cette classe nous ne manquons pas ——
travail. 8. Je pense souvent —— mes amis français et ils pensent
souvent —— moi. 9. Que pensez-vous —— cet homme? 10. Le
Père Noël n'apporte rien aux enfants qui n'obéissent pas —— leurs
parents. 11. Profitez —— l'occasion de connaître ce savant. 12. Les
enfants ont demandé —— leurs parents des automobiles mécaniques.
13. Ils ont remercié leurs parents —— beaux cadeaux qu'ils avaient
reçus à Noël. 14. Anatole France se souvient —— son enfance et ——
ses promenades au Luxembourg. 15. Tous mes amis se servent —— ma
voiture. 16. Vous occupez-vous —— vos leçons? 17. J'ai prié ——
mon ami de m'envoyer des timbres. 18. Qui est entré —— votre
chambre? 19. Il faut plaire —— gens. 20. Je n'ai pas encore répondu
—— sa lettre.

C. *Remplacez le mot en italique par le mot entre parenthèses, en faisant
les changements nécessaires.* EXEMPLE: (rien) Nous avons lu *un
livre.* Nous *n'*avons *rien* lu.

1. (personne) *Le Père Noël* est devant la porte. 2. (personne) Nous
avons vu *un homme* derrière la maison. 3. (rien) J'ai écrit *un résumé*
au tableau. 4. (rien) Paul avait vu *des voitures* dans la rue. 5. (aucun)
Ils ont *une bonne* raison pour partir. 6. (aucun) Je connais *un* roman qui
est[2] intéressant. 7. (plus) Il y a *toujours* des[3] enfants sur les plages.

GRAMMAIRE

A. Prepositions governing dependent infinitives. (§ 41)
B. Prepositions governing nouns. (§ 42)
C. Negatives. (§ 21 E, F, G)

[1] Consult the general French-English vocabulary for prepositions which habitually
follow these verbs before nouns.
[2] What change is made in this verb when the antecedent becomes negative? (§ 76 E)
[3] What happens to a partitive article which depends on a word of quantity? (§ 5 C 1, 2)

Napoléon III

Le dix-neuvième siècle fut une période de révolutions et de troubles. En 1815, après la chute de Napoléon Ier, les grandes puissances d'Europe remirent Louis XVIII sur le trône de France. En 1830 le peuple se révolta contre Charles X, frère de Louis XVIII, et prit Louis-Philippe pour roi. En 1848, le manque de travail amena une crise écono- [5 mique et le peuple, mécontent, se révolta encore une fois. On proclama la Deuxième République. Louis Napoléon, neveu de Napoléon Ier, fut élu président de cette république. Mais il était ambitieux comme son oncle. Il s'empara du pouvoir et en 1852 se proclama empereur. Ce fut le Second Empire. [10

Le règne de Napoléon III fut marqué par des progrès matériels considérables. Ce fut pour la France une des périodes les plus prospères de son histoire. L'empereur fit embellir Paris. Il fit construire une partie des grands boulevards qu'on admire tant aujourd'hui. C'est à cette époque qu'un Français, Ferdinand de Lesseps, fit percer le [15 canal de Suez, et la France contrôla cet important ouvrage pendant plusieurs années. C'est l'époque aussi où elle commença à acquérir l'empire colonial qui la rendait si puissante avant la guerre de 39.

Mais la France n'était pas la seule nation qui s'agrandissait alors. A la même époque, l'Allemagne, qui était restée longtemps une [20 confédération d'états indépendants, parvenait peu à peu à s'unifier sous l'autorité du roi de Prusse. Bismarck, homme d'état très habile, y organisait une des plus fortes armées du monde. Entre 1864 et 1870, il libéra l'Allemagne des puissances étrangères. A ce moment-là Bismarck rêvait d'une guerre pour achever l'unification des états allemands du [25 nord et du sud.

L'occasion se présenta bientôt. En 1868 les Espagnols avaient renversé leur reine Isabelle II. Ils avaient offert la couronne à un cousin du roi de Prusse, qui avait accepté. Le gouvernement français protesta; le prince retira sa candidature. Mais quand la France de- [30 manda à l'Allemagne la promesse de ne jamais [1] mettre ce prince sur le trône d'Espagne, l'Allemagne refusa à son tour. La France interpréta ce refus comme une insulte et déclara la guerre à l'Allemagne.

La guerre, commencée en 1870, dura moins d'un [2] an. La France ne pouvait rien contre l'immense organisation militaire de Bismarck. [35 Elle dut céder l'Alsace et une partie de la Lorraine à l'Allemagne et payer une indemnité de guerre de cinq milliards de francs [3].

[1] Why are the negatives together? (§ 21 I)   [2] For *than* see § 12 B.
[3] This amounted to about $1,000,000,000 in contemporary American currency.

Pendant la guerre, les Français renversèrent le Second Empire. Napoléon III se sauva en Angleterre. On fonda la Troisième République, et en 1875, on établit la constitution qui fut la base du gou- [40 vernement français jusqu'à la défaite de 1940.

La guerre de 70 et ses suites sont très importantes dans l'histoire diplomatique de l'Europe et dans le développement des événements qui amenèrent la guerre en 1914.

QUESTIONS

1. Qui a été remis sur le trône de France en 1815? 2. Qu'a fait le peuple français en 1830? en 1848? 3. Qui s'est emparé du pouvoir pendant la Deuxième République? 4. Qu'est-ce qu'il a établi? 5. Par quoi a été marqué le règne de Napoléon III? 6. Qui a fait percer le canal de Suez? 7. Quelle était la situation politique en Allemagne pendant ces années-là? 8. Qui était devenu le chef de la confédération allemande? 9. Qui a organisé l'armée allemande de cette époque? 10. Quelle est la reine que les Espagnols avaient renversée? 11. A qui avaient-ils offert la couronne d'Espagne? 12. Qu'est-ce que le gouvernement français a fait alors? 13. Et ensuite, qu'est-ce que le gouvernement français a demandé à l'Allemagne? 14. Quelle a été la cause de la guerre avec l'Allemagne? 15. Combien de temps a duré cette guerre? 16. Qui l'a gagnée? 17. Qu'est-ce que la France a perdu après cette guerre? 18. Quelle était la situation politique en France à la fin de la guerre? 19. Qu'a-t-on établi en France en 1875?

DEVOIRS

A. Introduisez la construction causative dans les phrases suivantes.
    EXEMPLE: Nous avons construit une maison. Nous *avons fait construire* une maison.

1. Le professeur ouvre la fenêtre. 2. Il corrige les fautes des élèves. 3. Ils ont lavé leur voiture. 4. Nous vendrons le chien. 5. Cet homme d'affaires avait écrit des lettres.

B. Remplacez les articles en italique par l'adjectif démonstratif.
    EXEMPLE: *Le* professeur et *les* élèves ne connaissent pas *la* ville. *Ce* professeur et *ces* élèves ne connaissent pas *cette* ville.

1. Qui avez-vous trouvé à *l'*hôtel? 2. *Le* repas m'a beaucoup plu. 3. *Les* pommes de terre frites sont excellentes. 4. *La* viande est trop dure. 5. *Les* œufs coûtent cher. 6. J'aime beaucoup *les* légumes et *la* salade.

C. Remplacez les tirets par un pronom démonstratif:

1. Lisez ———. 2. Je ne peux pas faire ———. 3. Voyez-vous ces deux grands bateaux? ——— -ci est anglais et ——— -là est français. 4. Comprenez-vous ———? 5. ——— qui vont à Paris prennent souvent l'avion. 6. Oui, nous avons deux voitures. ——— de mon frère est meilleure que ——— de mon père. 7. Vous avez vu les deux sœurs. Laquelle préférez-vous? ——— -ci? Non, ——— qui étudie la musique.

D. Remplacez le tiret par ce, il, elle, ils *ou* elles *selon le cas.*

1. J'aime beaucoup voyager. ——— est intéressant. 2. Parlez-vous russe? ——— est très difficile. 3. Allez-vous en France? ——— serait bien agréable. 4. ——— est intéressant de voyager. 5. ——— est difficile de parler russe. 6. ——— est agréable d'aller en France.

E. Remplacez le tiret par ce, il, elle, ils *ou* elles *selon le cas.*

1. Avez-vous vu cet homme? ——— est Français. 2. ——— est médecin. 3. ——— est un médecin célèbre. 4. ——— est très connu. 5. ——— est à Bordeaux depuis deux jours. 6. Qui est là? ——— est moi. 7. Qui est-———? 8. ——— est Marie. 9. ——— est une jeune fille. 10. ——— est intelligente. 11. ——— est en Amérique.

F. Remplacez les mots entre parenthèses par l'équivalent français:

1. (*What*) ferez-vous quand il sera parti? 2. Pour (*whom*) écrivez-vous cette lettre? 3. (*Who*) avait frappé à la porte? 4. (*What*) est derrière la maison? 5. A (*whom*) donnerez-vous cet argent? 6. (*What*) vous empêche d'aller en Russie? 7. De (*what*) avez-vous parlé cet après-midi? 8. (*Who*) a fait construire le canal de Suez? 9. (*Whom*) Paul a-t-il vu? 10. (*What*) nous mangerons en sortant du cinéma? 11. (*Whom*) le président enverra-t-il en France? 12. Avec (*what*) avez-vous ouvert la porte? 13. (*What*) vous avez vu à Paris?

G. Remplacez les tirets par la forme convenable de quel *ou de* lequel:

1. ——— est le nom de ce livre? 2. ———, celui-ci ou celui-là? 3. ——— sont les jours de la semaine? 4. Dans ——— ville habite votre oncle? 5. ——— sont les saisons les plus agréables? 6. ——— est le mot qui désigne le repas de la veille de Noël? 7. ——— est votre nom?

GRAMMAIRE

A. The causative construction. (§ 89 A)
B. Demonstrative adjectives. (§ 14 A)
C. Demonstrative pronouns. (§ 32, § 33)

D. The demonstrative *ce* referring to an idea. (§ 34 C 2; 41 E)
E. The demonstrative *ce* referring to a noun. (§ 34 C 1, D)
F. Interrogative pronouns. (§ 35 A, B, C, D)
G. Interrogatives *quel* and *lequel*. (§ 15, § 35 E)

═══════ SOIXANTIÈME LEÇON ═══════

Les Français en Amérique

Les Français créèrent une civilisation et une culture toutes [1] différentes de celles des autres nations d'Europe. De même, bien que la France ait perdu presque toutes ses possessions dans le nouveau monde, elle y a laissé [2] des traces très caractéristiques.

Avant que la France envoyât des explorateurs au Canada, [5] l'Espagne et l'Angleterre en avaient déjà envoyé dans plusieurs régions du nouveau monde. Mais en 1534, Jacques Cartier fut chargé par le roi François Ier de chercher au nord de l'Amérique un passage vers l'Asie. Il traversa l'Atlantique et découvrit le Saint-Laurent. Au cours d'un second voyage, il remonta ce fleuve et prit possession [10] au nom du roi de la «Nouvelle France». En 1608 Champlain fonda la ville de Québec. Peu après, les missionnaires français atteignirent la région des Grands Lacs. Ils avaient renoncé à une vie confortable en France pour convertir les Indiens à leur religion. Ils ne se plaignaient pas de leur rude existence dans le nouveau monde. Ils allaient dans [15] les endroits les plus dangereux, s'exposant à la fatigue, à la maladie, à la torture. Ils étaient plus amis des Indiens que les Anglais. Plus que les Anglais, les Français explorèrent les plaines inconnues de l'intérieur du vaste continent. Au milieu du dix-septième siècle la France possédait une grande partie du Canada et tout le centre des États- [20] Unis, connu sous le nom de Louisiane. Après une série de guerres malheureuses, il fallut que la France livrât le Canada à l'Angleterre en 1763.

La perte de ce vaste territoire n'empêcha pas la France de continuer sa lutte contre l'Angleterre dans le nouveau monde. Quoique le [25] gouvernement français n'eût pas reconnu l'indépendance des treize colonies en 1776, peu après il leur envoya des secours. De nombreux enthousiastes frança.s se présentèrent à Washington. Parmi eux se

---

[1] *toutes* is here an adverb. It agrees like an adjective when immediately preceding a feminine adjective with an initial consonant or aspirate *h*. Elsewhere it is invariable.
[2] For this use of the *passé composé*, see § 56 B.

*Au milieu du dix-septième siècle, la France possédait
une grande partie du Canada et tout le centre des États-Unis*

trouvait le marquis de Lafayette. Celui-ci avait eu de grandes difficultés à quitter la France, car Louis XVI craignait que les idées [30
libérales, base de la Révolution américaine, ne [1] se répandissent en
France. A la longue, pourtant, il finit par accepter que des ressources
matérielles et de l'argent fussent mis à la disposition des Américains.
L'aide de la France pendant la Révolution fut très importante, et sans
ces secours l'histoire américaine eût été différente. [35

Après la Révolution de 1789, la France commença une nouvelle
guerre contre l'Angleterre. Cette guerre dura pendant des années;
Napoléon craignait que le territoire de la Louisiane ne [1] tombât aux
mains des Anglais. Pour cette raison, il le vendit aux États-Unis en
1803. Cette cession marqua la fin de la colonisation des Français [40
en Amérique du Nord.

[1] For the use of this *ne*, see page 354, note **2**.

Mais cette période de colonisation laissa beaucoup de traces. On voit des noms français partout au centre des États-Unis. Il y a Détroit, Saint-Louis, la Nouvelle-Orléans, Bâton-Rouge, etc. L'état de la Louisiane conserve encore beaucoup de coutumes françaises. On [45 parle encore français à la Nouvelle-Orléans; la cuisine française de cette ville est renommée. Les «Cajuns» des états de l'Alabama, du Mississipi et de la Louisiane sont des «Acadiens», que Longfellow célébra dans son poème *Evangeline*. *Acadien* devint *Cajun*. Le système des lois de la Louisiane est basé sur le Code Napoléon. [50

Au Canada toute la province de Québec parle français. Montréal est la deuxième ville du monde au point de vue de la langue française. Mais la prononciation du canadien-français est différente du français de Paris, et le vocabulaire du canadien-français a subi l'influence de la langue anglaise. Les Canadiens français se distinguent nettement [55 des autres Canadiens. Ils conservent leurs vieilles traditions. Dans les villes de la province de Québec on trouve partout l'influence de l'architecture française. Aucune ville d'Amérique n'est plus pittoresque que la ville de Québec; aucune ville n'a gardé plus de traces de la période de colonisation française en Amérique. Tout le pays a un aspect [60 bien particulier qui rappelle la France elle-même.

QUESTIONS

1. Quelles sont les nations qui avaient envoyé des explorateurs dans le nouveau monde avant que la France en ait envoyé? 2. Qui a découvert le Saint-Laurent? 3. Quelle est la ville que Champlain a fondée en 1608? 4. Qui a exploré la région des Grands Lacs? 5. Comment la France a-t-elle perdu le Canada? 6. Comment la France a-t-elle aidé les treize colonies américaines pendant la Révolution? 7. Pourquoi Louis XVI craignait-il d'aider ces colonies? 8. Qui est Lafayette? 9. Pourquoi Napoléon a-t-il vendu la Louisiane aux États-Unis en 1803? 10. Quelles traces la civilisation française a-t-elle laissées en Amérique? 11. D'où vient le nom «Cajun»? 12. Quelle est la deuxième ville du monde au point de vue de la langue française? 13. En quoi le canadien-français est-il différent du français de Paris? 14. Comment se manifeste l'influence de la civilisation française dans le Canada français?

DEVOIRS

A. Mettez les verbes suivants (1) *au présent du subjonctif* (2) *au passé du subjonctif.* EXEMPLE: nous lirions (1) que nous lisions (2) que nous ayons lu

1. il finit   2. vous savez   3. ils sortent   4. je pourrai   5. nous

faisons   6. vous vous lavez   7. elle viendra   8. je prends   9. vous
buvez

B. *Remplacez les infinitifs par le présent ou le passé du subjonctif.*

1. Il est possible qu'il (pleuvoir) demain.   2. Il est peu probable
que ma mère (voir) votre voisin hier.   3. Regrettez-vous que Jean
ne (venir) pas la semaine prochaine?   4. Je suis désolé que Paul (venir)
jeudi passé.   5. Nous nous étonnons que Marie (savoir) toujours ses
leçons.   6. Je suis étonné que Maurice (perdre) sa montre hier soir.

C. *Les verbes des phrases suivantes sont au subjonctif. Faites les changements nécessaires pour écrire les mêmes phrases en employant l'infinitif.
Remarquez le changement du sens de la phrase.* Exemple: Nous
avons peur que *vous* ayez sommeil. Nous avons peur d'avoir
sommeil.

1. Yvonne est heureuse que nous soyons arrivés.   2. Il est impossible que votre ami vienne ce matin.   3. Il faut que nous nous
dépêchions.   4. Nous sommes étonnés que Marie ne reçoive pas de
lettres.   5. Avez-vous peur que je perde votre argent?   6. Je suis
content que vous soyez ici.   7. Nous voudrions que vous appreniez à
parler.   8. Avez-vous acheté cette voiture avant que votre père la voie?
9. Voulez-vous que je sorte avec Paul?

D. *Les verbes des phrases suivantes sont à l'infinitif. Faites les changements nécessaires pour employer vous avec le subjonctif.* Exemple:
Nous sommes heureux d'avoir vu Paris. Nous sommes
heureux que *vous* ayez vu Paris.

1. Il est possible de partir demain matin.   2. Cette jeune fille
est contente d'avoir fait le voyage.   3. Il faut savoir où il habite.
4. Nous regrettons d'être arrivés en retard.   5. Michel a ouvert la radio
pour entendre un concert de musique.   6. Je voudrais aller en France.
7. J'ai peur d'avoir parlé trop vite.   8. Elles sont étonnées de ne pas
comprendre ce que j'ai dit.   9. Il vaut mieux venir tout de suite.   10.
Denise est sortie de la bibliothèque avant de chercher son adresse.

E. *Remplacez l'infinitif par la forme convenable du verbe. Attention
au temps et au mode.*

1. Croyez-vous que vous (pouvoir) trouver quelqu'un qui (vouloir)
travailler pour vous?   2. Je ne connais personne qui (savoir) lire cette
langue.   3. Quelle est la plus grande ville qu'il (connaître)?   4. Quoi
que vous (faire), vous reviendrez toujours ici.   5. Je crois que je

(prendre) l'avion pour aller en France.   6. Je ne crois pas qu'il (être) aussi intéressant de voyager en avion qu'en bateau.   7. Avant que je (partir), vous me direz où il faut que je (aller) en France.   8. Bien que nous (parler) français, il n'est pas certain que nous (comprendre) tout ce que nous entendrons.   9. Je crois que vous (trouver) Paris charmant. 10. Autant que je (savoir), vous n'aurez pas de difficultés à la frontière. 11. La meilleure chose que vous (pouvoir) faire à la frontière c'est de ne rien cacher.   12. Je ne vois rien qui (pouvoir) vous empêcher de visiter l'Allemagne.

F. *Les verbes suivants sont à l'imparfait ou au plus-que-parfait du subjonctif. Mettez-les au présent du subjonctif.* EXEMPLE: elle fût — elle soit.

1. il allât   2. il choisît   3. ils eussent   4. ils eussent entendu.   5. elle eût connu   6. elle demandât   7. ils eussent cru   8. il eût voulu 9. il dût   10. ils fussent venus   11. j'eusse dit   12. il sût   13. elle eût envoyé   14. il reçût   15. nous fussions   16. il pût   17. il eût fait 18. il fût mort   19. ils eussent mis   20. il eût lu   21. il eût fallu

G. *Remplacez les formes de l'imparfait et du plus-que-parfait du sub-jonctif par les formes employées dans la conversation.* EXEMPLE: On avait donné l'ordre que les civils s'arrêtassent.   On avait donné l'ordre que les civils *s'arrêtent.*

1. Le roi craignait que le peuple se révoltât.   2. Il était important qu'il sût ce que faisaient ses ministres.   3. Il regrettait que Lafayette fût parti pour l' Amérique.   4. Les ministres voulaient que le roi empêchât les représentants du peuple de faire une nouvelle constitution.   5. Mais ils s'étonnaient que le gouvernement eût perdu son autorité.

GRAMMAIRE

A. Formation of the present and the past subjunctive. (§ 73, § 75 A)
B. The sequence of tenses of the subjunctive. (§ 77 A, D)
C. The subjunctive and the infinitive. (§ 78)
D. The subjunctive and the infinitive.   (§ 78)
E. The uses of the subjunctive. (§ 76)
F. The formation of the imperfect and pluperfect subjunctive. (§ 74, § 75)
G. The uses of the imperfect and pluperfect subjunctive. (§ 77 C, D)

LEÇONS 51 A 60

NOMS IMPORTANTS

Identifiez en français les noms suivants:

Anatole France	Lavoisier	Pyramides
B. B. C.	Leipzig	Québec
Beethoven	de Lesseps	Radio-Inter
Bismarck	Marie-Antoinette	Radio-Paris
Cartier	Meister	romantisme
Champlain	Montesquieu	Rousseau
Chénier	Montréal	Saint-Laurent
Clovis	Mozart	Sainte-Hélène
Elbe	Napoléon III	Terreur
Galerie des Glaces	Pasteur	Verlaine
Grand Trianon	Petit Trianon	Voltaire
Grande Armée		Waterloo

QUESTIONS

Répondez aux questions suivantes par une phrase complète:

1. Citez les découvertes les plus importantes de Pasteur. 2. Racontez l'expérience de Pasteur à Melun. 3. Pourquoi Pasteur a-t-il essayé son traitement contre la rage sur Joseph Meister? 4. Quelle est la saison où les feuilles des arbres jaunissent? 5. Citez des poésies anglaises et américaines qui décrivent l'automne. 6. Quelle est la date de la rentrée des classes en Amérique? 7. Fait-on de la publicité commerciale à la radio française? 8. Comment les Allemands se sont-ils servis de la radio française pendant la guerre? 9. Quelles sont les émissions de radio favorites en France? 10. Que fait-on en France la veille de Noël? 11. Décrivez le réveillon. 12. Où les enfants de France mettent-ils leurs souliers le soir de Noël? 13. Dans quelles régions du nouveau monde les Français ont-ils envoyé des explorateurs? 14. Comment la France a-t-elle aidé les treize colonies pendant la Révolution américaine? 15. Citez des traces laissées par les Français au nouveau monde. 16. A quelle époque la France est-elle devenue une république? 17. Qu'est devenue la langue française au dix-septième siècle? 18. Qu'est-ce que le roi Louis XIV a fait pour donner plus de prestige à son pays? 19. Quelle différence y a-t-il entre les jardins de Versailles et ceux qui étaient à la mode en Europe au dix-neuvième siècle? 20. Comment s'appelle la salle où a été signé le traité de Versailles après la guerre de 1914? 21. Pourquoi Louis XIV a-t-il fait construire le château de Versailles? 22. Qu'est-ce que vous entendez [1]

---

[1] *understand*

par l'Ancien régime? 23. Comment les idées des écrivains français du
dix-huitième siècle ont-elles influencé l'Amérique? 24. Pourquoi le
14 juillet est-il devenu la fête nationale de la France? 25. Comment
Napoléon a-t-il changé l'administration de la France? 26. Pourquoi
Napoléon n'a-t-il pas envahi l'Angleterre? 27. A quelle bataille
Napoléon a-t-il été vaincu? 28. Qui a fait percer le canal de Suez? 29.
Quelle a été la cause de la guerre de 70? 30. Quels sont les territoires
que la France a dû céder à l'Allemagne à la fin de la guerre de 70?

COMPOSITION

Écrivez une composition sur un des sujets suivants:

1. Le dix-septième siècle en France 2. L'automne aux États-
Unis 3. La rentrée des classes 4. La Révolution française 5. La
radio aux États-Unis 6. Les deux Napoléon 7. Noël chez nous
8. Les Français au Canada et aux États-Unis

DEVOIRS

*Voici trois anecdotes. Copiez-les en remplaçant les infinitifs entre paren-
thèses par la forme convenable du verbe s'il y a lieu.*

A

Dans les écoles de France des fonctionnaires du ministère de l'Éducation nationale (venir) de temps en temps (voir) les classes, et les
professeurs (avoir) souvent peur que leurs élèves ne leur (faire) pas
honneur.

Dans le lycée d'une petite ville, cependant, il y (avoir) un [5
professeur dont tous les élèves (sembler) toujours (connaître) les
réponses à toutes les questions qu'il leur (poser). Les autres professeurs
de cette école (s'étonner) que les élèves de ce dernier (savoir) tant
de choses. Ils lui (demander) un jour:

— Comment (être)-il possible que vos élèves (être) si forts? [10
Qu'est-ce que vous (faire) pour qu'ils (apprendre) si bien?

— Ce (être) très facile, (répondre) le professeur. Quand je (savoir)
qu'il y (avoir) des visiteurs, je (dire) à mes élèves: «Cet après-midi,
nous (avoir) des visiteurs. Quand ils (être) ici, (lever) la main droite
si vous (savoir) les réponses; si vous ne les (savoir) pas, (lever) la [15
main gauche.» De cette façon, il y (avoir) toujours dans la classe
quelqu'un qui (pouvoir) (répondre) à chaque question.

B

La femme d'un pauvre paysan (être) très malade. Son mari (envoyer) chercher le médecin. Quand celui-ci (arriver), le paysan (être) assis à une table où il y (avoir) plusieurs billets de mille francs.

— Docteur, (dire) le paysan, voici cinq mille francs. Je vous les (donner) si vous (guérir) ma femme, mais je vous les (donner) [5 également si vous la (tuer).

Malgré tous les soins[1] que le médecin (pouvoir) lui donner, la femme du paysan (mourir).

Comme le médecin, après plusieurs semaines, ne (avoir) pas de nouvelles du paysan à qui il (envoyer) sa note[2], il (aller) le voir. [10

— Docteur, (dire) le paysan, je (vouloir) bien vous payer, mais (vouloir)-vous (répondre) d'abord à deux questions?

— Mais oui, (répondre) le médecin.

— Eh bien, (continuer) le paysan, (guérir)-vous ma femme?

— Non, malheureusement, (devoir) répondre l'autre. [15

— Est-ce que vous la (tuer)?

— Certainement pas.

— Eh bien alors, (se rappeler) nos conditions, (dire) le paysan; je ne (voir) pas pourquoi je (devoir) vous payer les cinq mille francs.

C

Un soir dans une ville anglaise un voyageur (arriver) à un hôtel où tout le monde (être) déjà couché. Il (demander) une chambre au propriétaire qui lui (répondre):

— Je ne (avoir) plus qu'une seule chambre. Mais dans la chambre au-dessous (se trouver) un homme très nerveux[3] qui ne (s'endormir) [5 qu'avec peine et qui (se réveiller) au moindre bruit. Je vous (donner) la chambre libre à condition que vous ne (faire) pas de bruit.

Le voyageur (promettre) au propriétaire de (faire) très attention. Il (sortir) du bureau de l'hôtel et (monter) au quatrième étage. En (arriver) à sa chambre, il (sortir) la clé qu'il (mettre) dans sa [10 poche, (ouvrir) la porte très doucement pour qu'on ne (entendre) rien et la (refermer)[4] de la même façon. Comme il (être) très fatigué, il (s'asseoir) dans un grand fauteuil et (commencer) à ôter ses souliers. (oublier) l'homme qui (dormir) au-dessous de sa chambre, il (laisser) (tomber) un de ses souliers avec bruit. (regretter) cela, il (enlever) [15 l'autre soulier et le (déposer) silencieusement à côté du fauteuil. Ensuite, il (se coucher) et (s'endormir) tout de suite.

---

[1] *care*   [2] *bill, statement*   [3] *nervous*   [4] *close again*

Une demi heure après, le voyageur (se réveiller) en (entendre) (frapper) à sa porte. Étonné, il (dire):

— (entrer). [20

La porte (s'ouvrir) devant un homme en pyjama [1], pâle et nerveux, qui (demander) à notre voyageur:

— (dire) -moi, s'il vous (plaire), quand vous (aller) (laisser) (tomber) l'autre soulier. Voilà une heure que je le (attendre).

SUPPLÉMENT

Aux Leçons 51 a 60

CINQUANTE ET UNIÈME LEÇON

Vocabulaire

affirmer	l'effet (*m.*)	la manœuvre
l'alcool (*m.*)	éventuel, éventuelle	Meister
l'animal (*m.*)	l'évolution (*f.*)	Pasteur
l'application (*f.*)	examiner	la pasteurisation
appliquer	expérimenter	le progrès
la cause	la fermentation	scientifique
condamner	le germe	sérieusement
consacrer	hésiter	la stérilisation
contagieux, contagieuse	l'idée (*f.*)	le succès
la contribution	l'inoculation (*f.*)	le symptôme
déterminer	inoculer	la théorie
diplomatique	Joseph	le vaccin
domestique		vacciner

l'avis (*m.*), *opinion*

le bienfait, *benefit*

la blessure, *wound*

le bois, *woods*

bouleverser, *upset*

les connaissances (*f.*), *knowledge*

couronner, *crown*

la découverte, *discovery*

l'efficacité (*f.*), *effectiveness*

enragé, *mad*

l'être (*m.*), *being*

l'expérience (*f.*), *experiment*

frapper, *knock*

guérir, *cure*

inquiet, inquiète, *uneasy*

malade, *sick*

la maladie, *sickness*

malheureux, malheureuse, *unfortunate*

le médecin, *doctor*

moindre, *least*

mordre, *bite*

non-vacciné, *unvaccinated*

or, *now*

la patrie, *fatherland*

la preuve, *proof*

le procédé, *process*

produire, produce, produit, *produced*

la rage, *rabies*

la recherche, *research*

le savant, *scientist*

le secours, *help*

survivre, survive; survécu, *survived*

tenter, *attempt*

* An asterisk (*) placed *before* a verb indicates that this verb is irregular.

[1] Pronounced [piʒama].

à partir de . . ., *from . . . on*
la Société d'Agriculture, *Agricultural Association*

DEVOIRS

Before doing this exercise, study carefully the position of adjectives.

A. 1. Pasteur had a vague idea of the cause of contagious diseases [1]. 2. Thanks to the work [2] of the French and German scientists, many human lives have been saved. 3. The famous [3] doctor proposed a public experiment of the new method. 4. The unfortunate woman begged the good scientist to save her poor child. 5. The great man spent long hours in the woods. 6. Vacations [1] are an excellent opportunity to [4] get acquainted with [5] interesting girls. 7. Football [1] is the most popular sport we have. 8. One often hears a lively discussion over [6] the radio.

[1] Use the definite article with this noun.   [2] Use the plural.   [3] Precedes noun.   [4] *de*
[5] Use a form of *faire la connaissance de*   [6] *à*

B. 1. Tell your friends that you think that Pasteur is the greatest of all French scientists. 2. Ask Jacques if he was ever bitten by a dog. 3. Ask Paul what is the cause of contagious diseases. 4. Ask your mother if the doctor cured her father.

CINQUANTE–DEUXIÈME LEÇON

VOCABULAIRE

absolu
absorber
la centralisation
Clovis
la corruption
coûteux
le déclin
despotique
divin
la doctrine

extravagant
la gloire
gouverner
imiter
le ministre
le modèle
la monarchie
occasionner
la perfection

personnellement
le prestige
le protestant
la querelle
le représentant
le revenu
la série
territorial
l'unification
unifier

achever, *complete*
affaiblir, *weaken*
l'apogée (*f.*), *height*
assurer, *insure; assure*
le conseiller, *adviser*
la dépense, *expenditure*
Dieu, *God*
diriger, *direct*
entraîner, *bring on*
l'entretien (*m.*), *upkeep*
la haine, *hate*

*interdire, *forbid;* interdit, *forbidden*
lointain, *distant*
la marine, *navy*
*parvenir, *arrive,* parvenu, *arrived*
rétablir, *reestablish*
le royaume, *kingdom*
la sagesse, *wisdom*
le seigneur, *lord*
servir de (2), *serve as*
le train, *pace*

le train de vie, *the pace of life*

(2) indicates an *-ir* verb of the second class. (§ 44 C)

* An asterisk (*) placed *before* a verb indicates that this verb is irregular.

DEVOIRS

A. 1. Before the revolution the kings had much power. 2. France has numerous colonies, but she does not have enough gold and she does not have
any rice. 3. The majority of men and many [1] women like music. 4. In
Germany, in Denmark, and in Sweden few people [2] speak Russian. 5. We
are going to France and we shall stay in Paris. 6. The castle was surrounded by [3] trees. 7. We need writers. Have you found any good writers?
8. Bring me some good milk and some small apples.

[1] Use *bien.*   [2] *gens*   [3] *de*

B. 1. Ask Susan if the United States has always been a republic. 2. Tell
John that in the seventeenth century France owned a great part of what
is now the United States. 3. Ask Mary if she has read many histories of
France. 4. Tell Paul that a long series of wars would finally weaken the
country.

CINQUANTE–TROISIÈME LEÇON

VOCABULAIRE

brillant	la majesté	la Prusse
le contraste	Marie-Antoinette	pur
l'épisode (*m.*)	la nature	régulier, régulière [*]
géométriquement	perpendiculaire	la symétrie
grandiose	la perspective	le Trianon
impressionner	proclamer	le vestige

à, *in the manner of, with*	l'intimité (*f.*), *coziness, intimacy*
agrandir, *enlarge*	jadis †, *formerly*
l'allée, *path, passage, walk*	le marbre, *marble*
au delà de, *beyond*	le massif, *flower-bed*
dessiner, *draw, design*	le miroir, *mirror*
digne, *worthy*	ordonné, *laid out*
disposé, *laid out*	parfait, *perfect*
éclairer, *light*	le parterre, *flower-bed*
l'éclat (*m.*), *fame, renown*	le pas, *step*
évoquer, *evoke, call forth*	le passé, *past*
le genre, *kind*	la perte, *loss*
la glace, *mirror*	le romantisme, *romanticism*
la grille, *grating*	la vue, *view*

> à ** la française, *in French style, in the French manner*
> à perte de vue, *as far as the eye can reach*
> aux ** lignes régulières, *with straight lines*
> faire contraste avec, *contrast with*
> la Galerie des Glaces, *the Hall of Mirrors*
> le Grand Trianon, *one of the smaller palaces near the palace of Versailles*
> le Petit Trianon, *small palace built for Marie-Antoinette at Versailles*

* In this lesson *régulier* is used to designate the formal French garden plotted in straight
lines in contrast to the informal type associated with English landscapes.
† The *-s* is pronounced. [ʒadis]
** This is the *à* CHARACTERISTIC which is often rendered in English by IN or WITH.

DEVOIRS

A. 1. We have been in Versailles for two hours. 2. Before leaving [1] Paris, I got [2] my ticket at the station. 3. After arriving in Versailles, they went to the gardens. 4. On seeing the beauty of these gardens, we decided to take a walk in the forest. 5. You cannot visit these places without admiring the beauty of the past. 6. Knowing that the palace was constructed by Louis XIV, we read a history of the seventeenth century before coming to this city. 7. After spending a whole day in the rooms [3] of the palace, we returned to Paris. 8. On arriving in the capital, I shall telephone my parents [4].

[1] Use a form of *quitter*.   [2] Use a form of *prendre*.   [3] *salles*   [4] This is the indirect object of the verb.

B. 1. Tell Louise that the palace of Versailles has become a national museum. 2. Tell John that the treaty that ended World War I was signed in the Hall of Mirrors. 3. Ask Paul if he prefers gardens in the French style or in the English style. 4. Tell your mother that formerly Marie-Antoinette lived in the Petit Trianon.

CINQUANTE-QUATRIÈME LEÇON

VOCABULAIRE

Anatole	fixer	monotone
la chance	joyeux	profond
consister	la lampe	transporter
le danger	la mélancolie	Verlaine

l'âme (f.), *soul*
attirer, *attract*
blesser, *wound*
le bonhomme, *fellow, good fellow*
chanter, *sing*
la chasse, *hunt*
le cheval, *horse*
*s'enfuir, *flee;* enfui, *fled*
l'épaule (f.), *shoulder*
éprouver, *feel, experience*
l'événement † (m.), *event*
la ferme, *farm*
la feuille, *leaf*
fier, fière, *proud*
le fusil, *gun*
*maintenir, *maintain, keep;* maintenu, *maintained, kept*
nu, *bare, naked*
l'oiseau (m.), *bird*
l'ombre (f.), *shadow*

l'ouverture (f.), *opening*
*parcourir, *run over, scour;* parcouru, ran over, scoured*
pareil, pareille, *like, similar*
la pensée, *thought*
pleurer, *weep, cry*
la poche, *pocket*
la poésie, *poetry*
le propos, *subject*
*se remettre, *set oneself again,* remis, *gone back*
*se souvenir de, *remember;* souvenu, remembered*
la robe, *dress*
tirer, *shoot*
la tristesse, *sadness*
la vigne, *vineyard*
viser, *aim*
le voisin, *neighbor*

* An asterisk (*) placed *before* a verb indicates that this verb is irregular.
† Although the second -*e*- in *événement* is written -*é*-, it is pronounced -*è*-. [evɛnmã]

à ce propos, *on this subject*
à la fois, *at the same time*
attirer l'attention, *attract the attention*
au contraire, *on the contrary*
en plein air, *in the open air*

le lever du soleil, *sunrise*
l'oiseau de passage, *bird of passage, migratory bird*
prendre part à, *participate in*
une à une (*feminine of* un à un), *one by one*

DEVOIRS

A. 1. Show me that novel. Show it to me. Don't show it to me. 2. Don't read that poem to the children. Don't read it to them. Read it to them. 3. Have you read the works [1] of Anatole France? Yes, I have read some of them. 4. What do you think of them? What do you think of him? 5. We often think of [2] our youth. Do you often think of it? Do you remember it? 6. Do you think of your parents? I think of them, I write to them, and when I am home [3], I go out with them. 7. I found some stamps for my friend; I will send some to him. 8. Who opened the door? They. No, he.

[1] *œuvres*
[2] The verb *penser* requires *de* before a noun when it is used in the sense of TO HAVE AN OPINION OF, but it requires *à* before a noun when it is used in the sense of TO THINK OF A PERSON OR THING.
[3] Use *chez* with a pronoun object.

B. 1. Tell Maurice that you have read a few books of Anatole France. 2. Ask Denise if she likes Paul Verlaine's poetry. 3. Ask Paul when the opening of the hunting season is. 4. Ask George if he wants to get up before sunrise.

CINQUANTE–CINQUIÈME LEÇON

VOCABULAIRE

l'abolition (*f.*)
l'absolutisme (*m.*)
adopter
alarmer
s'armer
l'assemblée (*f.*)
l'attitude (*f.*)
la base
le calendrier
caractériser
Chénier
la constitution
contribuer
critiquer
décisif, décisive
la déclaration
la diffusion

l'effort (*m.*)
emprisonner
la guillotine
guillotiner
l'incompréhension (*f.*)
influencer
Lavoisier
la mesure
métrique
Montesquieu
la notion
le parti
le poète
la presse
le principe
la prison
le privilège

la proclamation
la prodigalité
profondément
la religion
républicain
révolutionnaire
Rousseau
ruiner
se séparer
substituer
le suspect
le symbole
total
véritable
la victime
voter
Voltaire

l'abus (*m.*), *abuse*
accorder, *concede*, **accord**
agir, *act*
André, *Andrew*
le changement, *change*
la chute, *fall*
le clergé, *clergy*
le comité, *committee*
convoquer, *call together*
le coup, *blow*
la déesse, *goddess*
l'échange (*m.*), *exchange*
faible, *weak*
le fondateur, *founder*
l'impôt (*m.*), *tax*

*s'introduire, *introduce;* introduit, *introduced*
jouir, *enjoy*
jurer, *swear*
la misère, *poverty, wretchedness*
la noblesse, *nobility*
ouvertement, *openly*
la parole, *word*
le penseur, *thinker*
rassembler, *assemble*
le salut, *safety*
seul, *only*
tarder à, *delay in*
la Terreur, *Reign of Terror*
le trésor, *treasury*

à la suite de, *after*
l'Ancien régime, *the Old Regime*
le Comité de Salut public, *Committee of Public Safety*
la Convention nationale, *National Convention*
la Déclaration d'indépendance, *Declaration of Independence*
en échange, *in exchange*
les États-Généraux, *the States General*
mettre en doute, *question*
peu après, *soon afterwards*
prendre fin, *end*
le tiers état, *the Third Estate*

DEVOIRS

A. 1. The king was forced to call together [1] an assembly which had not met [2] for many years [3]. 2. The people [4] were very unhappy, for they paid very heavy taxes. 3. During the eighteenth century, the principal writers were spreading the idea of the Rights of Man. 4. These ideas influenced the authors of the American Constitution. 5. The representatives of the people [4] refused to vote the taxes which the king had requested. 6. The king decided to act, but it was too [5] late. 7. The people [4] seized the prison where several political prisoners were waiting. 8. Can we see the prison that they attacked? 9. No, no one has seen it, for it no longer exists.

[1] Use a form of *convoquer.*   [2] Use a form of *se réunir.*   [3] See page 60 for the difference between *ans* and *années.*   [4] *le peuple*   [5] *trop*

B. 1. Ask Helen if she has read the works of Voltaire and Rousseau. 2. Tell Charles that the works of which you are speaking are in the library. 3. Ask Marie if she remembers the time when she studied French history. 4. Tell George that taxes are too heavy.

* An asterisk (*) placed *before* a verb indicates that this verb is irregular.

CINQUANTE-SIXIÈME LEÇON

VOCABULAIRE

agricole	la Cucaracha	l'opérette (*f.*)
l'antenne (*f.*)	déformer	l'oppression (*f.*)
annoncer	la désillusion	se perfectionner
anxieux, anxieuse	le développement	physique
l'auditeur (*m.*)	extrêmement	la propagande
l'avantage (*m.*)	l'élite (*f.*)	le public
Beethoven	les informations	la qualité
la boxe	intellectuel, intellectuelle	Radio-Inter
le bulletin	le jazz	Radio-Paris
la chaîne	la masse	le refrain
le concert	le match, les matches	la retransmission
le concerto	médical	le swing
la confiance	le mérite	la symphonie
le contrôle	Mozart	utiliser

s'adresser, *be directed*
l'avenir (*m.*), *future*
enseigner, *teach*
l'espoir (*m.*), *hope*
le fond, *end, depth*
la lecture, *reading*
le malade, *sick person*
la marque, *trade-mark*
le millier, *thousand*

la paix, *peace*
se passionner, *be enthusiastic*
la portée, *range*
le poste émetteur, *broadcasting station*
le programme, *program; the total activities of a given network*
la revue, *review*
le souci, *care, worry*
*souffrir, *suffer;* souffert, *suffered*

à la mode, *in style, popular*
à l'avenir, *in the future*
à l'écoute, *listening*
au fond de, *in the depths of, in the most remote parts of*
la B. B. C., *the British Broadcasting Corporation*

ouvrir { le poste, / la radio, } *turn on the radio*
le poste récepteur, *receiving set*
la revue de presse, *press review*
tenir au courant, *keep posted*

DEVOIRS

A. 1. Tell me what your mother heard over [1] the radio. 2. The family whose radio I have is spending the winter on the Riviera. 3. We are waiting for the man with whom you came to Paris. 4. The program to which we are listening is very interesting. 5. Are you looking for the newspaper in which the radio programs are found? 6. I remember the time when the Germans used [2] the radio to announce their victories. 7. Did you ask for my ticket and yours? No, I asked for his. 8. I paid a hundred dollars for my radio and they paid eighty dollars for theirs.

[1] *à*   [2] Use a form of *se servir de.*

B. 1. Ask Louis what radio program he prefers. 2. Ask George if there is any advertising on the radio in France. 3. Tell Louise that they transmit those programs to all the countries of the world by short wave. 4. Tell your friends that in France each one can hear programs to his liking.

* An asterisk (*) placed *before* a verb indicates that this verb is irregular.

CINQUANTE-SEPTIÈME LEÇON

VOCABULAIRE

abdiquer	définitivement	Moscou
l'admiration (f.)	diminuer	la nationalité
l'avalanche (f.)	Elbe	le passage
Berlin	exiler	la possession
Bonaparte	l'expiation (f.)	Pyramides
catholique	le héros	Sainte-Hélène
le code	Hugo	s'unir
le concordat	l'Italie (f.)	Victor
le consul	Leipzig	victorieux, victorieuse
continental		Waterloo

l'aigle (m.), *eagle*
âpre, *harsh*
baisser, *lower*
la banque, *bank*
le blocus, *blockade*
la campagne, *campaign*
certes, *certainly*
se contenter (de), *be content (with)*
se débarrasser (de), *get rid (of)*
*décrire, *describe;* décrit, *described*

le drapeau, *flag*
épuiser, *exhaust*
la faiblesse, *weakness*
jaloux, jalouse, *jealous*
le pape, *pope*
reculer, *draw back, retreat*
saisissant, *thrilling, impressive*
le trône, *throne*
le troupeau, *flock*
*vaincre, *conquer;* vaincu, *conquered*

la Banque de France, *the Bank of France*
commander en chef, *command as chief*
le consul à vie, *consul for life*
le coup d'état, *unexpected political move, usually connected with seizure of power*
la Grande Armée, *the Great Army (term used to refer to the army of Napoleon Bonaparte)*

DEVOIRS

A. 1. As soon as we read Napoleon's life, we shall describe the battle of Waterloo to you. 2. If the great general had been born one year earlier [1], he would not have been French. 3. When you have finished your work, I shall show you my new bicycle. 4. If the soldiers were in France, they would probably talk with the French girls. 5. If that man continues to work, he will be exhausted. 6. When we have written that letter, we shall mail [2] it. 7. If Napoleon had not invaded Russia, he would never have been conquered. 8. When you go to the bank, you will be able to get some money.

[1] *plus tôt.*   [2] Use a form of *mettre à la poste.*

B. 1. Tell Lewis that when you go to Europe, you will visit Corsica. 2. Ask your friend if he will write to you when he arrives in Paris. 3. Tell Paul that when you have finished your work, you will go to the movies with him. 4. Tell Helen that if you had seen her sooner, you would have given her a gift.

* An asterisk (*) placed *before* a verb indicates that this verb is irregular. The forms that you will be required to know are listed by lessons after each *Révision* lesson.

CINQUANTE-HUITIÈME LEÇON

Vocabulaire

la branche	la délivrance	le mystère
brillamment	l'échange (m.)	originel †, originelle
le cercle	l'enthousiasme (m.)	se prolonger
le Christ	la joie	traditionnel,
le cri	multicolore	traditionnelle

ailleurs, *elsewhere*
l'argent (m.), *silver*
la cheminée, *fireplace*
le chrétien, *Christian*
le coin, *corner*
dehors, *outside*
déposer, *place*
l'espérance (f.), *hope*
le fidèle, *the faithful (one)*
se figurer, *imagine*
le gâteau, *cake*
minuit, *midnight*
le morceau, *piece*

la naissance, *birth*
pousser, *let out; push*
propre, *clean*
*recouvrir, *cover, cover again;* recouvert, *covered*
*rejoindre, *join, rejoin;* rejoint, *rejoined*
rêver, *dream*
le sol, *ground, soil*
solennel, solennelle, *solemn*
le soulier, *shoe*
le vœu, *wish; greeting*
la vue, *sight*

le jour de l'an, *New Year's Day*
le Père Noël, *Santa Claus*
pousser un cri, *utter a cry*
le vœu de Noël, *Christmas wish, Christmas greeting*

Devoirs

A. 1. No one hesitated to put his shoes along side of [1] the fireplace. 2. Santa Claus brings nothing to children who do not obey their parents. 3. I hope to thank my friend for the beautiful gift he sent me. 4. Did you ask your sister not [2] to send you gifts any more? 5. We tried to remember the words [3] of that song. 6. The boy thinks of Christmas every day. 7. Children do not lack toys at Christmas. 8. Do you play [4] golf or do you prefer to play [4] the violin?

[1] *à côté de*   [2] Consult § 21 I for word order.   [3] *paroles*   [4] Distinguish between *jouer* à *un jeu* and *jouer* D'*un instrument.*

B. 1. Ask your friends if they are going to return home during Christmas vacation. 2. Tell them that on Christmas eve you are going to sing Christmas songs. 3. Ask Mary if her family puts Christmas gifts along side of the fireplace. 4. Ask Paul if he sent any Christmas greetings this year.

* An asterisk (*) placed *before* a verb indicates that this verb is irregular.
† Used chiefly in connection with the *péché originel* (original sin).

CINQUANTE-NEUVIÈME LEÇON

Vocabulaire

ambitieux, ambitieuse
Bismarck
le canal
la candidature
céder
la confédération
le cousin
Ferdinand

l'indemnité †
l'insulte (f.)
interpréter
Isabelle
de Lesseps **
Louis
Louis-Philippe
matériel, matérielle
le prince

la promesse
prospère
protester
le refus
refuser
retirer
Suez
le trouble ††

s'agrandir, *become larger*
la couronne, *crown*
élu, *elected*
embellir, *beautify, embellish*
habile, *clever*
le manque, *lack*
mécontent, *discontent*
le milliard, *billion*

le neveu, *nephew*
l'ouvrage (*m.*), *work*
*parvenir, *succeed;* parvenu, *succeeded*
percer, *dig, tunnel*
*remettre, *put back again;* remis, *put back again*
renverser, *overthrow*
se sauver, *escape, run off*

Devoirs

A. 1. What prevented that emperor from winning those wars? 2. Who had those boulevards constructed? 3. What did the Spanish offer to a cousin of the king of Prussia? 4. Of what did those men dream? 5. Between 1870 and 1920 France had two wars with Germany. The latter lasted longer[1] than the former. 6. Who is he? He is a teacher. He is a good teacher. He is sick. 7. Can you read German easily? It is very hard. 8. What will that teacher have read?

[1] *plus longtemps*

B. 1. Tell your friend that you had your mistakes corrected. 2. Ask him with whom he went to the movies last night. 3. Tell Marie that you are having a house built. 4. Ask Charles with what he is writing.

* An asterisk (*) placed *before* a verb indicates that this verb is irregular.
† The -*e*- is usually pronounced like -*è*-. [ɛ̃dɛmnite]
** The final -*s* is pronounced. [dəlɛsɛps]
†† This word has a much more intense meaning in French than in English.

SOIXANTIÈME LEÇON

VOCABULAIRE

l'Acadien (*m.*)
Alabama
baser
Bâton-Rouge
le Cajun
canadien, canadienne
Cartier
Champlain
la colonisation

convertir
Détroit
la disposition
l'enthousiaste (*m.*)
l'existence
explorer
s'exposer
la fatigue

l'Indien (*m.*)
Lafayette
libéral
le missionnaire
Mississipi
Montréal
le poème
le Saint-Laurent
Saint-Louis

la cession, *transfer, cession*
la cuisine, *cooking*
livrer, *give up, hand over to*
nettement, *plainly, clearly*
*se plaindre, *complain;* plaint, *pitied,*
  complained

*reconnaître, *recognize;* reconnu,
  recognized
remonter, *go up, ascend*
renoncer, *give up, renounce*
se répandre, *spread*
rude, *rough, harsh*

à la longue, *in the long run*
de même, *in the same way*
les Grands Lacs, *the Great Lakes*

DEVOIRS

A. 1. In the long run, it is better that we recognize the differences between the two countries. 2. Are you afraid that there will be a war soon? 3. I believe that we can prevent a war. 4. We need men who know how to speak foreign languages [1]. 5. We must learn foreign languages in order that we may understand other nations [1]. 6. Most of the countries of the world are glad that Germany did not win the last war. 7. Before you leave [2] the university, your teachers will explain to you why it was necessary for us to make war in 1941. 8. We want you to be acquainted with the history of all the important nations of Europe.

[1] Supply the definite article.   [2] Use a form of *quitter.*

B. 1. Tell George and Henry that you want them to go to France with you. 2. Ask Susan if she regrets that she did not live two centuries ago. 3. Tell Paul that you are looking for a man who has an old car. 4. Tell Robert that as far as you know, the teacher is glad that those boys left the building at once.

* An asterisk (*) placed *before* a verb indicates that this verb is irregular.

GRAMMAIRE

The Article – L'Article

1. THE FORMS OF THE DEFINITE ARTICLE – *Les Formes de l'Article Défini*

In English the definite article has but one form: *the*. In French the definite article has four forms.

A. The singular forms of the definite article are:

le: used before a masculine singular noun or adjective beginning with a consonant or an aspirate *h*.[1] EXAMPLES: *le* nord, *le* sud, *le* Havre, *le* héros, *le* petit pays.

la: used before a feminine singular noun or adjective beginning with a consonant or an aspirate *h*.[1] EXAMPLES: *la* capitale, *la* grande ville, *la* haute montagne.

l': used before a masculine or feminine noun or adjective beginning with a vowel or a mute *h*.[1] When a word following the singular form of the definite article begins with a vowel or a mute *h*, this contraction must be made.[2] EXAMPLES: *l*'est, *l*'ouest, *l*'Atlantique, *l*'homme, *l*'excellente frontière.

B. The plural of the French definite article is always *les*, regardless of the gender or initial letter of the noun. EXAMPLES: *les* continents, *les* montagnes, *les* plaines, *les* États-Unis, *les* héros, *les* hautes montagnes, *les* hommes.[3]

2. THE CONTRACTIONS OF THE DEFINITE ARTICLE
Les Contractions de l'Article Défini

A. The definite article regularly contracts with *de* as follows:

$$de + le = du$$
$$de + les = des$$

de la *and* de l' *do not contract.*

EXAMPLES: le centre *du* pays, la capitale *des* États-Unis, le centre *de la* France, les pays *de l*'Europe.

---

[1] See page 391.
[2] See the discussion of elision on page 393.
[3] The final *-s* of *les* is silent unless the following word begins with a vowel or a mute *h*. Then it is pronounced like *z* [lez].

B. The definite article regularly contracts with *à* as follows:

$$à + le = au$$
$$à + les = aux$$
$$à \text{ la } and \text{ à l' } do \text{ } not \text{ } contract.$$

EXAMPLES: situé *au* nord de la France, *aux* frontières de la Belgique, *à* l'embouchure du fleuve, *à l'*est de la France.

3. THE USES OF THE DEFINITE ARTICLE – *Les Emplois de l'Article Défini*

A. In English the definite article points out a definite object. In French the definite article is used in the same way.

Paris est *la* capitale de la France.   Paris is *the* capital of France.
La Seine est *le* fleuve qui traverse   The Seine is *the* river which
  le pays.   crosses *the* country.

B. In English a noun unmodified by any article is used to designate an object taken in a general sense. In French nouns used in this general sense *must* be accompanied by the definite article.

Les CHANSONS sont populaires partout.   SONGS are popular everywhere.
Le VIN est un produit important de la   WINE is an important product
  France.   of France.
J'aime *la* MUSIQUE.   I like MUSIC.

C. In English no article is used with names of countries and continents. One says: France, Spain, Europe, America. The definite article *is* used with names of rivers and mountains. One says: *the* Rhine, *the* Seine, *the* Alps, *the* Rockies. In French the definite article is used with the names of all countries, continents, rivers, and mountains. EXAMPLES: *la* France, *l'*Espagne, *l'*Europe, *l'*Amérique, *le* Rhin, *la* Seine, *les* Alpes, *les* Rocheuses.

1. But when the name of a continent or a feminine country is preceded by the preposition *en* (meaning *in* or *to*) or by *de* (meaning *from*),[1] the article is omitted.

en France   *in* France, *to* France
de France   *from* France

en Espagne   *in* Spain, *to* Spain
*d'*Espagne   *from* Spain

en Europe   *in* Europe, *to* Europe
*d'*Europe   *from* Europe

en Amérique   *in* America, *to* America
*d'*Amérique   *from* America

D. The days of the week are regularly used *without* the definite article in French as in English.

Il va à Paris *lundi*.   He is going to Paris (on) *Monday*.
Ils ont un jour de congé   They have a day off *Saturday*
  samedi.   (just this Saturday).

---

[1] For exceptions to this statement concerning *de*, see § 40 C.

But the definite article *is* used before the days of the week to indicate a regular occurrence each week on the day mentioned. In English an *-s* is often added to the day of the week to express this idea.

Il va à Paris *le lundi.*	He goes to Paris *Mondays.*
Ils ont un jour de congé *le samedi.*	They have a day off *Saturdays* (every Saturday).

E. Nouns in apposition, that is, words explaining other nouns, usually omit the article in French.

Pierre me montre un portrait de François Ier, *roi* de France au seizième siècle.	Peter shows me a portrait of Francis I, *a king* of France in the sixteenth century.
Dans une autre salle se trouve «l'Embarquement pour Cythère» de Watteau, *peintre* très connu du dix-huitième siècle.	In another room is "The Embarkation for Cytherea" of Watteau, *the* well-known *painter* of the eighteenth century.

4. The Indefinite Article – *L'Article Indéfini*

In English the indefinite article has the forms *a* and *an.* In French the indefinite article has three forms, two in the singular and one in the plural.

A. The singular forms of the indefinite article are:

un: used before all masculine singular nouns or adjectives. EXAMPLES: *un* pays, *un* continent, *un* nombre, *un* endroit, *un* homme.

une: used before all feminine singular nouns or adjectives. EXAMPLES: *une* ville, *une* partie, *une* capitale, *une* femme, *une* embouchure, *une* hache, *une* haute montagne.

B. In French the plural form of the indefinite article is *des*[1] and must be expressed. In English the unmodified plural form of the noun often expresses indefiniteness. Or the indefinite adjectives *some* or *any* may express the same indefiniteness.

La France et l'Italie sont *des* PAYS.	France and Italy are COUNTRIES.
Citez *des* VILLES du nord de la France.	Mention *some* CITIES in the north of France.
La Seine traverse-t-elle *des* VILLES?	Does the Seine cross *any* CITIES?

C. The indefinite article is omitted in French, however, before nouns unmodified by any adjective when these nouns designate profession or position.

Il est *professeur.*	He is *a teacher.*
Elle est *reine.*	She is *a queen.*
M. Dupont est *médecin.*	Mr. Dupont is *a doctor.*

5. The Partitive Article – *L'Article Partitif*

A. In English, to express an indefinite quantity or a part of a whole, we often use *some* or *any* or a noun unmodified by any article. We say: He has *some* HOUSES. Have they *any* SILK? Tours has AUTOMOBILES. In these sentences, HOUSES, SILK, and AUTOMOBILES indicate an indefinite part of the houses, silk,

---

[1] Des *is* de + les. It is discussed in § 5 as the Partitive Article.

and automobiles which exist. French expresses this same indefinite part of the whole by a special set of articles known as partitive articles. When these articles modify a noun, they show that the object is indefinite. These partitive articles *must* be expressed in French even when they are omitted in English. The above sentences are expressed in French: Il a *des* MAISONS. Ont-ils *de la* SOIE? Tours a *des* VOITURES. Note these further examples:

On trouve en grand nombre dans toute la région *des* VACHES, *des* BOEUFS et *des* MOUTONS.	One finds cows, STEERS, and SHEEP in great numbers in the whole region.
Le nord-ouest de la France fournit à tout le pays *du* LAIT, *de la* CRÈME, *du* BEURRE, *du* FROMAGE et *de la* VIANDE.	The northwest of France furnishes MILK, CREAM, BUTTER, CHEESE, and MEAT to the whole country.
Il y a *des* MONTAGNES dans l'est de la France.	There are (*some*) MOUNTAINS in the east of France.

B. The partitive articles, which consist of a combination of *de* and the definite article, are:

du: used before a masculine singular noun beginning with a consonant or an aspirate *h*. EXAMPLES: *du* lait, *du* beurre, *du* fromage.

de la: used before a feminine singular noun beginning with a consonant or an aspirate *h*. EXAMPLES: *de la* crème, *de la* soie, *de la* haine.

de l': used before a masculine or feminine noun beginning with a vowel or mute *h*. EXAMPLE: *de l'*encre.

des: used before all plural nouns. EXAMPLES: *des* villes, *des* pays, *des* hommes, *des* héros.

Note that when used as partitive articles, these combinations do not mean *of the*. When used literally as *de* + the article, they do mean *of the*.

Les habitants *des* villes ont DES voitures.	The inhabitants *of the* cities have (SOME) cars.
La capitale *du* pays fournit DU lait aux autres villes.	The capital *of the* country furnishes (SOME) milk to the other cities.

C. *De* is used instead of the partitive article in the following five cases:

1. After expressions of quantity, such as *beaucoup* (much, many), *assez* (enough), *trop* (too much, too many), *plus* (more), *moins* (less), *tant* (so much, so many), *autant* (as much, as many), *combien* (how much, how many), *peu* (little, few);

Dans le midi on trouve *beaucoup* DE fruits et de légumes.	In the south one finds *many* fruits and vegetables.
Il y a *trop* DE gens sur les plages.	There are *too many* people on the beaches.
Y a-t-il *assez* D'hôtels à Cannes et à Nice?	Are there *enough* hotels at Cannes and at Nice?

a. but the partitive article is used with the expressions *bien* (many) and *la plupart* (the majority);

Bien DES élèves partiront en vacances.	*Many* (OF THE) pupils will go on vacations.
Il a vu *la plupart* DES restaurants.	He saw *the majority* OF THE restaurants.

2. after negatives such as *pas*;[1]

> Il n'y a *pas* D'oliviers dans le nord. — There aren't *any* olive trees in the north.
>
> On ne trouve *pas* D'oranges dans le nord du pays. — One finds *no* oranges in the north of the country.

3. when a preceding adjective separates the partitive from the noun it modifies;[2]

> Il y a toujours DE *nombreux touristes* sur la Riviéra. — There are always *numerous tourists* on the Riviera.
>
> A Nice et dans D'*autres villes* de la Riviéra se trouvent DE *charmantes plages* avec des endroits agréables et D'*élégants hôtels* pour passer l'hiver. — At Nice and in *other cities* of the Riviera are *charming beaches* with agreeable spots and *elegant hotels* to pass the winter.

4. before a noun denoting quality or material used in an adjectival sense to modify a preceding noun;

> une robe DE *soie* — a *silk* dress
>
> un chapeau DE *paille* — a *straw* hat

5. after expressions containing *de*. They may be

   a. verbs

   > La France se compose DE plaines et DE montagnes. — France is composed OF plains and mountains.

   b. adjectives

   > Les prisons étaient remplies DE suspects. — The prisons were filled WITH persons suspected.

   c. or other expressions

   > Nous avons besoin D'encre. — We need ink.

In each of these cases *de* is normally found with the word which precedes it. One finds: *se composer* DE, *rempli* DE, *avoir besoin* DE. In each case, also, the following noun is partitive and not definite. If it were definite, the definite article would be used. Compare:

> Nous avons besoin D'encre. — We need ink.
>
> Nous avons besoin DE L'encre que vous avez achetée. — We need *the* ink you bought.

The Noun–Le Nom

6. THE GENDER OF NOUNS – *Le Genre des Noms*

A. In English nouns that refer to males are masculine, nouns that refer to females are feminine, and all other nouns are neuter. EXAMPLES: man

---

[1] *a. De* is used with most negative words, but it is not used with the expression *ne ... que* (only), which is not negative in meaning. EXAMPLE: Il *n'a que* DU lait. He has *only* milk.

b. When the negative word follows the verb *être*, the partitive article is retained. EXAMPLES: Ce ne *sont* pas DES vaches. Those are *not* cows. Ce n'*est* pas DE LA crème. That is *not* cream.

[2] It is becoming more and more common to find the partitive article with a singular noun modified by a preceding adjective. EXAMPLE: Nous avons DU *bon vin*.

(masculine), girl (feminine), book (neuter). The gender of English nouns therefore constitutes no difficulty at all. In French nouns are either masculine or feminine. There are no neuters! EXAMPLES: le nord (masculine), la capitale (feminine). It is important to know these genders because various forms of the language depend upon the gender of the noun.

B. While there is no complete set of rules for determining gender, the following hints will help to indicate whether a noun is masculine or feminine.

1. Nouns denoting males are masculine; those denoting females are feminine.

le roi	king	masculine
la reine	queen	feminine
le boeuf	steer	masculine
la vache	cow	feminine
l'homme	man	masculine
la femme	woman	feminine

2. Cities are usually masculine, but *Marseille, Bruxelles, la Nouvelle Orléans*, and a few others are considered feminine.

3. Countries and continents:

   a. All continents are feminine. EXAMPLES: l'Asie, l'Afrique, l'Amérique du Nord, l'Amérique du Sud, l'Europe, l'Australie, l'Océanie.

   b. All countries ending in -e are feminine; all others are masculine.[1] One important exception: *le Mexique*.

4. Names of months, days, and seasons are always masculine; names of languages and trees are usually masculine. EXAMPLES: le français, l'anglais, juin, août, le lundi, le mardi, le printemps, l'hiver, l'olivier.

5. Nouns ending in -*age*, -*eau*, -*isme*, and -*ment* are usually masculine; those in -*ié* and -*ion* are usually feminine. EXAMPLES: le village, le tableau, le plateau, le classicisme, le changement, l'amitié, la question.

6. Nouns which were masculine or neuter in Latin are likely to be masculine in French; nouns which were feminine in Latin tend to be feminine in French.

LATIN	FRENCH	ENGLISH
status (m)	l'état (m)	state
amicus (m)	l'ami (m)	friend
villa (f)	la ville (f)	city
insula (f)	l'île (f)	island
vinum (n)	le vin (m)	wine
castellum (n)	le château (m)	castle
lyceum (n)	le lycée (m)	high school

C. The most expedient way to learn genders is to associate the article with the noun, learning them together as a word group.

7. THE PLURAL OF NOUNS – *Le Pluriel des Noms*

A. In English most nouns form their plurals by adding -*s* to the **singular**. EXAMPLE: mountain, mountains. In French most nouns also form their

---

[1] This means that all European countries are feminine except *le Danemark, le Portugal*, and *le Luxembourg*, and that the three major countries of North America are masculine: *le Canada, les États-Unis, le Mexique*.

plurals by adding -*s* to the singular. EXAMPLES: le continent, les continents; la ville, les villes. This -*s* is silent.

B. Nouns ending in -*s*, -*x*, and -*z* do not change in the plural. EXAMPLES: le pays, les pays; un fils, des fils; la voix, les voix; le nez, les nez.

C. Nouns ending in -*eau* and in -*eu* generally add -*x* to the singular form.

un feu	des feux	fire
le neveu	les neveux	nephew
le château	les châteaux	castle
un tableau	des tableaux	picture

D. Nouns ending in -*al* and seven nouns ending in -*ail* change the -*al* or -*ail* to -*aux* in the plural. The two important nouns in -*ail* are given here.

le journal	les journaux	newspaper
un animal	des animaux	animal
le travail	les travaux	work
le vitrail	les vitraux	stained-glass window

but

le détail	les détails	detail

The Adjective – L'Adjectif

8. THE AGREEMENT OF ADJECTIVES – *L'Accord des Adjectifs*

A. In English the adjective does not change in form to indicate gender and number. In French the adjective agrees with the noun in gender and number.

le *petit* pays	the *small* country
les *petits* pays	the *small* countries
la *petite* ville	the *small* city
les *petites* villes	the *small* cities

B. When an adjective modifies a masculine and feminine noun or two masculine nouns at the same time, it takes the masculine plural form.

La Seine, le Rhône et *la Garonne* sont IMPORTANTS pour le commerce.	*The Seine, the Rhone*, and *the Garonne* are IMPORTANT for commerce.

Here *importants* is masculine plural to agree with a masculine singular and two feminine singular nouns.

9. THE FEMININE OF ADJECTIVES – *Le Féminin des Adjectifs*

A. Most adjectives form their feminines by adding -*e* to the masculine form.

MASCULINE	FEMININE	
situé	située	situated
petit	petite	small, little
grand	grande	large, great

B. Adjectives whose masculine form ends in (unaccented) -e do not change in the feminine.

MASCULINE	FEMININE	
difficile	difficile	difficult
facile	facile	easy
grave	grave	serious

C. Certain adjectives whose masculine form ends in e + a consonant place a grave (`) accent over this e (è) as well as adding the regular -e to form the feminine.

MASCULINE	FEMININE	
premier	première	first
étranger	étrangère	foreign
complet	complète	complete

D. Adjectives whose masculine form ends in -f change the -f to -ve.

MASCULINE	FEMININE	
neuf	neuve	new
actif	active	active

E. Adjectives whose masculine form ends in -x change the -x to -se.

MASCULINE	FEMININE	
nombreux	nombreuse	numerous
heureux	heureuse	happy

F. Adjectives whose masculine forms end in -el, -eil, -ien, -as, and -os double the final consonant before adding -e. Thus,

MASCULINE ENDING	FEMININE ENDING	EXAMPLES MASCULINE	FEMININE	MEANING
-el	-elle	quel	quelle	which
-eil	-eille	pareil	pareille	similar
-ien	-ienne	ancien	ancienne	old
-as	-asse	bas	basse	low
-os	-osse	gros	grosse	large

G. Some adjectives have two masculine forms, one of which is used when the word it directly precedes begins with a consonant, the other when the word it directly precedes begins with a vowel or mute h. These adjectives are also somewhat irregular in the feminine.

SINGULAR			PLURAL		
MASCULINE		FEMININE	MASCULINE	FEMININE	
the following word beginning with a consonant	vowel or mute h				
beau	bel	belle	*beaux*	*belles*	beautiful
fou	fol	folle	*fous*	*folles*	foolish
mou	mol	molle	*mous*	*molles*	soft
nouveau	nouvel	nouvelle	*nouveaux*	*nouvelles*	new
vieux	vieil	vieille	*vieux*	*vieilles*	old

un beau pays	a beautiful country
un bel homme	a handsome man
une belle ville	a beautiful city
un nouveau crayon	a new pencil
un nouvel état	a new state
une nouvelle architecture	a new architecture
un vieux pont	an old bridge
un vieil homme	an old man
une vieille église	an old church

H. Certain masculine adjectives form their feminines irregularly. The most common irregular adjectives are:

SINGULAR		PLURAL		
MASCULINE	FEMININE	MASCULINE	FEMININE	
blanc	blanche	*blancs*	*blanches*	white
bon	bonne	*bons*	*bonnes*	good
doux	douce	*doux*	*douces*	soft, sweet
épais	épaisse	*épais*	*épaisses*	thick
faux	fausse	*faux*	*fausses*	false
frais	fraîche	*frais*	*fraîches*	fresh
gentil	gentille	*gentils*	*gentilles*	nice
grec	grecque	*grecs*	*grecques*	Greek
long	longue	*longs*	*longues*	long
public	publique	*publics*	*publiques*	public
sec	sèche	*secs*	*sèches*	dry

10. THE PLURAL OF ADJECTIVES – *Le Pluriel des Adjectifs*

A. English adjectives do not change their forms in the plural. Most French adjectives form their masculine plurals by adding -*s* to the masculine singular and their feminine plurals by adding -*s* to the feminine singular.

	SINGULAR	PLURAL	
MASCULINE	situé	situés }	situated
FEMININE	située	situées }	
MASCULINE	petit	petits }	small
FEMININE	petite	petites }	
MASCULINE	long	longs }	long
FEMININE	longue	longues }	
MASCULINE	facile	faciles }	easy
FEMININE	facile	faciles }	

B. Adjectives whose masculine singular ends in -*s*, -*x*, or -*z* do not change in the masculine plural. The feminine plural is formed by adding -*s* to the feminine singular.

	SINGULAR	PLURAL	
MASCULINE	gris	gris }	gray
FEMININE	grise	grises }	
MASCULINE	heureux	heureux }	happy
FEMININE	heureuse	heureuses }	

C. Adjectives whose masculine singular ends in *-eau* add *-x* to form the masculine plural. EXAMPLES: beau, beaux; nouveau, nouveaux.

D. Adjectives whose masculine singular ends in *-al* change the *-al* to *-aux* in the masculine plural.

	SINGULAR	PLURAL	
MASCULINE	national	nationaux ⎱	national
FEMININE	nationale	nationales ⎰	
MASCULINE	principal	principaux ⎱	principal
FEMININE	principale	principales ⎰	

E. *Tout* (all) has a special plural in *tous*.[1] The rest of the forms are regular: *tout* (masculine singular), *toute* (feminine singular), *toutes* (feminine plural).

11. THE POSITION OF ADJECTIVES – *La Place des Adjectifs*

A. In English adjectives are placed *before* the nouns they modify. In French some adjectives habitually precede the noun they modify; many usually follow. A number of adjectives may either precede or follow the noun, often with a slight change of meaning. Sometimes the position of the adjective depends on the relative length of the noun and the adjective and upon the rhythm of the sentence. EXAMPLES: un *petit* PAYS, un *long* FLEUVE, la *principale* VILLE, but des MONTAGNES *élevées*, un PORT *important*, des RÉGIONS *historiques*.

Most descriptive adjectives follow their nouns. They differentiate the noun they modify from the same noun without the adjective.

les langues *étrangères*   des tempêtes *dangereuses*
une épreuve *écrite*   un spectacle *coloré*
un centre *industriel*   des trains *spéciaux*

But adjectives which indicate a quality usually attributed to the noun and which, in the mind of the speaker is therefore less emphatic, often precede their noun:

un *magnifique* château   un *puissant* empire
un *riche* banquier   une *gigantesque* entreprise
un *violent* combat   les *vastes* territoires

Adjectives used figuratively usually precede their nouns. Compare

une *sale* figure   an *ugly* face   une figure *sale*   a *dirty* face
un *simple* soldat   a private   un soldat *simple*   a *simple* (minded) soldier

B. Adjectives of color and nationality follow the nouns they modify.

une maison *blanche*   a *white* house   un touriste *anglais*   an *English* tourist
un tableau *noir*   a *black*board   une ville *française*   a *French* city

C. Numerals, both cardinal and ordinal, and demonstrative, interrogative, possessive, and indefinite adjectives precede their nouns.

trois livres   *cette* ville   *mon* crayon
la *troisième* leçon   *quel* pays   *quelques* livres

---

[1] *Tous* has two distinct pronunciations. The *-s* is silent [tu] when it is used as an adjective. EXAMPLE: *Tous* les pays ont des problèmes. The *-s* is pronounced as *s* [tus] when *tous* is used as a pronoun. EXAMPLE: *Tous* fournissent des produits aux autres nations.

D. A number of short adjectives usually precede the noun they modify. The most common of these are:

autre	other	joli	pretty
beau	beautiful	long	long
bon	good	mauvais	bad
grand	great, large, tall	méchant	naughty, wicked
gros	big	meilleur	better, best
haut	high	nouveau	new
jeune	young	petit	small, little, short
		vieux	old

E. Certain adjectives have *one* meaning when they precede and *another* when they follow the noun they modify. The most common of these are:

ADJECTIVE	MEANING WHEN PRECEDING	MEANING WHEN FOLLOWING
ancien	former, old	old, ancient
brave	worthy, fine	brave
cher	dear (loved)	dear (expensive)
grand	great, large	tall
pauvre	poor (unfortunate)	poor (without money)

12. The Comparison of Adjectives – *La Comparaison des Adjectifs*

A. In French as in English, there are three degrees of comparison: the positive, the comparative, and the superlative. The English adjective is compared by adding *-er* (comparative) and *-est* (superlative) to the positive form or by placing *more* or *less* (comparative) and *most* or *least* (superlative) before the positive form.

POSITIVE	COMPARATIVE	SUPERLATIVE
narrow	{ narrower { less narrow	narrowest least narrow
important	{ more important { less important	most important least important

The comparative form of the French adjective is obtained by placing *plus* (more) or *moins* (less) before the positive form. The superlative form is obtained by placing the definite article (*le, la, les*) before the comparative form.

POSITIVE	COMPARATIVE	SUPERLATIVE
étroit	{ plus étroit { moins étroit	le plus étroit [1] le moins étroit
important	{ plus important { moins important	le plus important le moins important

The following examples show how these forms are used:

COMPARATIVE

La Russie est *plus grande* que la France.	Russia is *larger* than France.
Les Alpes sont *moins difficiles* à défendre que le Rhin.	The Alps are *less difficult* to defend than the Rhine.

---

[1] This is the masculine singular form. The feminine singular form is *la plus étroite*, the masculine plural *les plus étroits*, and the feminine plural *les plus étroites*.

SUPERLATIVE

Orléans, Tours et Nantes sont les trois villes *les plus importantes* situées sur la Loire.

Orleans, Tours, and Nantes are the three *most important* cities situated on the Loire.

De toutes les frontières, les Alpes sont *les moins difficiles* à défendre.

Of all the borders, the Alps are the *least difficult* to defend.

B. *Than* is usually expressed by *que*.

La Loire est plus longue *que* la Seine.

The Loire is longer *than* the Seine.

Les États-Unis sont plus grands *que* l'Italie.

The United States is larger *than* Italy.

But before numerals, *than* is expressed by *de*.

Tours a plus *de* cent mille habitants.

Tours has more *than* a hundred thousand inhabitants.

Versailles est à moins *de* trente kilomètres de Paris.

Versailles is less *than* thirty kilometers from Paris.

C. Adjectives which usually precede their nouns may precede them in the superlative, but may equally well follow their nouns.

La Loire est *le plus long* fleuve de France.

The Loire is *the longest* river in France.

When adjectives in the superlative follow their nouns, the definite article must always directly precede *plus* (more) or *moins* (least).

La Seine est le fleuve *le plus connu* de France.

The Seine is the *best known* river of France.

Les Alpes et les Pyrénées sont les frontières *les plus faciles* à défendre.

The Alps and the Pyrenees are the *easiest* borders to defend.

Le Havre est un des trois ports *les plus importants* situés sur la Manche.

Le Havre is one of the three *most important* ports situated on the English Channel.

D. In English the superlative is usually followed by *in*. In French *de* is regularly used after the superlative.

Paris est la plus grande ville *de* France.

Paris is the largest city *in* France.

E. Certain adjectives are compared irregularly. The most common of these are:

POSITIVE	COMPARATIVE	SUPERLATIVE
bon (good)	meilleur (better)	le meilleur (best)
mauvais (bad)	{ plus mauvais / pire } (worse)	le plus mauvais / le pire (worst)

F. In English one says: Germany is *as large as* France. Brest is *not so important as* Bordeaux. This comparison with *as ... as* and with *not so ... as* is known as the comparison of equality. In French this comparison of equality is expressed by *aussi ... que* in the affirmative and by *pas aussi ... que* or occasionally by *pas si ... que* in the negative.

Mais la différence de prononciation entre le nord et le sud est
aussi grande en France *qu'*aux
États-Unis.

But the difference in pronunciation
between the north and the south
is *as great* in France *as* in the
United States.

La cathédrale de Tours n'est *pas
aussi célèbre que* Notre Dame de
Paris.

The cathedral of Tours is *not so
famous as* Notre Dame de Paris.

13. The Possessive Adjectives – *Les Adjectifs Possessifs*

A. The English possessive adjectives are *my, his, her, its, our, your, their*. They
do not change in form.   The French possessive adjectives have masculine,
feminine, singular, and plural forms:

PERSON		MASCULINE SINGULAR	FEMININE SINGULAR	MASCULINE AND FEMININE PLURAL	
SINGULAR	I	mon	ma	mes	my
	2	ton[1]	ta[1]	tes[1]	your[1]
	3	son	sa	ses	his, her, its
PLURAL	I	notre	notre	nos	our
	2	votre	votre	vos	your
	3	leur	leur	leurs	their

B. In English the possessive adjective agrees with the possessor.   EXAMPLES:
his book, *her* book.   In French the possessive adjective agrees in person
with the possessor, as in English, and it agrees with the thing possessed
in gender and number.   In other words, *his, her*, and *its* are expressed by
the same word in French if the thing possessed is the same.   If not, the
French word varies with the gender and number of the thing possessed.

son livre	*his, her, its* book
sa colonie	*his, her, its* colony
ses industries	*his, her, its* industries

In the above examples, the form of *son* depended upon the gender and number of the noun.   Note this in sentences:

Jean a *son* livre, et Marie a *son*
livre.

John has *his* book, and Mary has
her book.

Jean a *sa* bicyclette, et Marie a *sa*
bicyclette.

John has *his* bicycle, and Mary has
her bicycle.

C. The forms *mon, ton*, and *son* are used to modify feminine singular nouns when
the use of *ma, ta*, and *sa* would cause two vowels to come together.

mon encre (f)	*my* ink
ton école (f)	*your* school
son île (f)	*his, her, its* island

---

[1] These forms are used only under the same conditions as the subject-pronoun *tu*.   (See
§ 22 B.)

14. THE DEMONSTRATIVE ADJECTIVES – *Les Adjectifs Démonstratifs*

A. In English the demonstrative adjectives, which point out an object more definitely than the definite article, are *this, that, these,* and *those.* In French, these demonstrative adjectives are:

> ce: used before a masculine singular noun or adjective beginning with a consonant. EXAMPLES: *ce* château, *ce* pays, *ce* petit jardin.
>
> cet: used before a masculine singular noun or adjective beginning with a vowel or a mute *h.* EXAMPLES: *cet* endroit, *cet* état, *cet* autre pays.
>
> cette: used to modify feminine singular nouns. EXAMPLES: *cette* montagne, *cette* ville, *cette* frontière.
>
> ces: used to modify all plural nouns. EXAMPLES: *ces* châteaux, *ces* jardins, *ces* endroits, *ces* états, *ces* autres pays, *ces* montagnes, *ces* villes.

B. French does not ordinarily distinguish between *this* and *that* or between *these* and *those* unless a contrast of objects demands that distinction.

> *Cette* ville est dans le nord du pays. *This* (or *that*) city is in the north of the country.

No distinction is necessary here since *cette* merely points out *ville* more definitely than would the definite article *la.*

To distinguish between *this* and *that* or between *these* and *those,* the proper demonstrative adjective (*ce, cet, cette, ces*) is placed before the noun, and -*ci* (from *ici* meaning here) or -*là* (there) is appended to the noun. In other words, "this here" and "that there," expressions which in English would be incorrect, are the correct form in French. To connect -*ci* and -*là* to the noun, a hyphen is used. One rarely finds -*ci* in one part of the sentence without -*là* in the other. But -*là* is sometimes used without -*ci*.

> *Cette* carte-*ci* est plus moderne que *cette* carte-*là*. *This* map is more modern than *that* map.
>
> Que faites-vous *en ce moment*? What are you doing *now*?
>
> Il était en France *à ce moment-là*. He was in France *at that time*.

15. THE INTERROGATIVE ADJECTIVES – *Les Adjectifs Interrogatifs*

A. In English *which* and *what* are used as interrogative adjectives to modify a noun and to ask a question. In French some form of *quel* is used to express the same idea. In French the interrogative adjective agrees with the noun it modifies in gender and number.

> *Quel* cours préférez-vous? *Which* course do your prefer?
>
> *Quelles* matières apprenez-vous? *What* subjects are you studying?

B. The interrogative adjectives are:

	MASCULINE	FEMININE
SINGULAR	quel	quelle
PLURAL	quels	quelles

C. The interrogative adjective is used with the verb *être* followed by a noun to ask which one of a number of possible answers.[1]

---

[1] When the noun has been mentioned before, the interrogative pronoun *lequel* (*laquelle, lesquels, lesquelles*) must be used. EXAMPLE: La Russie, la Suède, la France, et l'Espagne sont des nations d'Europe. *Lesquelles* sont dans l'ouest de l'Europe? (See § 35 E.)

Quelle est la capitale de la France?	*What* is the capital of France?
Quels sont les pays de l'Amérique du Nord?	*What* are the countries of North America?
Quel est votre nom?	*What* is your name?

D. The interrogative adjective is also used with the verb *être* followed by the name of a person or thing to ask the nature of that person or thing.

| *Quel* est cet homme? | *Who* is that man?[1] |
| *Quels* sont ces édifices? | *What* buildings are those? |

16. The Cardinal Numerals – *Les Adjectifs Numéraux Cardinaux*

A. The cardinal numerals are:

1 un, une	[œ̃] [yn]	
2 deux	[dφ]	
3 trois	[trwa]	
4 quatre	[katr]	
5 cinq	[sɛ̃k]	
6 six	[sis]	
7 sept	[sɛt][2]	
8 huit	[ɥit]	
9 neuf	[nœf][2]	
10 dix	[dis]	
11 onze	[ɔ̃z]	
12 douze	[duz]	
13 treize	[trɛz]	
14 quatorze	[katɔrz]	
15 quinze	[kɛ̃z]	
16 seize	[sɛz]	
17 dix-sept	[disɛt]	
18 dix-huit	[dizɥit]	
19 dix-neuf	[diznœf]	
20 vingt	[vɛ̃]	
21 vingt et un	[vɛ̃teœ̃]	
22 vingt-deux	[vɛ̃tdφ]	
23 vingt-trois	[vɛ̃ttrwa]	
24 vingt-quatre	[vɛ̃tkatr]	
25 vingt-cinq	[vɛ̃tsɛ̃k]	
26 vingt-six	[vɛ̃tsis]	
30 trente	[trɑ̃t]	
31 trente et un	[trɑ̃teœ̃]	
32 trente-deux	[trɑ̃tdφ]	
40 quarante	[karɑ̃t]	

50 cinquante	[sɛ̃kɑ̃t]
60 soixante	[swasɑ̃t]
70 soixante-dix	[swasɑ̃tdis]
71 soixante et onze	[swasɑ̃teɔ̃z]
72 soixante-douze	[swasɑ̃tduz]
73 soixante-treize	[swasɑ̃ttrɛz]
80 quatre-vingts	[katrəvɛ̃]
81 quatre-vingt-un	[katrəvɛ̃œ̃]
82 quatre-vingt-deux	[katrəvɛ̃dφ]
83 quatre-vingt-trois	[katrəvɛ̃trwa]
90 quatre-vingt-dix	[katrəvɛ̃dis]
91 quatre-vingt-onze	[katrəvɛ̃ɔ̃z]
100 cent	[sɑ̃]
101 cent un	[sɑ̃œ̃]
200 deux cents	[dφsɑ̃]
201 deux cent un	[dφsɑ̃œ̃]
202 deux cent deux	[dφsɑ̃dφ]
300 trois cents	[trwasɑ̃]
400 quatre cents	[katrəsɑ̃]
1000 mille	[mil]
1001 mille un	[milœ̃]
2000 deux mille	[dφmil]
100,000 cent mille	[sɑ̃mil]
1,000,000 un million	[œ̃miljɔ̃]
2,000,000 deux millions	[dφmiljɔ̃]

[1] Meaning: *What is the nature* of that man?

[2] These words are still occasionally pronounced sep(t) [sɛ] and neu(f) [nφ] when the next word begins with a consonant. It is now more common to sound the *-t* and *-f*.

B. The pronunciations indicated above are those of the numbers pronounced without any following noun. When the numerals are followed by an adjective or a noun beginning with a consonant or an aspirate *h*, they are pronounced as follows:

un port	[œ̃pɔr]	si(x) ports	[sipɔr]
deu(x) ports	[dɸpɔr]	sep*t* ports [1]	[sɛtpɔr]
troi(s) ports	[trwapɔr]	hui(t) ports	[ɥipɔr]
quatre ports	[katrəpɔr]	neu*f* ports [1]	[nœfpɔr]
cin(q) ports	[sɛ̃pɔr]	di(x) ports	[dipɔr]

When the numerals are followed by an adjective or a noun beginning with a vowel or a mute *h*, the final consonant of the numeral is generally linked to the next word. Final *-x* is linked as *ẓ*. Final *-f* remains *-f* in most words, but becomes *v* in the expressions *neuf ans* [nœvā], *neuf heures* [nœvœr], and *neuf hommes* [nœvɔm].

un état	[œ̃neta]	six états	[sizeta]
deux états	[dɸzeta]	sept états	[sɛteta]
trois états	[trwazeta]	huit états	[ɥiteta]
quatre états	[katreta]	neuf états	[nœfeta]
cinq états	[sɛ̃keta]	dix états	[dizeta]

There is a difference of usage as to the pronunciation of the final consonant of numerals in dates. Some Frenchmen say *le dix mai* [lədismɛ]; others *le di(x) mai* [lədimɛ].

Neither elision nor linking occurs before *huit* and *onze*. One says: *le huit février* [ləɥifevrje], *le onze mars* [ləɔ̃zmars], *les huit enfants* [leɥitāfā], *les onze livres* [leɔ̃zlivr].

The final *-t* of *cent* is linked to the following noun, but is not linked to a following *un*. EXAMPLES: cent ans [sātā] *but* cent un [sāœ̃], deux cent un [dɸsāœ̃], quatre cent un [katrəsāœ̃]

C. From 60 to 100 the French count by 20's. Note the formation of 70 (*soixante-dix*) and of 90 (*quatre-vingt-dix*) and of the other numbers in the same group. Note that the *-s* of *quatre-vingts* is dropped before another numeral. EXAMPLES: quatre-vingt-sept, quatre-vingt-quinze.

D. Multiples of *cent* (*deux cents, trois cents, quatre cents*, etc.) take an *-s* in the plural. There is no *-s* when these multiples are followed by another numeral. EXAMPLES: deux cent trente, trois cent deux, quatre cent soixante-sept, etc. *Mille* does not change in form. EXAMPLES: deux mille, trois mille, quatre mille, etc.

E. The numerals *cent* and *mille* are not preceded by the indefinite article (*un*) in French. EXAMPLES: cent deux (102) (*a hundred and two*), cent quatre-vingts (180) (*a hundred and eighty*); mille soixante (1060) (*a thousand and sixty*), mille quatre-vingt-deux (1082) (*a thousand and eighty-two*).

F. In reading dates from 1000 to 1100, *mille* is used. For dates beyond 1100, either *mille* or a multiple of *cent* is used. The latter is somewhat more com-

---

[1] These words are still occasionally pronounced sep(t) [sɛ] and neu(f) [nɸ] when the next word begins with a consonant. It is now more common to sound the *-t* and *-f*.

mon. The word *cent* may not be omitted when reading French dates, as it is currently in English. EXAMPLES: 1215 (*douze* CENT *quinze* or *mille deux* CENT *quinze*), 1939 (*dix-neuf* CENT *trente-neuf* or *mille neuf* CENT *trente-neuf*), 1870 (*dix-huit* CENT *soixante-dix* or *mille huit* CENT *soixante-dix*). The French express B.C. by *av. J.-C.* (*avant Jésus-Christ*), and A.D. by *apr. J.-C.* (*après Jésus-Christ*). EXAMPLES: 44 av. J.-C., 476 apr. J.-C.

17. THE ORDINAL NUMERALS – *Les Adjectifs Numéraux Ordinaux*

A. In English the ordinals are: first, second, third, fourth, etc. In French the ordinals are regularly formed by adding *-ième* to the corresponding cardinals. Note particularly the method of expressing 1st, 2d, 21st, 31st, etc. The ordinals are abbreviated: *1ᵉʳ*, *2ᵉ*, *3ᵉ*, etc. There are also the abbreviations *1°*, *2°*, *3°*, etc. (*primo, secundo,* etc.).

B. The ordinal numerals are:

1st	premier, première	18th	dix-huitième
2d	{ second / deuxième	19th	dix-neuvième
		20th	vingtième
3d	troisième	21st	vingt et unième
4th	quatrième	22d	vingt-deuxième
5th	cinquième	23d	vingt-troisième
6th	sixième	30th	trentième
7th	septième	31st	trente et unième
8th	huitième	40th	quarantième
9th	neuvième	50th	cinquantième
10th	dixième	60th	soixantième
11th	onzième	70th	soixante-dixième
12th	douzième	71st	soixante et onzième
13th	treizième	80th	quatre-vingtième
14th	quatorzième	81st	quatre-vingt-unième
15th	quinzième	90th	quatre-vingt-dixième
16th	seizième	100th	centième
17th	dix-septième	101st	cent unième

C. *Second* is expressed preferably by *second* when there are only two in a series and by *deuxième* when there are more than two. Note that the *c* in *second* is pronounced *g* [səgɔ̃].

D. In indicating kings and emperors, the French use the ordinal for the *first* and cardinals for *all others* of a house of dynasty.

WRITTEN	READ	
Napoléon Iᵉʳ	Napoléon premier	Napoleon I
Napoléon III	Napoléon trois	Napoleon III
Charles Iᵉʳ	Charles premier	Charles I
Charles VII	Charles sept	Charles VII
Louis XIV	Louis quatorze	Louis XIV
Louis XV	Louis quinze	Louis XV

E. To indicate the day of the month, French uses the ordinal for the *first* day and the cardinals for *all the others*. French dates are written without capitals and without commas. EXAMPLES: le 1ᵉʳ février 1939, le 10 mai 1942, le 4 juillet 1776. These are read (but not written) *le premier février dix-neuf cent trente-neuf, le dix mai dix-neuf cent quarante-deux, le quatre juillet dix-sept cent soixante-seize.*

The Adverb – L'Adverbe

18. THE FORMATION OF ADVERBS – *La Formation des Adverbes*

A. In English most adverbs are formed by adding *-ly* to the adjective. In French adverbs are often formed by adding *-ment* to the masculine form of adjectives ending in a vowel and to the feminine form of adjectives whose masculine form ends in a consonant.

ADJECTIVE	ADVERB	
rapide	rapidement	rapidly
immédiate	immédiatement	immediately
sévère	sévèrement	severely
direct	directement	directly
seul	seulement	only
naturel	naturellement	naturally
sérieux	sérieusement	seriously

B. Adverbs are formed from adjectives of more than one syllable ending in *-ent* by changing the *-ent* to *-emment*. The first *e* of this suffix is pronounced *a*. Adjectives of more than one syllable ending in *-ant* change the *-ant* to *-amment*.

ADJECTIVE	ADVERB	
évident	évidemment	evidently
récent	récemment	recently
négligent	négligemment	negligently
élégant	élégamment	elegantly
suffisant	suffisamment	sufficiently

C. In certain adverbs the final *-e* of the adjective is replaced by *-é*:

aveuglément	blindly	conformément	suitably
commodément	properly	communément	commonly
confusément	confusedly	énormément	enormously
immensément	immensely	obscurément	obscurely
précisément	precisely	profondément	deeply
profusément	profusely	uniformément	uniformly

D. Some adverbs are not so formed and may be regarded as irregular, as *bien (bon), vite (vite), mal (mauvais).*

19. THE POSITION OF ADVERBS – *La Place des Adverbes*

A. The adverb usually follows a simple verb directly.

Roger et Louise vont *ensemble* à la classe de français.	Roger and Louise go to French class *together.*
Il aime *beaucoup* la France.	He likes France *very much.*

B. In the compound tenses the adverb is usually placed between the auxiliary and the past participle of a compound verb. In negative sentences the adverb follows *pas*.

Nous avons *déjà* acheté deux paquets de papier.	We have *already* bought two packages of paper.
Vous avez *bien* travaillé.	You worked *well*.
Il n'a *pas encore* lu le journal.	He has*n't yet* read the newspaper.

C. Long adverbs and certain adverbs of time and place, such as *aujourd'hui*, *hier*, *demain*, *tôt*, *tard*, *ici*, and *là*, follow the past participle. They may also be put at the beginning of the sentence in most cases.

Nous avons fait cela *hier*.	We did that *yesterday*.
Votre ami est arrivé *tôt*.	Your friend arrived *early*.
Il est venu *ici*.	He came *here*.
Marie a écrit la lettre *lentement*.	Mary wrote the letter *slowly*.
Aujourd'hui nous avons parlé avec Robert.	*Today* we spoke with Robert.

D. After *peut-être* (perhaps) and *aussi* (at the beginning of the sentence and in this position meaning *thus* or *therefore*) and after the expression *à peine* (scarcely), the subject and verb are usually inverted.

Peut-être VIENDRA-T-IL ce soir.	*Perhaps* HE WILL COME this evening.
Un voyage en Amérique coûterait trop cher. *Aussi* IRONS-NOUS en Algérie.	A trip to America would cost too much. *Therefore*, WE SHALL GO TO Algeria.

There is a tendency in conversational French to use *que* followed by normal word order after *peut-être*.

Vous ne pouvez-pas trouver votre porte-feuille? *Peut-être que* vous l'avez perdu.	Can't you find your billfold? *Perhaps* you've lost it.

20. The Comparison of Adverbs – *La Comparaison des Adverbes*

A. The English adverb is compared by placing *more* or *less* (comparative) and *most* or *least* (superlative) before the positive form. EXAMPLE: rapidly, *more* rapidly, *most* rapidly, *less* rapidly, *least* rapidly. French adverbs, like adjectives, are compared by placing *plus* (more) or *moins* (less) before the positive form of the adverb to express the comparative degree and by placing *le plus* or *le moins* before the positive form of the adverb, to express the superlative degree. Since the adverb has no gender, the *le* of the superlative degree is invariable.

POSITIVE	COMPARATIVE	SUPERLATIVE
rapidement	plus rapidement	le plus rapidement
récemment	plus récemment	le plus récemment

B. Certain adverbs are compared irregularly:

POSITIVE	COMPARATIVE	SUPERLATIVE
bien	mieux	le mieux
mal	{ plus mal { pis	le plus mal le pis
peu	moins	le moins
beaucoup	plus	le plus

21. THE NEGATIVE – Le Négatif

A. The English sentence is made negative by means of the adverb *not*. The French sentence is usually made negative by placing *ne* before and *pas* after the verb.

La source de la Garonne *n*'est *pas* en France.	The source of the Garonne is *not* in France.
La Seine *ne* traverse *pas* Lyon.	The Seine does *not* cross Lyons.

B. In an ordinary negative sentence, the *ne* comes directly after the subject with all its modifiers, that is to say, *ne* precedes all other words which come before the verb.

Berlin *n*'est *pas* en France.	Berlin is *not* in France.
Les fleuves importants de France *ne* sont *pas* au centre du pays.	The important rivers of France are *not* in the center of the land.
La Loire *ne* se jette *pas* dans la Manche.	The Loire does *not* empty into the English Channel.
Je *ne* le lui donne *pas*.	I do *not* give it to him.
Il *n*'en a *pas*.	He hasn't any.

C. In a question with a pronoun-subject the following word order is used:

ne VERB - PRONOUN-SUBJECT *pas* FOLLOWING WORDS

N'est-il *pas* en France?	Is*n't* it in France?
Ne forment-elles *pas* une frontière entre les deux pays?	Don't they form a frontier between the two countries?
Ne se jette-t-il *pas* dans la Méditerranée?	Does*n't* it empty into the Mediterranean?
Ne la racontez-vous *pas* aux élèves?	Don't you tell it to the pupils?
Ne la leur écrit-il *pas*?	Does*n't* he write it to them?

In a question with a noun-subject, the following word order is used:

NOUN-SUBJECT *ne* VERB - PRONOUN-SUBJECT *pas* FOLLOWING WORDS

Le Rhône *n*'est-il *pas* en France?	Is*n't* the Rhone in France?
Les Alpes *ne* forment-elles *pas* une frontière entre les deux pays?	Don't the Alps form a frontier between the two countries?
Le Rhône *ne* se jette-t-il *pas* dans la Méditerranée?	Does*n't* the Rhone empty into the Mediterranean?
Marie *ne* la raconte-t-elle *pas* à son frère?	Does*n't* Mary tell it to her brother?
Paul *ne* la leur écrit-il *pas*?	Does*n't* Paul write it to them?

D. In the compound tenses, the *auxiliary verb only* is regarded as the verb as far as the position of the negative words is concerned. In other words, *pas* comes directly after the auxiliary verb.

Il *n*'a *pas* acheté un cahier.	He did*n't* buy a notebook.
Nous *n*'avons *pas* trouvé un journal.	We did*n't* find a newspaper.
Les Français *n*'ont *pas* choisi un président.	The French did*n't* choose a president.

Notice the same negative sentences in interrogative form:

N'a-t-il *pas* acheté un cahier?   Has*n't* he bought a notebook?
N'avons-nous *pas* trouvé un jour-   Did*n't* we find a newspaper?
nal?
Les Français *n*'ont-ils *pas* choisi   Did*n't* the French choose a presi-
un président?   dent?

E. Certain other words are always used with *ne* in a complete sentence.   Among
these are:

ne...aucun	no, not any	ne...plus	no longer, no more
ne...guère	scarcely	ne...point	not at all
ne...jamais	never	ne...que	only
ne...ni...ni	neither...nor	ne...rien	nothing
ne...personne	no one		

F. In sentences containing these negative combinations

1. *ne* comes where it ordinarily would with *pas* (§ 21 B, C);
2. *guère* (scarcely), *jamais* (never), *plus* (no longer, no more), and *point* (not
at all) follow the same rules for position as *pas* (§ 21 A, C, D).

Il *n*'y a *guère* de Français qui se   There is *scarcely* a Frenchman who
passe de vacances.   does without vacations.
Il *n*'a *jamais* acheté une voiture.   He *never* bought a car.
Les provinces *n*'existent *plus*.   The provinces *no longer* exist.

3. *Personne* (no one) and *rien* (nothing) begin the sentence if they are used
as the subject and follow the verb if they are used as objects.

Personne *ne* va en Bretagne.   *No one* is going to Brittany.
Il *n*'y a *personne* à Paris.   There is *no one* at Paris.
Rien n'est sur le bureau.   *Nothing* is on the desk.
Je *ne* trouve *rien*.   I find *nothing*.

Note the difference of order in the compound tenses:

Il *n*'a vu *personne*.   He saw *no one*.
Il *n*'a *rien* vu.   He saw *nothing*.

4. *Que* (only) follows the entire verb.

Nous *n*'avons *que* trois livres.   We have *only* three books.
Vous *n*'avez acheté *que* six crayons.   You bought *only* six pencils.

5. *Aucun* (no, not any) is an adjective and comes directly before its noun.

Il *n*'a trouvé *aucun* élève dans la   He found *no* pupil in the classroom.
salle de classe.
Aucune voiture *n*'est dans la rue.   *No* car is in the street.

G. Negative words are used alone (without *ne* and without verb) in answer to
a question.

Devine qui j'ai trouvé après deux   Guess whom I found after two
heures de recherches.   *Personne*.   hours of searching.   *No one*.
N'y a-t-il pas toujours un concierge, Isn't there always a janitor, even
même en été?   *Jamais*.   in summer?   *Never*.

H. In case of sentences made negative by *ne . . . ni . . . ni* (neither . . . nor), if the words governed by *. . . ni . . . ni* are modified by the definite article in the affirmative sentence, the definite article is retained in the negative sentence.

Les écoles et *les* églises sont ouvertes.	*The* schools and churches are open.
Ni les écoles *ni les* églises ne sont ouvertes.	*Neither the* schools *nor the* churches are open.

If the words governed by *. . . ni . . . ni* are modified by an indefinite article or by a partitive in the affirmative sentence, this indefinite or partitive article disappears in the negative.

Des professeurs et *des* élèves sont là.	Teachers and pupils are there.
Ni professeurs *ni* élèves ne sont là.	*Neither* teachers *nor* pupils are there.
Nous avons *du* papier et *un* crayon.	We have paper and *a* pencil.
Nous n'avons *ni* papier *ni* crayon.	We have *neither* paper *nor* a pencil.

I. The second part of the negation follows *ne* directly when the negative modifies a present infinitive.

Il est impossible de *ne pas* parler français en France.	It is impossible *not* to speak French in France.
Elle m'a demandé de *ne jamais* partir.	She asked me *never* to leave.

When the negative modifies a past infinitive, the second part of the negation may either follow *ne* directly or follow the auxiliary.

Il craint de *ne pas* avoir compris le professeur. *or* Il craint de *n'avoir pas* compris le professeur.	He fears that he did not understand the teacher.

J. *Pas* may be omitted after the verbs *pouvoir, savoir, oser,* and *cesser* followed by a dependent infinitive.

Je *ne* savais que faire.	I did*n't* know what to do.
Il *n'*ose le dire.	He does*n't* dare to say it.

The Pronoun – Le Pronom

22. THE SUBJECT PERSONAL PRONOUNS – *Les Pronoms Personnels – Sujet*

A. The subject personal pronouns are:

PERSON	SINGULAR		PLURAL	
1st	je	I	nous	we
2d	tu	thou, you	vous	you
3d	il	he, it	ils	they (masculine)
	elle	she, it	elles	they (feminine)

B. In English we no longer use the pronoun *thou* (singular of *you*) except in prayer. The French use the second person singular pronoun *tu* only when speaking to intimate friends, relatives, children, pets, sometimes servants. Students, soldiers doing military service, and others in the same general social class, usually speak to each other in the *tu* form. Otherwise *vous* is used in the second person plural to indicate either one or more persons.

23. The Direct Object Personal Pronouns
Les Pronoms Personnels – Complément Direct

A. In the sentences: He writes *it*; We like *them*; They see *us*; the italicized pronouns are direct objects because they receive the direct action of the verbs write, like, and see.   In French the direct object personal pronouns are:

me[1,2]	me	nous	us
te[1,2]	you	vous	you
le[1]	him, it	les	them
la[1]	her, it		

B. These pronouns take the place of *definite noun objects*, that is, noun objects modified by a definite article, a possessive adjective, a demonstrative adjective, or any other definite modifier, just as do *him, her, it, them,* etc. in English.

Paul lit *la leçon.*	Paul reads *the lesson.*
Paul *la* lit.	Paul reads *it.*
Les élèves font *leurs devoirs.*	The pupils do *their exercises.*
Les élèves *les* font.	The pupils do *them.*
Avez-vous *ce livre?*	Have you *that book?*
*L'*avez-vous?	Do you have *it?*

24. The Indirect Object Personal Pronouns
Les Pronoms Personnels – Complément Indirect

A. In the sentences: I write *him* a letter; We show *them* the house; He tells *me* the story; the italicized words receive the indirect action of the verb.   These are the indirect objects.   They usually answer the question: To or for whom? In each case we might have said: I write a letter *to him*; We show the house *to them*; etc.   *To,* understood or written, is the sign of the indirect object in English.   In French the indirect object pronouns are:

me[1,2]	to me	nous	to us
te[1,2]	to you	vous	to you
lui	to him, to her	leur	to them

---

[1] When the forms *me, te, se, le,* or *la* precede a verb beginning with a vowel or a mute *h*, they elide, becoming *m', t', s',* or *l'.*   (See Pr. § 5 A, B, page 393.)

Robert apprend *le français.*	Robert learns *French.*
Robert *l'*apprend.	Robert learns *it.*
Écrit-il *la lettre?*	Does he write *the letter?*
*L'*écrit-il?	Does he write *it?*

[2] The forms *me* and *te* are known as weak forms because very little force is put upon them when pronouncing the sentence as a whole.   In the affirmative imperative, where pronouns follow the verb, *me* becomes *moi* and *te* becomes *toi,* because here they are strong forms upon which considerable emphasis is placed in speaking.   Note the changes between the affirmative and negative:

Ne *me* le donnez pas. (weak)	Don't give it *to me.*
Donnez-le-*moi.* (strong)	Give it *to me.*
Ne *me* dites pas ce que vous faites. (weak)	Don't tell *me* what you are doing.
Dites-*moi* ce que vous faites. (strong)	Tell *me* what you are doing

B. These pronouns indicate an indirect object already mentioned.

Je raconte l'histoire *à Pierre*.	I tell *Peter* the story.
Je *lui* raconte l'histoire.	I tell *him* the story.
Il dit son nom *aux élèves*.	He tells *the pupils* his name.
Il *leur* dit son nom.	He tells *them* his name.
Demande-t-il un livre *à sa soeur*?	Does he ask *his sister* for a book?
Lui demande-t-il un livre?	Does he ask *her* for a book?

In French an *à* before a noun object is usually the sign of an indirect object.

25. THE REFLEXIVE PRONOUNS – *Les Pronoms Réfléchis*

A. Reflexive pronouns are those which refer to the subject. In English they are distinguished by the word *-self*. EXAMPLES: myself, himself. The French reflexive pronouns may be used as direct or indirect object.

DIRECT OBJECT

Je *me* lave.   I wash *myself*.

INDIRECT OBJECT

Elle *se* parle.   She speaks *to herself*.

The reflexive pronouns are used in conjunction with verbs, making the verbs *reflexive verbs*. (See § 81.) The reflexive pronouns are:

me[1]	myself, to myself	nous	ourselves, to ourselves
te[1,2]	yourself, to yourself	vous	{yourself, to yourself {yourselves, to yourselves
se[1]	{himself, to himself {herself, to herself {itself, to itself	se[1]	themselves, to themselves

B. When the reflexive pronoun is used in the sense of *each other*, it is known as a reciprocal pronoun, but its form in French is the same as if it were a reflexive pronoun. For example, *Ils* SE *parlent*, may mean: They talk *to themselves* (reflexive meaning); or, They talk *to each other* (reciprocal meaning). To make the meaning clearly reciprocal, the French often use *l'un l'autre, l'une l'autre, les uns les autres, les unes les autres* meaning *each other* as direct objects and *l'un à l'autre, l'une à l'autre, les uns aux autres, les unes aux autres* meaning *to each other* as indirect objects.

Ils *s'*aiment *l'un l'autre*.	They love *each other*.
Elles *se* parlent *l'une à l'autre*.	They speak *to each other*.

26. THE DISJUNCTIVE PRONOUNS – *Les Pronoms Absolus*

A. The disjunctive pronouns are:

moi	me	nous	us
toi	you	vous	you
lui	him	eux	them (masculine)
elle	her	elles	them (feminine)

[1,2] See footnotes on page 317.

B. Disjunctive pronouns are used in emphatic positions such as:

  1. after prepositions;

Il parle *de* MOI.	He is speaking *of* ME.
Elle est *avec* LUI.	She is *with* HIM.
Ils rentrent *chez* EUX.	They go *to their* HOUSE.
Il le fait *pour* VOUS.	He is doing it *for* YOU.

  2. in compound subjects and objects when one or more of the compound parts is a pronoun;

Pierre et *moi* descendons dans la rue.¹	Pierre and *I* go down to the street.
Sa soeur et *lui* sont à Paris.	His sister and *he* are at Paris.
Nous rencontrons Marie et *elle*.	We meet Marie and *her*.

  3. to emphasize the subject of the sentence or when the subject is separated from the verb;

Lui, il connaît très bien Paris.	*He* knows Paris very well.
Eux seuls peuvent le faire.	*They* alone can do it.
Je ne sais pas, *moi*.	*I* don't know.

  4. after *que* meaning *as* or *than* in comparisons;

Vous êtes aussi intelligent *que lui*.	You are as intelligent *as he*.
Nous sommes plus riches *qu'eux*.	We are richer *than they*.

  5. following *ce* + a form of the verb *être*;

C'est *moi*.	It is *I*.
C'est *lui*.	It is *he*.
C'est *elle*.	It is *she*.
C'est *nous*.	It is *we*.
C'est *vous*.	It is *you*.
Ce sont *eux*.	It is *they*.
Ce sont *elles*.	It is *they*.

  6. alone, in answer to questions;

Qui est là? *Moi*.	Who is there? *I*.
Qui regardez-vous? *Lui*.	At whom are you looking? *Him*.

  7. compounded with *même* (self).

moi-même	myself
lui-même	himself
elles-mêmes	themselves (feminine)

27. THE PRONOUN *en* – *Le Pronom* en

A. *En* is a special pronoun which does not exist in English. It may be expressed by *some, any, of it, of them*, etc., depending upon the sentence in which it is used. Without it, many French sentences are not complete. Study the cases where it is used in order to accustom yourself to it.

Avez-vous des cahiers?	Have you any notebooks?
Oui, j'*en* ai.	Yes, I have (*some*).
En a-t-il?	Has he *any*?
Il *en* a deux.	He has two (*of them*).

---

¹ One may say also: *Pierre et moi nous descendons dans la rue.*

B. *En* is used as the direct object pronoun whenever the indefinite nature of the noun object would make *some, any, of it, of them*, etc., expressed or understood, the English pronoun object.[1] Study the following examples which show the difference between the two types of pronoun objects:

Nous avons *les livres.* Nous *les* avons.	DEFINITE	We have *the books.* We have *them.*
Nous avons *des livres.* Nous *en* avons.	INDEFINITE	We have *some books.* We have *some.*
A-t-il *ce crayon?* *L'*a-t-il?	DEFINITE	Has he *that pencil?* Does he have *it?*
A-t-il *un crayon?* *En* a-t-il un?	INDEFINITE	Has he *a pencil?* Does he have *one (of them)?*
La Normandie a beaucoup *de vaches.* La Normandie *en* a beaucoup.		Normandy has many *cows.* Normandy has many *(of them).*
Il a acheté trois *livres.* Il *en* a acheté trois.		He bought three *books.* He bought three *(of them).*
Vend-on *du papier?* *En* vend-on?		Do they sell *(any) paper?* Do they sell *any?*

C. *En* replaces a phrase introduced by *de* if the object refers to a thing.   But if the object is a person, *de* is used with a disjunctive pronoun.

Elle se charge *du* TRAVAIL. Elle s'*en* charge.	She takes charge *of* THE WORK. She takes charge *of* IT.
Elle se charge *de* SON FRÈRE. Elle se charge *de* LUI.	She takes charge *of* HER BROTHER. She takes charge *of* HIM.
Nous parlons *de* LA FRANCE. Nous *en* parlons.	We speak *of* FRANCE. We speak *of* IT.
Nous parlons *de* VOTRE FRÈRE. Nous parlons *de* LUI.	We speak *of* YOUR BROTHER. We speak *of* HIM.
Je me souviens *de* VOTRE NOM. Je m'*en* souviens.	I remember YOUR NAME. I remember IT.
Je me souviens *de* MARIE. Je me souviens *d'*ELLE.	I remember MARY. I remember HER.

D. *En* does not have gender and number.   Normally, then, the past participle remains unchanged after *en* in a compound tense with *avoir.*

Nous avons acheté *des cahiers.* Nous *en* avons ACHETÉ.	We have bought *some notebooks.* We have bought *some.*
Il a écrit *une lettre.* Il *en* a ÉCRIT une.	He wrote *a letter.* He wrote *one.*

---

[1] One may say, then, that *en* replaces (1) a partitive, (2) a noun modified by an indefinite article, (3) a noun modified by a numeral.   EXAMPLES: Nous avons *des* livres.   Nous *en* avons.   Vous achetez *un* journal.   Vous *en* achetez un.   Louise a *six* crayons.   Louise *en* a six.   This *en* must be expressed with numbers when the noun object is omitted.

E. *En* is used as an adverb of place meaning *from there*.

Nous sommes sortis *de la forêt*.	We left *the forest*.
Nous *en* sommes sortis.	We left *it*.
Je reviens *de* FRANCE.	I am returning *from* FRANCE.
J'*en* reviens.	I am returning *from* THERE.

28. THE PRONOUN-ADVERB *y* – *Le Pronom-Adverbial* y

A. *Y* is a special pronoun-adverb which indicates a place already mentioned. It often means *there*.

Roger va *à* L'ÉCOLE tous les jours.	Roger goes *to* SCHOOL every day.
Roger *y* va tous les jours.	Roger goes *there* every day.
Les élèves entrent *dans* LA SALLE DE CLASSE.	The pupils enter THE CLASSROOM.
Les élèves *y* entrent.	The pupils enter IT.

In other words, *y* replaces French prepositions of place such as *à* and *dans* used with a noun object. In this book *y* will be considered a pronoun for convenience in wording directions for exercises.

B. *Y* is contrasted with *là*, which also means *there*. *Là* points out something whose place has not yet been mentioned or emphasizes the place.

Où est le livre? Il est *là*.	Where is the book? It is *there*.

C. *Y* is used as a pronoun to replace the object of a verb which is habitually followed by *à* when the object refers to a thing. If *à* is followed by a person, this person is replaced by a disjunctive pronoun placed after *à*.

Il répond *à* MA LETTRE.	He answers MY LETTER.
Il *y* répond.	He answers IT.
Je m'intéresse *aux* LANGUES.	I am interested *in* LANGUAGES.
Je m'*y* intéresse.	I am interested *in* THEM.
Je m'intéresse *à* MON FRÈRE.	I am interested *in* MY BROTHER.
Je m'intéresse *à* LUI.	I am interested *in* HIM.
Nous faisons attention *à* NOS DEVOIRS.	We pay attention *to* OUR EXERCISES.
Nous *y* faisons attention.	We pay attention *to* THEM.
Nous faisons attention *à* ROGER.	We pay attention *to* ROGER.
Nous faisons attention *à* LUI.	We pay attention *to* HIM.

29. THE POSITION OF OBJECT PRONOUNS (RELATIVE TO THE VERB)
La Place des Pronoms Compléments

A. The object pronouns usually immediately precede the verb.

Roger *les* compte.	Roger counts *them*.
Les élèves *y* vont.	The pupils go *there*.
L'écrit-il?	Does he write *it*?
Le *lui* montre-t-il?	Does he show *it to him*?

B. But object pronouns follow the verb when this verb is an affirmative imperative. This is not true of the negative imperative, however.

Lisez-*les*.	Read *them*.
Ne *les* lisez pas.	Do not read *them*.
Montrez-*la-leur*.	Show *it to them*.
Ne *la leur* montrez pas.	Do not show *it to them*.
Dites-*moi* ce que vous faites.	Tell *me* what you are doing.
Ne *me* dites pas ce que vous faites.	Do not tell *me* what you are doing.

C. The object pronoun *me* becomes *moi* and *te* becomes *toi* when placed after the verb. (See page 317, note 2.)

Ne *me* le donnez pas.	Don't give it *to me*.
Donnez-le-*moi*.	Give it *to me*.

30. THE ORDER OF OBJECT PRONOUNS

L'Ordre des Pronoms Compléments

In English we say our object pronouns without worrying about the order because we learned at an early age to do it automatically. In French we should also try to get the feeling of the order. Repeating sentences with these pronouns helps to make the order become automatic. The order of object pronouns may be learned either by the few simple rules in A, B, C, D, of this section or by the table given in E. You are advised to learn *one* or the *other*.

A. *Y* and *en* follow all other object pronouns.

Je lui *en* parle.	I speak to him of it.
Lui *en* donnez-vous?	Do you give any to him?
Donnez-lui-*en*.	Give him some of them.
Montrez-m'*en*.	Show me some.

B. *Y* always precedes *en*.

Il *y en* a.	There are some.

C. Except for *y* and *en*, the object pronouns beginning with *l-* always come nearest the verb.

Elle me *le* dit.	She tells it to me.
Il vous *le* montre.	He shows it to you.
Elle me *les* indique.	She shows them to me.
Me *le* dites-vous?	Do you tell it to me?
Dites-*le*-moi.	Tell it to me.
Donnez-*les*-moi.	Give them to me.
Montrez-*les*-nous.	Show us them.

D. Two *l-* forms in the same sentence come in alphabetical order, that is,

le
la   *always precede*   lui
les   leur

Les élèves *la lui* montrent.	The pupils show it to him.
Il *le leur* raconte.	He tells it to them.

Nous *les lui* indiquons	We indicate them to him.
Les leur donne-t-il?	Does he give them to them?
Montrez-*la-lui*.	Show it to him.
Racontez-*le-leur*.	Tell it to them.
Dites-*les-lui*.	Tell them to him.

E. Table for order of object pronouns.

me										
te		le		lui						
se	*before*	la	*before*	leur	*before*	y	*before*	en	*before*	VERB
nous		les								
vous										

				moi [1]				
		le		toi [1]				
VERB	*before*	la	*before*	lui	*before*	y	*before*	en
		les		nous				
				vous				
				leur				

31. THE POSSESSIVE PRONOUNS – *Les Pronoms Possessifs*

A. A possessive pronoun is one which indicates possession. Possessive pronouns should be distinguished from possessive adjectives. EXAMPLES: This is *my* book (possessive adjective because it modifies *book*). This book is *mine* (possessive pronoun because it takes the place of *book*).

B. The possessive pronouns consist of the definite article and the pronoun itself:

	SINGULAR		PLURAL		
	MASCULINE	FEMININE	MASCULINE	FEMININE	
PERSON					
1st	le mien	la mienne	les miens	les miennes	mine
2d	le tien	la tienne	les tiens	les tiennes	yours
3d	le sien	la sienne	les siens	les siennes	his, hers, its
1st	le nôtre	la nôtre	les nôtres	les nôtres	ours
2d	le vôtre	la vôtre	les vôtres	les vôtres	yours
3d	le leur	la leur	les leurs	les leurs	theirs

C. The forms *nôtre* and *vôtre* differ from the corresponding possessive adjective forms *notre* and *votre* in the pronunciation of the *o*. The *ô* in *nôtre* and *vôtre* is pronounced *ô* [o] and the *o* in *notre* and *votre* is pronounced *o* [ɔ] (see pages 398, 405, and § 31 c).

D. The possessive pronouns agree with their antecedents in gender and number and with the possessor in person. They do not depend upon the gender of the possessor as is the case in English.

Robert et moi sommes ici. Voici	Robert and I are here. Here is
ma bicyclette et voilà *la sienne*.	my bicycle and there is *his*.

La sienne is feminine, although referring to Robert, because it agrees with its antecedent *bicyclette*.

---

[1] *Moi* and *toi* elide to *m'* and *t'* before *en*. EXAMPLE: Donnez-*m'*en. (Give me some.)

E. The possessive pronouns indicate possession in an emphatic manner.

> Ce livre est *le mien*.   This book is *mine* (not yours).

The French usually indicate possession either by the verb *être* with *à* and a disjunctive pronoun or by using the verb *appartenir* (belong).

> Ce livre est *à moi*.   This book is *mine*.
> Ce livre *m'appartient*.   This book *belongs to me*.

32. THE DEFINITE DEMONSTRATIVE PRONOUNS
Les Pronoms Démonstratifs Définis

A. In English we say: Look at those pencils; *This one* is longer than *that*.   Here *this* and *that* are demonstrative pronouns referring to objects with definite gender and number.   We also say: *He* who cannot hear is deaf; *One* who cannot see is blind.   In these sentences *he* and *one* are demonstratives in French.   The definite demonstratives in French are a combination of *ce* and the third person disjunctive pronouns (*lui, elle, eux, elles*) (cf. §§ 34 and 26).   Thus:

$$ce + \begin{cases} lui \\ elle \\ eux \\ elles \end{cases} = \begin{cases} celui \\ celle \\ ceux \\ celles \end{cases}$$

The definite demonstrative pronouns are then:

	MASCULINE	FEMININE
SINGULAR	celui	celle
PLURAL	ceux	celles

B. The definite demonstrative pronouns agree with their antecedents in gender.

J'ai mon stylo et *celui* de Jean.	I have my fountain-pen and John's.
Je cherche ma lettre et *celles* de mon frère.	I am looking for my letter and *those* of my brother.

C. The definite demonstrative pronouns *must* be followed by *-ci* or *-là* or by a *relative pronoun* or by the preposition *de*.   They cannot be followed by *-ci* or *-là* when they are followed by a relative pronoun or by the preposition *de*.

Ce livre-ci est plus difficile que *celui-là*.	This book is more difficult than *that one*.
Ce livre-ci est plus facile que *celui* QUI est sur la table.	This book is easier than *the one* WHICH is on the table.
Celui QUI ne peut pas entendre est sourd.	*He* WHO cannot hear is deaf.
Ce livre-ci est plus intéressant que *ceux* DE mon frère.	This book is more interesting than *those* OF my brother.

Note that *-ci* and *-là* are really the adverbs *ici* (here) and *là* (there).

D. When the definite demonstrative pronouns are used in connection with two nouns previously mentioned, *celui-ci* (or other forms with *-ci*) refers to the nearer of the two nouns (the latter) and *celui-là* (or other forms with *-là*) to the more distant of the two (the former).

J'aime mieux les cours de conversation que les cours de grammaire. Ceux-ci sont plus difficiles que ceux-là.	I prefer conversation courses to grammar courses. The latter are harder than the former.

33. THE INDEFINITE DEMONSTRATIVE PRONOUNS
Les Pronoms Démonstratifs Indéfinis

A. The indefinite demonstrative pronouns are *ceci* and *cela*. The form *ça* is used colloquially for *cela*.

B. *Ceci* and *cela* are used to indicate something general without gender and number, such as an idea or something not definitely mentioned before.

Regardez *cela*.	Look at *that*.
Qu'est-ce que c'est que *ça*? *Ceci* ou *cela*?	What's *that*? *This* or *that*?
Achetez *ceci*, pas *cela*.	Buy *this*, not *that* (pointing).
Cela me semble terrible.	*That* (an indefinite idea) seems terrible to me.

In each case, the speaker has not mentioned *this* or *that* by name

C. *Ceci* refers to the nearer, *cela* to the more distant previously unmentioned object.

Faites *ceci*, ne faites pas *cela*.   Do *this*, do not do *that*.

D. When the object has not been mentioned by name, and therefore has no gender and number in the mind of the hearer, the indefinite demonstratives *ceci* and *cela* must be used.

Cela coûte trois francs.   *That* (pointing) costs three francs.

But when the object has already been mentioned by name and therefore has gender and number in the mind of both the speaker and listener, the definite demonstratives *celui, celle, ceux*, or *celles* must be used.

Regardez ces deux livres.	Look at those two books.
Celui-ci coûte dix francs,	*This one* costs ten francs,
celui-là vingt francs.	*that one* twenty francs.

34. THE DEMONSTRATIVE PRONOUN *ce* – *Le Pronom Démonstratif* ce

A. The demonstrative pronoun *ce* is generally used as the subject of the verb *être*.

C'est le Luxembourg.	It is the Luxembourg.
Ce sont mes livres.	These are my books.
C'était moi.	It was I.

B. The demonstrative pronoun *ce* is invariable, i.e., its form does not change. *C'est* and its equivalent in other tenses are used with a singular complement or with *nous* and *vous*. *Ce sont* and its equivalent in other tenses are used with plural complements except *nous* and *vous*.

C'est moi.	It is I.
C'est toi.	It is you.
C'est lui.	It is he.
C'est elle.	It is she.
C'est nous.	It is we.
C'est vous.	It is you.
Ce sont eux.	It is they (masculine).
Ce sont elles.	It is they (feminine).

C. *Ce* is used as the subject of the verb *être*

   1. when a noun, a pronoun, or a superlative follows the verb *être*;

C'est *le Louvre*.	It is *the Louvre*.
Ce sont *les maîtres* de la peinture française qui sont représentés dans le Louvre.	It is *the masters* of French painting who are represented in the Louvre.
C'est *lui*.	It is *he*.
C'est *un* des musées les plus célèbres du monde.	It is *one* of the most famous museums in the world.
C'est *le plus grand* de tous les artistes.	He is *the greatest* of all the artists.

   2. when *ce* refers to an aforementioned idea which has no definite gender or number.

Notre voiture est à la maison. *C'est* vrai.	Our car is at home. *It's* true.
J'ai acheté un journal. *C'est* bien.	I bought a newspaper. *That's* good.
Je ne peux pas partir. *C'est* impossible.	I can't leave. *It's* impossible.
Il ne peut pas copier ce livre. *C'est* trop difficile.	He can't copy that book. *It's* too difficult.

D. However, the ordinary personal pronouns (*il, elle, ils, elles*) are used

   1. when the verb *être* is followed by an adjective, adverb, or phrase referring to some definite aforementioned object which has been named and which has gender and number;

Voilà le *Louvre*. *Il* est IMMENSE.	There is the *Louvre*. *It* is IMMENSE.
Connaissez-vous mes *frères*? *Ils* sont JEUNES.	Do you know my *brothers*? *They* are YOUNG.
Regardez *Marie*. *Elle* est JOLIE.	Look at *Mary*. *She* is PRETTY.
Où est *Jean*? *Il* est LÀ.	Where is *John*? *He* is THERE.
Nous cherchons nos *camarades*. Sont-*ils* ICI?	We are looking for our *friends*. Are *they* HERE?
Où est ce *tableau*? *Il* est DANS LE LOUVRE.	Where is this *picture*? *It* is IN THE LOUVRE.
Votre *mère* n'est pas ici. *Elle* est À PARIS.	Your *mother* isn't here. *She* is IN PARIS.

2. when the verb *être* is followed by an unmodified noun showing profession, nationality, etc.

> *Il* est *professeur.*   He is *a teacher.*
> *Elle* est *Française.*   She is *French.*

But if the noun is modified, *ce* is used.

> *C'est* UN BON *professeur.*   He is A GOOD *teacher.*
> *C'est* UNE JEUNE *Française.*   She is A YOUNG *French girl.*

35. THE INTERROGATIVE PRONOUNS – *Les Pronoms Interrogatifs*

A. The interrogative pronoun is one used to ask a question. In English the interrogative pronouns are: *who? whose? whom? which?* and *what?* EXAMPLES: *What* are they reading? *Who* goes to school?

In French, *qui* is the interrogative pronoun referring to persons.

> *Qui* écrit une composition?   *Who* is writing a composition?
> *Qui* écoutent-ils?   *Whom* are they listening to?
> Avec *qui* va-t-elle en classe?   With *whom* does she go to class?

There are four interrogatives used to refer to things. These four interrogatives (*qu'est-ce qui, que, qu'est-ce que, quoi*) depend upon the use of the interrogative in the sentence.

B. The following outline will serve to illustrate the use of the various interrogative pronouns:

FUNCTION	PERSONS	THINGS
subject	qui	qu'est-ce qui
object	qui	que / qu'est-ce que
after prepositions	qui	quoi

Study these examples:

> *Qui* entre dans la salle de classe?   *Who* enters the classroom?
> *Qui* les élèves regardent-ils?   *Whom* do the pupils look at?
> Pour *qui* écrit-il la lettre?   For *whom* is he writing the letter?
> *Qu'est-ce qui* entre dans la salle de classe quand les fenêtres sont ouvertes?   *What* enters the classroom when the windows are open?
> *Que* font les élèves?   *What* are the pupils doing?
> *Qu'est-ce que* les élèves font?   *What* are the pupils doing?
> De *quoi* parle-t-il?   Of *what* is he speaking?

C. Referring to persons, the alternate forms *qui est-ce qui* may be used for the subject and *qui est-ce que* for the object.

> *Qui* écrit une composition?
> *Qui est-ce qui* écrit une composition?   *Who* is writing a composition?
> *Qui* regarde-t-il?
> *Qui est-ce qu*'il regarde?   *Whom* is he looking at?

Note the difference of word order in the second group of sentences. *Qui* is followed by inverted word order; *qui est-ce que* by normal word order. (See § 87 H.)

D. Both *que* and *qu'est-ce que* are used as an object referring to things.

Que fait le garçon?
Qu'est-ce que le garçon fait?
What does the boy do?

Que raconte-t-elle?
*Qu'est-ce qu'*elle raconte?
What does she tell?

Que trouve le professeur derrière
la porte?
Qu'est-ce que le professeur trouve
derrière la porte?
What does the teacher find behind
the door?

In the first sentence of each group, the verb precedes the subject. This is *inverted* word order. In the second sentence of each group, the subject precedes the verb. This is *normal* word order. We may say then:

Que + verb + subject (+ rest of sentence)
Qu'est-ce que + subject + verb (+ rest of sentence)

(See § 87 I.)

The French use the *-est-ce que* forms in speaking but avoid them in writing.

E. *Which one*, referring to a definite object already mentioned or mentioned immediately after *which one* (of), is expressed by:[1]

	SINGULAR	PLURAL
MASCULINE	lequel	lesquels
FEMININE	laquelle	lesquelles

Il y a beaucoup de PAYS en Europe. *Lequel* est le plus grand?
There are many COUNTRIES in Europe. *Which* (*one*) is the largest?

La France a beaucoup de VILLES. *Laquelle* est la plus belle?
France has many CITIES. *Which* (*one*) is the most beautiful?

Connaissez-vous Victor Hugo? *Lesquelles* de ses OEUVRES avez-vous lues?
Do you know Victor Hugo? *Which* (*ones*) of his WORKS have you read?

F. The English expressions "What is...?" and "What are...?" are sometimes used for asking a definition.[1] One says: *What is* a plateau? *What are* boardinghouses? The French express this idea by *Qu'est-ce que...?* or by the longer form *Qu'est-ce que c'est que...?*

*Qu'est-ce qu'*un plateau?
*Qu'est-ce que c'est qu'*un plateau?
What is a plateau?

Qu'est-ce que c'est que ça?
What is that?

36. THE RELATIVE PRONOUNS – *Les Pronoms Relatifs*

A. The relative pronoun is used to connect the dependent with the independent clause of a sentence. In English the relative pronouns are: *who, whose, whom, which,* and *that.* In English, the relative may sometimes be omitted. In French, the relative is *never* omitted.

La Seine est le fleuve *qui* traverse Paris.
The Seine is the river *which* crosses Paris.

Pierre me montre la lettre *qu'*il écrit.
Pierre shows me the letter (*which*) he is writing.

---

[1] Do not confuse with the interrogative adjective *quel.* (See § 15.)

B. This table presents the relative pronouns:

FUNCTION	PERSONS	THINGS	INDEFINITE (what)
subject	qui	qui	ce qui
object	que	que	ce que
after prepositions	qui	lequel[1]	ce + *preposition* + quoi

$$de + relative = dont \qquad \left.\begin{array}{l}\text{relative of place (where)}\\\text{relative of time (when)}\end{array}\right\} = où$$

C. *qui* (who, which, that) is used as the *subject* of its own clause.

Le Rhin est un fleuve *qui* sépare la France de l'Allemagne.	The Rhine is a river *which* separates France from Germany.
La France se compose de plusieurs régions historiques *qui* s'appellent des provinces.	France is composed of several historical regions *which* are called provinces.
Robert est un élève américain *qui* apprend le français.	Robert is an American pupil *who* is learning French.

que (whom, which, that) is used as the *object* of its own clause. *que* becomes *qu'* before a following word beginning with a vowel.

Qui est l'élève *que* le professeur punit?	Who is the boy *whom* the teacher is punishing?
Aimez-vous le livre *que* vous étudiez?	Do you like the book (*which*) you are studying?
Chaque élève a le droit de choisir le cours *qu'*il désire.	Each pupil has the right to choose the course (*that*) he desires.

D. *dont* (whose, of which) usually replaces *de* and any relative pronoun.

Voilà une période *dont* mon père a souvent parlé.	There is a period *of which* my father has often spoken.

The next two sentences show cases where the French use the definite article to modify the noun following *dont*:

Nous avons vu l'homme *dont* LE *fils* est à Paris.	We have seen the man *whose son* is at Paris.
Un pays *dont* LES *habitants* sont nombreux a de graves problèmes.	A country *whose inhabitants* are numerous has serious problems.

The next two sentences show a difference of word order in French and English. In French, the direct object follows the verb; in English, it precedes.

C'est la jeune fille *dont* vous avez L'ADRESSE.	It is the girl *whose* ADDRESS you have.
Il a parlé d'un pays *dont* nous verrons LES MONTAGNES.	He spoke of a country *whose* MOUNTAINS we shall see.

E. *où* is a relative pronoun of place and time. As a pronoun of time, it means

---

[1] Or *laquelle*, *lesquels*, and *lesquelles* as may be required.

when. In expressions such as: the day *when*. . . , the year *that*. . . , this relative of time *où* is used.

La ville *où* je demeure est petite.	The city *where* (*in which*) I live is small.
Je parlais de lui au moment *où* il est arrivé.	I was speaking of him at the moment *when* (*that*) he arrived.
Le jour *où* vous irez en France, vous verrez des choses curieuses.	The day (*that*) you go to France, you will see strange things.

F. *lequel, laquelle, lesquels,* and *lesquelles* are used after prepositions to refer to things. They may also be used to refer to persons, but *qui* is more common. This relative agrees with its antecedent in gender and number.

Dans la bouche se trouve la langue avec *laquelle* nous parlons.	In the mouth is the tongue with *which* we speak.
Il est allé au bureau derrière *lequel* le professeur écrivait.	He went to the desk behind *which* the teacher was writing.

G. In English *what* is sometimes used as a relative. The combination of demonstrative and relative pronoun *that which* may also be used.

What
That which } he told us was true.

Paul always remembers { what that which } he learns.

In French *ce qui* expresses *what* or *that which* when it is the subject of its own clause.

Savez-vous *ce qui* est sur la table?	Do you know *what* is on the table?
Ce qui m'étonne le plus en France, ce sont les cafés.	*What* surprises me most in France are the cafés.

In French *ce que* expresses *what* or *that which* when it is the object of its own clause. *Ce que* elides to *ce qu'* before words beginning with a vowel.

Dites-moi *ce que* vous faites et *ce que* vous voyez en Amérique.	Tell me *what* you are doing and *what* you are seeing in America.
Paul m'a montré *ce qu'*il a acheté.	Paul showed me *what* he bought.

37. THE INDEFINITE PRONOUN *on* – *Le Pronom Indéfini* on

A. In English one says: *One* has to work hard; *You* don't have to earn much to save; *They* do whatever they want to; *We* have to learn a great deal in order to succeed. Here *one, you, they,* and *we* do not refer to any particular persons but to people in general. In French *on* (from Latin *homo*) is a special indefinite pronoun which is generally used in such cases and is always found with a third person singular verb.[1]

On appelle la Touraine le jardin de la France.	{ *They* call Touraine the garden of France. (or) Touraine is called the garden of France.

---

[1] Occasionally *vous* is used in the sense of *on* as *you* is used indefinitely in English.

On parle un très bon français à Tours.	*They* speak very good French in Tours. (or) Very good French is spoken in Tours.

Note that *on* is often expressed in English by the passive voice. Likewise, the English passive is often expressed in French by *on* and the active form of the verb. (See § 80 B 1.)

B. The form *l'on* is sometimes used after *si, où, que,* and *et* to prevent two vowels from coming together. This form should not be used if there are other words with *l's* near *on*.

Si *l'on* part, *on* sera là à neuf heures.	If one leaves, one gets there at nine o'clock.
On peut aller où *l'on* veut.	One can go where one pleases.

but

On y va et *on l'*entend parler.	They go there and they hear him speak.

The Preposition--La Préposition

38. POSSESSION – *Possession*

A. English expresses possession by -'s in the singular, -s' in the plural, or by the preposition *of*. EXAMPLES: the girl's book, the girls' books, the roof of the house. French expresses possession by placing the preposition *de* before a proper name or by *de* with the article or some other modifying word before a common noun. The -'s and -s' do not exist in French.

les industries *de* Lyon	the industries *of* Lyons
le port *de* Marseille	the harbor *of* Marseilles
l'architecture *de* la maison	the architecture *of* the house
les coutumes *de* chaque province	the customs *of* each province
les livres *du* garçon	the boy's books
le crayon *de* Marie	Mary's pencil
les cahiers *des* élèves	the pupils' notebooks

B. The use of *de* with or without the article is at times very delicate. In many cases *de* may be used either with or without the article. Often *de* without the article indicates an adjectival use, as *l'histoire de France* (French history), whereas the article is used when one cannot turn the expression into an adjective.

le nord *de* la France	the north of France
une partie *de* l'Angleterre	a part of England

In these examples, the article is necessary because one could not say "the French north" or "the English part."

Other expressions have been fixed through usage. For instance:

l'histoire *de* France	French history
le roi *de* France	the king of France
l'empereur *des* Français	the French emperor
la carte *de* France	the map of France

but

la géographie de la France	the geography of France
la capitale de la France	the capital of France
la littérature française	French literature

39. THE PREPOSITIONS OF PLACE *to, in, at*
Les Prépositions de Lieu à, en, dans, chez

A. The English prepositions *in*, *at*, and *to* are usually expressed by one preposition with any given place (proper noun) in French. These prepositions vary with the gender and class of noun with which they are used.[1]

Il va *en* France.	He goes *to* France.
Il est *en* France.	He is *in* France.
Elle va *à* Paris.	She goes *to* Paris.
Elle est *à* Paris.	She is *at* Paris.

B. *en* is used with names of feminine countries.[2]

| Pierre va *en* France. | Peter goes *to* France. |
| Je suis *en* Angleterre. | I am *in* England. |

C. *à* + *the definite article* is used with names of masculine countries.

Il va *au* Mexique.	He goes *to* Mexico.
Il est *au* Canada.	He is *in* Canada.
Nous demeurons *aux* États-Unis.	We live *in* the United States.

D. *à* is used with all cities.

| Elle est *à* Tours. | She is *in* Tours. |
| Nous allons *à* Bordeaux. | We are going *to* Bordeaux. |

E. *dans* with the article is often used to express *in* when the name of the place is qualified by an adjective.[2]

| Nous sommes *dans la* belle France. | We are *in* beautiful France. |
| Elles voyagent *dans la* vieille Espagne. | They are traveling *in* old Spain. |

F. *chez* is a special preposition of place. Try to understand the French usage:

Allez *chez* NOTRE PROFESSEUR.	Go *to* OUR TEACHER'S HOUSE.
Les hommes rentrent *chez* EUX.	The men go *to* THEIR HOUSES.
Chez NOUS on parle souvent des cathédrales d'Europe.	*In* OUR COUNTRY they often speak of the European cathedrals.

---

[1] For the genders of places, see § 6 B 2, 3.

[2] *En* is also used with continents. One says: EN *Europe*, EN *Asie*, EN *Afrique*, EN *Australie*, EN *Amérique*. It is much more common to hear *en Amérique* than to use *Amérique du Nord* or *Amérique du Sud*. Today expressions such as *l'Afrique du Nord* and *l'Amérique du Sud* are considered as units and *en* is used with them to express *in* or *at*, as *en Afrique du Nord*, *en Amérique du Sud*.

40. The Preposition of Place *from – La Préposition de Lieu* de

A. In French *from* is expressed by *de* or by *de + the definite article.*

B. *de* is used with cities and feminine countries.

Il vient *de* Paris.	He comes *from* Paris.
Il revient *de* France.	He is returning *from* France.
Nous partons *d'*Italie.	We are leaving Italy.

C. *de + the article* is used with masculine countries or with places modified by an adjective.

Il vient *du* Canada.	He comes *from* Canada.
Il revient *du* Mexique.	He is returning *from* Mexico.
Ils partent *des* États-Unis.	They go out *of* the United States.
Sortons-nous *de la* vieille Espagne?	Are we going out *of* old Spain?
Partez-vous *de la* belle France?	Are you leaving beautiful France?

41. The Prepositions Governing Dependent Infinitives
Les Prépositions qui précèdent les Infinitifs

A. Both in English and French some verbs are directly followed by a dependent infinitive, and others require a preposition to connect the verb to a dependent infinitive. In English one may say: I can go. Here the word *go* follows the main verb *can* without any preposition. One may say: I want *to* go. In this case the preposition *to* connects *go* to the main verb. Likewise, in French, one says:

Nous allons écrire.	(no preposition)	We are going *to* write.
Il apprend *à* lire.	(à)	He is learning *to* read.
Ils refusent *de* choisir.	(de)	They refuse *to* choose.

There are no definite rules which tell one which preposition to use in English. One learns through use. The same is true in French.

B. Some verbs require no preposition before an infinitive. The most common of these are:

aimer	like	falloir	be necessary
aimer mieux	prefer	laisser	leave, allow, let
aller	go, be going	oser	dare
compter	intend	pouvoir	can, be able
croire	believe	préférer	prefer
désirer	desire, wish	savoir	know, know how
devoir	am to, must	sembler	seem
entendre	hear	venir	come
espérer	hope	voir	see
faire	do, make, have	vouloir	want, wish

Nous allons parler du gouvernement.	We are going *to* speak of the government.
Voulez-vous aller en classe?	Do you want *to* go to class?

C. Some verbs require *de* before an infinitive. Verbs of telling and ordering and verbs of emotion often take *de*. Among the most common of the verbs requiring *de* are:

avoir peur de	be afraid	finir de	finish
cesser de	cease	ordonner de	order
craindre de	fear	oublier de	forget
défendre de	forbid	permettre de	permit
demander de	ask	prier de	beg, pray, ask
se dépêcher de	hurry	promettre de	promise
dire de	tell, order	refuser de	refuse
écrire de	write	regretter de	regret
essayer de	try	remercier de	thank

Il refuse *de* voter les lois.   It refuses *to* vote the laws.

D. Some verbs require *à* before an infinitive. The most common of these are:

aider à	help	enseigner à	teach
s'amuser à	amuse oneself	s'habituer à	accustom oneself
apprendre à	learn, teach	hésiter à	hesitate
arriver à	succeed	inviter à	invite
avoir à	have	se mettre à	begin
chercher à	seek, try	recommencer à	begin again
commencer à	begin	réussir à	succeed
consentir à	consent	songer à	think, dream
continuer à	continue	tarder à	delay in

Ils commencent *à* traverser la rue.   They begin *to* cross the street.

E. The following constructions with *de* and *à* are common:

Il (impersonal) + *être* + adjective + *de* + IDEA.

Il est impossible de partir demain.   It is impossible to leave tomorrow.
Il est difficile de lire le latin.   It is hard to read Latin.

IDEA + *être* + adjective + *à* + infinitive.

Le latin est difficile à lire.   Latin is hard to read.
Vous chantez bien. C'est agréable   You sing well. It is pleasant
à faire.   to do.

42. VERBS GOVERNING NOUNS WITH OR WITHOUT PREPOSITIONS

Les Verbes suivis d'une Préposition devant un Nom ou suivi d'un Nom

A. It is impossible to write correct French without learning whether or not the verb takes a preposition before the noun it governs. These prepositions are not always the same as in English.

Je demande *à* mon père *de* me don-   I ask my father to give me some
ner de l'argent.   money.
Je prie mon père *de* me donner de   I ask my father to give me some
l'argent.   money.
Il permet *à* son fils *de* partir.   He permits his son to leave.

B. The verbs *attendre* (wait for), *chercher* (look for), *demander* (ask for), *écouter* (listen to), *payer* (pay for), *regarder* (look at) take a preposition in English but take no preposition in French.

Nous *attendons* le professeur.   We *are waiting* FOR the teacher.
Il *cherche* la salle de classe.   He *is looking* FOR the classroom.
Écoutez-vous les élèves?   *Are* you *listening* TO the pupils?
Vous *regardez* le Louvre.   You *are looking* AT the Louvre.

C. The verbs *entrer dans* (enter), *obéir à* (obey), *plaire à* (please), *répondre à* (answer), *ressembler à* (resemble), *se servir de* (use), *se souvenir de* (remember), and others take a direct object in English but require some preposition in French.

Les élèves *entrent* DANS la salle.   The pupils *enter* the room.
Ils *obéissent* AU professeur.   They *obey* the teacher.
Il *plaît* à sa mère.   He *pleases* his mother.
Nous *répondons* à la lettre.   We *answer* the letter.
Vous *ressemblez* à votre frère.   You *resemble* your brother.
Ils *se servent* DU livre.   They *use* the book.
Je *me souviens* DE ce jour.   I *remember* that day.

The Verb – Le Verbe

I. FORMATION AND USE OF TENSES
La Formation et l'Emploi des Temps

43. THE FRENCH VERB – *Le Verbe Français*

A. The French verb is divided into three main groups of regular verbs: [1]

1. -*er* verbs
2. -*ir* verbs
3. -*re* verbs

B. There are also certain verbs in -*er*, -*ir*, and -*re* which do not follow the general tendencies of these verbs in all tenses. Such verbs are called irregular verbs. There is also a group of verbs whose infinitives end in -*oir*. They are sometimes considered as regular verbs, but they are so irregular within the group that we shall consider them all irregular. Irregular verbs usually follow a certain pattern, even in their irregularities. This will be discussed in § 85. A table of common irregular verbs is found in § 86. In the final vocabulary, references are made to paragraphs of the *Grammaire* dealing with irregularities, and to the table of paradigms.

C. The tenses of the verbs are formed on the stems. Regular verbs have only a main stem. Irregular verbs have a main stem and sometimes several others. These are discussed in § 84 under the caption "The Principal Parts of Verbs."

---

[1] For the conjugation of regular verbs, see § 83.

D. The main stem of a verb is found by taking the infinitive ending *-er, -ir, -re*, or *-oir* from the infinitive.

INFINITIVE	STEM
parler	parl-
choisir	chois-
répondre	répond-
recevoir	recev-

44. The Formation of the Present Tense – *La Formation du Présent*

A. *-er* verbs form their present tense by adding to the stem (——) the following endings:

je ——e	nous ——ons
tu ——es	vous ——ez
il ——e	ils ——ent

EXAMPLES: demander, parler, aimer, raconter, traverser, couler.[1]

B. *-ir* verbs generally insert *-iss-* between the stem and endings of the plural:

je ——is	nous ——iss-ons
tu ——is	vous ——iss-ez
il ——it	ils ——iss-ent

EXAMPLES: punir, fournir, obéir, choisir, réussir.[2]

C. Side by side with the large class of *-ir* verbs already studied in (B) is a small but important group of six verbs and their compounds. These we shall call *-ir* verbs of the second class. They are different from other *-ir* verbs in that they do not insert *-iss-* in certain tenses. In other words, they are essentially like the verbs taken up in (D). The *six* verbs which make up this group with their compounds[3] are: (1) *dormir* (to sleep); (2) *mentir* (to tell a lie); (3) *partir* (to go away); (4) *sentir* (to feel, to smell); (5) *servir* (to serve); (6) *sortir* (to go out). Each of these verbs has only two syllables in the infinitive and has a stem ending in two consonants.

In the singular of the present indicative, these verbs drop the final consonant of the stem before adding the endings. Letting (-) represent the absent consonant at the end of the stem, the endings are:

je ——(-)s	nous ——ons
tu ——(-)s	vous ——ez
il ——(-)t	ils ——ent

dormir: je dors, tu dors, il dort, nous dormons, vous dormez, ils dorment.
sentir: je sens, tu sens, il sent, nous sentons, vous sentez, ils sentent.
servir: je sers, tu sers, il sert, nous servons, vous servez, ils servent.
sortir: je sors, tu sors, il sort, nous sortons, vous sortez, ils sortent.

---

[1] For the conjugation of an *-er* verb, see page 362, § 83.

[2] For the conjugation of an *-ir* verb, see page 362, § 83.

[3] By compounds are meant other verbs having one of these verbs as the essential part of the stem. EXAMPLES: s'en*dormir*, re*partir*, se *servir*.

D. *-re* verbs form their present tense by adding to the stem the following endings:

je ——s	nous ——ons
tu ——s	vous ——ez
il ——	ils ——ent

EXAMPLES: répondre, entendre, attendre, perdre.[1],[2]

45. THE USE OF THE PRESENT TENSE – *L'Emploi du Présent*

A. In French, as in English, the present is used to express a simple present action.

Nous *visitons* la France.   We *visit* France.
Il *aime* beaucoup la France.   He *likes* France a great deal.

But in English there are *three presents*, whereas in French only one form exists:

SIMPLE PRESENT	he lives ⎫	all expressed	
PROGRESSIVE PRESENT	he is living ⎬	in French by	il habite
EMPHATIC PRESENT	he does live ⎭	the form	

This is true not only of the present but of all other tenses. The French have no ordinary progressive and emphatic forms of the verb. *Être* and *faire* should never be used as auxiliaries to express these ideas.

B. The French present tense is used with *depuis, il y a ... que, voici ... que,* and *voilà ... que* to express an action which has begun in the past and continues down to the present. The English here normally uses the present perfect.[3]

Je *suis* à Paris DEPUIS dix semaines.   I *have been* at Paris FOR ten weeks. (and I am still there)

IL Y A trois minutes QUE nous *attendons* le train.   We *have been waiting* for the train FOR three minutes. (and we are still waiting)

VOILÀ trois ans QUE la guerre *dure*.   The war *has been going on* FOR three years. (and it is still going on)

46. THE FORMATION OF THE IMPERFECT TENSE
La Formation de l'Imparfait

A. The imperfect of *-er* verbs, of second class *-ir* verbs, or *-re* verbs, and of most irregular verbs is formed by adding to the stem these endings:

je ——ais	nous ——ions
tu ——ais	vous ——iez
il ——ait	ils ——aient

---

[1] For the conjugation of an *-re* verb, see page 362, § 83.

[2] A few verbs, such as *rompre*, add *-t* to the stem in the third person singular of the present. EXAMPLE: il rompt.

[3] When the action is in the past, the past tenses are used with *pendant*.

J'*ai été* à Paris PENDANT dix semaines.   I *was* at Paris FOR ten weeks
Nous *avons attendu* le train PENDANT trois minutes.   We *waited for* the train FOR three minutes.

B. The class of -*ir* verbs which inserts -*iss*- between the stem and the ending in the plural of the present does likewise throughout the imperfect.

je ——iss-ais	nous ——iss-ions
tu ——iss-ais	vous ——iss-iez
il ——iss-ait	ils ——iss-aient

C. The imperfect stem of all verbs, regular or irregular (except *être* and *falloir*), may be found by taking -*ons* from the first person plural of the present indicative.

INFINITIVE	FIRST PERSON PLURAL PRESENT	IMPERFECT
avoir	nous avons	j' avais
connaître	nous connaissons	je connaissais
croire	nous croyons	je croyais
devoir	nous devons	je devais
dire	nous disons	je disais
écrire	nous écrivons	j' écrivais

47. THE USE OF THE IMPERFECT – *L'Emploi de l'Imparfait*

A. The three ordinary uses of the imperfect[1] are:

1. to express a condition, often a description, or a state of mind during a period of time in the past;

Le nouveau roi *était* un homme habile.	The new king *was* a clever man.
Il *comprenait* qu'il *était* nécessaire de réconcilier la France avec l'ancienne dynastie.	He *understood* that it *was* necessary to reconcile France with the former dynasty.
Mais dans la famille du roi il y *avait* des hommes qui *rêvaient* de rétablir l'ancien régime.	But in the king's family there *were* men who *dreamed* of re-establishing the old regime.

Each of the italicized verbs is in the imperfect because it expresses a state or a condition, not a single action. English expresses these ideas with a simple past tense.

2. to express a continued action in the past, which is interrupted by some other action;

Nous *parlions* dans le restaurant quand Robert A APERÇU son frère.	We *were talking* in the restaurant when Robert CAUGHT SIGHT of his brother.
Je *lisais* le journal quand il EST ENTRÉ.	I *was reading* the newspaper when he ENTERED.

Each of the italicized verbs is in the imperfect because it expresses a continued action which was taking place when it was interrupted by the other action (in the *passé composé*). English sometimes expresses such action by a simple past, but often by the progressive form of the past as in these sentences

---

[1] Also see page 259, note 1.

3. to express a customary, habitual, or repeated action in past time.

Quand il était à Paris, il *se levait* tard, il *sortait* vers dix heures, il *achetait* son journal, et *se promenait* lentement dans le Quartier latin.

When he was at Paris, he *used to get up* late, he *would go out* about ten o'clock, he *would buy* his newspaper, and *would walk* slowly in the Latin Quarter.

Each of the italicized verbs is in the imperfect because it expresses a customary action. English often expresses the same idea with the phrase *used to* ... or *would* ....

B. The imperfect is used with *depuis, il y avait* ... *que, voici* ... *que*, and *voilà* ... *que* to express an action which began in the remote past and continued up to a given time in the past when something else took place. English uses the pluperfect to express this concept.

J'*habitais* DEPUIS quelques jours dans une famille où je préparais l'un des fils au baccalauréat quand la mobilisation est venue me surprendre.

I *had been living* FOR several days in a family where I was preparing one of the sons for his baccalaureate examination when the mobilization took me by surprise.

IL Y AVAIT deux ans QUE la Terreur *durait* quand la Révolution se termina.

The Reign of Terror *had been going on* FOR two years when the Revolution came to an end.

C. The imperfect is also used with *si* in conditional sentences. (See § 65 B.)

48. THE FORMATION OF THE FUTURE – *La Formation du Futur* [1]

The future (I shall speak, you will speak, he will speak, etc.) is formed by adding to the infinitive a set of endings which are really the present tense of *avoir* (*avons* shortened to *-ons, avez* to *-ez*).

je	*infinitive* -ai	nous	*infinitive* -ons
tu	*infinitive* -as	vous	*infinitive* -ez
il	*infinitive* -a	ils	*infinitive* -ont

Verbs in *-re* drop the *-e* before adding the endings. EXAMPLE: je perdrai.

49. THE USE OF THE FUTURE – *L'Emploi du Futur*

A. The French future, as the English, is used to express actions which will take place at some future time.

Vous *trouverez* les rues de Paris différentes des rues américaines.

You *will find* the streets of Paris different from the American streets.

---

[1] The future, like all other French tenses except the present, the imperfect, and the simple past, is in reality a compound tense. It consists of the *infinitive* and the appended present of *avoir* (*je parler-*AI, etc.); we can trace it back to before 1000 A.D. when it was sometimes written "je parler ai, tu parler as," etc. Compare English "I have to speak" with our own future "I shall speak," and you will find it easier to understand how the feeling for this type of future grew in French and in the other Romance languages (Spanish, Italian, Portuguese, etc.). Compare the future with the *passé composé* (*j'*AI *parlé*), where the auxiliary is used with the past participle to form the compound tenses.

B. The future is used in French after *quand* (when), *lorsque* (when), *aussitôt que* (as soon as), and *dès que* (as soon as) to indicate a future action. English usually uses the present tense in the same type of sentence.

QUAND vous *arriverez* à Paris, vous remarquerez des choses curieuses.

WHEN you *arrive* at Paris, you will notice strange things.

LORSQUE vous *répondrez* à ma lettre, dites-moi ce que vous faites.

WHEN you *answer* my letter, tell me what you are doing.

AUSSITÔT QUE vous *aurez* le temps, lisez ce livre.

As SOON AS you *have* the time, read this book.

DÈS QUE nous *arriverons* en France, nous vous écrirons.

As SOON AS we *arrive* in France, we shall write you.

C. The future is also used in the conclusion of certain conditional sentences. (See § 65 B.)

50. THE FORMATION OF THE CONDITIONAL

La Formation du Conditionnel [1]

The French conditional (I should speak, you would speak, he would speak, etc.) is formed by adding to the infinitive the imperfect endings, which are, in reality, shortened forms of the imperfect indicative of *avoir*.

je	*infinitive* -ais	nous	*infinitive* -ions
tu	*infinitive* -ais	vous	*infinitive* -iez
il	*infinitive* -ait	ils	*infinitive* -aient

Verbs in *-re* drop the *-e* before adding the endings. EXAMPLE: je perdrais.

51. THE USE OF THE CONDITIONAL – *L'Emploi du Conditionnel*

A. The conditional is used to express a future action dependent upon another and usually past action.

Il a dit qu'il *parlerait* aux élèves.   He said that he *would speak* to the pupils.

B. The conditional is often used to soften the present. Note the differences between these sentences:

Je *veux* un verre d'eau.   I *want* a glass of water.
Je *voudrais* un verre d'eau.   I *should like* a glass of water.

Aimez-vous aller au théâtre?   *Do* you *like* to go to the theater?
Aimeriez-vous aller au théâtre?   *Would* you *like* to go to the theater?

C. The conditional is used in the conclusion of certain conditional sentences. (See § 65 B.)

---

[1] Just as the French future is formed by adding the present indicative of *avoir* to the infinitive, so the conditional is formed by adding shortened forms of the imperfect indicative of *avoir* to the infinitive. It partakes of the quality of a past future. For example, if the main verb in the example in § 51 A is put into the present, the sentence would read:

Il dit qu'il *parlera* aux élèves.   He says that he *will speak* to the pupils.

52. The Formation of the Simple Past Tense
La Formation du Passé Simple

The simple past is formed by adding a given set of endings to a special stem. In regular verbs this stem is the same as the main stem; in irregular verbs, the special stem must be learned for each verb.   The endings are as follows:

-*er* VERBS	-*ir* AND -*re* VERBS	MANY IRREGULAR AND MOST -*oir* VERBS
je ——ai	je ——is	je ——us
tu ——as	tu ——is	tu ——us
il ——a	il ——it	il ——ut
nous ——âmes	nous ——îmes	nous ——ûmes
vous ——âtes	vous ——îtes	vous ——ûtes
ils ——èrent	ils ——irent	ils ——urent

53. The Use of the Simple Past – *L'Emploi du Passé Simple*

The simple past is a literary tense used only in narration whose action takes place distinctly in the past to express actions which are quite definitely completed.   It is rarely used in spoken French.

Le 28 juin 1914 un jeune Serbe *assassina* l'archiduc héritier d'Autriche-Hongrie.

The 28th of June 1914, a young Serbe *assassinated* the crown-prince to the Austrian throne.

Soudain l'Autriche-Hongrie *envoya* à la Serbie un ultimatum humiliant.

Suddenly Austria-Hungary *sent* Serbia a humiliating ultimatum.

Dès les premiers mois de la guerre, les Allemands *arrivèrent* tout près de Paris.

In the very first months of the war, the Germans *arrived* very near Paris.

This tense corresponds more than any other to the English simple past.

54. The Formation of the Compound Past
La Formation du Passé Composé

A. In French, as in English, a tense consisting of an auxiliary verb and a main verb is called a *compound tense*.   Examples: he *has seen*, they *will go*.   The French *compound past* is a tense consisting of the present of an auxiliary verb (*avoir* or *être*) and the past participle.   Examples: elle *a parlé*, nous *avons fini*, j'*ai répondu*, elle *est entrée*, ils *sont arrivés*.

B. All transitive verbs [1] and many others are conjugated with the auxiliary *avoir* in the compound tenses.

j'ai ——	nous avons ——	(where there is a dash, the
tu as ——	vous avez ——	past participle is required)
il a ——	ils ont ——	

---

[1] Except the reflexive verbs, which are discussed in (E).

C. Most intransitive verbs of motion require *être* as an auxiliary verb.[1]

je suis ——(e)	nous sommes ——(e)s
tu es ——(e)	vous êtes ——(e)(s) (where —— is the
il est ——	ils sont ——s past participle)
elle est ——e	elles sont ——es

The agreements which are indicated here are discussed in § 70 C.

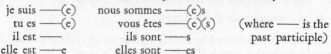

D. The following verbs are conjugated with *être* in the compound tenses when they are used intransitively: *aller, arriver, descendre,[2] devenir, entrer, monter,[2] mourir, naître, partir, passer,[2] rentrer, rester, retourner, revenir, sortir,[2] tomber,* and *venir.*

Le lendemain nous *sommes allés* à la gare.	The next day we *went* to the station.
Nous *sommes montés* dans le train.	We *got into* the train.
Le train *est parti* de la gare à neuf heures dix.	The train *left* the station at ten after nine.
Après une heure de voyage nous *sommes arrivés* à Fontainebleau.	After a trip of one hour we *arrived* at Fontainebleau.

E. All reflexive verbs are conjugated with *être* as auxiliary verb. This applies not only to verbs always used reflexively, such as *se souvenir de* (remember), but to any ordinary verb used reflexively, such as *se parler* (speak to oneself) and *s'aimer* (like oneself).

je me suis ——(e)	nous nous sommes ——(e)s (where there is a
tu t'es ——(e)	vous vous êtes ——(e)(s) dash, the past
il s'est ——	ils se sont ——s participle is re-
elle s'est ——e	elles se sont ——es quired)

The agreements which are indicated here are discussed in § 70 B.

Je *me suis couché* vers dix heures du soir.	I *went to bed* about ten o'clock in the evening.
Je *me suis endormi* tout de suite.	I *went to sleep* immediately.
Il *s'est réveillé* vers sept heures.	He *woke up* about seven o'clock.
Nous *nous sommes levés*, nous *nous sommes habillés*.	We *got up*, we *dressed*.

55. THE WORD ORDER IN THE COMPOUND PAST
La Place des Mots au Passé Composé

A. The order of a normal affirmative sentence in the compound past is:

SUBJECT   AUXILIARY VERB   PAST PARTICIPLE   OTHER WORDS

Nous *avons demandé* du papier.	We asked for some paper.
Pierre *a acheté* un cahier.	Pierre bought a notebook.

---

[1] However, the verbs *marcher* (to walk), *courir* (to run), and some others are conjugated with *avoir.*

[2] These verbs are conjugated with *avoir* when used transitively. EXAMPLES: Je *suis sorti* de la maison. (I left the house.) J'*ai sorti* mon cahier. (I took out my notebook.) Elle *est passée* par Tours. (She went through Tours.) Elle *a passé* un examen. (She took an examination.) Nous *sommes montés* dans la chambre. (We went up to the room.) Nous *avons monté* l'escalier. (We climbed the stairs.)

B. The order of an interrogative sentence with a pronoun subject is:

AUXILIARY VERB –PRONOUN-SUBJECT   PAST PARTICIPLE   OTHER WORDS

Avez-vous *travaillé* cette année?   Did you work this year?
A-t-il *rencontré* Jean Brissaud?   Did he meet John Brissaud?

C. The order of an interrogative sentence with a noun subject is:

| NOUN-SUBJECT | AUXILIARY VERB | –PRONOUN-SUBJECT | PAST PARTICIPLE | OTHER WORDS |

Les étudiants *ont*-ils *passé* des   Did the students take examina-
examens?   tions?
Jean *a*-t-il *parlé* de l'Université de   Did John speak of the University
Paris?   of Paris?

D. Pronoun objects, which precede the main verb in the present tense, precede the auxiliary verb in compound tenses.

Nous *en* AVONS DEMANDÉ.   We asked for *some*.
Pierre *en* A ACHETÉ.   Pierre bought *some*.
L'A-t-il RENCONTRÉ?   Did he meet *him*?
Jean *le lui* A-t-il DONNÉ?   Did John give *it to him*?
Vous *me les* AVEZ MONTRÉS.   You showed *them to me*.

E. For negative word-order in the compound tenses, see § 21 D.

56. THE USE OF THE COMPOUND PAST – *L'Emploi du Passé Composé*

A. The compound past is used to express a simple completed past action. It is commonly used in conversation to describe all past actions not described by the imperfect and pluperfect. Notice that in English the simple past usually describes the same type of action.

Nous *avons quitté* le lycée à quatre   We *left* the high school at four
heures.   o'clock.
J'*ai cherché* du papier dans plu-   I *looked for* paper in several book-
sieurs librairies, mais je n'en *ai*   stores, but I *didn't find* any.
pas *trouvé*.
Il *a salué* l'employé et lui *a* de-   He *greeted* the clerk and *asked* him
mandé du papier.   *for* some paper.

B. The compound past sometimes corresponds to the English present perfect.

Avez-vous déjà *acheté* un journal?   *Have* you already *bought* a newspaper?
Elles *ont* toujours *parlé* espagnol.   They *have* always *spoken* Spanish.

57. THE FORMATION OF THE PLUPERFECT TENSE
La Formation du Plus-que-parfait

A. The pluperfect is a compound tense consisting of the imperfect of the auxiliary verb and the past participle.

elle avait cherché   she had looked for
nous avions trouvé   we had found
ils étaient entrés   they had entered

B. The pluperfect is conjugated with the same auxiliary verb as the compound past. (Reread § 54 B, C, D, E.)

TRANSITIVE VERBS AND MANY OTHERS:	ils *avaient* acheté	they had bought
INTRANSITIVE VERBS OF MOTION:	elle *était* partie	she had left
REFLEXIVE VERBS:	ils s'*étaient* levés	they got up

58. THE USE OF THE PLUPERFECT – *L'Emploi du Plus-que-parfait*

The pluperfect is used to indicate a past action which took place before another past action.

Nous *étions restés* au Louvre presque deux heures et j'*avais vu* beaucoup d'œuvres d'art quand Maurice est venu me chercher.	We *had remained* at the Louvre almost two hours and I *had* already *seen* many works of art when Maurice came for me.

The pluperfect should not ordinarily be used in a clause containing *quand, lorsque, aussitôt que, dès que,* or *après que.* (See § 62.)

59. THE FORMATION OF THE FUTURE PERFECT
La Formation du Futur Antérieur

A. The future perfect is a compound tense consisting of the future of the auxiliary verb and the past participle.

elle aura cherché	she will have looked for
nous aurons trouvé	we shall have found
ils seront entrés	they will have entered

B. The future perfect is conjugated with the same auxiliary verb as the compound past. (Reread § 54 B, C, D, E.)

TRANSITIVE VERBS AND MANY OTHERS:	ils *auront* acheté	they will have bought
INTRANSITIVE VERBS OF MOTION:	elle *sera* partie	she will have left
REFLEXIVE VERBS:	ils se *seront* levés	they will have arisen

60. THE USE OF THE FUTURE PERFECT – *L'Emploi du Futur Antérieur*

A. The French future perfect, like the English, is used to indicate an action which will have taken place when another action occurs.

Nous *aurons fini* nos devoirs quand VOUS ARRIVEREZ.	We *shall have finished* our exercises when you ARRIVE.

B. The French are much more likely to use the future perfect to express the exact shade of time than we are. Often the English-speaking person is content with the present perfect when exactness compels the French to use the future perfect.

Quand j'*aurai vu* le film, je vous DONNERAI mon opinion là-dessus.	When I *have seen* the film, I SHALL GIVE you my opinion of it.

Dès que mon mari *sera revenu* d'Angleterre, je lui en PARLERAI.	As soon as my husband *returns* from England, I SHALL SPEAK to him of it.

In these sentences, the italicized verbs describe actions which have not yet happened but which will happen before the action of the second verb, which is in the future. Therefore, they are put in the future perfect in French.

61. THE FORMATION OF THE PAST ANTERIOR
La Formation du Passé Antérieur

A. The past anterior is a compound tense consisting of the simple past of the auxiliary verb and the past participle. It does not exist in English, which generally uses the pluperfect for the same idea.

j'eus fini	I had finished
il eut parlé	he had spoken

B. The past anterior is conjugated with the same auxiliary as the compound past. (Reread § 54 B, C, D, E.)

TRANSITIVE VERBS AND MANY OTHERS:	ils *eurent* acheté	they had bought
INTRANSITIVE VERBS OF MOTION:	elle *fut* partie	she had left
REFLEXIVE VERBS:	ils se *furent* levés	they had arisen

62. THE USE OF THE PAST ANTERIOR – *L'Emploi du Passé Antérieur*

The past anterior is used in literary style with *quand, lorsque, dès que, aussitôt que*, and *après que* to indicate an action which took place immediately before another action when this second action is expressed by the simple past.

Dès que le clergé *se fut aperçu* que le Tiers-État tenait ferme, il SE MIT de son côté.	As soon as the clergy *had noticed* that the Third Estate held firm, it WENT OVER to that side.
Après que l'armée *fut arrivée*, le général DONNA l'ordre d'attaquer l'ennemi.	After the army *had arrived*, the general GAVE the order to attack the enemy.
Quand les représentants de la noblesse et du clergé *eurent refusé* de se mettre d'accord avec le Tiers-État, celui-ci SE SÉPARA des autres.	When the representatives of the nobility and the clergy *had refused* to agree with the Third Estate, the latter SEPARATED from the others.

63. THE FORMATION OF THE PAST CONDITIONAL
La Formation du Conditionnel Passé

A. The past conditional is a compound tense consisting of the conditional of the auxiliary verb and the past participle. This is just as in English.

il aurait parlé	he would have spoken
nous aurions perdu	we should have lost
ils seraient descendus	they would have come down

B. The past conditional is conjugated with the same auxiliary verb as the compound past. (Reread § 54 B, C, D, E.)

TRANSITIVE VERBS AND		
MANY OTHERS:	ils *auraient* acheté	they would have bought
INTRANSITIVE VERBS OF		
MOTION:	elle *serait* partie	she would have left
REFLEXIVE VERBS:	ils se *seraient* levés	they would have arisen

64. THE USE OF THE PAST CONDITIONAL
L'Emploi du Conditionnel Passé

The past conditional is most frequently used in contrary-to-fact conditions.

Si Napoléon Bonaparte était né un an avant, il *aurait été* Italien.	If Napoleon Bonaparte had been born one year earlier, he *would have been* Italian.
Si Napoléon n'avait pas fait la campagne désastreuse en Russie, il *aurait pu* rester empereur plus longtemps.	If Napoleon had not undertaken the disastrous Russian campaign, he *would have been able* to remain emperor longer.

65. CONDITIONAL SENTENCES – *Les Phrases Conditionnelles*

A. Conditional sentences normally consist of two parts: the condition (*si*-clause) and the conclusion.

Si nous allons à Paris, nous verrons la Tour Eiffel.	If we go to Paris, we shall see the Eiffel Tower.

B. Often French uses the same combination of tenses as English in the parts of the conditional sentences.

CONDITION (*si*-clause)	CONCLUSION
1. present indicative	1. future
2. imperfect indicative	2. conditional
3. pluperfect indicative	3. past conditional
1. Si l'armée *traverse* la frontière, il y AURA une guerre.	1. If the army *crosses* the border, there WILL BE a war.
2. Si le roi *avait* une armée, il REMPORTERAIT des victoires.	2. If the king *had* an army, he WOULD BRING BACK victories.
3. Si Napoléon *avait gagné* la bataille de Waterloo, toute l'histoire de l'Europe AURAIT ÉTÉ changée.	3. If Napoleon *had won* the battle of Waterloo, the whole history of Europe WOULD HAVE BEEN changed.

C. In any condition of the third type, either the pluperfect or the past conditional or both may be replaced in literary style by the pluperfect subjunctive. Thus, the third sentence in (B) might read:

S'il *eût gagné* la bataille de Waterloo, toute l'histoire de l'Europe aurait été changée.

S'il avait gagné la bataille de Waterloo, toute l'histoire de l'Europe *eût été* changée.

S'il *eût gagné* la bataille de Waterloo, toute l'histoire de l'Europe *eût été* changée.

66. The Formation of the Present Participle
La Formation du Participe Présent

A. The present participle ends in *-ing* in English and *-ant* in French.

parl*ant*   speak*ing*
dorm*ant*   sleep*ing*
répond*ant*   answer*ing*

B. The present participle is formed by adding *-ant* to the stem.[1]

demander   demand*ant*   ask   asking
sortir   sort*ant*   leave   leaving
perdre   perd*ant*   lose   losing

C. The large group of *-ir* verbs which insert *-iss-* in the plural of the present also insert *-iss-* in the present participle.

finir   nous fin-*iss*-ons   fin-*iss*-ant   finishing
choisir   nous chois-*iss*-ons chois-*iss*-ant choosing

D. For all verbs, both regular and irregular, one may say that the present participle is formed by dropping the ending *-ons* from the *nous*-form of the present indicative and adding *-ant*.

INFINITIVE	PRESENT INDICATIVE	PRESENT PARTICIPLE	
pouvoir	nous pouv*ons*	pouv*ant*	being able
prendre	nous pren*ons*	pren*ant*	taking
venir	nous ven*ons*	ven*ant*	coming
voir	nous voy*ons*	voy*ant*	seeing
vouloir	nous voul*ons*	voul*ant*	wishing

But there are three exceptions:

avoir	*ayant*	having
être	*étant*	being
savoir	*sachant*	knowing

67. The Use of the Present Participle
L'Emploi du Participe Présent

A. The present participle indicates an action which takes place at the same time as the main action of the sentence. It cannot be used without another verb in the same sentence.

Se tournant vers le professeur,   *Turning* toward the teacher, Robert
Robert lui a dit son nom.   told him his name.
Sortant de la bibliothèque, j'ai   *Leaving* the library, I met a friend.
rencontré un ami.

B. The present participle is often used with *en*. *En* is the only preposition which is used with the present participle. (See § 71 A.) *En* with the

---

[1] Verbs in *-cer* have present participles in *-çant*; those in *-ger* have present participles in *-geant*.

effacer   effa*çant*   erasing
manger   man*geant*   eating

present participle expresses an action very closely connected in time with the action of the main verb.

Je lui parlais *en sortant* de la bibliothèque.	I was speaking to him *while leaving* the library.
On prépare la salade *en y mettant* du sel, du poivre, du vinaigre et de l'huile, et *en mélangeant* le tout.	One prepares the salad *by putting* salt, pepper, vinegar, and oil in it, and *by mixing* the whole.

C. The present participle is invariable when used partly as a verb, partly as an adjective.

Une femme *habitant* Paris...   A woman *living* in Paris...

It agrees with the noun it modifies in gender and number when it is used entirely as an adjective.

une femme *vivante*	a *living* woman
des jeunes filles *charmantes*	*charming* girls

68. THE FORMATION OF THE PAST PARTICIPLE
La Formation du Participe Passé

A. Past participles of regular verbs are formed as follows in French:

EXAMPLES

INFINITIVE	PAST PARTICIPLE	INFINITIVE	PAST PARTICIPLE
-er	-é	demander	demandé
-ir	-i	punir	puni
-re	-u	répondre	répondu

B. *-oir* verbs (which are considered irregular) and also many other irregular verbs have a past participle in *-u*.

recevoir	reçu	received
venir	venu	came

69. THE USE OF THE PAST PARTICIPLE – *L'Emploi du Participe Passé*

A. In English the past participle is used with auxiliary verbs to form the compound tenses. The past participle of regular verbs ends in *-ed*. The past participles of irregular verbs are often distinguished by a change of stem vowel.

He *has* WALKED a great deal.	I *have* MET many students.
We *have* LIVED in many countries.	You *will have* EATEN at three.
They *had* SEEN their friends.	He *would have* WRITTEN sooner.

B. The French past participle is also used with auxiliary verbs to form compound tenses:

COMPOUND PAST:	il *a* DEMANDÉ	he *has* ASKED
PLUPERFECT:	vous *aviez* CHOISI	you *had* CHOSEN
FUTURE PERFECT:	j'*aurai* RÉPONDU	I *shall have* ANSWERED
PAST CONDITIONAL:	ils *auraient* REÇU	they *would have* RECEIVED
PAST ANTERIOR:	nous *fûmes* VENUS	we *had* COME

70. THE AGREEMENT OF THE PAST PARTICIPLE

L'Accord du Participe Passé

A. When the past participle is used to form part of a compound tense whose auxiliary verb is *avoir*, the past participle *does not indicate agreement* except when there is a direct object preceding the verb. In that case, the past participle agrees in gender and number with the preceding direct object.

Il a *salué* les dames (No agreement)	He greeted the ladies.
Il LES a *saluées*. (Agreement with *les*)	He greeted them.
Nous avons *traversé* la rue. (No agreement)	We crossed the street.
Nous L'avons *traversée*. (Agreement with *l'*)	We crossed it.
QUELS FILMS avez-vous *vus*? (Agreement with *quels films*)	What films have you seen?
Voilà les feuilles QUE j'ai *perdues*. (Agreement with *que*)	There are the sheets that I lost.

Notice that in each of the examples, the past participle remains unchanged except where the direct object precedes the verb. Here it agrees in gender and number with that direct object.

B. The past participles of compound tenses of reflexive verbs (which are always conjugated with *être*) agree with the preceding reflexive object *if* that object is the direct object.

Elle s'est *couchée* de bonne heure.	She went to bed early.
Nous NOUS sommes *saluées*.	We greeted each other.
Elles SE sont *réveillées*.	They woke up.
Ils SE sont *lavés*.	They washed themselves.

Verbs such as *se coucher* and *se réveiller* have no other object; therefore, the reflexive object is considered the direct object.

1. In cases where the reflexive object is the indirect object, the past participle does not indicate agreement.

Nous *nous* sommes *parlé*.	We spoke *to* each other.
Ils *se* sont *lavé* LES MAINS.	They washed their hands.

In the last sentence, *les mains* is the direct object; therefore, the reflexive object *se* is the indirect object, and there is no agreement of the past participle.

C. The past participles of verbs of motion conjugated with *être* (see § 54 C, D) always agree with the *subject* in gender and number.

NOUS sommes *allés* à Fontainebleau.	We went to Fontainebleau.
ILS sont *arrivés* à la gare.	They arrived at the station.
ELLE est *entrée* dans le château.	She entered the château.
IL est *retourné* à Paris.	He returned to Paris.

Since *vous* may be masculine or feminine, singular or plural, the past participle may have one of four forms, depending upon what the speaker means by *vous*.

Vous êtes allé à l'école.	You (masculine singular) went to school.
Vous êtes allée à l'école.	You (feminine singular) went to school.
Vous êtes allés à l'école.	You (masculine plural) went to school.
Vous êtes allées à l'école.	You (feminine plural) went to school.

D. When the past participle is used as a pure adjective, it agrees with its noun in gender and number.

Le Président refuse de signer les LOIS *votées* par le Congrès.	The President refuses to sign the LAWS *voted* by Congress.
Le Sénat approuve les TRAITÉS *faits* par le Président.	The Senate approves the TREATIES *made* by the President.

71. THE INFINITIVE – *L'Infinitif*

A. The infinitive may be used after *all* prepositions except *en*.

Il est parti *sans* PARLER.	He left *without* SPEAKING.
Nous avons téléphoné *au lieu d'*ÉCRIRE une lettre.	We telephoned *instead of* WRITING a letter.

English uses a present participle in these cases.[1]

B. *Pour* and *afin de* are used with the infinitive to express purpose.

Nous apprenons le français *pour* LIRE des romans français.	We learn French *in order to* READ French novels.
Il part *afin de* CHERCHER son frère.	He is leaving *to* LOOK FOR his brother.

C. Purpose is expressed after the verbs *aller* and *venir* and sometimes other verbs of motion with or without *pour*. When *pour* is used, the idea of purpose is more emphatic.

Elle est allée à Reims *couronner* le roi.	She went to Rheims *to crown* the king.
Je suis venu *chercher* une valise.	I came *to look for* a valise.
Il est venu POUR *demander* son argent.	He came TO *ask for* his money.

72. THE IMPERATIVE – *L'Impératif*

A. The imperative is a special form of the verb used to give a command. The ordinary imperative is distinguished both in English and in French by the absence of any pronoun subject. This imperative, which we may call the *vous-imperative*, corresponds exactly to the second person plural of the present indicative. This imperative always ends in *-ez* except for the verbs *dire* and *faire*.

INFINITIVE	IMPERATIVE	
demander	demandez	ask
punir	punissez	punish
dormir	dormez	sleep
répondre	répondez	answer
dire	dites	say
faire	faites	do

---

[1] Note especially such much-used expressions as:

avant de parler	before speaking	avant d'entrer	before entering
après avoir parlé	after speaking	après être entré	after entering
avant de choisir	before choosing	avant de se tourner	before turning
après avoir choisi	after choosing	après s'être tourné	after turning

There are three verbs with irregular imperatives which are subjunctive forms:

INFINITIVE	2D PLURAL SUBJUNCTIVE	IMPERATIVE	
être	que vous soyez	soyez	be
avoir	que vous ayez	ayez	have
savoir	que vous sachiez	sachez	know

Note these negative forms:

ne demandez pas	don't ask
ne perdez pas	don't lose

B. We have a first person plural imperative in English which is: Let us speak; Let us finish; Let us answer. This *let us* imperative is expressed in French by the *-ons* (first person plural) present indicative form of the verb. Like the *vous-imperative*, the pronoun subject is not expressed.

INFINITIVE	*nous*-IMPERATIVE	
demander	demandons	let us ask
punir	punissons	let us punish
dormir	dormons	let us sleep
répondre	répondons	let us answer
dire	disons	let us say
faire	faisons	let us do
parler	ne parlons pas	let us not speak
choisir	ne choisissons pas	let us not choose

There are three verbs with irregular imperatives which are subjunctive forms:

INFINITIVE	1ST PLURAL SUBJUNCTIVE	*nous*-IMPERATIVE	
être	que nous soyons	soyons	let us be
avoir	que nous ayons	ayons	let us have
savoir	que nous sachons	sachons	let us know

C. The French familiar imperative corresponds to the second person singular present indicative in all but *-er* verbs. In *-er* verbs, this imperative ends in *-e*.

INFINITIVE	FAMILIAR-IMPERATIVE	
demander	demande	ask
punir	punis	punish
dormir	dors	sleep
répondre	réponds	answer
dire	dis	say
faire	fais	do
parler	ne parle pas	don't speak
choisir	ne choisis pas	don't choose

There are three common verbs with irregular forms:

être	sois	be
avoir	aie	have
savoir	sache	know

This imperative is used only under conditions explained in § 22 B.

D. In the imperative of reflexive verbs, the reflexive object pronoun follows the verb in the affirmative imperative and precedes it in the negative. (See § 29 A, B.)

INFINITIVE	AFFIRMATIVE	NEGATIVE
se tourner	tourne-toi (turn)	ne te tourne pas (don't turn)
se promener	promenons-nous (let's walk)	ne nous promenons pas (let's not walk)
se lever	levez-vous (get up)	ne vous levez pas (don't get up)

73. THE FORMATION OF THE PRESENT SUBJUNCTIVE
La Formation du Présent du Subjonctif

A. The present subjunctive may be formed by taking as a stem the third person plural present indicative minus the *-ent* termination and adding the present subjunctive endings:

que je ——e	que nous ——ions
tu ——es	vous ——iez
il ——e	ils ——ent

B. In most irregular verbs (all except *aller, avoir, être, faire, pouvoir, savoir, valoir,* and *vouloir*), *the entire singular and the third person plural of the present subjunctive* use the stem obtained from the THIRD PERSON PLURAL PRESENT INDICATIVE, but *the first and second persons plural of the present subjunctive are the same as the* FIRST AND SECOND PERSONS PLURAL OF THE IMPERFECT INDICATIVE.

INFINITIVE	venir	boire
3D PERSON PLURAL PRESENT INDICATIVE	ils viennENT	ils boivENT
1ST PERSON PLURAL IMPERFECT INDICATIVE	nous *venions*	nous *buvions*
2D PERSON PLURAL IMPERFECT INDICATIVE	vous *veniez*	vous *buviez*
PRESENT SUBJUNCTIVE	que je vienne	que je boive
	que tu viennes	que tu boives
	qu'il vienne	qu'il boive
	que nous *venions*	que nous *buvions*
	que vous *veniez*	que vous *buviez*
	qu'ils viennent	qu'ils boivent

C. Note the present subjunctives of the verbs which do not follow the rule:

	aller	*avoir*	*être*	*faire*	*falloir*
que je	aille	aie	sois	fasse	
tu	ailles	aies	sois	fasses	
il	aille	ait	soit	fasse	faille
nous	allions	ayons	soyons	fassions	
vous	alliez	ayez	soyez	fassiez	
ils	aillent	aient	soient	fassent	

	pouvoir	*savoir*	*valoir*	*vouloir*
que je	puisse	sache	vaille	veuille
tu	puisses	saches	vailles	veuilles
il	puisse	sache	vaille	veuille
nous	puissions	sachions	valions	voulions
vous	puissiez	sachiez	valiez	vouliez
ils	puissent	sachent	vaillent	veuillent

74. THE FORMATION OF THE IMPERFECT SUBJUNCTIVE
La Formation de l'Imparfait du Subjonctif

The imperfect subjunctive is regularly formed by adding to the second person singular of the simple past the following endings:

$$
\begin{array}{ll}
\text{je ——se} & \text{nous ——sions} \\
\text{tu ——ses} & \text{vous ——siez} \\
\text{il ——}^\wedge\text{t} & \text{ils ——sent}
\end{array}
$$

The third person singular places a circumflex accent ($^\wedge$) over the last stem vowel, eliminates the -*s* from the stem, and adds -*t*.

parler	*punir*	*dormir*	*perdre*	*recevoir*	*venir*
je parlasse	je punisse	je dormisse	je perdisse	je reçusse	je vinsse
il parlât	il punît	il dormît	il perdît	il reçût	il vînt

75. THE FORMATION OF THE COMPOUND TENSES OF THE SUBJUNCTIVE
La Formation des Temps Composés du Subjonctif

A. The past subjunctive (passé du subjonctif) is a combination of the present subjunctive of the auxiliary verb with which that verb is usually conjugated and the past participle.

que j'aie parlé	que nous ayons fini	que je sois parti
que tu aies perdu	que vous ayez vu	que tu te sois levé
qu'il ait dormi	qu'ils aient trouvé	que nous nous soyons dépêchés

B. The pluperfect subjunctive (plus-que-parfait du subjonctif) is a combination of the imperfect subjunctive of the auxiliary with which the compound tenses of the verb is conjugated and the past participle.

que j'eusse parlé	que nous eussions fini	que je fusse parti
que tu eusses perdu	que vous eussiez vu	que tu te fusses levé
qu'il eût dormi	qu'ils eussent trouvé	que nous nous fussions dépêchés

76. THE USE OF THE SUBJUNCTIVE – *L'Emploi du Subjonctif*

The subjunctive is a mode which has almost disappeared from English. Vestiges of it are occasionally found. It is used in wishes (*May* he *live* long!), in contrary-to-fact conditions (If I *were* there, I should see him), after certain verbs which express uncertainty (I insist that he *do* it), etc.

In French, the subjunctive is used in a variety of different circumstances. Hence, a subjunctive in English is not always expressed by a subjunctive in French, and a French subjunctive is most often expressed by an ordinary indicative or often a conditional in English. Watch the translation of the examples in this section for means of expressing the French subjunctive in English.

The French subjunctive is often based upon doubt and uncertainty or non-fulfillment of condition. It is used more specifically:

A. after verbs of wishing;

Mon père *veut* que je RESTE à la maison.	My father wants me to remain at home.
Je *voudrais* que vous IMAGINIEZ une conversation entre deux personnes.	I should like to have you imagine a conversation between two persons.

B. after certain *impersonal expressions*, such as *il est bon* (it is good), *il est douteux* (it is doubtful), *il faut* (it is necessary), *il est naturel* (it is natural), *il est nécessaire* (it is necessary), *il est peu probable* (it is unlikely), *il se peut* (it is possible), *il est possible* (it is possible), *il semble* [1] (it seems), *il vaut mieux* (it is better), and other like expressions where not the fact but an opinion concerning the fact is stated;

Il faut que vous ÉTUDIIEZ le subjonctif.	You must study the subjunctive.
Il est possible que je SOIS libre à cette heure.	It is possible that I may be free at that time.
Il est peu probable que je SORTE avant neuf heures du soir.	It is unlikely that I go out before nine o'clock in the evening.

C. after verbs of *doubting* and *fearing*; [2]

Ils *doutent* que vous SACHIEZ votre leçon.	They doubt that you know your lesson.
J'*ai peur* que vous n'en TROUVIEZ pas facilement.	I am afraid that you won't find any easily.
Je *crains* que vous ne la PAYIEZ pas assez.	I fear that you don't pay her enough.

D. after *verbs and expressions of emotion*, such as *regretter* (to regret), *être content* (be glad), *être étonné* (be surprised), and *c'est dommage* (it's too bad);

C'est dommage que vous ne PUISSIEZ pas trouver une bonne.	It is too bad that you cannot find a maid.
Je *regrette* que les jeunes filles d'aujourd'hui ne SOIENT pas aussi dévouées à leur travail.	I regret that the girls of today are not so devoted to their work.
J'*ai été étonnée* qu'elle AIT QUITTÉ ma maison.	I was surprised that she left my house.

---

[1] But *il me semble* is followed by the indicative.

[2] In literary French and occasionally in spoken French, a *ne* is used with a subjunctive form after verbs of fearing and after certain expressions, such as *avant que* and *à moins que*.
Il craint qu'elle *n'*ait perdu son livre.   He fears that she has lost her book.
Dites-le-lui avant qu'il *ne* parte.   Tell him before he leaves.

E. in relative clauses where there is doubt or denial of the existence or attainability of the antecedent.

Je cherche *un homme* qui SACHE   I am looking for a man who knows
parler français.   how to talk French.

Je ne connais *personne* qui PUISSE   I don't know anyone who can go
m'accompagner.   with me.

F. often, but not always, in clauses introduced by a relative pronoun whose antecedent is modified by a superlative form of the adjective, by *seul*, *premier*, or *dernier*;

C'est *la plus jolie* bague qu'il AIT   It is the prettiest ring that he
PU acheter.   could buy.

G. after a number of subordinate conjunctions, such as *afin que* (in order that), *pour que* (in order that), *bien que* (although), *quoique* (although), *pourvu que* (provided that), *à moins que* (unless), *avant que* (before), *sans que* (without), *jusqu'à ce que* (until), *autant que* (as far as), *quoi que* (whatever), and *qui que* (whoever); also with the adverb *quelque* in expressions such as *quelque riche que vous* SOYEZ (however rich you may be);

Faites-le *avant qu'*elle MEURE.   Do it before she dies.

Il me verra *bien que* vous SOYEZ là.   He will see me although you are
                                        there.

Quoi que vous FASSIEZ, vous serez   Whatever you do, you will be
condamné.   condemned.

But note that the subjunctive can and must be avoided in many cases where the subject of the subjunctive clause would be the same as the subject of the main clause:

afin qu'il soit	in order that he be	afin d'être	in order to be
pour qu'il soit	in order that he be	pour être	in order to be
à moins qu'il soit	unless he is	à moins d'être	unless he is
avant qu'il soit	before he is	avant d'être	before being
sans qu'il soit	without his being	sans être	without being
jusqu'à ce qu'il soit	until he is	jusqu'au moment où il est	until he is

H. after negative and interrogative verbs of thinking and hoping when there is considerable doubt in the mind of the speaker, and in expressions of uncertainty, such as *je ne suis pas sûr*. . . . When such verbs and expressions are in the affirmative, THE INDICATIVE IS ALWAYS USED. The indicative is often preferred even when they are used negatively and interrogatively. This indicates greater certainty in the mind of the speaker.

Je ne crois pas qu'il { VIENDRA / VIENNE }.   I don't think he will come.

Croyez-vous qu'il y { A / AIT } autant de   Do you think there are as many
sports en France qu'ici?   sports in France as here?

I. in a third person imperative introduced by *que* and translated *let him*, *let her*, or *let them*;

Qu'il *se taise*!   Let him keep still!

Qu'elles *viennent* chez moi.   Let them come to my house.

The subjunctive is also used without *que*.

Vive la France!   Long live France!
Soit!   So be it!

J. in literary French, the pluperfect subjunctive is often used in either or both parts of a contrary-to-fact condition. See § 65 B, C.

L'aide de la France pendant la Révolution fut très importante, et sans ces secours, l'histoire américaine *eût été* différente.	French aid during the Revolution was very important, and without this aid, American history would have been different.

77. THE SEQUENCE OF TENSES OF THE SUBJUNCTIVE

La Concordance des Temps du Subjonctif

A. The present subjunctive is used in a subordinate clause after the present, future, or conditional tenses in the main clause to relate an action which takes place at the same time or after the action of the main verb.

Je *suis* content   (I am glad)
Je *serai* content (I shall be glad)   que vous VENIEZ (that you are coming).
Je *serais* content (I should be glad)

B. The past subjunctive is used in the subordinate clause after the present, future, or conditional tenses in the main clause to relate an action which has gone on before the action of the main verb.

Je *suis* content   (I am glad)
Je *serai* content (I shall be glad)   que vous SOYEZ VENU (that you came).
Je *serais* content (I should be glad)

C. The imperfect subjunctive is used in literary style after any past tense or the conditional to relate an action which took place at the same time or after the action of the main verb. In conversation, the imperfect subjunctive is replaced by the present subjunctive.[1]

J'*étais* content   (I was glad)
Je *fus* content   (I was glad)
J'*ai été* content   (I was glad)
J'*avais été* content (I had been glad)   que vous VINSSIEZ (that you came).
Je *serais* content   (I should be glad)
J'*aurais été* content (I should have been glad)

D. The pluperfect of the subjunctive is used in literary language after any past tense or the conditional in the main clause to express an action which had gone on before the action of the main verb. In conversation, the pluperfect subjunctive is replaced by the past subjunctive.[1]

J'*étais* content   (I was glad)
Je *fus* content   (I was glad)
J'*ai été* content   (I was glad)   que VOUS FUSSIEZ VENU
J'*avais été* content (I had been glad)   (that you had come).
Je *serais* content   (I should be glad)
J'*aurais été* content (I should have been glad)

---

[1] The French dislike the imperfect subjunctive forms in -ss-. They avoid the subjunctive as much as possible by using the infinitive (§ 78) where possible, and otherwise use the present and past subjunctive. The third person singular of the imperfect and pluperfect subjunctives are found more frequently than the other forms.

78. THE SUBJUNCTIVE OR THE INFINITIVE – *Le Subjonctif ou l'Infinitif*

A. The subjunctive is used after expressions and constructions which require it *only* when the subject of the dependent clause is not the same as the subject of the main clause.

Il faut que vous appreniez vos leçons.	You must learn your lessons.
Nous voulons qu'IL les accompagne.	We want him to accompany them.
Il a peur que vous soyez malade.	He is afraid that you are sick.
Nous regrettons qu'ILS partent.	We regret that they are leaving.

B. The infinitive must be used instead of the subjunctive when the subject of the main clause would also be the subject of the dependent clause if the subjunctive construction were used.   Study these examples, comparing them with those above:

Il faut apprendre vos leçons.	You must learn your lessons.
Nous voulons les accompagner.	We want to accompany them.
Il a peur d'être malade.	He is afraid of being sick.
Nous regrettons de partir.	We regret that we are leaving.

Note that verbs of wishing are followed directly by the infinitive, and verbs of emotion and most expressions are followed by *de*.

C. The French avoid the subjunctive if it is possible to use an infinitive.   However, they use the subjunctive if there are different subjects in the different clauses.   Compare these sentences:

Je voudrais *savoir* le français.	I should like to know French.
Je voudrais que vous SACHIEZ le français.	I should like to have you know French.
Il est possible d'*écrire* cette lettre.	It is possible to write that letter.
Il est possible que nous ÉCRIVIONS cette lettre.	It is possible that we shall write that letter.
Nous craignons de *traverser* la mer.	We are afraid to cross the sea.
Nous craignons que vous TRAVERSIEZ la mer.	We are afraid that you will cross the sea.
Elle est contente d'*avoir trouvé* sa clef.	She is glad that she found her key.
Elle est contente qu'ils AIENT TROUVÉ leur clef.	She is glad that they found their key.

79. THE FORMATION OF THE PASSIVE VOICE
La Formation de la Voix Passive

A. In English the passive voice is formed by some form of the verb *to be* with the past participle.   The French verb is composed of exactly the same elements, that is, of some form of the verb *être* and the past participle.

L'état *est gouverné* par le gouverneur.	The state *is governed* by the governor.
Le président *sera choisi* demain.	The president *will be chosen* tomorrow.
La maison *a été vendue*.	The house *has been sold*.

B. The tenses of the passive correspond to the tenses of the verb *être* used:

PRESENT	elle est choisie	she is chosen
IMPERFECT	elle était choisie	she was chosen
COMPOUND PAST	elle a été choisie	she was chosen
PASSÉ SIMPLE	elle fut choisie	she was chosen
FUTURE	elle sera choisie	she will be chosen
CONDITIONAL	elle serait choisie	she would be chosen
PLUPERFECT	elle avait été choisie	she had been chosen
FUTURE PERFECT	elle aura été choisie	she will have been chosen
PAST CONDITIONAL	elle aurait été choisie	she would have been chosen
PRESENT SUBJUNCTIVE	qu'elle soit choisie	that she be chosen
IMPERFECT SUBJUNCTIVE	qu'elle fût choisie	that she were chosen
PAST SUBJUNCTIVE	qu'elle ait été choisie	that she has been chosen
PLUPERFECT SUBJUNCTIVE	qu'elle eût été choisie	that she had been chosen

C. The past participle of the passive voice agrees with the subject of the sentence in gender and number, because it is an adjective.

ELLE est *nommée* par le président.   She is named by the president.

80. THE USE OF THE PASSIVE VOICE – *L'Emploi de la Voix Passive*

A. French and English both use the passive voice in sentences where the subject is acted upon rather than acting.

Le pays *est attaqué* par l'ennemi.   The country *is attacked* by the enemy.
La cathédrale *a été commencée* au treizième siècle.   The cathedral *was begun* in the thirteenth century.

B. French does not use the passive voice as frequently as English. There are many cases where it would be awkward to use the passive voice in French. The two principal means of avoiding the passive voice are:

   1. by the use of the indefinite pronoun *on* (see § 37);

   On appelle la Touraine le jardin de la France.   Touraine is called the garden of France.
   On parle anglais ici.   English is spoken here.

   2. by using the reflexive form of the verb.

   La France *se compose* de plaines et de montagnes.   France *is composed* of plains and mountains.
   Ça ne *se fait* pas ici.   That *isn't done* here.

C. After the passive voice the preposition *par* is used to indicate the agent acting upon the subject if the action is real.

   Le préfet est recommandé *par* le Ministre de l'Intérieur.   The prefect is recommended *by* the Minister of the Interior.

If the action is only apparent and indicates rather a condition or state, the preposition *de* is used to indicate the agent.

   Jeanne d'Arc était aimée *du* peuple.   Joan of Arc was loved *by* the people.

81. The Reflexive Verbs – *Les Verbes Pronominaux*

A. Both in English and in French, reflexive verbs are those verbs that have reflexive objects, that is, pronoun objects referring to the subject. (See § 25.)

il se lave   he washes himself
nous nous habillons   we dress ourselves

But some verbs which are reflexive in French have no reflexive object in English. These verbs must be treated essentially like those that are reflexive in English as well as French.

elle se compose   it is composed
je me souviens   I remember

B. Reflexive verbs are, in general, conjugated like any other verb. But the reflexive object is always present with the verb. (See the conjugation of a reflexive verb, page 366, no. 7.)

Some verbs are always reflexive, such as *se souvenir* (to remember) and *s'emparer* (to take possession of). But almost any transitive verb might be made reflexive by using the reflexive object.

parler   speak
se parler   speak to oneself

laver   wash
se laver   wash oneself

habiller   dress
s'habiller   dress oneself

C. In compound tenses the reflexive verb is conjugated with the auxiliary *être*. (See §§ 54 E and 70 B.)

D. Reflexive verbs often express an action which would be rendered by the passive voice in English. (See § 80 B 2.)

Les Pyrénées *se trouvent* en France et en Espagne.	The Pyrenees *are located* in France and Spain.
La France *se divise* en régions.	France *is divided* into regions.
Les États-Unis *se composent* de quarante-huit états.	The United States *is composed* of forty-eight states.

82. The Orthographical Changing Verbs
Les Verbes qui font des Changements Orthographiques

A. Since *c* is pronounced like *s* only before *e* and *i* and like *k* before *a*, *o*, and *u*,[1] verbs whose infinitives end in *-cer* change *c* to *ç* when the *c* is followed by

---

[1] See page 329.

a, o, or *u,* in order to preserve the *s* sound of the *c.* Changes are made then in the tenses below and in the imperfect subjunctive.

PRESENT PARTICIPLE	PRESENT INDICATIVE	IMPERFECT INDICATIVE	SIMPLE PAST
effaçant	j'efface	j'effaçais	j'effaçai
	tu effaces	tu effaçais	tu effaças
	il efface	il effaçait	il effaça
	nous effaçons	nous effacions	nous effaçâmes
	vous effacez	vous effaciez	vous effaçâtes
	ils effacent	ils effaçaient	ils effacèrent

B. Since *g* is pronounced like *g* in *get* before *a, o,* and *u,* and like *s* in *pleasure* before *e* and *i,*[1] verbs whose infinitives end in *-ger* insert *e* between *g* and the next vowel whenever that vowel is not *e* or *i.* Changes are made then, in the tenses below and in the imperfect subjunctive.

PRESENT PARTICIPLE	PRESENT INDICATIVE	IMPERFECT INDICATIVE	SIMPLE PAST
changeant	je change	je changeais	je changeai
	tu changes	tu changeais	tu changeas
	il change	il changeait	il changea
	nous changeons	nous changions	nous changeâmes
	vous changez	vous changiez	vous changeâtes
	ils changent	ils changeaient	ils changèrent

C. Verbs in *-yer (-ayer,*[2] *-oyer, -uyer)* change *y* to *i* before a mute *e* in the following syllable. This change occurs throughout the present except for the *nous* and *vous* forms and throughout the entire future and conditional.

PRESENT INDICATIVE	PRESENT SUBJUNCTIVE	FUTURE	CONDITIONAL
je nettoie	que je nettoie	je nettoierai	je nettoierais
tu nettoies	que tu nettoies	tu nettoieras	tu nettoierais
il nettoie	qu'il nettoie	il nettoiera	il nettoierait
nous nettoyons	que nous nettoyions	nous nettoierons	nous nettoierions
vous nettoyez	que vous nettoyiez	vous nettoierez	vous nettoieriez
ils nettoient	qu'ils nettoient	ils nettoieront	ils nettoieraient

D. Many verbs, such as *mener, lever,* and *acheter,* whose stems end in unaccented *e* plus a single consonant, place a grave accent (` ` `) over this *e* whenever the following syllable also has a mute *e.* This is done to change the pronunciation of the *e* [ə] of the stem to *è* [ɛ]. The grave accent is found throughout the singular and in the third person plural of the present indicative and subjunctive and throughout the entire future and conditional of all these verbs.

PRESENT INDICATIVE	PRESENT SUBJUNCTIVE	FUTURE	CONDITIONAL
je mène	que je mène	je mènerai	je mènerais
tu mènes	que tu mènes	tu mèneras	tu mènerais
il mène	qu'il mène	il mènera	il mènerait
nous menons	que nous menions	nous mènerons	nous mènerions
vous menez	que vous meniez	vous mènerez	vous mèneriez
ils mènent	qu'ils mènent	ils mèneront	ils mèneraient

[1] See page 401.

[2] See Bruneau et Heulluy, *Grammaire Française et Exercices, Classe de 4ᵉ,* (1937), Sec. 533.

E. Verbs whose stems end in *é* followed by a single consonant change this *é* to *è* throughout the singular and in the third person plural of the present indicative and present subjunctive.

PRESENT INDICATIVE		PRESENT SUBJUNCTIVE	
j'espère	nous espérons	que j'espère	que nous espérions
tu espères	vous espérez	que tu espères	que vous espériez
il espère	ils espèrent	qu'il espère	qu'ils espèrent

F. Verbs in *-eler* and a few verbs in *-eter* double the *l* or *t* when the next syllable contains a mute *e*. This change takes place in the singular and third person plural of the present indicative and of the present subjunctive and throughout the future and conditional.

PRESENT INDICATIVE	PRESENT SUBJUNCTIVE	FUTURE	CONDITIONAL
j'appelle	que j'appelle	j'appellerai	j'appellerais
tu appelles	que tu appelles	tu appelleras	tu appellerais
il appelle	qu'il appelle	il appellera	il appellerait
nous appelons	que nous appelions	nous appellerons	nous appellerions
vous appelez	que vous appeliez	vous appellerez	vous appelleriez
ils appellent	qu'ils appellent	ils appelleront	ils appelleraient

II. THE CONJUGATION OF THE VERB
La Conjugaison du Verbe

83. REGULAR VERBS AND AUXILIARIES – *Les Verbes Réguliers et Auxiliaires*

These are the common translations of the verb tenses.[1] But sometimes one tense is used in French, another in English. See §§ 45 B, 47 B, 49 B, 60 B, 62.

PRESENT INFINITIVE	parler	speak, to speak
PERFECT INFINITIVE	avoir parlé	have spoken, to have spoken
PRESENT PARTICIPLE	parlant	speaking
PERFECT PARTICIPLE	ayant parlé	having spoken
PAST PARTICIPLE	parlé	spoken
PRESENT	il parle	he speaks, he is speaking, he does speak
IMPERFECT	il parlait	he spoke, he was speaking, he used to speak
SIMPLE PAST	il parla	he spoke
FUTURE	il parlera	he will speak
CONDITIONAL	il parlerait	he would speak
COMPOUND PAST	il a parlé	he spoke, he has spoken
PLUPERFECT	il avait parlé	he had spoken
PAST ANTERIOR	il eut parlé	he had spoken
FUTURE PERFECT	il aura parlé	he will have spoken
PAST CONDITIONAL	il aurait parlé	he would have spoken

[1] It is impossible to give a standard English translation of the French subjunctive. Read the introduction to § 76.

83. THE CONJUGATION OF THE VERB

INFINITIVE AND PARTICIPLES	INDICATIVE			
	PRESENT	IMPERFECT	SIMPLE PAST	FUTURE
1. *-er* Verbs Parler (*to speak*) parlant parlé	parle parles parle parlons parlez parlent	parlais parlais parlait parlions parliez parlaient	parlai parlas parla parlâmes parlâtes parlèrent	parlerai parleras parlera parlerons parlerez parleront
	COMPOUND PAST	PLUPERFECT	PAST ANTERIOR	FUTURE PERFECT
	ai parlé as parlé a parlé avons parlé avez parlé ont parlé	avais parlé avais parlé avait parlé avions parlé aviez parlé avaient parlé	eus parlé eus parlé eut parlé eûmes parlé eûtes parlé eurent parlé	aurai parlé auras parlé aura parlé aurons parlé aurez parlé auront parlé
	PRESENT	IMPERFECT	SIMPLE PAST	FUTURE
2. *-ir* Verbs Finir (*to finish*) finissant fini	finis finis finit finissons finissez finissent	finissais finissais finissait finissions finissiez finissaient	finis finis finit finîmes finîtes finirent	finirai finiras finira finirons finirez finiront
	COMPOUND PAST	PLUPERFECT	PAST ANTERIOR	FUTURE PERFECT
	ai fini as fini a fini avons fini avez fini ont fini	avais fini avais fini avait fini avions fini aviez fini avaient fini	eus fini eus fini eut fini eûmes fini eûtes fini eurent fini	aurai fini auras fini aura fini aurons fini aurez fini auront fini
	PRESENT	IMPERFECT	SIMPLE PAST	FUTURE
3. *-re* Verbs Perdre (*to lose*) perdant perdu	perds perds perd perdons perdez perdent	perdais perdais perdait perdions perdiez perdaient	perdis perdis perdit perdîmes perdîtes perdirent	perdrai perdras perdra perdrons perdrez perdront
	COMPOUND PAST	PLUPERFECT	PAST ANTERIOR	FUTURE PERFECT
	ai perdu as perdu a perdu avons perdu avez perdu ont perdu	avais perdu avais perdu avait perdu avions perdu aviez perdu avaient perdu	eus perdu eus perdu eut perdu eûmes perdu eûtes perdu eurent perdu	aurai perdu auras perdu aura perdu aurons perdu aurez perdu auront perdu

La Conjugaison du Verbe

CONDITIONAL	IMPERATIVE	SUBJUNCTIVE	

PRESENT CONDITIONAL		PRESENT	IMPERFECT
parlerais		parle	parlasse
parlerais	parle	parles	parlasses
parlerait		parle	parlât
parlerions	parlons	parlions	parlassions
parleriez	parlez	parliez	parlassiez
parleraient		parlent	parlassent

PAST CONDITIONAL		PAST	PLUPERFECT
aurais parlé		aie parlé	eusse parlé
aurais parlé		aies parlé	eusses parlé
aurait parlé		ait parlé	eût parlé
aurions parlé		ayons parlé	eussions parlé
auriez parlé		ayez parlé	eussiez parlé
auraient parlé		aient parlé	eussent parlé

PRESENT CONDITIONAL		PRESENT	IMPERFECT
finirais		finisse	finisse
finirais	finis	finisses	finisses
finirait		finisse	finît
finirions	finissons	finissions	finissions
finiriez	finissez	finissiez	finissiez
finiraient		finissent	finissent

PAST CONDITIONAL		PAST	PLUPERFECT
aurais fini		aie fini	eusse fini
aurais fini		aies fini	eusses fini
aurait fini		ait fini	eût fini
aurions fini		ayons fini	eussions fini
auriez fini		ayez fini	eussiez fini
auraient fini		aient fini	eussent fini

PRESENT CONDITIONAL		PRESENT	IMPERFECT
perdrais		perde	perdisse
perdrais	perds	perdes	perdisses
perdrait		perde	perdît
perdrions	perdons	perdions	perdissions
perdriez	perdez	perdiez	perdissiez
perdraient		perdent	perdissent

PAST CONDITIONAL		PAST	PLUPERFECT
aurais perdu		aie perdu	eusse perdu
aurais perdu		aies perdu	eusses perdu
aurait perdu		ait perdu	eût perdu
aurions perdu		ayons perdu	eussions perdu
auriez perdu		ayez perdu	eussiez perdu
auraient perdu		aient perdu	eussent perdu

INFINITIVE AND PARTICIPLES	INDICATIVE			
	PRESENT	IMPERFECT	SIMPLE PAST	FUTURE
4. 2d Class -ir Verbs Dormir (to sleep) dormant dormi	dors dors dort dormons dormez dorment	dormais dormais dormait dormions dormiez dormaient	dormis dormis dormit dormîmes dormîtes dormirent	dormirai dormiras dormira dormirons dermirez dormiront
	COMPOUND PAST	PLUPERFECT	PAST ANTERIOR	FUTURE PERFECT
	ai dormi as dormi a dormi avons dormi avez dormi ont dormi	avais dormi avais dormi avait dormi avions dormi aviez dormi avaient dormi	eus dormi eus dormi eut dormi eûmes dormi eûtes dormi eurent dormi	aurai dormi auras dormi aura dormi aurons dormi aurez dormi auront dormi
	PRESENT	IMPERFECT	SIMPLE PAST	FUTURE
5. -oir Verbs Recevoir (to receive) recevant reçu	reçois reçois reçoit recevons recevez reçoivent	recevais recevais recevait recevions receviez recevaient	reçus reçus reçut reçûmes reçûtes reçurent	recevrai recevras recevra recevrons recevrez recevront
	COMPOUND PAST	PLUPERFECT	PAST ANTERIOR	FUTURE PERFECT
	ai reçu as reçu a reçu avons reçu avez reçu ont reçu	avais reçu avais reçu avait reçu avions reçu aviez reçu avaient reçu	eus reçu eus reçu eut reçu eûmes reçu eûtes reçu eurent reçu	aurai reçu auras reçu aura reçu aurons reçu aurez reçu auront reçu
	PRESENT	IMPERFECT	SIMPLE PAST	FUTURE
6. Intransitive Verb of Motion Entrer (to enter) entrant entré	entre entres entre entrons entrez entrent	entrais entrais entrait entrions entriez entraient	entrai entras entra entrâmes entrâtes entrèrent	entrerai entreras entrera entrerons entrerez entreront
	COMPOUND PAST	PLUPERFECT	PAST ANTERIOR	FUTURE PERFECT
	suis entré(e) es entré(e) est entré(e) sommes entré(e)s êtes entré(e)(s) sont entré(e)s	étais entré(e) étais entré(e) était entré(e) étions entré(e)s étiez entré(e)(s) étaient entré(e)s	fus entré(e) fus entré(e) fut entré(e) fûmes entré(e)s fûtes entré(e)(s) furent entré(e)s	serai entré(e) seras entré(e) sera entré(e) serons entré(e)s serez entré(e)(s) seront entré(e)s

La Conjugaison du Verbe

CONDITIONAL	IMPERATIVE	SUBJUNCTIVE	
PRESENT CONDITIONAL		**PRESENT**	**IMPERFECT**
dormirais		dorme	dormisse
dormirais	dors	dormes	dormisses
dormirait		dorme	dormît
dormirions	dormons	dormions	dormissions
dormiriez	dormez	dormiez	dormissiez
dormiraient		dorment	dormissent
PAST CONDITIONAL		**PAST**	**PLUPERFECT**
aurais dormi		aie dormi	eusse dormi
aurais dormi		aies dormi	eusses dormi
aurait dormi		ait dormi	eût dormi
aurions dormi		ayons dormi	eussions dormi
auriez dormi		ayez dormi	eussiez dormi
auraient dormi		aient dormi	eussent dormi
PRESENT CONDITIONAL		**PRESENT**	**IMPERFECT**
recevrais		reçoive	reçusse
recevrais	reçois	reçoives	reçusses
recevrait		reçoive	reçût
recevrions	recevons	recevions	reçussions
recevriez	recevez	receviez	reçussiez
recevraient		reçoivent	reçussent
PAST CONDITIONAL		**PAST**	**PLUPERFECT**
aurais reçu		aie reçu	eusse reçu
aurais reçu		aies reçu	eusses reçu
aurait reçu		ait reçu	eût reçu
aurions reçu		ayons reçu	eussions reçu
auriez reçu		ayez reçu	eussiez reçu
auraient reçu		aient reçu	eussent reçu
PRESENT CONDITIONAL		**PRESENT**	**IMPERFECT**
entrerais		entre	entrasse
entrerais	entre	entres	entrasses
entrerait		entre	entrât
entrerions	entrons	entrions	entrassions
entreriez	entrez	entriez	entrassiez
entreraient		entrent	entrassent
PAST CONDITIONAL		**PAST**	**PLUPERFECT**
serais entré(e)		sois entré(e)	fusse entré(e)
serais entré(e)		sois entré(e)	fusses entré(e)
serait entré(e)		soit entré(e)	fût entré(e)
serions entré(e)s		soyons entré(e)s	fussions entré(e)s
seriez entré(e)(s)		soyez entré(e)(s)	fussiez entré(e)(s)
seraient entré(e)s		soient entré(e)s	fussent entré(e)s

83.   The Conjugation of the Verb

INFINITIVE AND PARTICIPLES	INDICATIVE			
	PRESENT	IMPERFECT	SIMPLE PAST	FUTURE
7. Reflexive Verb	me lave	me lavais	me lavai	me laverai
	te laves	te lavais	te lavas	te laveras
	se lave	se lavait	se lava	se lavera
Se laver	nous lavons	nous lavions	nous lavâmes	nous laverons
(to wash	vous lavez	vous laviez	vous lavâtes	vous laverez
oneself)	se lavent	se lavaient	se lavèrent	se laveront
	COMPOUND PAST	**PLUPERFECT**	**PAST ANTERIOR**	**FUTURE PERFECT**
se lavant	me suis lavé(e)	m'étais lavé(e)	me fus lavé(e)	me serai lavé(e)
lavé	t'es lavé(e)	t'étais lavé(e)	te fus lavé(e)	te seras lavé(e)
	s'est lavé(e)	s'était lavé(e)	se fut lavé(e)	se sera lavé(e)
	nous	nous	nous	nous
	sommes lavé(e)s	étions lavé(e)s	fûmes lavé(e)s	serons lavé(e)s
	vous êtes lavé(e)(s)	vous étiez lavé(e)(s)	vous fûtes lavé(e)(s)	vous serez lavé(e)(s)
	se sont lavé(e)s	s'étaient lavé(e)s	se furent lavé(e)s	se seront lavé(e)s
	PRESENT	IMPERFECT	SIMPLE PAST	FUTURE
8. Auxiliary Verb	ai	avais	eus	aurai
	as	avais	eus	auras
	a	avait	eut	aura
Avoir	avons	avions	eûmes	aurons
(to have)	avez	aviez	eûtes	aurez
	ont	avaient	eurent	auront
ayant	**COMPOUND PAST**	**PLUPERFECT**	**PAST ANTERIOR**	**FUTURE PERFECT**
eu	ai eu	avais eu	eus eu	aurai eu
	as eu	avais eu	eus eu	auras eu
	a eu	avait eu	eut eu	aura eu
	avons eu	avions eu	eûmes eu	aurons eu
	avez eu	aviez eu	eûtes eu	aurez eu
	ont eu	avaient eu	eurent eu	auront eu
	PRESENT	IMPERFECT	SIMPLE PAST	FUTURE
9. Auxiliary Verb	suis	étais	fus	serai
	es	étais	fus	seras
	est	était	fut	sera
Être	sommes	étions	fûmes	serons
(to be)	êtes	étiez	fûtes	serez
	sont	étaient	furent	seront
étant	**COMPOUND PAST**	**PLUPERFECT**	**PAST ANTERIOR**	**FUTURE PERFECT**
été	ai été	avais été	eus été	aurai été
	as été	avais été	eus été	auras été
	a été	avait été	eut été	aura été
	avons été	avions été	eûmes été	aurons été
	avez été	aviez été	eûtes été	aurez été
	ont été	avaient été	eurent été	auront été

La Conjugaison du Verbe

CONDITIONAL	IMPERATIVE	SUBJUNCTIVE	

PRESENT CONDITIONAL		PRESENT	IMPERFECT
me laverais		me lave	me lavasse
te laverais	lave-toi	te laves	te lavasses
se laverait		se lave	se lavât
nous laverions	lavons-nous	nous lavions	nous lavassions
vous laveriez	lavez-vous	vous laviez	vous lavassiez
se laveraient		se lavent	se lavassent

PAST CONDITIONAL		PAST	PLUPERFECT
me serais lavé(e)		me sois lavé(e)	me fusse lavé(e)
te serais lavé(e)		te sois lavé(e)	te fusses lavé(e)
se serait lavé(e)		se soit lavé(e)	se fût lavé(e)
nous		nous	nous
serions lavé(e)s		soyons lavé(e)s	fussions lavé(e)s
vous seriez lavé(e)(s)		vous soyez lavé(e)(s)	vous fussiez lavé(e)(s)
se seraient lavé(e)s		se soient lavé(e)s	se fussent lavé(e)s

PRESENT CONDITIONAL		PRESENT	IMPERFECT
aurais		aie	eusse
aurais	aie	aies	eusses
aurait		ait	eût
aurions	ayons	ayons	eussions
auriez	ayez	ayez	eussiez
auraient		aient	eussent

PAST CONDITIONAL		PAST	PLUPERFECT
aurais eu		aie eu	eusse eu
aurais eu		aies eu	eusses eu
aurait eu		ait eu	eût eu
aurions eu		ayons eu	eussions eu
auriez eu		ayez eu	eussiez eu
auraient eu		aient eu	eussent eu

PRESENT CONDITIONAL		PRESENT	IMPERFECT
serais		sois	fusse
serais	sois	sois	fusses
serait		soit	fût
serions	soyons	soyons	fussions
seriez	soyez	soyez	fussiez
seraient		soient	fussent

PAST CONDITIONAL		PAST	PLUPERFECT
aurais été		aie été	eusse été
aurais été		aies été	eusses été
aurait été		ait été	eût été
aurions été		ayons été	eussions été
auriez été		ayez été	eussiez été
auraient été		aient été	eussent été

84. THE PRINCIPAL PARTS OF VERBS – *Les Temps Primitifs des Verbes*

A. Each verb has five stems:

1. the infinitive
2. the present participle
3. the past participle
4. the first person singular of the present indicative
5. the first person singular of the simple past

B. All stems of all regular *-er* and *-re* verbs are the same as that of the main (infinitive) stem. The present participle of most *-ir* verbs inserts an *-iss-* between the infinitive stem and the endings. The second class *-ir* verbs drop the final consonant of the main stem in their present stem. Irregular verbs sometimes have five different stems.

INFINITIVE	PRESENT PARTICIPLE	PAST PARTICIPLE	SINGULAR OF PRESENT	SIMPLE PAST
parl-er	parl-ant	parlé	parl-e	parl-ai
perd-re	perd-ant	perdu	perd-s	perd-is
fin-ir	fin-iss-ant	fini	fin-is	fin-is
dorm-ir	dorm-ant	dormi	dor-s	dorm-is
boi-re	buv-ant	bu	boi-s	bu-s
prend-re	pren-ant	pris	prend-s	pri-s
ven-ir	ven-ant	venu	vien-s	vin-s
mour-ir	mour-ant	mort	meur-s	mour-us

C. Certain tenses are usually formed on each of these stems as shown in the arrangement on page 369.

INFINITIVE	PRESENT PARTICIPLE	PAST PARTICIPLE	PRESENT	SIMPLE PAST
Future	Plural of	Compound Past	Singular of	Simple Past
Conditional	Present [1]	Pluperfect	Present	Imperfect
	Imperfect	Indicative		Subjunctive
	Indicative	Future Perfect		
	Present	Past Conditional		
	Subjunctive [2]	Past Anterior		
		Past		
		Subjunctive		
		Pluperfect		
		Subjunctive		

D. In § 86, common irregular verbs are conjugated by tenses. This is practical for easy reference, but the verbs will be easier to learn if you will rearrange them by stems, as shown on page 369.

---

[1] In a number of verbs, the third person plural of the present follows the stem of the singular of the present indicative. EXAMPLES: je bois, ils boivent; je meurs, ils meurent.

[2] Where the stem of the third person plural present indicative is different from that of the imperfect indicative, the present subjunctive usually has two stems. See § 73 B.

INFINITIVE	PRESENT PARTICIPLE	PAST PARTICIPLE	PRESENT INDICATIVE	SIMPLE PAST
boire	*buvant*	*bu*	*je bois*	*je bus*
			tu bois	tu bus
FUTURE	PLURAL OF PRESENT	COMPOUND PAST	il boit	il but
je boirai	INDICATIVE	INDICATIVE		nous bûme
tu boiras	nous buvons	j'ai bu, etc.		vous bûtes
il boira	vous buvez			ils burent
nous boirons	ils boivent	PLUPERFECT		
vous boirez		INDICATIVE		IMPERFECT
ils boiront	IMPERFECT	j'avais bu, etc.		SUBJUNCTIVE
	INDICATIVE			que je busse
CONDITIONAL	je buvais	FUTURE PERFECT		que tu busses
je boirais	tu buvais	j'aurai bu, etc.		qu'il bût
tu boirais	il buvait			que nous bussions
il boirait	nous buvions	PAST CONDITIONAL		que vous bussiez
nous boirions	vous buviez	j'aurais bu, etc.		qu'ils bussent
vous boiriez	ils buvaient			
ils boiraient		PAST ANTERIOR		
	PRESENT	j'eus bu, etc.		
	SUBJUNCTIVE			
	que je boive	PAST SUBJUNCTIVE		
	que tu boives	que j'aie bu, etc.		
	qu'il boive			
	que nous buvions	PLUPERFECT		
	que vous buviez	SUBJUNCTIVE		
	qu'ils boivent	que j'eusse bu, etc.		

85. THE IRREGULAR VERBS – *Les Verbes Irréguliers*

A. An irregular verb is one which deviates in some way from the general pattern given for the formation of the various tenses of the -*er*, -*ir*, and -*re* verbs. All irregular verbs are not irregular in the same respects; hence it is necessary to consider each verb individually or in individual groups of verbs. Even so, the large majority of these verbs follow certain general tendencies, and by recognizing certain cardinal principles of irregular verbs, the work of learning the verb as a whole may be greatly facilitated.

B. The Present Tense – *Le Présent*
While there is no absolute rule for the formation of the present of irregular verbs, the singular and third person plural often have one stem-vowel, whereas the first and second persons plural have another, usually that of the infinitive. This change is due to a shift in stress. (Cf. Latin *de'beo, de'bes, de'bet*, debe'mus, debe'tis, *de'bent*.)

DEVOIR	POUVOIR	MOURIR	RECEVOIR	VOIR	VOULOIR
je dois	peux	meurs	reçois	vois	veux
tu dois	peux	meurs	reçois	vois	veux
il doit	peut	meurt	reçoit	voit	veut
nous devons	pouvons	mourons	recevons	voyons	voulons
vous devez	pouvez	mourez	recevez	voyez	voulez
ils doivent	peuvent	meurent	reçoivent	voient	veulent

C. The Imperfect – *L'Imparfait*

The imperfect, if formed from the first person plural of the present indicative, is irregular only in the case of the verbs *être* and *falloir*. (See § 46 C.)

D. The Future and Conditional – *Le Futur et le Conditionnel*

The stem of these two tenses is always the same. The future and conditional are irregular in the case of relatively few verbs. These verbs might be arranged into classes as follows:

1	2	3
aller: j'irai	avoir: j'aurai	courir: je courrai
faire: je ferai	savoir: je saurai	mourir: je mourrai
être: je serai		pouvoir: je pourrai

4	5
devoir: je devrai	voir: je verrai
pleuvoir: il pleuvra [1]	envoyer: j'enverrai
recevoir: je recevrai	

6	7
tenir: je tiendrai	falloir: il faudra [1]
venir: je viendrai	valoir: je vaudrai
	vouloir: je voudrai

E. The Simple Past and the Imperfect Subjunctive

Le Passé Simple et l'Imparfait du Subjonctif

The stem of the two tenses is always the same. In many (but not in all) irregular verbs, this stem is the same as that of the past participle.

INFINITIVE	PAST PARTICIPLE	SIMPLE PAST	IMPERFECT SUBJUNCTIVE
croire	cru	je crus	que je crusse
lire	lu	je lus	que je lusse
prendre	pris	je pris	que je prisse
recevoir	reçu	je reçus	que je reçusse
vouloir	voulu	je voulus	que je voulus

F. Compound Past, Pluperfect, Future Perfect, Past Conditional, Past Anterior

Passé Composé, Plus-que-Parfait, Futur Antérieur, Conditionnel Passé, Passé Antérieur

These tenses are formed by a combination of some tense of the auxiliary verbs *avoir* and *être* and the past participle. The past participle is frequently irregular. It often ends in *-u*.

G. The Present Subjunctive – *Le Présent du Subjonctif*

For the present subjunctive of irregular verbs, see § 73 B, C.

---

[1] These impersonal verbs have only third-person singular forms.

H. Learning the forms of an irregular verb [1]

If you knew the history of the French language, no form of any irregular verb would seem truly irregular. Almost every form can be explained in one way or another. If you know Latin, you will find it interesting to think out what caused the seemingly irregular forms to develop. Even if you do not know Latin, these principles will serve to explain changes from unaccented to accented forms of French verbs.

1. Accented or stressed vowels tend to develop. Stressed $\bar{e}$ and $\breve{\imath}$ become *oi;* stressed $\breve{e}$ > *ie;* [2] stressed *o* > *eu.*

dĕ'bet > d*oi*t	vĕ'nit > v*ie*nt	po'tet [3] > p*eu*t
bĭ'bet > b*oi*t	tĕ'nent > t*ie*nnent	mo'riunt [3] > m*eu*rent

2. Most unaccented vowels do not develop; but unstressed *o* often becomes *ou.* When unaccented vowels come just before or after strongly accented syllables, they may disappear altogether.

dēbē'mus > d*ev*ons'	potē'mus [3] > p*ou*vons'	dēbĕre + ai' > devrai'
vĕnĭ'tis > v*e*nez'	morĭ'tis [3] > m*ou*rez'	mor*i*te [3] + as' > mourras'

3. The combination of a consonant plus *r* often leads to the insertion of a *d* to facilitate pronunciation.

venire + ons > vien*d*rons	valere + as > vau*d*ras
volere [3] + ez > vou*d*rez	tenere + a > tien*d*ra
cremere [3] + ont > crain*d*ront	
fallere + ai > fau*d*rai	

4. Before a consonant, *l* often changes to *u; c* often changes to *i.*

va*l*es > vau*x*	condu*c*ere > condu*i*re	fa*c*tus > fa*i*t
fa*ll*et > fa*u*t	pla*c*ere > pla*i*re	di*c*itis > d*i*tes

5. Consonants tend to drop out before final *-s* and *-t.* When they do not drop out, they are silent. Final *-s* is often written *-x.*

de*b*et > doit	pote*s* [3] > peu*x*	vi*v*es > vis
dor*m*is > dors	ser*v*it > sert	sa*p*et [3] > sait

6. One form of a verb may influence another form of the same verb. A common verb may influence a whole group of other verbs. This influence of one form upon another is known as *analogy.* In English one hears, in analogy with the correct *I don't, I was,* the incorrect *he don't, you was.* Similarly, the use of *lay* for *lie* and *set* for *sat* come from a confusion due to analogy.

po*t*emus [3] > pouvons	in analogy with forms such as a*v*ons, sa*v*ons.
venire + a' > v*ie*ndra'	in analogy with stressed forms such as v*ie*nt.
dor*mî*mus > dorm*ons*	in analogy with all other *-ons* forms which are thought to come from analogy with *sumus* > *sommes.*

---

[1] Teachers are advised to use these linguistic changes as a teaching device whenever the background and ability of the class permit it.

[2] The sign > is to be read *becomes* or *develops into.*

[3] Vulgar Latin form. This form is not found in the classical Latin which is taught at school.

86. The Conjugation of Irregular Verbs

INFINITIVE AND PARTICIPLES	INDICATIVE			
	PRESENT	IMPERFECT	SIMPLE PAST	COMPOUND PAST
1. Acquérir (to acquire) acquérant acquis	acquiers acquiers acquiert acquérons acquérez acquièrent	acquérais acquérais acquérait acquérions acquériez acquéraient	acquis acquis acquit acquîmes acquîtes acquirent	ai acquis as acquis a acquis avons acquis avez acquis ont acquis
2. Aller (to go) allant allé	vais vas va allons allez vont	allais allais allait allions alliez allaient	allai allas alla allâmes allâtes allèrent	suis allé(e) es allé(e) est allé(e) sommes allé(e)s êtes allé(e)(s) sont allé(e)s
3. Asseoir [1, 2] (to seat) asseyant assis	assieds assieds assied asseyons asseyez asseyent	asseyais asseyais asseyait asseyions asseyiez asseyaient	assis assis assit assîmes assîtes assirent	me suis assis(e) [1] t'es assis(e) s'est assis(e) nous sommes assis(es) vous êtes assis(e)(s) se sont assis(es)
assoyant	assois assois assoit assoyons assoyez assoient	assoyais assoyais assoyait assoyions assoyiez assoyaient		
4. Battre (to beat) battant battu	bats bats bat battons battez battent	battais battais battait battions battiez battaient	battis battis battit battîmes battîtes battirent	ai battu as battu a battu avons battu avez battu ont battu
5. Boire (to drink) buvant bu	bois bois boit buvons buvez boivent	buvais buvais buvait buvions buviez buvaient	bus bus but bûmes bûtes burent	ai bu as bu a bu avons bu avez bu ont bu

[1] This verb is usually used in its reflexive form *s'asseoir* (to sit). For this reason, the reflexive forms of the compound past and imperative are given.

[2] Certain tenses of this verb have two forms.

La Conjugaison des Verbes Irréguliers

| FUTURE | CONDITIONAL | IMPERATIVE | SUBJUNCTIVE | |
			PRESENT	IMPERFECT
acquerrai	acquerrais		acquière	acquisse
acquerras	acquerrais	acquiers	acquières	acquisses
acquerra	acquerrait		acquière	acquît
acquerrons	acquerrions	acquérons	acquérions	acquissions
acquerrez	acquerriez	acquérez	acquériez	acquissiez
acquerront	acquerraient		acquièrent	acquissent
irai	irais		aille	allasse
iras	irais	va	ailles	allasses
ira	irait		aille	allât
irons	irions	allons	allions	allassions
irez	iriez	allez	alliez	allassiez
iront	iraient		aillent	allassent
assiérai	assiérais		asseye	assisse
assiéras	assiérais	assieds-toi [1]	asseyes	assisses
assiéra	assiérait		asseye	assît
assiérons	assiérions	asseyons-nous	asseyions	assissions
assiérez	assiériez	asseyez-vous	asseyiez	assissiez
assiéront	assiéraient		asseyent	assissent
assoirai	assoirais		assoie	
assoiras	assoirais	assois-toi	assoies	
assoira	assoirait		assoie	
assoirons	assoirions	assoyons-nous	assoyions	
assoirez	assoiriez	assoyez-vous	assoyiez	
assoiront	assoiraient		assoient	
battrai	battrais		batte	battisse
battras	battrais	bats	battes	battisses
battra	battrait		batte	battît
battrons	battrions	battons	battions	battissions
battrez	battriez	battez	battiez	battissiez
battront	battraient		battent	battissent
boirai	boirais		boive	busse
boiras	boirais	bois	boives	busses
boira	boirait		boive	bût
boirons	boirions	buvons	buvions	bussions
boirez	boiriez	buvez	buviez	bussiez
boiront	boiraient		boivent	bussent

[1] This verb is usually used in its reflexive form *s'asseoir* (to sit). For this reason, the reflexive forms of the compound past and imperative are given.

86. THE CONJUGATION OF IRREGULAR VERBS (*continued*)

INFINITIVE AND PARTICIPLES	INDICATIVE			
	PRESENT	IMPERFECT	SIMPLE PAST	COMPOUND PAST
6. CONDUIRE (to lead) conduisant conduit	conduis conduis conduit conduisons conduisez conduisent	conduisais conduisais conduisait conduisions conduisiez conduisaient	conduisis conduisis conduisit conduisîmes conduisîtes conduisirent	ai conduit as conduit a conduit avons conduit avez conduit ont conduit
7. CONNAÎTRE (to be acquainted) connaissant connu	connais connais connaît connaissons connaissez connaissent	connaissais connaissais connaissait connaissions connaissiez connaissaient	connus connus connut connûmes connûtes connurent	ai connu as connu a connu avons connu avez connu ont connu
8. COURIR (to run) courant couru	cours cours court courons courez courent	courais courais courait courions couriez couraient	courus courus courut courûmes courûtes coururent	ai couru as couru a couru avons couru avez couru ont couru
9. CRAINDRE (to fear) craignant craint	crains crains craint craignons craignez craignent	craignais craignais craignait craignions craigniez craignaient	craignis craignis craignit craignîmes craignîtes craignirent	ai craint as craint a craint avons craint avez craint ont craint
10. CROIRE (to believe) croyant cru	crois crois croit croyons croyez croient	croyais croyais croyait croyions croyiez croyaient	crus crus crut crûmes crûtes crurent	ai cru as cru a cru avons cru avez cru ont cru
11. DEVOIR (to owe, have to) devant dû, due [1]	dois dois doit devons devez doivent	devais devais devait devions deviez devaient	dus dus dut dûmes dûtes durent	ai dû as dû a dû avons dû avez dû ont dû

[1] The masculine singular form of the past participle is written with the circumflex accent to distinguish it from the word *du*. All other forms are written without the accent (*dû, due, dus, dues*).

La Conjugaison des Verbes Irréguliers (suite)

| | CONDITIONAL | IMPERATIVE | SUBJUNCTIVE | |
FUTURE			PRESENT	IMPERFECT
conduirai	conduirais		conduise	conduisisse
conduiras	conduirais	conduis	conduises	conduisisses
conduira	conduirait		conduise	conduisît
conduirons	conduirions	conduisons	conduisions	conduisissions
conduirez	conduiriez	conduisez	conduisiez	conduisissiez
conduiront	conduiraient		conduisent	conduisissent
connaîtrai	connaîtrais		connaisse	connusse
connaîtras	connaîtrais	connais	connaisses	connusses
connaîtra	connaîtrait		connaisse	connût
connaîtrons	connaîtrions	connaissons	connaissions	connussions
connaîtrez	connaîtriez	connaissez	connaissiez	connussiez
connaîtront	connaîtraient		connaissent	connussent
courrai	courrais		coure	courusse
courras	courrais	cours	coures	courusses
courra	courrait		coure	courût
courrons	courrions	courons	courions	courussions
courrez	courriez	courez	couriez	courussiez
courront	courraient		courent	courussent
craindrai	craindrais		craigne	craignisse
craindras	craindrais	crains	craignes	craignisses
craindra	craindrait		craigne	craignît
craindrons	craindrions	craignons	craignions	craignissions
craindrez	craindriez	craignez	craigniez	craignissiez
craindront	craindraient		craignent	craignissent
croirai	croirais		croie	crusse
croiras	croirais	crois	croies	crusses
croira	croirait		croie	crût
croirons	croirions	croyons	croyions	crussions
croirez	croiriez	croyez	croyiez	crussiez
croiront	croiraient		croient	crussent
devrai	devrais		doive	dusse
devras	devrais	dois	doives	dusses
devra	devrait		doive	dût
devrons	devrions	devons	devions	dussions
devrez	devriez	devez	deviez	dussiez
devront	devraient		doivent	dussent

86. THE CONJUGATION OF IRREGULAR VERBS (*continued*)

INFINITIVE AND PARTICIPLES	INDICATIVE			
	PRESENT	IMPERFECT	SIMPLE PAST	COMPOUND PAST
12. DIRE (to say, tell) disant dit	dis dis dit disons dites disent	disais disais disait disions disiez disaient	dis dis dit dîmes dîtes dirent	ai dit as dit a dit avons dit avez dit ont dit
13. ÉCRIRE (to write) écrivant écrit	écris écris écrit écrivons écrivez écrivent	écrivais écrivais écrivait écrivions écriviez écrivaient	écrivis écrivis écrivit écrivîmes écrivîtes écrivirent	ai écrit as écrit a écrit avons écrit avez écrit ont écrit
14. ENVOYER (to send) envoyant envoyé	envoie envoies envoie envoyons envoyez envoient	envoyais envoyais envoyait envoyions envoyiez envoyaient	envoyai envoyas envoya envoyâmes envoyâtes envoyèrent	ai envoyé as envoyé a envoyé avons envoyé avez envoyé ont envoyé
15. FAIRE (to do, make) faisant [1] fait	fais fais fait faisons faites font	faisais [1] faisais faisait faisions faisiez faisaient	fis fis fit fîmes fîtes firent	ai fait as fait a fait avons fait avez fait ont fait
16. FALLOIR [2] (to be necessary) fallu	il faut	il fallait	il fallut	il a fallu
17. FUIR (to flee) fuyant fui	fuis fuis fuit fuyons fuyez fuient	fuyais fuyais fuyait fuyions fuyiez fuyaient	fuis fuis fuit fuîmes fuîtes fuirent	ai fui as fui a fui avons fui avez fui ont fui
18. LIRE (to read) lisant lu	lis lis lit lisons lisez lisent	lisais lisais lisait lisions lisiez lisaient	lus lus lut lûmes lûtes lurent	ai lu as lu a lu avons lu avez lu ont lu

[1] The *ai* of the stem of these forms is pronounced like mute *e* [ə].
[2] Used in third person singular only.

La Conjugaison des Verbes Irréguliers (suite)

FUTURE	CONDITIONAL	IMPERATIVE	SUBJUNCTIVE PRESENT	SUBJUNCTIVE IMPERFECT
dirai	dirais		dise	disse
diras	dirais	dis	dises	disses
dira	dirait		dise	dît
dirons	dirions	disons	disions	dissions
direz	diriez	dites	disiez	dissiez
diront	diraient		disent	dissent
écrirai	écrirais		écrive	écrivisse
écriras	écrirais	écris	écrives	écrivisses
écrira	écrirait		écrive	écrivît
écrirons	écririons	écrivons	écrivions	écrivissions
écrirez	écririez	écrivez	écriviez	écrivissiez
écriront	écriraient		écrivent	écrivissent
enverrai	enverrais		envoie	envoyasse
enverras	enverrais	envoie	envoies	envoyasses
enverra	enverrait		envoie	envoyât
enverrons	enverrions	envoyons	envoyions	envoyassions
enverrez	enverriez	envoyez	envoyiez	envoyassiez
enverront	enverraient		envoient	envoyassent
ferai	ferais		fasse	fisse
feras	ferais	fais	fasses	fisses
fera	ferait		fasse	fît
ferons	ferions	faisons	fassions	fissions
ferez	feriez	faites	fassiez	fissiez
feront	feraient		fassent	fissent
il faudra	il faudrait		il faille	il fallût
fuirai	fuirais		fuie	fuisse
fuiras	fuirais	fuis	fuies	fuisses
fuira	fuirait		fuie	fuît
fuirons	fuirions	fuyons	fuyions	fuissions
fuirez	fuiriez	fuyez	fuyiez	fuissiez
fuiront	fuiraient		fuient	fuissent
lirai	lirais		lise	lusse
liras	lirais	lis	lises	lusses
lira	lirait		lise	lût
lirons	lirions	lisons	lisions	lussions
lirez	liriez	lisez	lisiez	lussiez
liront	liraient		lisent	lussent

86. THE CONJUGATION OF IRREGULAR VERBS (*continued*)

INFINITIVE AND PARTICIPLES	INDICATIVE			
	PRESENT	IMPERFECT	SIMPLE PAST	COMPOUND PAST
19. METTRE (to put) mettant mis	mets mets met mettons mettez mettent	mettais mettais mettait mettions mettiez mettaient	mis mis mit mîmes mîtes mirent	ai mis as mis a mis avons mis avez mis ont mis
20. MOURIR (to die) mourant mort	meurs meurs meurt mourons mourez meurent	mourais mourais mourait mourions mouriez mouraient	mourus mourus mourut mourûmes mourûtes moururent	suis mort(e) es mort(e) est mort(e) sommes mort(e)s êtes mort(e)(s) sont mort(e)s
21. NAÎTRE (to be born) naissant né	nais nais naît naissons naissez naissent	naissais naissais naissait naissions naissiez naissaient	naquis naquis naquit naquîmes naquîtes naquirent	suis né(e) es né(e) est né(e) sommes né(e)s êtes né(e)(s) sont né(e)s
22. OUVRIR (to open) ouvrant ouvert	ouvre ouvres ouvre ouvrons ouvrez ouvrent	ouvrais ouvrais ouvrait ouvrions ouvriez ouvraient	ouvris ouvris ouvrit ouvrîmes ouvrîtes ouvrirent	ai ouvert as ouvert a ouvert avons ouvert avez ouvert ont ouvert
23. PEINDRE (to paint) peignant peint	peins peins peint peignons peignez peignent	peignais peignais peignait peignions peigniez peignaient	peignis peignis peignit peignîmes peignîtes peignirent	ai peint as peint a peint avons peint avez peint ont peint
24. PLAIRE (to please) plaisant plu	plais plais plaît plaisons plaisez plaisent	plaisais plaisais plaisait plaisions plaisiez plaisaient	plus plus plut plûmes plûtes plurent	ai plu as plu a plu avons plu avez plu ont plu
25. PLEUVOIR [1] (to rain) pleuvant plu	il pleut	il pleuvait	il plut	il a plu

[1] Used only in third person singular.

La Conjugaison des Verbes Irréguliers (suite)

FUTURE	CONDITIONAL	IMPERATIVE	SUBJUNCTIVE PRESENT	SUBJUNCTIVE IMPERFECT
mettrai	mettrais		mette	misse
mettras	mettrais	mets	mettes	misses
mettra	mettrait		mette	mît
mettrons	mettrions	mettons	mettions	missions
mettrez	mettriez	mettez	mettiez	missiez
mettront	mettraient		mettent	missent
mourrai	mourrais		meure	mourusse
mourras	mourrais	meurs	meures	mourusses
mourra	mourrait		meure	mourût
mourrons	mourrions	mourons	mourions	mourussions
mourrez	mourriez	mourez	mouriez	mourussiez
mourront	mourraient		meurent	mourussent
naîtrai	naîtrais		naisse	naquisse
naîtras	naîtrais	nais	naisses	naquisses
naîtra	naîtrait		naisse	naquît
naîtrons	naîtrions	naissons	naissions	naquissions
naîtrez	naîtriez	naissez	naissiez	naquissiez
naîtront	naîtraient		naissent	naquissent
ouvrirai	ouvrirais		ouvre	ouvrisse
ouvriras	ouvrirais	ouvre	ouvres	ouvrisses
ouvrira	ouvrirait		ouvre	ouvrît
ouvrirons	ouvririons	ouvrons	ouvrions	ouvrissions
ouvrirez	ouvririez	ouvrez	ouvriez	ouvrissiez
ouvriront	ouvriraient		ouvrent	ouvrissent
peindrai	peindrais		peigne	peignisse
peindras	peindrais	peins	peignes	peignisses
peindra	peindrait		peigne	peignît
peindrons	peindrions	peignons	peignions	peignissions
peindrez	peindriez	peignez	peigniez	peignissiez
peindront	peindraient		peignent	peignissent
plairai	plairais		plaise	plusse
plairas	plairais	plais	plaises	plusses
plaira	plairait		plaise	plût
plairons	plairions	plaisons	plaisions	plussions
plairez	plairiez	plaisez	plaisiez	plussiez
plairont	plairaient		plaisent	plussent
il pleuvra	il pleuvrait		il pleuve	il plût

86. THE CONJUGATION OF IRREGULAR VERBS *(continued)*

INFINITIVE AND PARTICIPLES	INDICATIVE			
	PRESENT	IMPERFECT	SIMPLE PAST	COMPOUND PAST
26. POUVOIR (to be able) pouvant pu	peux, puis peux peut pouvons pouvez peuvent	pouvais pouvais pouvait pouvions pouviez pouvaient	pus pus put pûmes pûtes purent	ai pu as pu a pu avons pu avez pu ont pu
27. PRENDRE (to take) prenant pris	prends prends prend prenons prenez prennent	prenais prenais prenait prenions preniez prenaient	pris pris prit prîmes prîtes prirent	ai pris as pris a pris avons pris avez pris ont pris
28. RIRE (to laugh) riant ri	ris ris rit rions riez rient	riais riais riait riions riiez riaient	ris ris rit rîmes rîtes rirent	ai ri as ri a ri avons ri avez ri ont ri
29. SAVOIR (to know) sachant su	sais sais sait savons savez savent	savais savais savait savions saviez savaient	sus sus sut sûmes sûtes surent	ai su as su a su avons su avez su ont su
30. SUIVRE (to follow) suivant suivi	suis suis suit suivons suivez suivent	suivais suivais suivait suivions suiviez suivaient	suivis suivis suivit suivîmes suivîtes suivirent	ai suivi as suivi a suivi avons suivi avez suivi ont suivi
31. TENIR (to hold, keep) tenant tenu	tiens tiens tient tenons tenez tiennent	tenais tenais tenait tenions teniez tenaient	tins tins tint tînmes tîntes tinrent	ai tenu as tenu a tenu avons tenu avez tenu ont tenu

La Conjugaison des Verbes Irréguliers (suite)

| FUTURE | CONDITIONAL | IMPERATIVE | SUBJUNCTIVE | |
			PRESENT	IMPERFECT
pourrai	pourrais		puisse	pusse
pourras	pourrais		puisses	pusses
pourra	pourrait		puisse	pût
pourrons	pourrions		puissions	pussions
pourrez	pourriez		puissiez	pussiez
pourront	pourraient		puissent	pussent
prendrai	prendrais		prenne	prisse
prendras	prendrais	prends	prennes	prisses
prendra	prendrait		prenne	prît
prendrons	prendrions	prenons	prenions	prissions
prendrez	prendriez	prenez	preniez	prissiez
prendront	prendraient		prennent	prissent
rirai	rirais		rie	risse
riras	rirais	ris	ries	risses
rira	rirait		rie	rît
rirons	ririons	rions	riions	rissions
rirez	ririez	riez	riiez	rissiez
riront	riraient		rient	rissent
saurai	saurais		sache	susse
sauras	saurais	sache	saches	susses
saura	saurait		sache	sût
saurons	saurions	sachons	sachions	sussions
saurez	sauriez	sachez	sachiez	sussiez
sauront	sauraient		sachent	sussent
suivrai	suivrais		suive	suivisse
suivras	suivrais	suis	suives	suivisses
suivra	suivrait		suive	suivît
suivrons	suivrions	suivons	suivions	suivissions
suivrez	suivriez	suivez	suiviez	suivissiez
suivront	suivraient		suivent	suivissent
tiendrai	tiendrais		tienne	tinsse
tiendras	tiendrais	tiens	tiennes	tinsses
tiendra	tiendrait		tienne	tînt
tiendrons	tiendrions	tenons	tenions	tinssions
tiendrez	tiendriez	tenez	teniez	tinssiez
tiendront	tiendraient		tiennent	tinssent

86. The Conjugation of Irregular Verbs (*continued*)

INFINITIVE AND PARTICIPLES	INDICATIVE			
	PRESENT	IMPERFECT	SIMPLE PAST	COMPOUND PAST
32. VAINCRE (to conquer) vainquant vaincu	vaincs vaincs vainc vainquons vainquez vainquent	vainquais vainquais vainquait vainquions vainquiez vainquaient	vainquis vainquis vainquit vainquîmes vainquîtes vainquirent	ai vaincu as vaincu a vaincu avons vaincu avez vaincu ont vaincu
33. VALOIR (to be worth) valant valu	vaux vaux vaut valons valez valent	valais valais valait valions valiez valaient	valus valus valut valûmes valûtes valurent	ai valu as valu a valu avons valu avez valu ont valu
34. VENIR (to come) venant venu	viens viens vient venons venez viennent	venais venais venait venions veniez venaient	vins vins vint vînmes vîntes vinrent	suis venu(e) es venu(e) est venu(e) sommes venu(e)s êtes venu(e)(s) sont venu(e)s
35. VIVRE (to live) vivant vécu	vis vis vit vivons vivez vivent	vivais vivais vivait vivions viviez vivaient	vécus vécus vécut vécûmes vécûtes vécurent	ai vécu as vécu a vécu avons vécu avez vécu ont vécu
36. VOIR (to see) voyant vu	vois vois voit voyons voyez voient	voyais voyais voyait voyions voyiez voyaient	vis vis vit vîmes vîtes virent	ai vu as vu a vu avons vu avez vu ont vu
37. VOULOIR (to wish, want) voulant voulu	veux veux veut voulons voulez veulent	voulais voulais voulait voulions vouliez voulaient	voulus voulus voulut voulûmes voulûtes voulurent	ai voulu as voulu a voulu avons voulu avez voulu ont voulu

La Conjugaison des Verbes Irréguliers (suite)

FUTURE	CONDITIONAL	IMPERATIVE	SUBJUNCTIVE PRESENT	IMPERFECT
vaincrai	vaincrais		vainque	vainquisse
vaincras	vaincrais	vaincs	vainques	vainquisses
vaincra	vaincrait		vainque	vainquît
vaincrons	vaincrions	vainquons	vainquions	vainquissions
vaincrez	vaincriez	vainquez	vainquiez	vainquissiez
vaincront	vaincraient		vainquent	vainquissent
vaudrai	vaudrais		vaille	valusse
vaudras	vaudrais	vaux	vailles	valusses
vaudra	vaudrait		vaille	valût
vaudrons	vaudrions	valons	valions	valussions
vaudrez	vaudriez	valez	valiez	valussiez
vaudront	vaudraient		vaillent	valussent
viendrai	viendrais		vienne	vinsse
viendras	viendrais	viens	viennes	vinsses
viendra	viendrait		vienne	vînt
viendrons	viendrions	venons	venions	vinssions
viendrez	viendriez	venez	veniez	vinssiez
viendront	viendraient		viennent	vinssent
vivrai	vivrais		vive	vécusse
vivras	vivrais	vis	vives	vécusses
vivra	vivrait		vive	vécût
vivrons	vivrions	vivons	vivions	vécussions
vivrez	vivriez	vivez	viviez	vécussiez
vivront	vivraient		vivent	vécussent
verrai	verrais		voie	visse
verras	verrais	vois	voies	visses
verra	verrait		voie	vît
verrons	verrions	voyons	voyions	vissions
verrez	verriez	voyez	voyiez	vissiez
verront	verraient		voient	vissent
voudrai	voudrais		veuille	voulusse
voudras	voudrais	veuille	veuilles	voulusses
voudra	voudrait		veuille	voulût
voudrons	voudrions		voulions	voulussions
voudrez	voudriez	veuillez	vouliez	voulussiez
voudront	voudraient		veuillent	voulussent

Miscellany – Traits Divers

87. INTERROGATIVE WORD ORDER – *L'Ordre Interrogatif*

A. An affirmative sentence may be made interrogative by placing *Est-ce que* ... before it. This becomes *Est-ce qu'* ... before a word beginning with a vowel.

> *Est-ce que* la capitale de la France est une grande ville?
>
> Is the capital of France a large city?
>
> *Est-ce qu'*elle est située sur la Seine?
>
> Is it situated on the Seine?

The question with *Est-ce que* . . . is used especially in conversation.

B. A sentence with a personal pronoun subject may be made interrogative by placing the verb before the subject.[1] The verb is then connected to the pronoun-subject by a hyphen (-).

VERB - PRONOUN-SUBJECT	REST OF SENTENCE
Sont-elles faciles à défendre?	Are they easy to defend?
Forment-ils une partie de la frontière du pays?	Do they form a part of the boundaries of the country?

C. A sentence with a noun-subject may have this interrogative word order:

NOUN-SUBJECT   VERB - PRONOUN-SUBJECT   REST OF SENTENCE

The verb is connected to the pronoun-subject by a hyphen.

> La France est-elle un pays?
>
> Is France a country?
>
> Les montagnes séparent-elles la France de l'Italie?
>
> Do the mountains separate France from Italy?

D. Whenever the verb-form ends in a vowel and the pronoun begins with a vowel, a *-t-* is inserted between them to prevent two vowels from coming together in pronunciation.

> Sépare-t-il les deux pays?
>
> Does it separate the two countries?
>
> La Seine traverse-t-elle Paris?
>
> Does the Seine cross Paris?

E. When a sentence with a personal pronoun-subject begins with *où, quand, comment, combien, quoi, pourquoi,* or *quel* modifying some noun, the word order may be

INTERROGATIVE WORD   VERB - PRONOUN-SUBJECT   REST OF SENTENCE

or

INTERROGATIVE WORD   *est-ce que*   PRONOUN-SUBJECT   VERB   REST OF SENTENCE

> Où se trouve-t-il?
>
> Où *est-ce qu'*il se trouve? } Where is it?

---

[1] The *Est-ce que* . . . form must be used in the first person singular of the present of *-er* verbs. EXAMPLE: Est-ce que je parle? Est-ce que je voyage? In poetry, however, the inverted form may be used, but an acute accent is placed over the -e: parlé-je? Voyagé-je?

Quand écrit-il une composition? ⎫
Quand *est-ce qu*'il écrit une com- ⎬   When does he write a composition?
  position? ⎭

Par où entrent-ils dans la salle de ⎫
  classe? ⎬   By what do they enter the class-
Par où *est-ce qu*'ils entrent dans ⎪   room?
  la salle de classe? ⎭

Pourquoi apprend-elle la leçon? ⎫
Pourquoi *est-ce qu*'elle apprend la ⎬   Why does she learn the lesson?
  leçon? ⎭

Dans quel pays demeure-t-elle? ⎫
Dans quel pays *est-ce qu*'elle de- ⎬   In what country does she live?
  meure? ⎭

F. When a sentence with a noun-subject but without a direct noun-object begins with *où, quand, comment, quoi, combien,* or *quel* modifying a noun, the
word order may be:

   INTERROGATIVE WORD   VERB   NOUN-SUBJECT   REST OF SENTENCE [1]

or

   INTERROGATIVE   NOUN-SUBJECT VERB -   PRONOUN-   REST OF SENTENCE
     WORD   SUBJECT

or

INTERROGATIVE WORD   *est-ce que*   NOUN-SUBJECT   VERB   REST OF SENTENCE

Où se trouvent les Pyrénées? ⎫
Où les Pyrénées se trouvent-elles? ⎬   Where are the Pyrenees located?
Où *est-ce que* les Pyrénées se trou- ⎪
  vent? ⎭

Quand sortira votre mère? ⎫
Quand votre mère sortira-t-elle? ⎬   When will your mother go out?
Quand *est-ce que* votre mère sor- ⎪
  tira? ⎭

Combien coûte le billet? ⎫
Combien le billet coûte-t-il? ⎬   How much does the ticket cost?
Combien *est-ce que* le billet coûte? ⎭

G. When a sentence with a noun-subject and a direct noun-object begins with
où, quand, comment, quoi, combien, or *quel* modifying a noun, the word order
may be:

   INTERROGATIVE   NOUN-SUBJECT VERB -   PRONOUN-   REST OF SENTENCE
     WORD   SUBJECT

or

   INTERROGATIVE   *est-ce que*   NOUN-SUBJECT   VERB   REST OF SENTENCE
     WORD

---

[1] This form is not used when the rest of the sentence would make it lack rhythm.   The
second form would then be used.

The above word order is always used with *pourquoi* in a sentence with a noun-subject.

Où Pierre trouvera-t-il du papier? Où *est-ce que* Pierre trouvera du papier?	Where will Pierre find some paper?
Quand Marie écrira-t-elle une lettre à son frère? Quand *est-ce que* Marie écrira une lettre à son frère?	When will Mary write a letter to her brother?
A quelle heure cet homme a-t-il pris son billet? A quelle heure *est-ce que* cet homme a pris son billet?	At what time did this man buy his ticket?
Pourquoi cet élève est-il ici? Pourquoi *est-ce que* cet élève est ici?	Why is this pupil here?

H. When the interrogative pronoun-object *qui* is used with a noun-subject, the order is

> *Qui* NOUN-SUBJECT VERB - PRONOUN-SUBJECT REST OF SENTENCE

or

> *Qui* *est-ce que* NOUN-SUBJECT VERB REST OF SENTENCE

Qui le professeur punit-il? *Qui est-ce que* le professeur punit?	Whom does the teacher punish?

I. When the interrogative pronoun-object *que* is used with a noun-subject, the order is

> *Que* VERB NOUN-SUBJECT REST OF SENTENCE

or

> *Qu'est-ce que* NOUN-SUBJECT VERB REST OF SENTENCE

Que fait cet élève? *Qu'est-ce que* cet élève fait?	What is this pupil doing?

(See § 35 C, D.)

88. IL Y A, VOICI, VOILÀ

A. The expression *il y a* (there is, there are) indicates the existence of something.

Il y a une cathédrale à Tours.	*There is* a cathedral at Tours.
Il y a des voitures dans la rue.	*There are* cars in the street.

It has only one form in each tense, but it is used with both singular and plural nouns. Note its forms in other tenses:

IMPERFECT	il y avait	there was, there were
COMPOUND PAST	il y a eu	there was, there were
FUTURE	il y aura	there will be
CONDITIONAL	il y aurait	there would be
SIMPLE PAST	il y eut	there was, there were
PLUPERFECT	il y avait eu, etc.	there had been

387 GRAMMAIRE §90

B. *Voici* [1] (here is, here are) and *voilà* [2] (there is, there are) point out objects. *Voici* indicates objects nearer the speaker; *voilà* points out more distant objects. These words include the verb, which should not be expressed a second time. *Voici* and *voilà* are both singular and plural.

Voici la carte de France.	*Here is* the map of France.
Voilà mon livre.	*There is* my book.

C. Direct object pronouns are placed directly before *voici* and *voilà*.

Voici *mon livre.*	Here is *my book.*
Le voici.	Here *it* is.
Voilà *les journaux.*	There are *the newspapers.*
Les voilà.	There *they* are.
Voilà *du papier.*	There is *some paper.*
En voilà.	There is *some.*

89. FAIRE

A. The causative construction (to have something done) is expressed in French by a combination of the verb *faire* and the infinitive.

Il *fait construire* une maison.	He *has* a house *built.*
L'empereur *fit embellir* Paris.	The emperor *had* Paris *beautified.*

B. The verb *faire* is used with the impersonal subject *il* to indicate the condition of the weather in expressions such as:

il fait froid	it is cold
il fait chaud	it is warm
il fait frais	it is cool
il fait doux	it is mild
il fait beau (temps)	it is good weather
il fait mauvais temps	it is bad weather
il fait du vent	it is windy
il fait sec	it is dry
Quel temps fait-il?	What kind of weather is it?
il fait jour	it is day
il fait nuit	it is night

90. DEVOIR

A. With a noun-object, the verb *devoir* means owe.

Je lui *dois* de l'argent.	I *owe* him some money.

B. With a dependent infinitive the verb *devoir* has numerous translations depending upon the context and the tense in which it is used:

PRESENT	ils doivent partir	{ they must leave { they are to leave
IMPERFECT	ils devaient partir	{ they had to leave { they were to leave

---

[1] *Voici* is made up of *vois* and *ici* (see here).
[2] *Voilà* is made up of *vois* and *là* (see there).

COMPOUND PAST	ils ont dû partir	{ they had to leave { they must have left
SIMPLE PAST	ils durent partir	they had to leave
FUTURE	ils devront partir	they will have to leave
CONDITIONAL	ils devraient partir	{ they should leave { they ought to leave
PAST CONDITIONAL	ils auraient dû partir	{ they should have left { they ought to have left

Note that the present of *devoir* expresses obligation which must be fulfilled, the conditional expresses obligation which may be fulfilled, and the compound past expresses action which had to be or must have been fulfilled.

91. MISCELLANEOUS CONSTRUCTIONS WITH *avoir*

Diverses locutions avec avoir

A. Age is expressed in French with the verb *avoir*.

<blockquote>
Quel âge *avez*-vous? How old are you?
Marie *a* seize ans. Mary is sixteen (years old).
</blockquote>

B. *Avoir* is used in many idiomatic expressions in which the subject is a person:

Elle *a beau* parler; elle ne peut rien faire.	She *speaks in vain*; she cannot do anything.
Nous *avons besoin* d'argent.	We *need* money.
Avez-vous *chaud*?	*Are* you *warm*?
Il *avait envie* de sortir.	He *felt like* going out.
J'*ai mal* à la tête.	I have a headache.
Vous *aurez mal* aux pieds.	Your feet will hurt.
Il *a mal* à la gorge.	He has a sore throat.
Ils *ont eu soif*.	They *were thirsty*.

The most common expressions containing *avoir* and used with a person as the subject are:

avoir beau + *infinitive*	do something in vain
avoir besoin (de)	need
avoir chaud	be hot
avoir envie (de)	feel like
avoir faim	be hungry
avoir froid	be cold
avoir honte	be ashamed
avoir mal	have a pain, hurt
avoir peur (de)	be afraid
avoir raison	be right
avoir soif	be thirsty
avoir sommeil	be sleepy
avoir tort	be wrong

92. TIME – *L'Heure*

A. The days of the week are:

lundi	Monday	vendredi	Friday
mardi	Tuesday	samedi	Saturday
mercredi	Wednesday	dimanche	Sunday
jeudi	Thursday		

B. The months of the year are:

janvier	January	juillet	July
février	February	août	August
mars	March	septembre	September
avril	April	octobre	October
mai	May	novembre	November
juin	June	décembre	December

C. The seasons of the year are:

le printemps	spring
l'été	summer
l'automne	autumn
l'hiver	winter

One says:

au printemps	in spring
en été	in summer
en automne	in autumn
en hiver	in winter

D. The French tell time as follows:

Il est deux heures.	It is two o'clock.
Il est trois heures et quart.	It is quarter after three.
Il est cinq heures et demie.	It is half past five.
Il est sept heures moins le quart.	It is quarter to seven.
Il est neuf heures moins dix.	It is ten minutes to nine.
Il est dix heures quatre.	It is four minutes after ten.
Il est midi.	It is twelve o'clock noon.
Il est minuit.	It is twelve o'clock midnight.
Il est midi et demi.	It is half past twelve (afternoon).
Il est minuit et demi.	It is half past twelve (night).

E. *Demi* agrees in gender with the noun it follows.   It is invariable when it precedes.

une heure et *demie*	half past one or an hour and a half
huit heures et *demie*	half past eight or eight hours and a half
une *demi* heure	a half hour

F. In formal announcements of meetings, timetables, etc., the French use the twenty-four-hour method of telling time, but in current conversation, the twelve-hour method is usually employed.

dix-sept heures trente
cinq heures et demie de l'après-midi } 5:30 P.M.

A.M. and P.M. are not used in French.   One says: *huit heures du matin, trois heures de l'après-midi, neuf heures du soir.*

PRONONCIATION

Remarks on the French Language
Diverses Notions sur la Langue Française

1. THE ALPHABET – *L'Alphabet*

LETTER	NAME	PRONUNCIATION [1]	LETTER	NAME	PRONUNCIATION
a	a	[a]	n	enne	[ɛn]
b	bé	[be]	o	o	[o]
c	cé	[se]	p	pé	[pe]
d	dé	[de]	q	ku	[ky]
e	é	[e] [2]	r	erre	[ɛr]
f	effe	[ɛf]	s	esse	[ɛs]
g	gé	[ʒe]	t	té	[te]
h	ache	[aʃ]	u	u	[y]
i	i	[i]	v	vé	[ve]
j	ji	[ʒi]	w	double vé	[dubləve]
k	ka	[ka]	x	iks	[iks]
l	elle	[ɛl]	y	i grec	[igrɛk]
m	emme	[ɛm]	z	zède	[zɛd]

The letters of the alphabet are the same in French as in English. However, *k* and *w* are used practically only in words of foreign origin. EXAMPLES: le *k*iosque, le *w*agon, le tram*w*ay.

The French alphabet, like the English, is divided into vowels and consonants. The vowels (*voyelles*) are *a, e, i, o, u*, and *y*. All the other letters are consonants (*consonnes*).

There are two types of *h* in French. Both are silent.

A. Mute *h* (h-muet), which causes the word which it begins to be treated as if that word began with the following vowel, thus permitting linking and elision. EXAMPLES: l'*h*abitant, l'*h*iver, l'*h*eure, l'*h*omme, les *h*abitants, les *h*ivers, les *h*eures, les *h*ommes.

B. Aspirate *h* (h-aspiré), which, although silent, prevents either elision or linking of the final letter of the preceding word with the initial vowel of the word beginning with the aspirate *h*. EXAMPLES: le Havre, le hors-d'oeuvre, le héros, les hors-d'oeuvre, les héros.

C. Words beginning with aspirate *h* are usually indicated in the dictionary by an asterisk (*) or by a dagger (†). There is no simple rule for determining

---

[1] Represented in the International Phonetic Alphabet. See page 403. [2] Also called [ə].

391

which type of *h* begins a word, but mute *h* is far more frequent than aspirate *h*.

2. THE ACCENTS – *Les Accents*

In addition to the letters of the alphabet three accents are currently used in French:

A. The accents are:

    1. the acute accent (′) (l'accent aigu), used only over *e*. EXAMPLES: situé, Méditerranée, divisé.

    2. the grave accent (`) (l'accent grave), used on *a, e,* or *u*. EXAMPLES: où, à, très, frontière, problème.

    3. the circumflex accent (^) (l'accent circonflexe), used on *a, e, i, o,* or *u*. EXAMPLES: château, âge, extrême, même, île, Rhône, côte, sûr. It is frequently used to show the disappearance of an *s*. EXAMPLES: forêt (forest), île (isle), hôte (host).

B. The accents do *not* indicate stress in French. They are pronunciation marks. They are used:

    1. to indicate the pronunciation of a vowel. EXAMPLES: *Compare* patte, pâte; mener, école, élève, tête; notre, nôtre.

    2. to distinguish between two words of the same pronunciation but different meaning. EXAMPLES: a (has), à (to); la (the), là (there); ou (or), où (where); sur (on), sûr (sure).

3. OTHER SIGNS – *Des Signes Orthographiques*

Several other signs are used to aid spelling and pronunciation of French words:

A. the cedilla (‚) (la cédille), which is placed under *c* (ç) when followed by *a, o,* or *u* to indicate that it sounds like *s* instead of *k*. EXAMPLES: français, garçon, reçu.

B. the apostrophe (') (l'apostrophe), which indicates the omission of a vowel (see Pr. § 5). EXAMPLES: l'Atlantique, l'ouest, qu'il.

C. the hyphen (-) (le trait d'union), which is used, as in English, to separate parts of a word, and also to connect certain words. (See *Grammaire* § 87) EXAMPLES: Est-il? A-t-il?

D. the diaeresis (¨) (le tréma) shows that the vowel over which it is placed forms an additional syllable. EXAMPLES: naïve, haïr, héroïne, aiguë.

4. PUNCTUATION – *La Ponctuation*

A. The punctuation marks (signes de ponctuation) are:

(.)	le point	(—)	le tiret
(,)	la virgule	(!)	le point d'exclamation
(;)	le point et virgule	(...)	les points de suspension
(:)	les deux points	(« »)	les guillemets
(?)	le point d'interrogation	( )	les parenthèses
(-)	le trait d'union		

B. Two of the most notable differences in punctuation are:

  1. In French no comma is used between the last two words in a series, whereas in English it is usually.

    Nous avons des boeufs, des vaches   We have steers, cows, and sheep.
    et des moutons.

  2. The French use of quotation marks and dashes to indicate direct quotations is different from ours and not completely uniform.

    «Allez-vous à l'école? m'a-t-il   "Are you going to school?" he
    demandé.   asked me.
    — Je ne sais pas.   "I don't know."
    — Quand saurez-vous?»   "When will you know?"

C. The French use capital letters less often than English. Small letters are used:

  1. for *je* (I) in the interior of a sentence;

  2. to begin the days of the week and the months of the year;

    Nous sommes partis *lundi*.   We left MONDAY.
    Il fait chaud en *juillet*.   It is warm in JULY.

  3. to begin adjectives of nationality;

    un fleuve *allemand*; une rue *an-*   a GERMAN river; an ENGLISH
    glaise; la langue *française*   street; the FRENCH language

  4. usually to begin any but the first important word or noun of the title of a work.

    Avez-vous lu *le Livre de mon ami?*   Have you read *The Book of My
        Friend?*

5. ELISION – *Élision*

Elision is the dropping of the final vowel of one word before a following word beginning with a vowel or a mute *h*. Elision is made both in speaking and writing. An apostrophe marks the omission of the vowel. EXAMPLE: l'Atlantique.

The following are the most frequent elisions:

A. The final -*e* of words of one syllable (que, me, je, ne, se, te, etc.) is dropped before words beginning with a vowel or a mute *h*. EXAMPLES: l'est, l'ouest, d'Amérique, m'est, j'ai.

B. The -*a* of *la* is elided before words beginning with a vowel or mute *h*. EXAMPLES: l'Espagne, l'Atlantique.

C. The -*i* is elided only in the combinations *si il* and *si ils* which become *s'il* and *s'ils*.

6. DIVISION OF WORDS INTO SYLLABLES

La Division des Mots en Syllabes

Not many of us are sure where to divide English words into syllables. French words may be divided more easily, because three simple rules may be applied to govern their division. These rules are:

A. A single consonant between vowels always goes with the following vowel. EXAMPLES: Pa-ris, ca-pi-ta-le, di-vi-sé, ci-tez, ma-da-me, pe-ti-te, pla-teau, trou-ver, sé-pa-rez.

B. Two consonants of which the second is *l* or *r*, both belong in the following syllable, as well as combinations pronounced as a single sound, such as *ch*, *gn*, *ill*, *ph*, and *th*. EXAMPLES: pro-blè-me, au-tre, é-troi-te, cé-lè-bre, ca-thé-dra-le, ci-dre, ta-bleau, a-che-ter, mon-ta-gne, Mar-se-ille, tra-va-iller.

C. In other combinations of two consonants, the first goes with the preceding and the second with the following syllable. EXAMPLES: par-tie, tra-ver-ser, con-ti-nent, nom-bre, Bel-gi-que, for-mer, im-por-tant.

It is important that you know how to divide a French word into syllables for the following three reasons:

A. In pronouncing, the French sound the consonants with the following rather than the preceding syllable. Whereas we say: Par-is, the French say: Pa-ris; and whereas we say: ge-og-ra-phy, the French say: gé-o-gra-phie.

B. In determining whether or not a vowel is nasalized, it is necessary to know whether the *m* or *n* goes with the preceding or following syllable. See page 328.

C. In separating words at the end of a line, these rules for syllabication are followed.

Pronunciation – Prononciation

One cannot learn pronunciation of French unless one hears it spoken. Isolated syllables or even whole words when alone do not teach correct pronunciation. One learns most easily and accurately from hearing complete sentences. What follows should be studied and used with these facts in mind.

Whether you speak French like a Frenchman will depend largely upon two factors: (1) your intonation of sentences; (2) your pronunciation of individual sounds.

Since many sounds which are found currently in French do not exist at all in English (u, eu, l) and since many other sounds which resemble each other in the two languages are somewhat different (ou, o, é, etc.), much depends upon making these sounds just as a Frenchman would make them.

If you have ever heard a Frenchman speak English with an accent, you realize that something is wrong; and if you can discover exactly what that Frenchman is doing when speaking your language with an accent, you will have made progress in discovering how to speak his without an accent.

7. INTONATION – *L'Intonation*

Perhaps of greater importance even than the correct pronunciation of the individual sounds is the proper inflection of the word group. Supposing that you heard someone pronounce the sentence on the left with accents as indicated on the right:

It was quickly realized that if the authenticity of this message could be established, the case was proved.	It was quickly real'ized that if the authen''tici'ty of this message' could be es'tablished, the case was proved.

If, in addition to the misaccentuation, the sounds were not exact, you would be hard put even to understand it.

The rising and falling of the voice when reading or speaking is called intonation. In English, each word has an accent. One says: Par'is, intense', etc. In addition, the sentence has an inflection. We might pronounce the sentence: What are you doing? in the following ways: *What* are you doing? What *are* you doing? What are *you* doing? What are you *doing*? In each case a different part of the sentence is stressed, and the meaning is slightly different.

In French, the individual word in a group *does not* have a fixed accent or stress. The stress depends upon the word-group. A few principles of intonation are noted below; the teacher's own pronunciation is, of course, the best example for the pupil to follow.

A. The intonation depends upon word-groups, upon the place of the word-groups in the sentence, and upon the kind of sentence. Take, for example, the expression *vous avez*.

Vous avez beaucoup à faire.	Pronounced in a fairly even tone.
Donnez-moi les livres que *vous avez*.	At the end of a statement, the voice tends to fall.
Donnez-moi les livres que *vous avez*, et je vous dirai s'ils sont bons.	Before a comma, the voice tends to rise.

B. The voice usually rises at a comma, a question mark, or at the end of a word-group in the interior of the sentence. It tends to fall at a semicolon, a colon, or a period.

C. Word-groups depend upon meaning of the sentence as interpreted by the individual pronouncing the sentence.

D. The rhythm of the sentence plays an all-important role in intonation, as it often does in word-order.

E. In any case, avoid putting the accent on the first syllable of a word or upon the syllable which bears the accent in the corresponding English word.

DO NOT SAY:	THE FRENCH SAY:
Je vais trou'ver mon livre.	Je vais trouver' mon livre.
La composi'tion est bonne.	La composition' est bonne.
Regar'dez le tableau.	Regardez' le tableau.

F. Even when the French do place a stress on a given syllable, this stress is not as pronounced as the English accent. The French do not slide over un-accented syllables in order to bring out the stressed syllable. English is staccato; French is melodious.

G. It is true that, for emphasis, the French sometimes misplace the accent. In such cases, they stress the first syllable of words beginning with a consonant and the second syllable of words beginning with a vowel. They may well say: *Re'gardez! Croy'ez-vous!* or *abso'lument! atten'tion!* This displaced accent is known as the *accent d'insistance*. Until you have had considerable French, it is better to avoid this stress.

8. Linking – *Liaison*

The final sounds of words within the same word-group are often linked with following words beginning with a vowel or a mute *h*. This is called linking or *liaison*. No hard and fast rules can be given for linking. It is largely a personal matter. Educated people link more often than uneducated. More linkings are made when reading than when speaking. Linking is made in fewer combinations now than formerly. There are, however, certain places where linking is absolutely necessary, others where it is forbidden, and then a large number of instances in which it is optional.

A. The following *liaisons* are necessary:

1. articles and adjectives with following noun. Examples: les trois olives, un endroit, un petit état, les automobiles, des ennemis, aux origines.

2. the pronoun subject and the verb. Examples: il est, est-il; elle a; nous avons, vous êtes.

3. the auxiliary and the past participle. Examples: ils ont écrit, nous sommes arrivés.

4. the adverb and the word it modifies. Examples: très intéressant, bien aimé, trop élevé, pas en France, plus étroit.

5. the preposition and its noun. Examples: chez eux, après une heure, sans intérêt, sous un banc, en Amérique.

B. The following are *not* linked:

1. *et* and the following word. Example:... et‖il n'a rien fait.

2. a noun-subject and its verb. Example: Les différents pays‖ont de différentes coutumes.

3. a singular noun with a following adjective.[1] Example: un port‖important.

4. groups in which the second word begins with an aspirate *h* or with *onze* or *huit* or *oui*. Examples: les‖héros, les‖onze hommes, les‖huit pays.

5. words not in the same word-group.

9. Methods of Learning Sounds – *Des Méthodes d'Apprendre les Sons*

There are two common methods of learning to pronounce French: imitation of the teacher or the assimilation of certain principles of pronunciation which will enable you to pronounce words without having heard them pronounced before. Both methods should be used.

The question arises as to how to learn how to pronounce a French word you have never seen before. Here again there are two methods: (1) You may learn the value of the various letters and combinations of letters of the French alphabet; (2) You may learn the sounds of the symbols of the International Phonetic Alphabet and look up the pronunciation of the words in the vocabulary or in a pronouncing dictionary. The pronunciation is now presented, first by the letters and combinations of letters of the alphabet, then by the phonetic symbols.

---

[1] In conversation, even plural nouns are not usually linked with following adjectives.

The Pronunciation of the French Letters
La Prononciation des Lettres Françaises

10. THE VOWELS – *Les Voyelles*

Pronounce the English word *made*. Note that you say "m-a-ee-d." The *a* is made up of the sound *a* plus the glide-sound *ee*. French vowels do not have the glide-sound. Their pronunciation is constant, the jaws, lips, and tongue being held in the same position throughout the time required for making the sound. The French would pronounce *made* "m-é-d" which would cause it to sound foreign, for it would be too abrupt. You must pronounce your French vowels without the glide-sound to make them sound truly French.

a

a is written *a* and *â*. It has two common pronunciations.

a is most often pronounced by a sound between the *a* of English *father* and the *a* of English *cat*. EXAMPLES: capitale, partie, traverser, la, madame, plateau, montagne, séparer, grave, allemand, facile, relativement.

a is pronounced somewhat like the *a* in English *father*, (1) usually when it is written *â*, (2) nearly always when it is followed by *s*. EXAMPLES: château, âge, pas, passer, classe, phrase, bas, basse.

e

e is written *é*, *è*, *ê*, and *e*. It has three distinct and common pronunciations. In certain cases, *e* (unaccented) is silent.

é is comparable to the *a* in the English word *ate*. EXAMPLES: situé, divisé, élevé, défendre, défense, étroit, différent, édifice, élégant, intéressant, économe.

è is comparable to *e* in the English word *met*. EXAMPLES: très, frontière, près, célèbre, après, caractère, élève.

ê is comparable to *e* in the English word *met* but is prolonged before certain consonants. EXAMPLES: même, empêcher, extrême.

e has three pronunciations; at times, it is silent.

1. It is pronounced *é*
   a. in final *-er* and *-ez* verb endings. EXAMPLES: traverser, traversez, citer, citez, composer, composez, trouver, trouvez.
   b. in monosyllables ending in *-es*. EXAMPLES: les, ces, des, mes.
   c. in most words ending in *-ier* and in many words ending in *-er*. EXAMPLES: premier, papier, quartier, étranger.
2. It is pronounced *è* in a syllable ending in a pronounced consonant. EXAMPLES: quelle, excellent, commerce, fertile, avec, espagnol, presque, correction.
3. It is known as mute *e* and pronounced something like *e* in the English word *other*.

a. in words of one syllable not followed by a pronounced consonant. EXAMPLES: l*e*, d*e*, qu*e*, m*e*, s*e*, t*e*, c*e*.
b. in most other words in which it is the last letter of any syllable except the last syllable. EXAMPLES: p*e*tit, r*e*garder, d*e*voir, f*e*nêtre, d*e*vant, d*e*bout, r*e*commencer.

e is silent

1. at the end of words of more than one syllable.[1] EXAMPLES: quell*e*, madam*e*, trouv*e*, fleuv*e*, un*e*, capital*e*.
2. when the final syllable ends in an *-es* of which the *-s* is a plural or an *-ent* which is a third person plural present verb-ending. EXAMPLES: quell*es*, mesdam*es*, trouv*ent*, fleuv*es*. These entire endings are silent.
3. when, in other than the first syllable of a word, it is preceded by a single consonant sound and is the final letter in the syllable. EXAMPLES: app*e*ler, all*e*mand, ach*e*ter, mèn*e*rai, él*e*vé, etc.

i

i is written *i* or *î*. It is usually pronounced like the *i* in the English word *police*. EXAMPLES: capitale, partie, situé, continent, divisé, citez, ville, petit, qui, constituer, limité, difficile, limite, il.

Often when *i* is followed by another pronounced vowel, it has the sound of the English *y* in *you*, but is pronounced more rapidly. EXAMPLES: front*i*ère, intér*i*eur, quest*i*on, artific*i*el.

o

o is written *o* and *ô*. It has two pronunciations.
o is most frequently pronounced somewhat like the *o* in English ought. EXAMPLES: nord, former, problème, important, colonie, espagnol, costume, prononciation, historique, encore, occuper, fortifié, joli, produit.

o is pronounced somewhat like the *o* in the English n*o* but without the glide: (a) when written *ô*. EXAMPLES: côte, tôt, côté, plutôt; (b) when *o* is followed by a *z* sound. EXAMPLES: comp*o*ser, exp*o*sition, ch*o*se; (c) when *o* is the final pronounced sound in a word. EXAMPLES: tr*o*p, styl*o*, v*o*s, vét*o*, gr*o*s.

u

u is written *u* and *û*. It has no English equivalent. It is made by rounding the lips as if to pronounce *oo* in *tool*, then, keeping the lips in that position, saying *i* as in *police*. Practice rounding your lips before a mirror and saying the *i* in pol*i*ce. (Compare German *ü*.) EXAMPLES: sud, sur, une, naturel, connu, plus, du, embouchure, sûr.

u, when followed immediately by another vowel, is often pronounced as French *u* very rapidly followed by the full value of the following vowel. EXAMPLES: situé, constitué, Suisse, ensuite.

---

[1] Although *-e* is silent at the end of words, it is considered part of a separate syllable. Thus, we divide *capitale* ca-pi-ta-le. This is important in determining nasal vowels.

11. Vowel Combinations – *Combinaisons de Voyelles*

ou

ou is pronounced something like the English *oo* in *too*, but without the glide described on page 397. Keep this sound pure. The lips are rounded in making the French *ou*. Examples: où, trouver, pour, couler, embouchure, source.

ou when followed by another pronounced vowel usually has the sound of *w* in the English word *west*. Examples: oui, ouest.

ai

ai is most often pronounced like *è*. Examples: pl*ai*ne, milit*ai*re, m*ai*son, m*ai*s, *ai*r, sem*ai*ne, *ai*mer, pl*ai*sait.

ai is pronounced like *é* when it comes at the end of a verb-ending. Examples: j'*ai*, je parler*ai*, je finir*ai*, je trouv*ai*.

ei

ei is usually pronounced like *è*. Examples: r*ei*ne, n*ei*ger, S*ei*ne.

oi

oi is pronounced like a combination of the English *w* and the French *a*. Examples: endr*oi*t, tr*oi*s, étr*oi*t, pourqu*oi*, s*oi*e, r*oi*, r*oi*yaliste,[1] quelquef*oi*s.

eu, oeu

eu, also written *oeu*, has two distinct pronunciations, neither of which occurs in English.

eu and *oeu* are most often pronounced by placing the lips in the position for the French *o* and pronouncing *è*. Examples: intéri*eu*r, fl*eu*ve, plusi*eu*rs, l*eu*rs, b*eu*rre, h*eu*re, err*eu*r, pl*eu*voir, s*oeu*r, c*oeu*r, b*oeu*f.

eu and *oeu* as final sounds in a word or before a final *z* sound are pronounced by placing the lips in the position for *ó* and pronouncing *é*. The sound approaches that of *e* in the English word *other*. It is not very different from the French mute *e* in l*e*. Examples: d*eu*x, b*oeu*fs, nombr*eu*x, nombr*eu*se, p*eu*, séri*eu*x, bl*eu*.

au, eau

au and *eau* are usually pronounced like *ó*. Examples: aussi, au, plateau, aujourd'hui, automne, faute, haut, gauche, nouveau, bateau, pauvre.

au followed by *r* is usually pronounced as the French *o*. Example: aura.

-ill-, *vowel* + -il, *vowel* + -ille

The combination *-ill-* is pronounced as French *i* + *y* (as in English *you*). Examples: fille, famille. But the combination *-ill-* is pronounced as French *il* in *ville, mille, tranquille*, and their derivatives, such as *village, million, tranquillité*. It is also so pronounced at the beginning of words. Example: illustrer.

---

[1] y is equivalent to *ii*. Thus *royaliste = roiialiste.*

The vowels + final -*il* and the vowels + -*ill*- are pronounced as a combination of the vowel in question + *y* (as in English *you*). EXAMPLES: trava*il*, trava*ille*, déta*il*, bata*ille*, Marse*ille*, conse*il*, appare*il*, conse*iller*, sole*il*, oe*il*.

12. THE NASAL VOWELS – *Les Voyelles Nasales*

In the English words *sing, sang, song, sink, sank, sunk*, the *n*'s are not pronounced as *n* but rather combined with the preceding vowels. This is called nasalization.

In French, any vowel followed by *m* or *n* in the same syllable, is influenced by the *m* or *n* in such a way as to issue partly from the nose instead of entirely from the mouth. In these combinations the *m* and the *n* are not pronounced. There are no English equivalents for the French nasal vowels.

There is no nasalization (a) when the *m* or *n* following a vowel do not belong to the same syllable; (b) when *m* or *n* are doubled.

Turn back to page 393, § 6 and review syllabication for a complete understanding of when a vowel is nasalized.

Con-ti-n*ent*, n*om*-bre, *im*-por-t*ant*, *em*-bou-chu-re; ma-de-moi-sel-le, li-mi-te, en-ne-mi (*no nasal here because of double* n).

am, an, em, en *in the same syllable*

Each of the above nasals has the same pronunciation.
EXAMPLES: d*ans*, gr*and*, import*ant*, c*en*tre, contin*ent*, déf*en*dre, *en*, excell*ent*, relativem*ent*.

im, in, aim, ain, eim, ein, *and* (i)en *in the same syllable*

All of these combinations are pronounced in the same way.
EXAMPLES: *im*portant, *in*térieur, prov*in*ce, cert*ain*, m*ain*, p*ein*tre, bi*en*, ri*en*, jard*in*.

om, on *in the same syllable*

EXAMPLES: n*om*bre, c*om*poser, c*on*tinent, nati*on*, s*ont*, fr*on*tière, m*on*tagne, c*on*stituer, questi*on*.

um, un *in the same syllable*

These combinations are both pronounced in the same way.
EXAMPLES: *un*, l*un*di, chac*un*.

oin

This combination is pronounced as a combination of the English *w* + French nasalized *in*.
EXAMPLES: m*oin*s, c*oin*, s*oin*, l*oin*, bes*oin*, p*oin*t.

13. THE CONSONANTS – *Les Consonnes*

Most consonants are more nearly alike in French and English than are the vowels. The following consonants require special attention:

c is pronounced:

    1. like English *k* before *a*, *o*, and *u*, and at the end of words. EXAMPLES: capitale, continent, constituer, connu.

    2. like English *s* in *sit* before *e*, *i*, and *y*. EXAMPLES: centre, citez, facile, difficile, effacer.

To soften the *c* before *a*, *o*, and *u* place a cedilla (ͮ) under the *c* (ç). EXAMPLES: garçon, façade, français.

g is pronounced:

    1. like English *g* in *got* before *a*, *o*, *u*, or a consonant. EXAMPLES: grand, grave, magasin.

    2. like English *s* in *pleasure* before *e*, *i*, and *y*. EXAMPLES: large, région, étranger.

To soften the *g* before *a*, *o*, and *u*, insert an *e* between the *g* and the vowel. EXAMPLES: mangeons, chargeais.

h: see page 319.

j is pronounced like the English *s* in *pleasure*. EXAMPLES: jette, aujourd'hui, joli, jeune, déjà, jour, jusqu'à, je.

l constitutes a special difficulty, since it does not correspond to the English *l*. It approaches initial *l* in *leap*. Imitate your teacher's *l*, and avoid making the *l* of the English word *bell*. EXAMPLES: capitale, les, quelle, ville, il, elle, facile.

q is always followed by *u* except when final. *q* and *qu* are ordinarily pronounced as *k*. EXAMPLES: quelle, qui, que, presque, marque, historique, politique, pittoresque, quelque.

r has no English equivalent. There are two common French *r*'s: the trilled *r*, made by lightly trilling with the tip of the tongue, and the uvular *r*, made by vibrations of the uvula. While the uvular *r* sounds more French to the foreigner, the trilled *r* is acceptable and used by a large number of Frenchmen, although decreasingly in Paris and among younger people. It is, however, easier for foreigners to use.

s has two distinct pronunciations.

    1. that of English *s* in *sit* in all cases except when it comes between two vowels. EXAMPLES: situé, traverser, sud, séparer.

    2. that of English *z* in *zero* when it comes between two vowels. EXAMPLES: composer, division, rose.

w is found chiefly in foreign words. It is most often pronounced like the English *v*, although some Frenchmen pronounce it like English *w*. EXAMPLES: tramway, wagon.

x has four sounds:

    1. *ks* usually in words resembling English words where *x* has the same pronunciation. EXAMPLES: excellent, excepté, expérience, expliquer, extrême, exprès.

    2. *gz* usually in words resembling English words where *x* has the same pronunciation. EXAMPLES: examen, examiner, exact, exagérer, exemple, exercice, exister.

3. *s* in *soixante* and in *six* and *dix* when not used to modify a noun.
4. *z* in *deux*, *six*, and *dix* when linked to a following word beginning with a vowel or a mute *h*, in *dix-huit*, *dix-neuf*, *deuxième*, *sixième*, *dixième*, and in words ending in -*x* when linked to a following word.

14. CONSONANT COMBINATIONS – *Les Combinaisons de Consonnes*

cc: Pronounced like *k* before *a*, *o*, and *u*, and like *ks* before *e*, *i*, and *y*. EXAMPLES: accabler, accord, accuser, accent, accès, accident.

ch: Pronounced like English *ch* in *machine*. Occasionally it is pronounced like *k*. EXAMPLES: architecture, empêcher, château, chef, charme, choisir, marcher.

gn: Pronounced like English *ny* in ca*ny*on. EXAMPLES: montagne, champagne.

ph: Pronounced like English *f*. EXAMPLES: géographie, phrase, pharmacie.

qu: Pronounced like English *k*. EXAMPLES: quelle, qui, que, presque, marqué.

ti, not initial, is often pronounced like English *see*. EXAMPLES: nation, diplomatie.

th: Pronounced like French *t*. EXAMPLES: théoriquement, thé.

15. FINAL CONSONANTS – *Les Consonnes Finales*

Final consonants are often silent in French.

1. -*s* and -*es* as a mark of the plural are usually silent. EXAMPLES: nations, fleuves.
2. -*ent* of verb-endings is always silent. EXAMPLES: traversent, forment, coulent.
3. The consonants in the expression "*be careful*," i.e., *b*, *c*, *r*, *f*, and *l* are often pronounced when they are final, as is final -*ct*. EXAMPLES: avec, oeuf, fer, quel, direct.
4. -*c* is sounded except after nasals. EXAMPLES: *Silent*: banc, blanc.
5. -*r* is sounded in words of one syllable, but is silent except in a few nouns and adjectives of more than one syllable. EXAMPLES: *Pronounced*: mer, pour, hiver. *Silent*: étranger, parler.

Pronunciation by Phonetic Symbols
La Prononciation par les Symboles Phonétiques

To represent the pronunciation of various languages, an international phonetic alphabet has been devised. The French language contains thirty-seven sounds, represented by thirty-seven symbols of this phonetic alphabet. Most of these symbols correspond to letters of the English alphabet. Only where one letter of our alphabet represents several sounds does this alphabet use a different symbol. The phonetic alphabet, with examples taken from early lessons of the book, is:

Symbol	Example		Symbol	Example	
1. a	c*a*pit*a*l	[kapital]	20. o	p*o*se	[poz]
2. ɑ	*â*ge	[aʒ]	21. ɔ	n*o*rd	[nɔr]
3. ã	d*an*s	[dã]	22. õ	nati*on*	[nasjõ]
4. b	ha*b*itant	[abitã]	23. φ	p*eu*	[pφ]
5. d	*d*e	[də]	24. œ	intéri*eu*r	[ɛ̃terjœr]
6. e	*é*lev*é*	[elve]	25. œ̃	*un*	[œ̃]
7. ɛ	tr*è*s	[trɛ]	26. p	*p*artie	[parti]
8. ɛ̃	*in*térieur	[ɛ̃terjœr]	27. r	pa*r*tie	[parti]
9. ə	p*e*tit	[pəti]	28. s	*s*itué	[sitɥe]
10. f	*f*ort	[fɔr]	29. ʃ	*ch*âteau	[ʃato]
11. g	*g*rand	[grã]	30. t	*t*raverse	[travɛrs]
12. h	a*h*a!	[a(h)a]	31. u	tr*ou*ve	[truv]
13. i	cap*i*tale	[kapital]	32. w	*ou*est	[wɛst]
14. j	front*i*ère	[frõtjɛr]	33. v	tra*v*erse	[travɛrs]
15. k	*c*apitale	[kapital]	34. y	s*u*d	[syd]
16. l	capita*l*e	[kapital]	35. ɥ	sit*u*é	[sitɥe]
17. m	*m*ada*m*e	[madam]	36. z	compo*s*e	[kõpoz]
18. n	*n*ation	[nasjõ]	37. ʒ	*j*eter	[ʒəte]
19. ɲ	monta*gn*e	[mõtaɲ]			

16. The Vowels – *Les Voyelles*

Pronounce the English word *made*. Note that you say "m-a-ee-d" [meid]. The *a* is made up of the sound [e] plus the glide-sound [i]. French vowels do not have the glide-sound. Their pronunciation is constant, the jaws, lips, and tongue being held in the same position throughout the time required for making the sound. The French would pronounce *made* [med], which would cause it to sound foreign, for it would be too abrupt. You must pronounce your French vowels in this way to make them sound truly French.

a

a is most often pronounced by a sound between the *a* of f*a*ther and the *a* of c*a*t.

capitale	[kapital]	la	[la]
traverse	[travɛrs]	grave	[grav]
facile	[fasil]	allemand	[almã]
madame	[madam]	relativement	[rəlativmã]
montagne	[mõtaɲ]	séparer	[separe]

ɑ

ɑ is pronounced somewhat like the *a* in f*a*ther. It is represented in French by *â* and often by *a* followed by *s*.

château	[ʃato]	pas	[pɑ]	passer	[pɑse]	phrase	[frɑz]
âge	[aʒ]	bas	[bɑ]	classe	[klɑs]	basse	[bɑs]

e

e is comparable to the *a* in the English word *ate*.
This sound is represented in French in various ways:

1. by *é*;

situé	[sitɥe]	divisé	[divize]
élevé	[elve]	défendre	[defãdr]
élégant	[elegã]	édifice	[edifis]
défense	[defãs]	intéressant	[ẽteresã]
étroit	[etrwɑ]	différent	[diferã]
économe	[ekɔnɔm]	modéré	[mɔdere]

2. by -*er* and -*ez* in verb-endings;

traverser	[travɛrse]	citer	[site]
traversez	[travɛrse]	citez	[site]
composer	[kɔ̃poze]	trouver	[truve]
composez	[kɔ̃poze]	trouvez	[truve]

3. in monosyllables by final -*es*;
les [le] ces [se] des [de] mes [me]

4. In most words ending in -*ier* and in many words ending in -*er*;
premier [prəmje] papier [papje] quartier [kartje] étranger [etrãʒe]

5. by *ai* at the end of verbs.
j'ai [ʒe] je parlerai [ʒəparləre] je finirai [ʒəfinire] je trouvai [ʒətruve]

ɛ

ɛ is comparable to the *e* in the English word m*e*t.
This sound is represented in French by:

1. *è*;

très	[trɛ]	après	[aprɛ]	célèbre	[selɛbr]	caractère	[karaktɛr]
près	[prɛ]	élève	[elɛv]	frontière	[frɔ̃tjɛr]	sévère	[sevɛr]
pièce	[pjɛs]	crème	[krɛm]	matière	[matjɛr]	troisième	[trwazjɛm]

2. *ê*;
même [mɛm] empêcher [ãpɛʃe] extrême [ɛkstrɛm] conquete [kɔ̃kɛt]

3. *e* in a syllable ending in a pronounced consonant;

quelle	[kɛl]	fertile	[fɛrtil]
excellent	[ɛksɛlã]	avec	[avɛk]
commerce	[kɔmɛrs]	espagnol	[ɛspaɲɔl]
presque	[prɛsk]	celtique	[sɛltik]
correction	[kɔrɛksjɔ̃]	fermenté	[fɛrmãte]
pittoresque	[pitɔrɛsk]	question	[kɛstjɔ̃]

4. *ai* except at the end of verbs.

plaine	[plɛn]	maison	[mɛzɔ̃]	mais	[mɛ]	aime	[ɛm]
militaire	[militɛr]	semaine	[səmɛn]	air	[ɛr]	plaisait	[plɛzɛ]

ə

ə is pronounced something like the *e* in the English word oth*e*r. This sound is represented in French by *e*

1. in words of one syllable not followed by a pronounced consonant;

    le [lə]   de [də]   que [kə]   me [mə]   se [sə]   te [tə]   ce [sə]

2. in most other words in which it is the final letter of the syllable (except the last syllable, where it is silent).

petit	[pəti]	devoir	[dəvwar]
regarder	[rəgarde]	fenêtre	[fənɛtr]
devant	[dəvā]	recommencer	[rəkɔmāse]
debout	[dəbu]	gouvernement	[guvɛrnəmā]

i

i is pronounced like *i* in the English word *police*. It is represented in French by *i* and *î*.

capitale	[kapital]	continent	[kɔ̄tinā]	ville	[vil]	constituer	[kɔ̄stitɥe]
partie	[parti]	divisé	[divize]	petit	[pəti]	limite	[limit]
situé	[sitɥe]	citez	[site]	qui	[ki]	difficile	[difisil]
il	[il]	limité	[limite]	île	[il]	corrige	[kɔriʒ]

o

o is pronounced like *o* in the English word *no* but without the glide. It is represented in French in several ways.

1. *ó*

    côte [kot]   tôt [to]   côté [kote]   plutôt [plyto]

2. *o* followed by a *ʒ* sound

    composer [kɔ̄poze]   exposition [ɛkspozisjɔ̄]   chose [ʃoz]   poser [poze]

3. *o* when it is the final pronounced sound in a word.

trop [tro]   stylo [stilo]   vos [vo]   veto [veto]   gros [gro]

ɔ

ɔ is pronounced somewhat as *o* in English *ought*. It is represented by *o* in French in most cases where *o* is not pronounced [o].

nord	[nɔrd]	important	[ɛ̄pɔrtā]	costume	[kɔstym]
former	[fɔrme]	colonie	[kɔlɔni]	prononciation	[prɔnɔ̄sjasjɔ̄]
problème	[prɔblɛm]	espagnol	[ɛspaɲɔl]	historique	[istɔrik]
encore	[ākɔr]	occuper	[ɔkype]	fortifié	[fɔrtifje]
joli	[ʒɔli]	produit	[prɔdɥi]	professeur	[prɔfɛsœr]

u

u is pronounced something like the English *oo* in *too* but without the glide. The sound is made by rounding the lips. Be sure that the sound is pure. [u] is expressed by *ou* in French.

où	[u]	trouver	[truve]	pour	[pur]
couler	[kule]	embouchure	[ābuʃyr]	source	[surs]

y

y has no English equivalent. Round your lips (before a mirror) as if to pronounce [u]. Keep your lips in that position but say [i]. That produces the sound [y]. [y] is represented by *u* in French.

sud	[syd]	une	[yn]	naturel	[natyrɛl]	du	[dy]
sur	[syr]	connu	[kɔny]	plus	[ply]	embouchure	[ābuʃyr]

φ

φ is pronounced by placing the lips in the position for [o] and pronouncing [e]. This sound does not exist in English, but it approaches the *e* in other. It is represented in French by *eu* and *oeu* final, before a silent letter, or before a *z* sound.

deux	[dφ]	nombreux	[nɔ̃brφ]	peu	[pφ]	sérieux	[serjφ]	veut	[vφ]
boeufs	[bφ]	nombreuse	[nɔ̃brφz]	bleu	[blφ]	sérieuse	[serjφz]	peut	[pφ]

œ

œ is pronounced by placing the lips in the position for [ɔ] and pronouncing [ɛ]. This sound does not exist in English. It is represented in French by *eu* or *oeu* except in the cases explained under φ.

intérieur	[ɛ̃terjœr]	plusieurs	[plyzjœr]	beurre	[bœr]	erreur	[erœr]
fleuve	[flœv]	leurs	[lœr]	heure	[œr]	soeur	[sœr]
coeur	[kœr]	pleuvoir	[plœvwar]	boeuf	[bœf]	peuvent	[pœv]

17. THE NASAL VOWELS – *Les Voyelles Nasales*

In the English words *sing, sang, song, sink, sunk*, the *n*'s are not pronounced as *n* but rather combined with the preceding vowels. This is called nasalization.

In French, any vowel followed by *m* or *n* in the same syllable, is influenced by the *m* or *n* in such a way as to issue partly from the nose instead of entirely from the mouth. In these combinations the *m* and the *n* are not pronounced. There are no English equivalents for the French nasal vowels. There is no nasalization (*a*) when the *m* or *n* following a vowel do not belong to the same syllable; (*b*) when *m* or *n* are doubled.

Turn back to page **393**, Pr. § 6 and review syllabication for a complete understanding of when a vowel is nasalized.

Phonetic script uses the tilde (˜) over ɑ, ɛ, ɔ, and œ to indicate the nasal vowels.

ɑ̃

ɑ̃ is represented in French by *am, an, em,* or *en* in the same syllable.

dans	[dɑ̃]	important	[ɛ̃pɔrtɑ̃]	centre	[sɑ̃tr]
grand	[grɑ̃]	continent	[kɔ̃tinɑ̃]	défendre	[defɑ̃dr]
en	[ɑ̃]	excellent	[ɛksɛlɑ̃]	relativement	[rɛlativmɑ̃]

ɛ̃

ɛ̃ is represented in French by *im, in, aim, ain, eim, ein,* or by *en* after *i* in the same syllable.

important	[ɛ̃pɔrtɑ̃]	certain	[sɛrtɛ̃]	bien	[bjɛ̃]
intérieur	[ɛ̃terjœr]	main	[mɛ̃]	rien	[rjɛ̃]
province	[prɔvɛ̃s]	peintre	[pɛ̃tr]	jardin	[ʒardɛ̃]

ɔ̃

ɔ̃ is represented in French by *om* or *on* in the same syllable.

nombre	[nɔ̃br]	nation	[nɑsjɔ̃]	montagne	[mɔ̃taɲ]
composer	[kɔ̃poze]	sont	[sɔ̃]	constituer	[kɔ̃stitɥe]
continent	[kɔ̃tinɑ̃]	frontière	[frɔ̃tjɛr]	question	[kɛstjɔ̃]

œ

œ is represented in French by *um* or *un* in the same syllable.

un [œ̃]   lundi [lœ̃di]   chacun [ʃakœ̃]

18. The Semi-Vowels – *Les semi-voyelles*

j

j is pronounced like *y* in English *you*. It is represented in French by *i* followed by another pronounced vowel and by *y*.

frontière [frɔ̃tjɛr]	question [kɛstjɔ̃]	payer [pɛje]
intérieur [ɛ̃terjœr]	artificiel [artifisjɛl]	voyez [vwaje]

j is also represented by *-ill-*, by final *-il* preceded by a vowel, and by *-ill-* preceded by a vowel.

fille	[fij]	travail	[travaj]	Marseille	[marsɛj]
famille	[famij]	détail	[detaj]	conseil	[kɔ̃sɛj]
travaille .	[travaj]	bataille	[batɑj]	conseiller	[kɔ̃sɛje]
appareil	[aparɛj]	soleil	[sɔlɛj]	oeil	[œj]

But in *ville, mille, tranquille*, and their derivatives, and at the beginning of words, *-ill-* is pronounced [il].

ville	[vil]	village	[vilaʒ]	illustrer	[ilystre]
mille	[mil]	million	[miljɔ̃]	illisible	[ilizibl]
tranquille	[trɑ̃kil]	tranquillité	[trɑ̃kilite]	illuminer	[ilymine]

w

w is pronounced like the *w* in the English word *west*. It is represented in French by *ou* followed directly by a pronounced vowel.

oui [wi]   ouest [wɛst]

w also makes up a part of the pronunciation of the digraph *oi*. It is pronounced *wa* and *wɑ*.

endroit [ɑ̃drwa]	étroit	[etrwa]	soie [swa]	quelquefois [kɛlkəfwa]
trois	[trwɑ]	pourquoi [purkwa]	roi [rwa]	royaliste	[rwajalist]

ɥ

ɥ is pronounced like *y*. It is represented in French by the letter *u* followed by another pronounced vowel.

situé [sitɥe]   constitué [kɔ̃stitɥe]   suisse [sɥis]   ensuite [ɑ̃sɥit]

19. The Consonants – *Les Consonnes*

French consonants are more apt to resemble English consonants than French vowels English vowels. The following consonants require special attention:

f is represented in French both by *f* and by *ph*.

frontière [frɔ̃tjɛr]   géographie [ʒeɔgrafi]   phrase [frɑz]   pharmacie [farmasi]

g is represented in French by *g* followed by *a, o,* and *u,* and by the combination *gu* followed by *e* or *i*. It is pronounced as English *g* in got.

grand [grā] grave [grav] magasin [magazɛ̃] guerre [gɛr] guide [gid]

h: see page 391, § 1 A, B.

k is represented in French by *c* followed by *a, o,* and *u,* by final *q,* and by *qu* followed by a vowel.

capitale	[kapital]	constituer	[kɔ̃stitɥe]		connu	[kɔny]
continent	[kɔ̃tinā]	commerce	[kɔmɛrs]		quelle	[kɛl]
historique	[istɔrik]	politique	[pɔlitik]		quelque	[kɛlkə]
qui	[ki]	marqué	[marke]		kiosque	[kjɔsk]
que	[kə]	presque	[prɛsk]		coq	[kɔk]

l constitutes a special difficulty, since it does not correspond to the English *l*. It approaches initial *l* in *leap*. Imitate your teacher's *l*, and avoid making the *l* [ł] of the English word *bell* [bɛł].

capitale	[kapital]	ville	[vil]	facile	[fasil]
quelle	[kɛl]	elle	[ɛl]	il	[il]

ɲ is represented in French by *gn*. It is pronounced like *ny* in the English word ca*ny*on.

montagne [mɔ̃taɲ] champagne [ʃɑ̃paɲ]

r has no English equivalent. There are two common French r's: the trilled *r,* made by lightly trilling with the tip of the tongue; and the uvular *r,* made by vibrations of the uvula. While the uvular *r* sounds more French to the foreigner, the trilled *r* is acceptable and used by a large number of Frenchmen, although decreasingly in Paris and among younger people. It is, however, easier for foreigners to use.

s is pronounced like the *s* in the English word *sit*. It is represented in French by *s,* except when between vowels, and by *c* followed by *e* or *i,* and by *ç*. It is represented by *ss* between vowels.

situé	[sitɥe]	séparer	[separe]	facile	[fasil]	façade	[fasad]
traverser	[travɛrse]	centre	[sātr]	difficile	[difisil]	garçon	[garsɔ̃]
sud	[syd]	citez	[site]	commerce	[kɔmɛrs]	français	[frāsɛ]

ʃ is pronounced as *ch* in ma*ch*ine. It is represented in French by *ch*.

architecture [arʃitɛktyr] château [ʃato] charme [ʃarm] marcher [marʃe]
empêcher [āpeʃe] chef [ʃef] choisir [ʃwazir]

z is pronounced as the *z* of the English *zero*. It is represented by *z,* and by *s* between vowels.

gaz [gɑz] composer [kɔ̃poze] division [divizjɔ̃] rose [roz]

ʒ is pronounced like the English *s* in plea*s*ure. It is represented in French by *j* and by *g* followed by *e* and *i*.

jette [ʒet] jeune [ʒœn] déjà [deʒa] je [ʒə] région [reʒjɔ̃]
joli [ʒɔli] jour [ʒur] jusqu'à [ʒyska] large [larʒ] étranger [etrāʒe]

Quelques mots difficiles
Common Difficult Words

Here is a list of concepts which often cause difficulty to students who are learning French. The list is alphabetized by the italicized keyword. It is not sufficient to learn the sentence given; you should understand the principle behind the sentence.

Instructors will find the list helpful in grading compositions. "Type errors" can be indicated by the number of the sentence in the list. When a student mistranslates "*I am looking for the book*," for instance, the instructor can refer the student to the proper form by writing "49" in the margin of the composition.

1. Paul has *about* ten books.
2. Paul will see Louise at *about* three o'clock.
3. Paul writes a story *about* (*concerning*) his trip.
4. Paul gives *advice* to Louise.
5. Paul leaves *after* [1] Louise has spoken.
6. Paul will leave *after* [1] he speaks.
7. Paul writes to Louise *again*.

8. Paul does *not* write to Louise *again*.
9. Paul sees Louise *again*.
10. Paul *agrees* with Louise.
11. Paul and Louise *agree* on the importance of French.
12. Paul walks *along* the Seine.
13. Paul *answers* the question.
14. Paul *approaches* Louise.
15. Paul *asks Louise for a book*.
16. Paul *asks her for a book*.
17. Paul *asks Louise a question*.
18. Paul admires Louise *because* she is intelligent.
19. Paul admires Louise *because of* her intelligence.
20. Paul leaves *before* [2] Louise is ready.

1. Paul a dix livres *environ*.
2. Paul verra Louise *vers* trois heures.
3. Paul écrit une histoire *sur* son voyage.
4. Paul donne *des conseils* à Louise.
5. Paul part *après que* [1] Louise a parlé.
6. Paul partira *après avoir* [1] parlé.
7. Paul écrit *encore une fois* à Louise.
   Paul écrit *de nouveau* à Louise.
8. Paul *n*'écrit *plus* à Louise.
9. Paul *revoit* Louise.
10. Paul *est d'accord* avec Louise.
11. Paul et Louise *sont d'accord* sur l'importance du français.
12. Paul se promène *le long de* la Seine.
13. Paul *répond à* la question.
14. Paul *s'approche de* Louise.
15. Paul *demande un livre à Louise*.
16. Paul *lui demande un livre*.
17. Paul *pose une question à Louise*.
18. Paul admire Louise *parce qu*'elle est intelligente.
19. Paul admire Louise *à cause de* son intelligence.
20. Paul part *avant que* [2] Louise soit prête.

---

[1] Page 350, note 1   [2] Page 355, § 76 G

21. Paul leaves *before* [1] he has finished his work.	21. Paul part *avant de* [1] finir son travail.
22. All come *but (except)* Paul.	22. Tous viennent *sauf* Paul. Tous viennent *à part* Paul.
23. Paul sees *but* [2] *(only)* two books.	23. Paul *ne* voit *que* [2] deux livres.
24. Paul *enters* the store.	24. Paul *entre dans* le magasin.
25. Paul has *everything* Louise brought back from France.	25. Paul a *tout ce que* Louise a rapporté de France.
26. Paul *feels* good.	26. Paul *se sent* bien.
27. Paul sings *for* Louise.	27. Paul chante *pour* Louise.
28. Paul sings, *for (because)* he is happy.	28. Paul chante, *car* il est heureux.
29. Paul sang *for* [3] an hour.	29. Paul a chanté *pendant* [3] une heure.
30. Paul has been singing *for* [4] an hour.	30. Paul chante *depuis* [4] une heure. *Voilà* une heure *que* Paul chante. *Il y a* une heure *que* Paul chante.
31. Paul *goes up to his room.*	31. Paul *monte dans sa chambre.*
32. *He is* [5] an intelligent young man.	32. *C'est* [5] un jeune homme intelligent.
33. Paul *hears of* Louise.	33. Paul *entend parler de* Louise.
34. *In the* morning Paul gets up and *in the* evening he goes to bed.	34. *Le* matin Paul se lève et *le* soir il se couche.
35. Paul *intends* to go to France.	35. Paul *pense* aller en France. Paul a *l'intention d'*aller en France. Paul *compte* aller en France.
36. Paul *is interested in* music.	36. Paul *s'intéresse à* la musique.
37. Paul *introduces* Robert to Louise.	37. Paul *présente* Robert à Louise.
38. Paul hears *a knock* at the door.	38. Paul entend *frapper* à la porte.
39. Paul *knows how to* swim.	39. Paul *sait* nager.
40. Paul *lacks* books.	40. Paul *manque de* livres. Les livres *manquent à* Paul.
41. Paul *laughs at* Louise.	41. Paul *rit de* Louise.
42. Paul *leaves* the book on the table.	42. Paul *laisse* le livre sur la table.
43. Paul *leaves* [6] the house.	43. Paul *sort* [6] *de* la maison. Paul *quitte* la maison. Paul *part* [6] *de* la maison.
44. Paul *leaves* [6] France.	44. Paul *part* [6] de France. Paul *quitte* la France.
45. Paul *leaves for* [7] France.	45. Paul *part pour* [7] la France.
46. Paul *listens to* Louise.	46. Paul *écoute* Louise.
47. Paul reads *a long time.*	47. Paul lit *longtemps.*
48. Paul *looks at* Louise.	48. Paul *regarde* Louise.
49. Paul *looks for* Louise.	49. Paul *cherche* Louise.
50. Paul *makes* [8] Louise *happy.*	50. Paul *rend* [8] Louise *heureuse.*
51. Paul *marries.* Paul *gets married.*	51. Paul *se marie.*

---

[1] Page 350, note 1, § 76 G   [2] § 21 F 4   [3] Page 337, note 3   [4] § 45 B   [5] § 34 C 1.
[6] The verb *sortir* is used to express the idea of *going out of* a place often for a short time only. The verb *partir* expresses the idea of *leaving* in a more general way. When there is a place indicated, *sortir* and *partir* are followed by *de*. The verb *quitter* means *to leave* and must be followed by a direct object.
[7] One also hears *Paul part en France.* This is considered less correct.
[8] The formula *rendre* + ADJECTIVE is regularly used in such sentences.

52. Paul *marries* Louise.

52. Paul *se marie avec* Louise. Paul *épouse* Louise.

53. Paul *means* that Louise has arrived.

53. Paul *veut dire* que Louise est arrivée.

54. Paul left *the next day.*

54. Paul est parti *le lendemain.* Paul est parti *le jour suivant.*

55. Paul left *the next morning.*

55. Paul est parti *le lendemain matin.* Paul est parti *le matin suivant.*

56. Louise *obeys* Paul.

56. Louise *obéit* à Paul.

57. Paul is *on the other side* of the street.

57. Paul est *de l'autre côté* de la rue.

58. Paul is *on*[1] Dupont *Street,* Louise is *on*[1] Durand *Avenue,* and Robert is *on*[1] Saint-Michel *Boulevard.*

58. Paul est *dans*[1] *la rue* Dupont, Louise est *dans*[1] *l'avenue* Durand et Robert est *sur*[1] *le boulevard* Saint-Michel.

59. Paul is *on* the train.

59. Paul est *dans* le train.

60. Some talk English, *others* talk French.

60. Quelques-uns parlent anglais, *d'autres* parlent français.

61. Paul looks for a *piece* of chalk.

61. Paul cherche un *morceau* de craie.

62. Paul looks for a *piece* of paper.

62. Paul cherche une *feuille* de papier.

63. There is the *place*[2] where Paul lives.

63. Voilà l'*endroit*[2] où Paul habite.

64. Paul *plays*[3] tennis and chess.

64. Paul *joue au*[3] tennis et *aux* échecs.

65. Paul *plays*[3] the violin and the piano.

65. Paul *joue du*[3] violon et *du* piano.

66. Paul is *rather* tired.

66. Paul est *assez* fatigué.

67. Paul would fail *rather* than study.

67. Paul échouerait *plutôt* que de travailler.

68. Paul would *rather* go to France.

68. Paul *aimerait mieux* aller en France.

69. Paul *resembles* his father.

69. Paul *ressemble à* son père.

70. Paul *returns (comes back)* here in the afternoon.

70. Paul *revient* ici l'après-midi.

71. Paul *returns (goes back)* to Paris.

71. Paul *retourne* à Paris.

72. Paul *returns (gives back)* the book.

72. Paul *rend* le livre.

73. Paul *is sitting (seated)* behind us.

73. Paul *est assis* derrière nous.

74. Paul *is sitting down (seating himself).*

74. Paul *s'assoit (s'assied).*

75. Paul *spends* a great deal of money.

75. Paul *dépense* beaucoup d'argent.

76. Paul *spends* a week in Paris.

76. Paul *passe* huit jours à Paris.

77. Paul *spends*[4] an hour *writing.*

77. Paul *passe*[4] une heure *à écrire.*

78. Paul *should*[5] *(ought to)* go to France.

78. Paul *devrait*[5] aller en France.

79. Paul is working, *since (because)* he needs money.

79. Paul travaille, *puisqu'*il a besoin d'argent.

80. Paul has been working *since*[6] yesterday.

80. Paul travaille *depuis*[6] hier.

81. Paul *takes* a book from the table.

81. Paul *prend* un livre sur la table.

82. Paul *takes* a book to Louise.

82. Paul *apporte* un livre à Louise.

83. Paul *takes* Louise to the movies.

83. Paul *mène (conduit)* Louise au cinéma.

84. Paul *takes* a walk.

84. Paul *fait* une promenade.

---

[1] In French, one is DANS *la rue,* DANS (or SUR) *l'avenue,* SUR *le boulevard,* and SUR *la place.*

[2] The English word PLACE is regularly expressed by *endroit.* The French word *place* indicates a place in a theater or train or a public square.

[3] One says *jouer à* a game, *jouer de* a musical instrument.

[4] The French regularly use à + *infinitive* after *passer* in this construction.

[5] The conditional of the verb *devoir* must be used to express *should* or *ought to* in this sense. See § 90 B.

[6] Compare with sentence 30 and with § 45 B.

85. Paul *takes* a course.
86. Paul *takes* an examination.
87. Paul *takes* two hours to do his work.
88.[1] Paul *tells* Louise *to* speak to him.
89.[1] Paul *tells* her *to* speak.
90.[2] Paul *thinks of* Louise.
91.[2] What *does* Paul *think of* Louise?
92. Paul has *time* to read.
93. Paul knocked three *times*.
94. What *time* is it?
95. Paul reads at a *time* when he has nothing else to do.
96. Paul goes *to*[3] his friend's.
97.[4] Paul goes *to* Paris, *to* Spain, *to* Canada and *to* old Mexico.
98. Paul *visits* Paris.
99. Paul *visits* Louise.

100. Paul *waits for* Louise.
101.[5] Paul *wants Louise to read*.
102. Paul leaves *when* Louise arrives.
103. Paul leaves the day *when*[6] Louise arrives.
104. Paul reads *while* Louise is talking to her mother.
105. Paul works *while* (on the other hand) Louise plays.
106. Paul goes out *with* Louise.
107. The table is covered *with*[7] books.
108. Paul speaks *with*[8] a gentle voice.
109. Paul is a boy *with*[9] dark hair.
110. Paul *would play*[10] if he had the time.
111. Paul *would play*[10] (*used to play*) every day.
112. The *young men*[11] speak French.
113. The doctor is the most important *character* in that play.

85. Paul *suit* un cours.
86. Paul *passe* un examen.
87. Paul *met* deux heures à faire son travail.
88.[1] Paul *dit* à Louise *de* lui parler.
89.[1] Paul *lui dit de* parler.
90.[2] Paul *pense à* Louise.
91.[2] Que *pense* Paul *de* Louise?
92. Paul a le *temps* de lire.
93. Paul a frappé trois *fois*.
94. Quelle *heure* est-il?
95. Paul lit à un *moment* où il n'a rien d'autre à faire.
96. Paul va *chez*[3] son ami.
97.[4] Paul va *à* Paris, *en* Espagne, *au* Canada et *dans le* vieux Mexique.
98. Paul *visite* Paris.
99. Paul *fait une visite à* Louise. Paul *rend visite à* Louise.

100. Paul *attend* Louise.
101.[5] Paul *veut que Louise lise*.
102. Paul *part quand* Louise arrive.
103. Paul *part le jour où*[6] Louise arrive.
104. Paul lit *pendant que* Louise parle avec sa mère.
105. Paul travaille *tandis que* Louise joue.
106. Paul sort *avec* Louise.
107. La table est couverte *de*[7] livres.
108. Paul parle *d'*[8] une voix douce.
109. Paul est un garçon *aux*[9] cheveux bruns.
110. Paul *jouerait*[10] s'il avait le temps.
111. Paul *jouait*[10] tous les jours.
112. Les *jeunes gens*[11] parlent français.
113. Le médecin est le *personnage* le plus important de cette pièce.

---

[1] Note both the construction of the sentence and the difference in use of *dire* and *parler*.
[2] Distinguish between *penser à* (to think of) and *penser de* (to have an opinion of).
[3] § 39 F
[4] § 39 A, B, C, D
[5] Note this construction. See § 76 A.
[6] § 36 E
[7] In cases such as this, the verb or adjective in question is always followed by *de*.
[8] Here *de* expresses manner.
[9] Here *à* introduces a phrase of characteristic.
[10] The English *would* has two distinct meanings: one to indicate a condition, in which case the conditional is used if it is in the conclusion of a condition; the other to indicate habitual action, in which case the imperfect is used.
[11] The plural of *le jeune homme* is regularly *les jeunes gens*.

114. His mother has a rather gentle character.

114. Sa mère a le *caractère* assez doux.

115. Those *people* don't work very often.

115. Ces *gens* ne travaillent pas souvent.

116. There will be many *people* there.

116. Il y aura beaucoup de *monde*. Il y aura *du monde*.

117. The *people* revolted.

117. Le *peuple* se révolta.

118. Paul rented a *room*.[1]

118. Paul a loué une *chambre*.[1]

119. Paul has a house with eight *rooms*.

119. Paul a une maison de huit *pièces*.

120. Can you find a *room* for the meeting?

120. Pouvez-vous trouver une *salle* pour la réunion?

121. Paul receives the visitors in the *living-room*.

121. Paul reçoit les visiteurs dans le *salon*.

122. Paul *has a good time*.

122. Paul *s'amuse*. Paul *se distrait*.

---

[1] The word *chambre* usually means BEDROOM.

VOCABULAIRE
ANGLAIS-FRANÇAIS

A

a *un, une*

able, be *pouvoir* (§ 86, no. 26)

about (concerning) *sur;* (in expressions of time) *vers*

acquainted, be *connaître* (§ 86, no. 7);
  get — *connaître* (§ 86, no. 7)

act *agir*

address *adresse* (*f.*)

admire *admirer*

afraid, be *avoir peur* (§ 83, no. 8)

Africa *Afrique* (*f.*)

after *après*

afternoon *après-midi* (*m.* or *f.*)

Ages, Middle *moyen âge* (*m.*)

airmail, by *par avion*

airplane *avion* (*m.*)

all *tout, toute, tous, toutes*

Albert *Albert*

ally *allié* (*m.*)

along *le long de*
  — side of *à côté de*

aloud *à haute voix*

Alps *Alpes* (*f.*)

already *déjà*

although *bien que, quoique* (+ subjunctive)

always *toujours*

am *suis*

ambassador *ambassadeur* (*m.*)

American (noun) *Américain;* (adj.)
  américain

Anatole *Anatole*

ancient *ancien, ancienne*

and *et*

announce *annoncer* (§ 82 A)

another *un autre, une autre*

answer *répondre* (*à* + noun)

any *du, de la, de l', des* (§ 5); *quelque;*
  en (§ 27)

any more, not *plus* (§ 21 F 2)

appeal *appel* (*m.*)

appearance *aspect* (*m.*)

apple *pomme* (*f.*)

April *avril* (*m.*)

architecture *architecture* (*f.*)

are *sont*

armistice *armistice* (*m.*)

army *armée* (*f.*)

around *autour de*

arrive *arriver*

Arts College *la Faculté des Lettres*

as *comme*
  — far — *autant que*

— much — *autant que*
— soon — *dès que, aussitôt que*
— well — *aussi bien que*
ask   *demander*
   — for something from someone *demander quelque chose à quelqu'un*
   — a question *poser une question*
assembly   *assemblée (f.)*
   National — *Assemblée Nationale*
at   *à;* (with place names, *see* § 39)
   — about *vers*
   — home *chez moi, chez vous, etc.* (§ 39 F); *à la maison*
   — least *au moins*
   — present *à présent, actuellement*
Atlantic   *Atlantique (m.)*
attack   *attaquer*
attend   *assister (à + noun)*
aunt   *tante (f.)*
author   *auteur (m.)*
auto   *voiture (f.), auto (f.), automobile (f.)*
autumn   *automne (m. or f.)*
avenue   *avenue (f.)*
awaken   *se réveiller*
away, far   *loin*

B

bad   *mauvais*
   it is — weather *il fait mauvais temps*
   it is too — *c'est dommage*
bank   *banque (f.)*
bathe   *se baigner*
Baton Rouge   *Bâton-Rouge (m.)*
battle   *bataille (f.)*
be   *être* (§ 83, no. 9)
   — able *pouvoir* (§ 86, no. 26)
   — afraid of *avoir peur* (§ 83, no. 8)
   — better *valoir mieux* (§ 86, no. 33)
   — born *naître* (§ 86, no. 21)
   — sorry *regretter, être désolé*
   — worth *valoir* (§ 86, no. 33)
beach   *plage (f.)*
beautiful   *beau, bel, belle* (§ 9 G)
beauty   *beauté (f.)*
because   *parce que* (+ independent clause); *à cause* (*de* + noun or pron.)
become   *devenir* (§ 86, no. 34)

bed, go to   *se coucher*
beer   *bière (f.)*
before (time) *avant* (+ noun or pron.), *avant de* (+ inf.) (p. 350, note 1), *avant que* (+ clause in subjunctive); (place) *devant*
beg   *prier* (+ noun object + *de* + inf.)
begin   *commencer* (*à* + inf.)
beginning   *commencement (m.)*
Belgium   *Belgique (f.)*
believe   *croire* (§ 76 H, § 86, no. 10)
belong   *appartenir* (§ 86, no. 31)
best   (adj.) *meilleur;* (adv.) *mieux*
   — known *mieux connu*
better   (adj.) *meilleur;* (adv.) *mieux*
   be — *valoir mieux* (§ 86, no. 33)
between   *entre*
bicycle   *bicyclette (f.)*
bill   *addition (f.)*
blind   *aveugle*
blue   *bleu*
board   *tableau (m.)*
   black — *tableau noir*
boarding house   *pension (de famille) (f.)*
book   *livre (m.)*
Bordeaux   *Bordeaux (m.)*
border   *limiter*
border   *frontière (f.)*
born, be   *naître* (§ 86, no. 21)
bottle   *bouteille (f.)*
boulevard   *boulevard (m.)*
boy   *garçon (m.)*
bread   *pain (m.)*
breakfast   *petit déjeuner (m.)*
Brest   *Brest (m.)*
Breton   *Breton (m.)*
bridge   *pont (m.)*
bring   (a thing) *apporter;* (a person) *mener* (§ 82 D), *amener* (§ 82 D), *conduire* (§ 86, no. 6)
Brittany   *Bretagne (f.)*
brother   *frère (m.)*
build   *construire* (§ 86, no. 6)
building   *édifice (m.), bâtiment (m.)*
burn   *brûler*
bus   *autobus (m.)*
but   *mais*
butter   *beurre (m.)*

buy *acheter* (§ 82 D)
by *par, de* (§ 80 C)

C

café *café* (*m.*)
Calais *Calais* (*m.*)
call *appeler* (§ 82 F)
  be — ed *s'appeler*
  telephone — *coup de téléphone* (*m.*)
  — together *convoquer*
can *pouvoir* (§ 86, no. 26)
Canada *Canada* (*m.*)
Cannes *Cannes* (*m.*)
capital *capitale* (*f.*)
car *voiture* (*f.*), *auto* (*f.*), *automobile* (*f.*)
carry *porter*
  — on one's studies *faire ses études*
  (§ 86, no. 15)
castle *château* (*m.*)
cathedral *cathédrale* (*f.*)
cause *cause* (*f.*)
century *siècle* (*m.*)
certain *certain*
chair *chaise* (*f.*)
Channel, English *Manche* (*f.*)
character *caractère* (*m.*)
Charles *Charles*
chat *causer*
cheese *fromage* (*m.*)
child *enfant* (*m.* or *f.*)
China *Chine* (*f.*)
choose *choisir*
Christmas *Noël* (*m.*)
cider *cidre* (*m.*)
cigarette *cigarette* (*f.*)
citizen *citoyen* (*m.*)
city *ville* (*f.*)
class *classe* (*f.*)
classroom *la salle de classe* (p. 81, note °)
Claude *Claude*
clean *nettoyer* (§ 82 C)
clerk *employé* (*m.*)
clothes *vêtement* (*m.*)
cloudy, it is *le ciel est couvert*
coast *côte* (*f.*)
cold *froid*
  be — (referring to a person) *avoir froid* (§ 83, no. 8); (referring to

weather) *faire froid* (§ 86, no. 15)
College, Arts *la Faculté des Lettres* (*f.*)
colony *colonie* (*f.*)
colorful *coloré*
column *colonne* (*f.*)
come *venir* (§ 86, no. 34)
  — back *revenir* (§ 86, no. 34)
common *répandu*
compartment *compartiment* (*m.*)
completely *complètement, tout à fait*
composed, be *se composer* (*de* + noun)
concerning *sur*
conclude *conclure* (pp *conclu*)
conductor *contrôleur* (*m.*)
conquer *conquérir* (§ 86, no. 1)
consider *considérer* (*comme* + adj. or noun)
constitute *constituer*
constitution *constitution* (*f.*)
construct *construire* (§ 86, no. 6)
contagious *contagieux, contagieuse*
contain *contenir* (§ 86, no. 31)
continue *continuer* (*à* + inf.)
cool *frais, fraîche*
  it is — *il fait frais* (§ 86, no. 15)
correct *corriger* (§ 82 B)
correspond *correspondre*
costume *costume* (*m.*)
country (nation) *pays* (*m.*); (opposite of city) *campagne* (*f.*)
course (in school) *cours* (*m.*); (of a meal) *plat* (*m.*)
  take a — *suivre un cours*
courtyard *cour* (*f.*)
cousin *cousin* (*m.*)
cover *couvrir* (§ 86, no. 22)
cow *vache* (*f.*)
cream *crème* (*f.*)
cross *traverser*
curious *curieux, curieuse*
custom *coutume* (*f.*)

D

date *dater*
date *date* (*f.*)
daughter *fille* (*f.*)
David *David*
day *jour* (*m.*), *journée* (*f.*)
deaf *sourd*

deal, a great *beaucoup*
decide *décider* (*de* + inf.), *se décider*
   (*à* + inf.)
declare *déclarer*
de Gaulle *de Gaulle*
demand *réclamer*
Denise *Denise*
Denmark *Danemark* (*m.*)
dentist *dentiste* (*m.*)
department *département* (*m.*)
deport *déporter*
deputy *député* (*m.*)
describe *décrire* (§ 86, no. 13)
desk (teacher's) *bureau* (*m.*), (pupil's)
   pupitre (*m.*)
destroy *détruire* (§ 86, no. 6)
detail *détail* (*m.*)
dictation *dictée* (*f.*)
difference *différence* (*f.*)
different *différent*
difficult *difficile*
dine *dîner*
dinner *dîner* (*m.*)
discuss *discuter*, *parler* (*de* + noun)
discussion *discussion* (*f.*)
disease *maladie* (*f.*)
divided *divisé*
do *faire* (§ 86, no. 15)
doctor *médecin* (*m.*)
dollar *dollar* (*m.*)
door *porte* (*f.*)
Dorothy *Dorothée*
dream *rêver*
dress oneself *s'habiller*
during *pendant*

E

each *chaque*
  — other *se* (§ 25 B)
ear *oreille* (*f.*)
earlier *plus tôt*
early *de bonne heure*, *tôt*
easily *facilement*
east *est* (*m.*)
easy *facile*
eat *manger* (§ 82 B)
edition *édition* (*f.*)
Edward *Edouard*
eighteenth *dix-huitième*

eight *huit*
eighty *quatre-vingts*
electricity *électricité* (*f.*)
elegant *élégant*
emperor *empereur* (*m.*)
employe *employé* (*m.*)
empty *se jeter* (§ 82 F)
empty *vide*
end *fin* (*f.*)
  put an — to *mettre fin à* (§ 86, no. 19)
England *Angleterre* (*f.*)
English (noun) *Anglais;* (adj.) *anglais*
  — Channel *Manche* (*f.*)
  — language *anglais* (*m.*)
enough *assez*
enter *entrer* (*dans* + noun) (§ 83, no.6)
erase *effacer* (§ 82 A)
Europe *Europe* (*f.*)
evening *soir* (*m.*), *soirée* (*f.*)
every *tout*
  — day *tous les jours*
  — morning *tous les matins*
evidently *évidemment*
excellent *excellent*
except *excepté*, *sauf*
exhausted *épuisé*
exercise *devoir* (*m.*)
exist *exister*
experiment *expérience* (*f.*)
explain *expliquer*
explanation *explication* (*f.*)
explore *explorer*
export *exporter*
eye (sing.) *œil;* (pl.) *yeux* (*m.*)

F

factory *usine* (*f.*)
false *faux, fausse*
family *famille* (*f.*)
famous *célèbre*
far *loin*
  as — as *autant que*
  — away *loin*
father *père* (*m.*)
fear *avoir peur* (§ 83, no. 8), *craindre*
  (§ 86, no. 9)
February *février* (*m.*)
feel *sentir* (2), *se sentir*
  — good *se sentir bien*

— like *avoir envie* (*de* + inf.)
(§ 83, no. 8)
few *peu* (*de* + noun)
fifth *cinquième*
fifty *cinquante*
fill *remplir*
finally *enfin*
find *trouver*
finish *finir* (§ 83, no. 2)
fire *feu* (*m.*)
first *premier, première*
fireplace *cheminée* (*f.*)
fisherman *pêcheur* (*m.*)
fleet *flotte* (*f.*)
floor *étage* (*m.*)
ground — *rez-de-chaussée* (*m.*)
second — *premier étage*
flow *couler*
flower *fleur* (*f.*)
football *football* (*m.*)
for *pour; depuis; pendant; car* (p. 410,
nos. 27–30)
force *forcer* (*à* + inf.), *obliger* (*à* +
inf.)¹
foreign *étranger, étrangère*
foreigner *étranger* (*m.*)
forest *forêt* (*f.*)
forget *oublier*
form *former*
former *celui-là, etc.* (§ 32 D)
found, be *se trouver*
fountain pen *stylo* (*m.*)
four *quatre*
fourteen *quatorze*
franc *franc* (*m.*)
France *France* (*f.*)
Francis *François*
French (noun) *Français;* (adj.) *français*
— language *français* (*m.*)
Frenchman *Français* (*m.*)
fried *frit*
French — potatoes (*pommes de terre*)
frites (*f.*)
friend *ami* (*m.*), *amie* (*f.*)
from *de* (§ 40)
front, in — of *devant*
fruit *fruit* (*m.*)
full *plein*

furnish *fournir*
furniture *meubles* (*m. pl.*)

G

game *jeu* (*m.*); *match* (*m.*), *partie* (*f.*)
Olympic — s *Jeux Olympiques* (*m.
pl.*)
garden *jardin* (*m.*)
Garonne *Garonne* (*f.*)
gather *se réunir*
Gaulle, de *de Gaulle*
general *général* (*m.*)
geography *géographie* (*f.*)
George *Georges*
Gerard *Gérard*
German (noun) *Allemand;* (adj.)
allemand
Germany *Allemagne* (*f.*)
get (become) *devenir* (§ 86, no. 34);
(obtain) *obtenir* (§ 86, no. 31)
— acquainted *connaître* (§ 86, no.7),
faire la connaissance (*de* + noun)
(§ 86, no. 15)
— off *descendre*
— on *monter*
— a ticket *prendre un billet* (§ 86,
no. 27)
— up *se lever* (§ 82 D)
gift *cadeau* (*m.*)
girl *jeune fille* (*f.*)
give *donner*
glad *content, heureux, heureuse*
go *aller* (§ 86, no. 2), *se diriger* (§ 82B)
— back *retourner*
— to bed *se coucher*
— home *rentrer*
— off *s'en aller* (§ 86, no. 2)
— out *sortir* (2)
gold *or* (*m.*)
golf *golf* (*m.*)
good *bon, bonne*
It is — weather *il fait beau* (§ 86,
no. 15)
grammar *grammaire* (*f.*)
great *grand*
— deal *beaucoup*
— many *beaucoup*
green *vert*

¹ But *être forcé* (*de* + inf.), *être obligé* (*de* + inf.)

H

half (noun) *moitié* (*f.*); (adj.) *demi* (§ 92 E)
— past . . . . . . *et demie* (§ 92 D)
hall *corridor* (*m.*)
hand *remettre* (§ 86, no. 19)
happy *heureux, heureuse*
hard *difficile*
have *avoir* (§ 83, no. 8)
— something written *faire écrire quelque chose* (causative construction, § 89 A)
he *il; lui* (§ 26 B)
— who *celui qui*
headache *mal de tête* (*m.*)
have a — *avoir mal à la tête* (§ 83, no. 8)
hear *entendre*
heavy *lourd*
Helen *Hélène*
help *aider*
Henry *Henri*
her (pron.) *la, elle, lui;* (adj.) *son, sa, ses*
here *ici*
hesitate *hésiter*
high *élevé, *haut*
him (direct object) *le;* (indirect object) *lui;* (with prep.) *lui*
his (adj.) *son, sa, ses;* (pron.) *le sien, la sienne, etc.*
history *histoire* (*f.*)
French — *histoire de France*
Hitler *Hitler*
holiday *fête* (*f.*)
home, at *à la maison, chez moi, chez lui, etc.* (§ 39 F)
hope *espérer* (§ 82 E)
hot *chaud*
be — (referring to a person) *avoir chaud* (§ 83, no. 8); (referring to weather) *faire chaud* (§ 86, no. 15)
hotel *hôtel* (*m.*)
hour *heure* (*f.*)
house *maison* (*f.*)
how *comment*
— long *depuis quand; combien de temps*
— many *combien* (*de* + noun)
— much *combien* (*de* + noun)
— old is he? *Quel âge a-t-il?*
human *humain*
hundred *cent*
hungry, be *avoir faim* (§ 83, no. 8)
husband *mari* (*m.*)

I

I *je; moi* (§ 26 B)
idea *idée* (*f.*)
if *si*
immediately *immédiatement, tout de suite*
important *important*
in *dans, en, à* (§ 39); *de* (§ 12 D)
— advance *d'avance*
— front of *devant*
influence *influencer* (§ 82 A)
inhabitant *habitant* (*m.*)
instead of *au lieu de*
intend *avoir l'intention* (*de* + inf.) (§ 83, no. 8)
interest *intérêt* (*m.*)
interest oneself in, be interested in *s'intéresser* (*à* + noun; *à* + inf.); *être intéressé* (*par* + noun)
interesting *intéressant*
interior *intérieur* (*m.*)
into *dans, en*
invade *envahir*
invasion *invasion* (*f.*)
is *est*
it (subject) *il, elle;* (direct object) *le, la*
Italy *Italie* (*f.*)
its *son, sa, ses*

J

Jack *Jacques*
January *janvier* (*m.*)
Japan *Japon* (*m.*)
Jeanne *Jeanne*
joke *plaisanter*
July *juillet* (*m.*)

K

king *roi* (*m.*)
knapsack *sac* (*m.*)
know *savoir* (§ 86, no. 29); *connaître*

(§ 86, no. 7)
— how *savoir*
known *connu*

L

lack *manquer*
language *langue* (f.)
large *grand*
last *dernier, dernière*
late (not early) *tard;* (not on time)
 en retard
Latin *latin* (m.)
latter *celui-ci, etc.* (§ 32 D)
launch *lancer* (§ 82 A)
law (general) *droit* (m.); (specific)
 loi (f.)
— School *la Faculté de Droit*
learn *apprendre* (*à* + inf.) (§ 86, no.
 27)
leave (something somewhere) *laisser;*
 (a place) *quitter; partir* (*de* + noun)
 (2); *sortir* (*de* + noun) (2) (p. 126,
 note **; p. 410, nos. 42–45).
lecture *conférence* (f.)
left *gauche* (f.)
 to the — *à gauche*
less *moins*
lesson *leçon* (f.)
let us (verb stem) + *-ons* (§ 72 L)
letter *lettre* (f.)
Lewis *Louis*
library *bibliothèque* (f.)
life *vie* (f.)
like *aimer*
 feel — *avoir envie* (*de* + inf.) (§ 83,
 no. 8)
limit *limiter*
listen *écouter*
 — to *écouter* (+ noun)
little (adj.) *petit;* (adv.) *peu*
live *habiter* (+ noun, or, *à* + noun,
 or, *dans* + noun) (p. 47, note 1);
 vivre (§ 86, no. 35)
lively *vif, vive*
located, be *se trouver*
Loire *Loire* (f.)
London *Londres* (m.)
long *long, longue*
 how — *depuis quand*
 in the — run *à la longue*

a — time *longtemps*
longer (time) *plus longtemps;* (distance) *plus long*
 no — *ne . . . plus* (§ 21 F 2)
look at *regarder* (+ noun)
look for *chercher* (+ noun)
lose *perdre* (§ 83, no. 3)
Louis *Louis*
Louis XIV *Louis XIV*
Louise *Louise*
Louisiana *Louisiane* (f.)
low *bas, basse*
 in a — voice *à voix basse*
Luxembourg *Luxembourg* (m.)
Lyons *Lyon* (m.)

M

Madeleine *Madeleine*
Madrid *Madrid* (m.)
mail *mettre à la poste* (§ 86, no. 19)
mail *courrier* (m.)
mailbox *boîte aux lettres* (f.)
main *principal*
majority *plupart* (f.) (§ 5 C 1 a)
man *homme* (m.)
 old — *vieillard* (m.)
many *beaucoup* (*de* + noun)
 how — *combien* (*de* + noun)
 too — *trop* (*de* + noun)
map (of a country, state) *carte* (f.);
 (of a city) *plan* (m.)
— of France *carte de France*
March *mars* (m.)
Marie *Marie*
Mary *Marie*
marry *épouser* (+ noun), *se marier*
 (*avec* + noun) (pp. 410–411, nos. 51–
 52)
Marseilles *Marseille* (f.)
match *allumette* (f.)
mathematics *mathématiques* (f. pl.)
Mathilda *Mathilde*
Maurice *Maurice*
may *pouvoir* (§ 86, no. 2C)
May *mai* (m.)
me *me, moi*
meal *repas* (m.)
medical school *la Faculté de Médecine*
Mediterranean *Méditerranée* (f.)

meet   *se réunir*
menu   *carte* (f.), *menu* (m.)
method   *méthode* (f.)
Michel   *Michel*
middle   *milieu* (m.)
  — Ages   *moyen âge* (m.)
mild   *doux, douce*
  it is —, the weather is —   *il fait
  doux* (§ 86, no. 15)
milk   *lait* (m.)
mine   *le mien, la mienne, etc.*
mistake   *faute* (f.), *erreur* (f.)
modern (language)   *(langue) vivante*
  (f.)
money   *argent* (m.)
money order   *mandat-poste* (m.)
month   *mois* (m.)
monument   *monument* (m.)
more   *plus*
morning   *matin* (m.)
  the next —   *le lendemain matin*
most   *plupart* (f.) (§ 5 C 1 a)
mother   *mère* (f.)
mountain   *montagne* (f.)
  Rocky —s   *montagnes Rocheuses* (f.)
mouth   (of a river) *embouchure* (f.)
movie   *cinéma* (m.)
much   *beaucoup* (de + noun)
  as — as   *autant que*
  too —   *trop* (de + noun)
music   *musique* (f.)
must   *devoir* (§ 86, no. 11, § 90 B);
  falloir (§ 86, no. 16)
  he —   *il doit; il faut qu'il* (+ subjunctive)
my   *mon, ma, mes*

N

name   *nommer*
name   *nom* (m.)
Nantes   *Nantes*
Napoleon   *Napoléon*
nation   *nation* (f.)
national   *national*
  —Assembly   *Assemblée Nationale* (f.)
  —Street   *rue Nationale* (f.)
near   *près* (de + noun)
necessary   *nécessaire*

  it is —   *il faut, il est nécessaire*
need   *avoir besoin* (de + noun) (§ 83,
  no. 8)
neither . . . nor   *ni . . . ni* (§ 21 H)
neutrality   *neutralité* (f.)
never   *jamais, ne . . . jamais* (§ 21 F 2)
new   *nouveau, nouvel, nouvelle* (§ 9 G)
news   *nouvelle* (f.)
newspaper   *journal* (m.)
next   *prochain; suivant* (p. 411, nos.
  54-55)
  — morning   *le lendemain matin*
Nice   *Nice*
night   *nuit* (f.)
  last —   *cette nuit*
  — club   *boîte de nuit* (f.)
nine   *neuf*
ninety-three   *quatre-vingt-treize*
no longer   *plus, ne . . . plus* (§ 21 F 2)
no one   *personne; ne . . . personne* (§ 21
  F 3)
non-aggression   *non-agression*
noon   *midi* (m.)
Normandy   *Normandie* (f.)
north   *nord* (m.)
North Africa   *Afrique du Nord* (f.)
nose   *nez* (m.)
not   *ne . . . pas, pas* (§ 21)
notebook   *cahier* (m.)
nothing   *rien, ne . . . rien* (§ 21 F 3)
notice   *remarquer, s'apercevoir* (de +
  noun) (§ 83, no. 5)
novel   *roman* (m.)
number   *nombre* (m.)
numerous   *nombreux, nombreuse*

O

obey   *obéir*
oblige   *obliger* (à + verb)
  be —ed   *être obligé* (de + verb)
obtain   *obtenir* (§ 86, no. 31)
occupy   *occuper*
o'clock   *heure(s)* (§ 92 D)
of   *de* (§ 38 B)
offer   *offrir* (§ 86, no. 22)
office   *bureau* (m.)
  post —   *poste* (f.), *bureau de poste* (m.)
often   *souvent*

old *ancien, ancienne; vieux, vieil, vieux*
 (§ 9 G)
 How — are you? *Quel âge avez-vous?*
 I am twenty years — *J'ai vingt ans.*
 — man *vieillard (m.)*
Olympic Games *Jeux Olympiques (m.)*
on *sur; à; dans*
one *un, une; on* (§ 37 A)
only (adj.) *seul;* (adv.) *seulement,*
 ne . . . que (§ 21 F 4)
open *ouvrir* (§ 86, no. 22)
opportunity *occasion (f.)*
orange *orange (f.)*
order (in a restaurant) *commander*
 in — to *pour, afin de* (+ inf.)
 in — that *pour que, afin que* (+
 subjunctive)
organization *organisation (f.)*
other *autre*
our *notre, nos*
ours *le nôtre, la nôtre, etc.*
owner *propriétaire (m.)*

P

package *paquet (m.)*
palace *château (m.)*
pardon *pardonner*
parent *parent (m.)*
Paris *Paris (m.)*
part *partie (f.)*
past *passé (m.)*
Pasteur *Pasteur*
Paul *Paul*
pay *payer* (§ 82 C)
pen, fountain *stylo (m.)*
people *gens (m.); peuple (m.)* (p. 413,
 nos. 115–117)
perhaps *peut-être*
period *époque (f.)*
person *personne (f.)*
Peter *Pierre*
Philip *Philippe*
picture *tableau (m.)*
picturesque *pittoresque*
place *endroit (m.)*
platform *quai (m.)*
play *jouer* (*à* + game; *de* + musical
 instrument)
player *joueur (m.)*

poem *poème (m.), poésie (f.)*
Poland *Pologne (f.)*
policeman *gendarme (m.)*
political *politique*
poor *pauvre*
popular *populaire*
Portugal *Portugal (m.)*
possible *possible*
post office *poste (f.), bureau de poste*
 (m.)
potato *pomme de terre (f.)*
power *pouvoir (m.)*
prefect *préfet (m.)*
prefer *préférer* (+ inf.) (§ 82 E)
prepare *préparer, se préparer* (*à* + inf.)
present, at *à présent, actuellement*
president *président (m.)*
prevent *empêcher* (*de* + inf.)
price *prix (m.)*
principal *principal*
prison *prison (f.)*
prisoner *prisonnier (m.)*
probably *probablement*
product *produit (m.)*
professional *professionnel, profession-*
 nelle
program (radio) *programme (m.),*
 émission (f.)
promise *promettre* (*à* + noun, *de* +
 inf.) (§ 86, no. 19)
pronounce *prononcer* (§ 82 A)
pronunciation *prononciation (f.)*
propose *proposer*
provided that *pourvu que, à condition*
 que (+ subjunctive)
province *province (f.)*
Prussia *Prusse (f.)*
public *public, publique*
punish *punir*
pupil *élève (m., f.)*
put *mettre* (§ 86, no. 19)
 — an end to *mettre fin à*

Q

quarter *quartier (m.)*
 Latin — *Quartier latin*
 — to . . . *. . . moins le quart* (§ 92 D)
 — after . . . *. . . et quart* (§ 92 D)

question   *question* (*f.*)
   ask a — *poser une question*

R

radio   *radio* (*f.*); (adj.) *de radio*
railroad station   *gare* (*f.*)
rain   *pleuvoir* (§ 86, no. 25)
rapidly   *rapidement, vite*
read   *lire* (§ 86, no. 18)
receive   *recevoir* (§ 83, no. 5)
recently   *récemment*
recognize   *reconnaître* (§ 86, no. 7)
reconstruct   *reconstruire* (§ 86, no. 6)
refuse   *refuser* (*de* + inf.)
region   *région* (*f.*)
relative   *parent* (*m.*)
remember   *se souvenir* (*de* + noun; *de* + inf.) (§ 86, no. 31); *se rappeler* (+ noun) (§ 82 F)[1]
Renaissance   *Renaissance* (*f.*)
repeat   *répéter* (§ 82 E)
reply   *répondre* (*à* + noun)
representative   *représentant* (*m.*)
republic   *république* (*f.*)
request   *demander*
resist   *résister* (*à* + noun)
respect   *respecter*
rest   *se reposer*
restaurant   *restaurant* (*m.*)
return   (come back) *revenir* (§ 86, no. 34); (go back) *retourner;* (go back home) *rentrer;* (give back) *rendre* (p. 411, nos. 70–72.)
revolution   *révolution* (*f.*)
Rhine   *Rhin* (*m.*)
Rhone   *Rhône* (*m.*)
rice   *riz* (*m.*)
rich   *riche*
Richard   *Richard*
right   *droit;* (the right to do something) *le droit;* (opposite of left) *la droite*
   to be — *avoir raison* (§ 83, no. 8)
   to the — *à droite*
river   *fleuve* (*m.*)
Riviera   *Côte d'Azur* (*f.*)
Robert   *Robert*

Rocky Mountains   *montagnes Rocheuses* (*f.*)
Roger   *Roger*
room   (bedroom) *chambre* (*f.*); (general) *salle* (*f.*), *pièce* (*f.*)
Rouen   *Rouen* (*m.*)
ruin   *ruine* (*f.*)
run   *courir* (§ 86, no. 8)
   in the long — *à la longue*
rush   *se précipiter*
Russia   *Russie* (*f.*)
Russian   (noun) *Russe;* (adj.) *russe*
   — language   *russe* (*m.*)
Ruth   *Ruth*

S

same   *même*
sand   *sable* (*m.*)
Santa Claus   *Père Noël* (*m.*)
Saturday   *samedi* (*m.*)
save   *sauver*
say   *dire* (§ 86, no. 12)
school   *école* (*f.*); (college of a university) *faculté* (*f.*)
   high —   *lycée* (*m.*)
   Law —   *Faculté de Droit*
   Medical —   *Faculté de Médecine*
   to —   *à l'école*
science   *science* (*f.*)
scientist   *savant* (*m.*), *homme de science* (*m.*)
sea   *mer* (*f.*)
   go to —   *aller en mer*
seashore   *bord de la mer* (*m.*)
season   *saison* (*f.*)
seated   *assis*
second   *second, deuxième* (§ 17 C)
   — floor   *premier étage* (*m.*)
see   *voir* (§ 86, no. 36)
seem   *paraître* (§ 86, no. 7)
Seine   *Seine* (*f.*)
seize   *s'emparer* (*de* + noun)
sell   *vendre*
send   *envoyer* (§ 86, no. 14)
sentence   *phrase* (*f.*)
separate   *séparer*
serve   *servir* (2)

---

[1] Because *se rappeler* can be used in only a limited number of situations, it is preferable to use *se souvenir* in all cases.

service *service* (*m.*)
seven *sept*
seventeen *dix-sept*
seventeenth *dix-septième*
seventy-eight *soixante-dix-huit*
seventy-six *soixante-seize*
several *plusieurs*
she *elle*
sheep *mouton* (*m.*)
ship *navire* (*m.*)
shoe *soulier* (*m.*)
should *devoir* (§ 86, no. 11; § 90 B)
show *montrer*
sick *malade*
side *côté* (*m.*)
 along — of *à côté de*
sidewalk *trottoir* (*m.*)
sight *spectacle* (*m.*)
silk *soie* (*f.*)
sister *sœur* (*f.*)
situated *situé*
six *six*
sixteen *seize*
sky *ciel* (*m.*)
skyscraper *gratte-ciel* (*m.*)
sleep *dormir* (2) (§ 83, no. 4)
 go to — *s'endormir* (2)
sleepy, be *avoir sommeil* (§ 83, no. 8)
small *petit*
smell *sentir* (2)
soldier *soldat* (*m.*)
somber *sombre*
some *du, de la, de l', des* (§ 5); *quelque;*
 en (§ 27); *quelques-uns* (pron.)
son *fils* (*m.*)
song *chanson* (*f.*)
soon *bientôt; tôt*
 as — as *dès que, aussitôt que*
sooner *plus tôt*
sorrowful *triste*
sorry, be *regretter, être désolé*
south *sud* (*m.*); *le midi* (*de la France*)
southeast *sud-est* (*m.*)
southwest *sud-ouest* (*m.*)
Spain *Espagne* (*f.*)
Spanish *espagnol*
speak *parler* (§ 83, no. 1)
spend (time) *passer;* (money) *dé-
 penser*

sport *sport* (*m.*)
spread *répandre*
spring *printemps* (*m.*)
St. Louis *Saint-Louis* (*m.*)
stairs *escalier* (*m.*)
stamp *timbre* (*m.*)
stand *se tenir debout* (§ 86, no. 31);
 être debout (§ 83, no. 9)
state *état* (*m.*)
station *gare* (*f.*)
stay *rester*
steak *bifteck* (*m.*)
still *encore*
stop *s'arrêter*
store *magasin* (*m.*)
story *histoire* (*f.*)
Strasbourg *Strasbourg* (*m.*)
street *rue* (*f.*)
student *étudiant* (*m.*); *étudiante* (*f.*)
study *étudier, apprendre* (§ 86, no. 27)
study *étude* (*f.*)
subway *métro* (*m.*)
 — station *station de métro* (*f.*)
succeed *réussir*
summer *été* (*m.*)
Sunday *dimanche* (*m.*)
sure *sûr*
surprise *étonner*
surprised *étonné*
surround *entourer*
Susan *Suzanne*
Sweden *Suède* (*f.*)
sweep *balayer* (§ 82 C)
Switzerland *Suisse* (*f.*)

T

table *table* (*f.*)
take *prendre* (§ 86, no. 27)
 — breakfast *déjeuner*
 — a course *suivre un cours* (§ 86, no.
 30)
 — a person *mener* (§ 82 D); *conduire*
 (§ 86, no. 6) *une personne*
 — a train *prendre un train* (§ 86, no
 27)
 — a trip *faire un voyage* (§ 86, no.
 15)
 — a walk *faire une promenade* (§ 86,
 no. 15); *se promener* (§ 82 D)

talk *parler* (§ 83, no. 1)

tax *impôt* (*m.*)

teacher *professeur* (*m.*)

team *équipe* (*f.*)

telephone *téléphoner; donner un coup de téléphone*

telephone call *coup de téléphone* (*m.*)

tell *dire* (§ 86, no. 12); *raconter*

ten *dix*

tennis *tennis* (*m.*)

territory *territoire* (*m.*)

than *que* (§ 12 B)

thank *remercier* (*de* + inf.; *de* or *pour* + noun)

thanks to *grâce à*

that (adj.) *ce* (§ 14); (pron.) *celui-là, celle-là* (§ 32); *cela* (§ 33); *que; où* (§ 36 E)

— one *celui-là* (§ 32)

the *le, la, l', les*

theater *théâtre* (*m.*)

their *leur, leurs*

theirs *le leur, la leur,* etc.

them (direct object) *les;* (indirect object) *leur;* (with prep.) *eux, elles*

there *y; là* (§ 28)

— is, — are *il y a; voilà* (§ 88)

these (adj.) *ces* (§ 14); (pron.) *ceux-ci, celles-ci* (§ 32)

they *ils, elles; eux* (§ 26 B)

thing *chose* (*f.*)

think *penser* (*à* + noun); *croire* (§ 86, no. 10)

What do you — of him? *Que pensez-vous de lui?*

this (adj.) *ce* (§ 14); (pron.) *celui-ci, celle-ci* (§ 32); *ceci* (§ 33)

Thomas *Thomas*

those (adj.) *ces* (§ 14); (pron.) *ceux-là, celles-là* (§ 32)

thousand *mille*

three *trois*

Thursday *jeudi* (*m.*)

ticket *billet* (*m.*)

get a — *prendre un billet* (§ 86, no. 27)

time *heure* (*f.*); *temps* (*m.*); *fois* (*f.*) (p. 412, nos. 92–95, 122)

a long — *longtemps*

three —s *trois fois*

We have — to do something. *Nous avons le temps de faire quelque chose.*

What time is it? *Quelle heure est-il?*

tired *fatigué*

to *à; en* (§ 39)

— the *au, à la, à l', aux*

today *aujourd'hui*

too *trop*

— bad *dommage*

— many *trop*

— much *trop*

together *ensemble*

tourist *touriste* (*m.*)

Tours *Tours* (*m.*)

toward *vers*

town *ville* (*f.*)

trailer *roulotte* (*f.*)

train *train* (*m.*)

travel *voyager* (§ 82 B)

traveler *voyageur* (*m.*)

treaty *traité* (*m.*)

tree *arbre* (*m.*)

trip *voyage* (*m.*)

take a — *faire un voyage* (§ 86, no. 15)

troop *troupe* (*f.*)

true *vrai*

try *essayer* (§ 82 C)

twelve *douze*

twelfth *douzième*

twenty *vingt*

two *deux*

U

uncle *oncle* (*m.*)

under *sous*

understand *comprendre* (§ 86, no. 27)

unfortunate *malheureux, malheureuse*

unhappy *malheureux, malheureuse*

United States. *États-Unis* (*m.*)

university *université* (*f.*)

unless *à moins que*

unlikely *peu probable*

until *jusqu'à ce que* (+ subjunctive)

up and down *le long (de* + noun)

up to *jusqu'à*

us *nous*

use *se servir (de* + noun) (2)

used to (+ inf.) a form of the imperfect tense (§ 47 A 3)

V

vacation *vacances (f. pl.)*

vague *vague*

vain, in *avoir beau* (§ 83, no. 8)

valley *vallée (f.)*

various *différent, divers*

verb *verbe (m.)*

Versailles *Versailles*

very *très*

— much *beaucoup*

victory *victoire (f.)*

village *village (m.)*

violin *violon (m.)*

visit (a place) *visiter;* (a person) *faire une visite à* (§ 86, no. 15), *rendre visite à* (p. 412, nos. 98–99)

voice *voix (f.)*

in a low — *à voix basse*

vote *voter*

W

wait *attendre*

— for *attendre* (+ noun)

waiter *garçon (m.)*

wake up *se réveiller*

walk *se promener* (§ 82 D); *marcher*

take a — *se promener* (§ 82 D), *faire une promenade* (§ 86, no. 15)

wall *mur (m.), muraille (f.)*

want *vouloir* (§ 86, no. 37)

war *guerre (f.)*

warm *chaud*

be — (referring to a person) *avoir chaud* (§ 83, no. 8) (referring to weather) *faire chaud* (§ 86, no. 15)

watch *montre (f.)*

Waterloo *Waterloo (m.)*

we *nous*

wear *porter*

weather *temps (m.)*

it is good — *il fait beau (temps)* (§ 86, no. 15)

it is bad — *il fait mauvais temps*

Wednesday *mercredi (m.)*

week *semaine (f.)*

well *bien*

well-known *connu*

west *ouest (m.)*

wharf *quai (m.)*

what *que; qu'est-ce qui; qu'est-ce que; quel, quelle; quoi; ce qui, ce que*

whatever *quoi que*

wheat *blé (m.)*

when *quand; où* (§ 36 E)

where *où*

whether *si*

which *qui, que, lequel; quel*

which one *lequel, laquelle*

while *pendant que*

whistle *siffler*

who *qui*

whole *tout, toute, tous, toutes; entier, entière*

whom (interrogative) *qui;* (relative) *que*

whose *dont* (§ 36 D)

why *pourquoi*

wide *large*

wife *femme (f.)*

win *gagner*

window *fenêtre (f.)*

windy, it is *il fait du vent* (§ 86, no. 15)

wine *vin (m.)*

winter *hiver (m.)*

wish *vouloir* (§ 86, no. 37)

with *avec*

withdraw *retirer*

without *sans*

woman *femme (f.)*

woods *bois (m.)*

word *mot (m.); parole (f.)*

work *travailler*

work *travail (m.)*

literary — *œuvre (f.)*

world *monde (m.)*

World War I *guerre de 14 (f.)*

worth, be *valoir* (§ 86, no. 33)

write *écrire* (§ 86, no. 13)
writer *écrivain* (*m.*)
wrong, be *avoir tort* (§ 83, no. 8)

Y

year *an* (*m.*), *année* (*f.*) (p. 60)
yellow *jaune*

yesterday *hier*
yet *encore*
you *vous; on* (§ 37)
young *jeune*
your *votre, vos*
yours *le vôtre, la vôtre, etc.*
youth *jeunesse* (*f.*)
Yvonne *Yvonne*

VOCABULAIRE
FRANÇAIS-ANGLAIS

ABBREVIATIONS:

abbr. abbreviation	*m.* masculine	*pers.* person
adj. adjective	*no.* number	*pres.* present
f. feminine	*p.* page	*pron.* pronoun
fut. future	*pl.* plural	*sing.* singular
inf. infinitive	*pp* past participle	*sp* simple past

§ References to the *Grammaire*   (2) *-ir* verb of second class   (§ 44 C)
* aspirate h (*Prononciation* § 1 E)

Following modern trends of phonetic transcription in elementary texts, the length sign [¦] is omitted.

The reflexive pronoun is omitted in phonetic transcription of reflexive verbs.

A

a [a] (avoir) *has*

à [a] *to, in, at*

— l'étranger $\begin{Bmatrix} in \\ to \end{Bmatrix}$ *a foreign country, abroad*

— la fois *at the same time*

— haute voix *aloud*

— jeudi *until Thursday*

— l'italienne *in the Italian style*

— la mode *in style*

— moins que *unless*

— peine *scarcely*

— pied *on foot*

— présent *at present*

— propos de *in regard to*

— suivre *to be continued*

— son tour *in (his) turn*

— tout à l'heure *until later, "so long"*

— travers *through*

— vie *for life*

— voix basse *in a low voice, in a whisper*

abdiquer [abdike] *abdicate*

abolition [abɔlisjɔ̃] *f. abolition*

d'abord [dabɔr] *first, at first*

aboutir [abutir] *end in*

absolu [apsɔly] *absolute*

absolument [apsɔlymã] *absolutely*

absolutisme [apsɔlytism] *m. absolutism*

absorber [apsɔrbe] *absorb*

abus [aby] *m. abuse*

Acadien [akadjɛ̃] *m. Acadian*

accent [aksã] *m. accent*

accepter [aksɛpte] *accept*

accès [aksɛ] *m. access, approach*

accident [aksidã] *m. accident*

accompagner [akɔ̃paɲe] *accompany*

accord [akɔr] *m. agreement*

accorder [akɔrde] *grant*

  s'— *agree*

accoutumé [akutyme] (à + noun; à + inf.) *accustomed*

accroître [akrwɑtr] *increase*

acharné [aʃarne] *desperate, obstinate, intense*

acheter [aʃte] (§ 82 D) *buy*

achever [aʃve] (§ 82 D) *finish*

acquérir [akerir] (§ 86, no. 1) *acquire*

acquis [aki] (*pp and sp of* acquérir) *acquired*

acte [akt] *m. act*
acteur [aktœr] *m. actor*
actif, active [aktif, aktiv] *active*
action [aksjɔ̃] *f. action*
activité [aktivite] *f. activity*
actuel, actuelle [aktɥɛl] *present*
actuellement [aktɥɛlmɑ̃] *now, at present*
addition [adisjɔ̃] *f. bill, addition*
adjectif [adʒɛktif] *m. adjective*
admettre [admɛtr] (§ 86, no. 19) *admit*
administrateur [administratœr] *m. administrator, director*
administratif, administrative [administratif, administrativ] *administrative*
administration [administrɑsjɔ̃] *f. administration*
admirable [admirabl] *admirable*
admiration [admirɑsjɔ̃] *f. admiration*
admirer [admire] *admire*
adopter [adɔpte] *adopt*
adresse [adrɛs] *f. address*
s'adresser [adrɛse] *be directed to, appeal to*
adverbe [advɛrb] *m. adverb*
aérien, aerienne [aerjɛ̃, aerjɛn] *aerial, from the air*
affaiblir [afeblir] *weaken*
affaire [afɛr] *f. affair*
—s *business*
voyage d'— *business trip*
affiche [afiʃ] *f. notice, sign*
affirmer [afirme] *affirm*
afin de [afɛ̃də] *in order to*
africain [afrikɛ̃] *African*
Afrique [afrik] *f. Africa*
— du Nord *North Africa*
— -Équatoriale française *French Equatorial Africa*
— -Occidentale française *French West Africa*
âge [ɑʒ] *m. age*
le moyen — *Middle Ages*
Quel — avez-vous?   *How old are you?*
âgé [ɑʒe] *old, aged*
s'aggraver [agrave] *grow worse*
agir [aʒir] *act, do*
s' — de *be a question of*

agité [aʒite] *agitated, rough*
agrandi [agrɑ̃di] *enlarged, lengthened*
s'agrandir [agrɑ̃dir] *become larger*
agréable [agreabl] *agreeable, pleasant*
agricole [agrikɔl] *agricultural*
agriculture [agrikyltyr] *f. agriculture*
ah [a] *ah!, oh!*
ai [e] (*1st pers. sing. pres. of* avoir) *have*
aide [ɛd] *f. aid, help*
aider [ɛde] (à + *inf.*) *help*
aigle [ɛgl] *m. eagle*
aile [ɛl] *f. wing*
aille [aj] (aller) *go*
ailleurs [ajœr] *elsewhere*
d'ailleurs [dajœr] *besides, moreover*
aimer [ɛme] (+ *inf.*) *love, like*
— mieux (+ *inf.*) *prefer, like better*
ainsi [ɛ̃si] *thus, so*
— que *in the same way, as well as*
air [ɛr] *m. air*
avoir l' — de *seem, have the appearance*
en plein — *in the open*
aise [ɛz] *f. ease*
à l'— *at ease*
Aix-les-Bains [ɛkslebɛ̃] *Aix-les-Bains*
ajouter [aʒute] *add*
Alabama [alabama] *f. Alabama*
alarmer [alarme] *alarm*
alcool [alkɔl] *m. alcohol*
alentours [alɑ̃tur] *m. pl. neighborhood*
aux — de *near, in the neighborhood of*
algèbre [alʒɛbr] *f. algebra*
Algérie [alʒeri] *f. Algeria*
alimentaire [alimɑ̃tɛr] *food, alimentary*
allée [ale] *f. path, passage, walk*
Alléghanys [alegani] *Allegheny Mountains*
Allemagne [almaɲ] *f. Germany*
allemand [almɑ̃] *German*
aller [ale] (§ 86, no. 2) (+ *inf.*) *go*
— chercher *go to get*
Comment allez-vous? *How are you?*
Comment ça va? *How are you?*
Je vais bien. *I'm fine.*
s'en aller [ɑ̃nale] (§ 86, no. 2) *go away, go off*
alliance [aljɑ̃s] *f. alliance*
Triple — *Triple Alliance*

allié, alliée [alje], *ally, allied*

allô [alo] *"hello"* (at the beginning of a telephone conversation)

allons [alɔ̃] *come now, let's go*

— donc *well now, you don't say*

allumette [alymɛt] *f. match*

alors [alɔr] *then*

— que *while*

Alpes [alp] *f. Alps*

Alsace [alzas] *f. Alsace, province in eastern France*

Alsace-Lorraine [alzaslɔrɛn] *f. Alsace-Lorraine, territory taken by Germany from France in 1871 and returned to France in 1918*

Alsacien [alzasjɛ̃] *m. Alsatian*

amateur [amatœr] *m. amateur*

Amazone [amazɔn] *m. Amazon*

ambassadeur [ābasadœr] *m. ambassador*

ambitieux, ambitieuse [ābisjɸ, ābisjɸz] *ambitious*

ambition [ābisjɔ̃] *f. ambition*

âme [ɑm] *f. soul*

amener [amne] (§ 82 D) *lead, take (a person), bring on*

américain [amerikɛ̃] *American*

Amérique [amerik] *f. America*

— du Nord *f. North America*

— du Sud *f. South America*

ami [ami] *m. friend*

amicalement [amikalmā] *in a friendly way*

amie [ami] *f. (girl) friend*

Amiens [amjɛ̃] *city of northern France in ancient province of Picardy*

amitié [amitje] *f. friendship*

amour [amur] *(m. in sing. f. in pl.) love*

amuser [amyze] *amuse*

s'— (à + inf.) *enjoy oneself, amuse oneself, have a good time*

an [ā] *m. year*

le jour de l'— *New Year's day*

j'ai vingt —s *I am twenty years old*

ancien, ancienne [āsjɛ̃, āsjɛn] *old, ancient; former*

Ancien régime [āsjɛ̃reʒim] *m. Old Regime, used in reference to the period when France was under an absolute monarchy, before 1789*

Andes [ād] *f. principal mountain chain of South America*

André [ādre] *Andrew*

anéantir [aneātir] *destroy, wipe out*

anecdote [anɛkdɔt] *f. anecdote*

anglais [āglɛ] *English*

Anglaise [āglɛz] *f. English girl*

Angleterre [āglətɛr] *f. England*

anglo-américain [āglɔamerikɛ̃] *anglo-american*

animal, animaux [animal, animo] *m. animal*

animé [anime] *gay, animated, enlivened*

année [ane] *f. year*

annexer [anɛkse] *annex*

annonce [anɔ̃s] *f. announcement*

annoncer [anɔ̃se] (§ 82 A) *announce*

annuaire [anɥɛr] *m. year-book*

— du téléphone *telephone directory*

antenne [ātɛn] *f. antenna*

anti-nazi [ātinazi] *anti-nazi*

antique [ātik] *antique, ancient*

Antoine [ātwan] *proper name*

anxieusement [āksjɸzmā] *anxiously*

anxieux, anxieuse [āksjɸ, āksjɸz] *anxious*

août [u] *m. August*

apercevoir [apɛrsəvwar] (§ 83, no. 5) *perceive, see, notice*

s'— (de + noun) *perceive, notice*

aperçu, aperçus [apɛrsy] *(pp and sp of apercevoir) perceived, noticed*

apéritif [aperitif] *m. appetizer, drink taken before a meal*

apogée [apɔʒe] *m. height, apex*

apparaître [aparɛtr] (§ 86, no. 7) *appear*

appareil [aparɛj] *m. apparatus*

— de radio *radio receiving set*

apparence [aparās] *f. appearance, looks*

appartement [apartəmā] *m. apartment*

appartenir [apartənir] (§ 86, no. 31) *belong*

apparu, apparus [apary] *(pp and sp of apparaître) appeared*

appel [apɛl] *m. appeal*

appelé [aple] *called, named*

appeler [aple] (§ 82 F) *call*

s'— *be called*

application [aplikasjɔ̃] *f. application*

appliquer [aplike] *apply*
　s'— *apply oneself to, strive to, work hard at*
apporter [apɔrte] *bring*
apprécié [apresje] *popular, well-liked*
apprendre [aprɑ̃dr] (§ 86, no. 27) (thing + à + person; à + inf.) *learn; teach*
approcher [aprɔʃe] *approach*
　s'— (de + noun) *approach*
approuver [apruve] *approve*
appuyer [apɥije] (§ 82 C) *press down on, support*
âpre [ɑpr] *harsh*
après [aprɛ] *after*
　— que *after*
　d'— *according to*
　peu — *a little later, soon after*
après-demain [aprɛdmɛ̃] *day after to-morrow*
après-midi [aprɛmidi] (*m.* or *f.*) *after-noon*
Arabe [arab] *m. Arab*
arbre [arbr] *m. tree*
arc [ark] *m. arch*
Arc de Triomphe [arkdətrijɔ̃f] *Trium-phal Arch* (referring to the one at the *Place de l'Étoile*)
　— du Carrousel, *arch situated between the Louvre and the Tuileries*
archiduc [arʃidyk] *m. archduke*
architecture [arʃitɛktyr] *f. architecture*
argent [arʒɑ̃] *m. money; silver*
Argentine [arʒɑ̃tin] *f. Argentina*
Arles [arl] *city on the Rhone noted for its Roman ruins*
arme [arm] *f. arm, weapon*
armée [arme] *f. army*
　la Grande — *army of Napoleon I*
s'armer [arme] *arm oneself, take arms*
armistice [armistis] *m. armistice*
arrêt [arɛ] *m. stop*
arrêter [arɛte] *stop*
　s'— *stop*
arrivée [arive] *f. arrival*
arriver [arive] (à + inf.) *arrive; happen; succeed in*
art [ar] *m. art*
d'Artagnan [dartaɲɑ̃] *hero of Dumas' novel* Les Trois Mousquetaires

artère [artɛr] *f. artery*
article [artikl] *m. article*
artificiel, artificielle [artifisjɛl] *artifi-cial*
artiste [artist] *m.f. artist*
Asie [azi] *f. Asia*
aspect [aspɛ] *m. aspect*
assassiner [asasine] *assassinate*
assemblée [asɑ̃ble] *f. assembly*
Assemblée Nationale [asɑ̃blenasjɔnal] *National Assembly, the lower house in the French Parliament, formerly called the Chamber of Deputies*
s'asseoir [aswar] (§ 86, no. 3) *sit down*
asseyez-vous [asejevu] (*imperative of* s'asseoir) *sit down*
assez [ase] *enough; rather*
assis [asi] (*pp and sp of* asseoir) *seated*
assistance [asistɑ̃s] *f. assistance*
assister [asiste] (à + noun) *be present at*
assurer [asyre] *insure, assure*
astronomique [astrɔnɔmik] *astronomical*
athlétisme [atletism] *m. track and field*
Atlantique [atlɑ̃tik] *m. Atlantic*
atmosphère [atmɔsfɛr] *f. atmosphere*
attaquer [atake] *attack*
atteindre [atɛ̃dr] (§ 86, no. 23) *attain, reach*
attendre [atɑ̃dr] (+ noun) *wait for, await, wait*
　s'— à *expect*
attentat [atɑ̃ta] *m. attempt at crime*
attention [atɑ̃sjɔ̃] *f. attention*
　—! *look out!*
　attirer l'— *attract attention*
　faire — *pay attention*
　retenir l'— *attract attention*
attirer [atire] *attract*
attitude [atityd] *f. attitude*
au [o] (§ 2 B) *to the, at the*
　— contraire *on the contrary*
　— delà [odla] *beyond, farther*
　— delà de *beyond*
　— fond de *in the remotest part of*
　— loin *in the distance*
　— moins *at least*
　— revoir *good bye*
auberge [obɛrʒ] *f. inn*
　— de la jeunesse *youth hostel*

aucun [okœ̃] *any*
  ne . . . — *not any, no, none*
au-dessus [odsy] *above*
auditeur [oditœr] *m. auditor, listener*
aujourd'hui [oʒurdɥi] *today*
auparavant [oparavã] *formerly, before*
auquel [okɛl] (*contraction of* à lequel)
  to which
aurai [ore] (*1st pers. sing. fut. of* avoir)
  shall have
aussi [osi] *also, too*
  — . . . que (§ 12 F) *as . . . as*
Aussi . . . (§ 19 D) *so, therefore*
aussitôt [ositokə] *immediately*
  — que *as soon as*
autant [otã] *as much, as many*
  d'— plus . . . que *so much the more . . .*
    because
  — que *as much as*
auteur [otœr] *m. author*
auto [oto] *f. auto*
autobus [otobys] *m. bus*
automatique [otomatik] *automatic*
automatiquement [otomatikmã] *auto-*
  matically
automobile [otomobil] *f. automobile*
automne [oton] (*m. or f.*) *autumn*
autorité [ɔtorite] *f. authority*
autour [otur] *around*
  — de *around*
autre [otr] *other*
  d'— part *on the other hand, moreover*
autrefois [otrəfwa] *formerly*
Autriche [otriʃ] *f. Austria*
Autriche-Hongrie [otriʃɔ̃gri] *f. Aus-*
  tria-Hungary
aux [o] (§ 2 B) *to the, at the, in the*
  — lignes regulières *with regular*
    lines
auxiliaire [ɔgziljɛr] *auxiliary*
avalanche [avalã̃ʃ] *f. avalanche*
avance [avãs] *f. advance*
  d'— *in advance*
avancer [avãse] *advance*
avant [avã] *before*
  — de *before*
  — que *before*
avantage [avãtaʒ] *m. advantage*
avec [avɛk] *with*

avenir [avnir] *m. future*
  à l'— *in the future*
avenue [avny] *f. avenue*
aveugle [avœgl] *blind*
aveuglément [avœglemã] *blindly*
aviation [avjɑsjɔ̃] *f. aviation*
Avignon [aviɲɔ̃] *city in southern France*
  on the Rhone, noted for its papal palace
avion [avjɔ̃] *m. airplane*
avis [avi] *m. opinion*
avoir [avwar] (§ 83, no. 8) (à + inf.)
  have
  — l'air *seem, have the appearance*
  — (quinze) ans *be (fifteen) years old*
  — beau *do (something) in vain*
  — besoin (de) *need*
  — chaud *be warm, hot*
  — envie *feel like, desire*
  — faim *be hungry*
  — froid *be cold*
  — honte (de + noun; de + inf.) *be*
    ashamed of
  — l'intention (de + inf.) *intend*
  — lieu *take place*
  — mal *hurt, have a pain*
  — mal à la tête *have a headache*
  — peur (de + noun; de + inf.) *be*
    afraid
  — raison *be right*
  — soif *be thirsty*
  — sommeil *be sleepy*
  — tort *be wrong*
  il y a (§ 88 A) *there is, there are; ago*
  il y en a pour *it will last for*
  Quel age avez-vous? *How old are*
    you?
avril [avril] *m. April*
azur [azyr] *blue*
Côte d'Azur [kotdazyr] *strip of coast*
  along the Mediterranean from Toulon to
  the Italian border known as the French
  Riviera

B

B. B. C. [bebese] *British Broadcasting*
  Corporation
"Bac" [bak] *m. nickname for* Bacca-
  lauréat
Baccalauréat [bakalɔrea] *m. baccalaure-*

ate, degree obtained by French lycée student after passing two series of state examinations

"Bachot" [baʃo] *m. nickname for Baccalauréat*

bagage [bagaʒ] *m.* (used principally in the plural) *baggage*

bague [bag] *f. ring*

se baigner [bɛɲe] *bathe, go bathing*

baisser [bɛse] *lower*

bal [bal] *m. ball, dance*

balayer [balɛje] (§ 82 C) *sweep*

balle [bal] *f. ball*

ballon [balɔ̃] *m. football*

Balzac, Honoré de [balzak] (*1799–1850*) *great French realistic novelist of the nineteenth century*

ban [bɑ̃] *m. public announcement of marriage, bann*

banlieue [bɑ̃ljφ] *f. suburb*

banque [bɑ̃k], *f. bank*

banquette [bɑ̃kɛt] *f. bench* (in a railroad compartment)

barricade [barikad] *f. barricade*

bas, basse [bɑ, bɑs] *low*

à voix —se *in a low voice, in a whisper*

base [bɑz] *f. basis, base*

base-ball [beizbɔl] [1] *m. baseball*

baser [bɑze] *base*

basket-ball [baskɛtbɔl] *m. basketball*

bassin [basɛ̃] *m. basin, fountain in a park*

Bastille [bastij] *f. state prison taken and destroyed by the people of Paris on July 14, 1789*

bataille [batɑj] *f. battle*

bateau [bato] *m. boat*

bâtiment [batimɑ̃] *m. building*

Bâton-Rouge [batɔ̃ruʒ] *m. capital of Louisiana*

battre [batr] (§ 86, no. 4) *beat*

— en retraite *retreat*

se — *fight*

bavard [bavar] *talkative*

Bayeux [bajφ] *town in Normandy in which may be seen the tapestry of Queen Mathilda*

Bayonne [bajɔn] *French town on the Atlantic coast near Spain*

[1] No official pronunciation.

beau, beaux, [bo] (§ 9 G) *beautiful, handsome*

avoir — *to do* (something) *in vain*

beaucoup [boku] (de + noun) *much, many, a great deal*

beauté [bote] *f. beauty*

Beaux-Arts, École des [ekɔldebozar] *school of fine arts at Paris*

Beethoven [betɔvɛn] (*1770–1827*) *famous German composer*

bel, belle [bɛl] (§ 9 G) *beautiful*

Belfort [befɔr [2], bɛlfɔr] *only city of Alsace which remained French after the Franco-Prussian war*

belge [bɛlʒ] *Belgian*

Belgique [bɛlʒik] *f. Belgium*

Berlin [bɛrlɛ̃] *capital of Germany*

besoin [bəzwɛ̃] *m. need*

avoir — (de + noun; de + inf.) *need*

bête [bɛt] *f. beast, creature, animal*

beurre [bœr] *m. butter*

Biarritz [bjarits] *French town on the Atlantic coast, near Spain*

bibliothèque [biblijɔtɛk] *f. library*

biblique [biblik] *biblical*

bicyclette [bisiklɛt] *f. bicycle*

bien [bjɛ̃] *well; well-off, comfortable; good; indeed; very*

— des *many*

eh — *well, very well*

ou — *or, or indeed*

vouloir — *be willing, be quite willing*

bien que [bjɛ̃kə] *although*

bienfait [bjɛ̃fɛ] *m. benefit*

bientôt [bjɛ̃to] *soon*

bière [bjɛr] *f. beer*

bifteck [biftɛk] *m. steak*

billet [bijɛ], *m. ticket*

prendre un — *buy a ticket*

biologie [bjɔlɔʒi] *f. biology*

Bismarck [bismark] (*1815–1898*) *German statesman*

blanc, blanche [blɑ̃, blɑ̃ʃ] *white*

blanchisseuse [blɑ̃ʃisφz] *f. washwoman*

blé [ble] *m. wheat*

blême [blɛm], *pale*

blessé [blɛse] *m. the wounded one*

blesser [blɛse] *wound, hurt*

[2] *Ainsi prononcé dans le pays même.*

blessure [blɛsyr] f. *wound*

bleu [blφ] *blue*

blindé [blɛ̃de] *armored, Panzer*

blocus [blɔkys] m. *blockade*

Blois [blwɑ] *French city north of Tours, famous for its Renaissance château*

bœuf [*sing.* bœf, *pl.* bφ] m. *ox, steer*

boire [bwar] (§ 86, no, 5) *drink*

bois [bwɑ] m. *wood, woods*

boisson [bwasɔ̃] f. *beverage*

boîte [bwɑt] f. *box; special type of box used to display books and pictures, found along the wharves of the Seine*
  — aux lettres *mail box*
  — de nuit *night club*

bombarder [bɔ̃barde] *bombard*

bon, bonne [bɔ̃, bɔn] *good*
  — marché *cheap*
  de bonne heure *early*
  tenir — *hold out*

Bonaparte [bɔnapart] *family name of Napoleon*

bonbon [bɔ̃bɔ̃] m. *candy*

bonhomme [bɔnɔm] m. *fellow*

bonjour [bɔ̃ʒur] *good day, good morning, good afternoon, hello*

bord [bɔr] m. *shore, edge*
  au — de la mer *at the seashore*

Bordeaux [bɔrdo] *French port situated at the junction of the Garonne and the Gironde*

border [bɔrde] *border on*

borgne [bɔrɲ] *blind in one eye*

bouche [buʃ] f. *mouth*

bougie [buʒi] f. *candle*

Boul' Mich' [bulmiʃ] *nickname given by students to the Boulevard Saint-Michel*

boulanger [bulɑ̃ʒe] m. *baker*

boulevard [bulvar] m. *boulevard*
  les grands —s, *certain of the wide boulevards in the center of Paris, such as the Boulevard Haussmann*

bouleverser [bulvɛrse] *upset, cause a revolution in*

Boulogne [bulɔɲ] *French port on the English Channel*

bouquiniste [bukinist] m. *man who sells books in one of the "boîtes" along the Seine*

¹ One hears [bɔiskaut] or simply [skut]

Bourbon, Palais [palɛburbɔ̃] *building in which the Assemblée Nationale meets*

Bourgogne [burgɔɲ] f. *Burgundy, a province in eastern France*

Bourguignon [burgiɲɔ̃] m. *Burgundian*

bout [bu] m. *end*

bouteille [butɛj] f. *bottle*

boutique [butik] f. *shop*

bouton [butɔ̃] m. *button*

boxe [bɔks] f. *boxing*

boy-scout [bɔiskut] ¹ m. *boyscout*

branche [brɑ̃ʃ] f. *branch*

bras [bra] m. *arm*

bref, brève [brɛf, brɛv] *short*

Brésil [brezil] m. *Brazil*

Brest [brɛst] *military port in the extreme west of France*

Bretagne [brətaɲ] f. *Brittany*

Breton [brətɔ̃] m. *inhabitant of Brittany*

breton, bretonne [brətɔ̃, brətɔn] *Breton*

Brie [bri] m. *kind of cheese*

brillant [brijɑ̃] *brilliant*

brillamment [brijamɑ̃] *brilliantly*

brique [brik] f. *brick*

briser [brize] *break*
  se — *break*

britannique [britanik] *British*

bruit [brɥi] m. *noise*
  le — court *the news spreads*

brûler [bryle] *burn*

bu, bus [by] (*pp and sp of* boire) *drunk, drank*

buche [byʃ] f. *large piece of firewood, log*

bulletin [byltɛ̃] m. *bulletin*

bureau [byro] m. *desk; office*
  — de poste *post office*
  — de tabac *tobacco shop*

but [byt, by] m. *aim*

byzantin [bizɑ̃tɛ̃] *byzantine*

C

ça [sa] (§ 33 A) *that*
  Comment — va? *How are you?*
  C'est —. *That's right*
  — m'est égal *it's all the same to me*
  Qu'est-ce que c'est que — ? *What's that?*
  — va bien *I'm fine*

cabine [kabin] *f. cabinet*
— téléphonique, *telephone booth*
cabinet [kabinɛ] *m. cabinet*
cacher [kaʃe] *hide*
cadeau [kado] *m. gift*
Caen [kɑ̃] *city in Normandy*
café [kafe] *m. type of café where only drinks are sold; sometimes combined with restaurant and called* café-restaurant; *coffee*
cahier [kaje] *m. notebook*
Cajun [kedjʌn] *in Louisiana a person reputed to be of Canadian French descent*
Calais [kalɛ] *French port on North Sea*
Calédonie, Nouvelle-[nuvɛlkaledɔni] *f. New Caledonia, French island in Pacific Ocean to the east of Australia*
calendrier [kalɑ̃drije] *m. calendar*
Californie [kalifɔrni] *f. California*
calme [kalm] *calm*
calvaire [kalvɛr] *m. cross to commemorate loss or saving of a seaman*
camarade [kamarad] *m. comrade, chum, school-friend*
Camembert [kamɑ̃bɛr] *m. type of cheese*
camp [kɑ̃] *m. camp*
— de concentration *concentration camp*
campagne [kɑ̃paɲ] *f. country (opposite of city); (military) campaign*
à la — *to the country, in the country*
Canada [kanada] *m. Canada*
canadien, canadienne [kanadjɛ̃, kanadjɛn] *Canadian*
canal [kanal] *m. canal*
— de Suez *Suez Canal*
candidature [kɑ̃didatyr] *f. candidacy*
Cannes [kan] *French city on the Riviera*
canon [kanɔ̃] *m. cannon*
cantique [kɑ̃tik] *m. carol, religious song*
caoutchouc [kautʃu] *m. rubber*
capital [kapital] *m. capital, funds*
capitale [kapital] *f. capital*
capitulation [kapitylasjɔ̃] *f. capitulation*
car [kar] *for, because*
caractère [karaktɛr] *m. character*
caractériser [karakterise] *characterize*

caractéristique [karakteristik] *characteristic*
caravane [karavan] *f. caravan, company*
Carcassonne [karkasɔn] *picturesque walled city in southern France*
carrefour [karfur] *m. crossroad*
Carrousel, Arc de Triomphe du [arkdətrijɔ̃fdykaruzɛl] *m. Arch of Triumph placed between the* Jardin des Tuileries *and the* Louvre.
carte [kart] *f. map; menu*
Cartier, Jacques [kartje] *(1491–1557), French explorer*
cartouche [kartuʃ] *f. cartridge*
cas [kɑ] *m. case*
en tout — *in any case*
catastrophique [katastrɔfik] *catastrophic*
cathédrale [katedral] *f. cathedral*
catholique [katɔlik] *Catholic*
causatif, causative [kozatif, kozativ] *causative*
cause [koz] *f. cause*
à — de *because of*
causer [koze] *talk, chat; cause*
causerie [kozri] *f. talk, chat*
ce, cet, cette, ces [sə, sɛt, sɛt, se] (§ 14) *this, that*
ce que [skə] (§ 36 B, G) *what, that which*
ce qui [ski] (§ 36 B, G) *what, that which*
ceci [səsi] (§ 33) *this*
céder [sede] (§ 82 E) *give over to, cede*
cela [səla, sla] (§ 33) *that*
célèbre [selɛbr] *famous, noted*
célébrer [selebre] *make famous, celebrate*
célibataire [selibatɛr] *m. bachelor*
celle [sɛl] (§ 32) *this one, that one, the one*
— -ci (§ 32 D) *this one, the latter*
— -là (§ 32 D) *that one, the former*
— qui *she who*
celtique [sɛltik] *Celtic*
celui [səlɥi] (§ 32) *this one, that one, the one*
— -ci (§ 32 D) *this one, the latter*
— -là (§ 32 D) *that one, the former*
— qui *he who*
cent [sɑ̃] (§ 16 D, E) *(one) hundred*
centaine [sɑ̃tɛn] *f. a hundred; about a hundred*

central, centraux [sɑ̃tral, sɑ̃tro] *central*
centralisation [sɑ̃tralizɑsjɔ̃] *f. centralization*
centre [sɑ̃tr] *m. center*
cependant [spɑ̃dɑ̃, səpɑ̃dɑ̃] *however*
cercle [sɛrkl], *m. circle*
cérémonie [seremɔni] *f. ceremony*
certain [sɛrtɛ̃] *certain*
  —s *certain ones*
certainement [sɛrtɛnmɑ̃] *certainly*
certes [sɛrt] *certainly; indeed*
ces [se] (§ 14) *these, those*
César [sezar] *m. Caesar, referring to Julius Caesar, the Roman general who conquered Gaul between 59–51 B.C.*
cesse [sɛs] *f. ceasing*
  sans — *without cease, ceaselessly*
cesser [sɛse] (de + inf.) *stop, cease*
cession [sɛsjɔ̃] *f. transfer, cession*
c'est [sɛ] *that is; it is; he is; she is*
  — -à-dire *that is to say*
  — ça *that's right*
  — dommage *that's too bad*
cet, cette [sɛt] (§ 14) *this, that*
ceux [sφ] (§ 32) *these, those*
  — -ci (§ 32 D) *these, the latter*
  — -là (§ 33 D) *those, the former*
  — qui *they who*
chacun [ʃakœ̃] *each, each one*
Chaillot, Palais de [palɛdʃajo] *m. huge exposition hall, theater, and museum built in the late 1930's on the site of the old Trocadéro.*
chaîne [ʃɛn] *f. chain; (radio) network*
chaise [ʃɛz] *f. chair*
Chambéry [ʃɑ̃beri] *m. city of southeastern France, capital of former province of Savoie*
Chambord [ʃɑ̃bɔr] *Renaissance château of the Loire, built by Francis I*
chambre [ʃɑ̃br] *f. room, bedroom*
Chamonix [ʃamuni, ʃamɔniks] *French city at the foot of Mont Blanc*
champ [ʃɑ̃] *m. field*
Champagne [ʃɑ̃paɲ] *f. province in eastern France*
champagne [ʃɑ̃paɲ] *m. French wine*
Champlain [ʃɑ̃plɛ̃] (1567–1635) *French explorer and founder of Quebec*

Champs-Elysées [ʃɑ̃zelize] *m. avenue in Paris leading from the* Place de la Concorde *to the* Place de l'Étoile
chance [ʃɑ̃s] *f. chance; luck*
changement [ʃɑ̃ʒmɑ̃] *m. change*
changer [ʃɑ̃ʒe] (§ 82 B) *change*
chanson [ʃɑ̃sɔ̃] *f. song*
chansonnier [ʃɑ̃sɔnje] *m. writer and performer of popular songs or songs dealing with political satire*
chanter [ʃɑ̃te] *sing*
chaque [ʃak] *each*
charcuterie [ʃarkytri] *f. pork, sausage meat, all pork products; market where pork is sold*
charger [ʃarʒe] (§ 82 B) *charge, load*
  se — de *take charge of, take it upon oneself, undertake, look after*
Charles [ʃarl] *Charles*
  — X (1824–1830) *king of France*
  — le Téméraire (1433–1477) *Charles the Bold, duke of Burgundy*
charmant [ʃarmɑ̃] *charming, delightful, lovely*
charme [ʃarm] *m. charm*
Chartres [ʃartr] *city southwest of Paris noted for its cathedral*
chasse [ʃas] *f. hunting*
chasser [ʃase] *hunt*
chasseur [ʃasœr] *m. hunter*
château [ʃato] *m. château, castle*
Châtelet [ʃatlɛ] *m. subway station, theater, and square on the right bank of the Seine in Paris*
chaud [ʃo] *warm, hot*
  avoir — (§ 91 B) *be warm, hot*
  faire — (§ 89 B) *be warm, hot*
chef [ʃɛf] *m. chief, head*
chemin [ʃəmɛ̃] *m. road*
  — de fer *railroad*
cheminée [ʃəmine] *f. fireplace*
cheminot [ʃəmino] *m. railroad worker*
Chénier, André [ʃenje] (1762–1794) *French poet guillotined during the Reign of Terror*
Chenonceaux [ʃənɔ̃so] *Renaissance château built under Francis I; later the château of Diane de Poitiers, then of Catherine de Medici*

cher, chère [ʃɛr] *dear*
 revenir — *be expensive*
Cherbourg [ʃɛrbur] *French port on the English Channel*
chercher [ʃɛrʃe] (+ noun; à + inf.) *look for, get; try to, seek to*
cheval [ʃəval] *m. horse*
cheveux [ʃəvφ] *m. pl. hair*
chez [ʃe] (§ 39 F) *at the house of*
 — Jean *at John's house*
 — nous *at our house; in our country*
Chicago [ʃikago] *m. second largest city in the United States*
chien [ʃjɛ̃] *m. dog*
chiffre [ʃifr] *m. figure, number, cipher*
Chimène [ʃimɛn] *f. the heroine of Corneille's Cid*
chimie [ʃimi] *f. chemistry*
Chine [ʃin] *f. China*
Chinon [ʃinɔ̃] *city in Touraine, site of a medieval castle, now in ruins*
chocolat [ʃɔkɔla] *m. chocolate*
choisir [ʃwazir] *choose*
chose [ʃoz], *f. thing*
 quelque — *something*
Chou-chou [ʃuʃu] *dog's name*
chrétien, chrétienne [kretjɛ̃, kretjɛn] *Christian*
Christ [krist] *m. Christ*
chute [ʃyt] *f. fall*
Cid [sid] *m. famous play by Corneille written in 1636*
cidre [sidr] *m. cider*
ciel [sjɛl] *m. sky*
cigare [sigar] *m. cigar*
cigarette [sigarɛt] *f. cigarette*
cinéma [sinema] *m. movie*
cinq [sɛ̃k, sɛ̃] *five*
cinquante [sɛ̃kɑ̃t] *fifty*
 — et un *fifty-one*
cinquième [sɛ̃kjɛm] *fifth*
circonstance [sirkɔ̃stɑ̃s] *f. circumstance*
circulation [sirkylɑsjɔ̃] *f. circulation; traffic*
circuler [sirkyle] *circulate*
ciseaux [sizo] *m. pl. scissors*
cité [site] *f. walled city*
 île de la — *island in the middle of the Seine on which Paris was first built*

— Universitaire *student dormitories situated on the Boulevard Jourdan at the southern extremity of Paris*
citer [site] *name; cite*
citoyen [sitwajɛ̃] *m. citizen*
civil [sivil] *m. civilian*
civil [sivil] *civil*
civilisation [sivilizɑsjɔ̃] *f. civilization*
clairement [klɛrmɑ̃] *clearly*
classe [klɑs] *f. class; classroom*
 — de français *French class*
 en — *in class, to class*
classique [klasik] *classical*
clé [kle] *f. key*
clergé [klɛrʒe] *m. clergy*
client [klijɑ̃] *m. customer*
climat [klima] *m. climate*
cloche [klɔʃ] *f. bell*
Clovis [klɔvis] *(465?–511) first king of France, reigning from 481 to 511*
club [klyb, klɔb] *m. club*
code [kɔd] *m. code*
Code Civil — Napoléon } *system of French laws drawn up under the direction of Napoleon I*
cœur [kœr] *m. heart*
coiffe [kwaf] *f. head-dress*
coiffeur [kwafœr] *m. barber*
coin [kwɛ̃] *m. corner*
collège [kɔlɛʒ] *m. French school corresponding to American grammar and high school; it may be under direction of a municipality, or it may be privately owned*
 — électoral *electoral college*
colonial [kɔlɔnjal] *colonial*
colonie [kɔlɔni] *f. colony*
colonisation [kɔlɔnizɑsjɔ̃] *f. colonization*
colonne [kɔlɔn] *f. column*
 cinquième — *fifth column*
coloré [kɔlɔre] *colorful*
combat [kɔ̃ba] *m. combat*
combattre [kɔ̃batr] (§ 86, no. 4) *fight*
combien [kɔ̃bjɛ̃] (de + noun) *how much, how many*
comédie [kɔmedi] *f. comedy, play*
Comédie-Française [kɔmedifrɑsɛz] *French State Theater, also called* le Théâtre-Français

comité [komite] *m. committee*
Comité de Salut public [komitedsa-lypyblik] *Committee of Public Safety*
commandement [komādmā] *m. command*
commander [komāde] *order*
— en chef *be in supreme command*
comme [kom] *like, as*
commencement [komāsmā] *m. beginning*
commencer [komāse] (§ 82 A) (à + inf.) *begin*
comment [komā] *how, what*
— allez-vous? *How are you?*
— ça va? *How are you?*
— vous appelez-vous? *What is your name?*
commerce [komɛrs] *m. commerce*
maison de — *store; business house, place of business*
commercial [komɛrsjal] *commercial*
communication [komynikasjɔ̃] *f. communication*
comparaison [kɔ̃parɛzɔ̃] *f. comparison*
comparatif, comparative [kɔ̃paratif, kɔ̃parativ] *comparative*
comparer [kɔ̃pare] *compare*
compartiment [kɔ̃partimā] *m. compartment*
compenser [kɔ̃pāse] *compensate*
complément [kɔ̃plemā] *m. complement, object*
— direct *direct object*
— indirect *indirect object*
complètement [kɔ̃plɛtmā] *completely*
compliment [kɔ̃plimā] *m. compliment*
comporter [kɔ̃porte] *include*
composé [kɔ̃poze] (*pp of* composer) *composed, compound*
passé — *m. compound past, past indefinite*
composer [kɔ̃poze] *compose, consist*
se — de *consist of, be composed of*
composition [kɔ̃pozisjɔ̃] *f. composition*
comprendre [kɔ̃prādr] (§ 86, no. 27) *understand; include; comprise*
compris [kɔ̃pri] (*pp and sp of* comprendre] *understood*

compte [kɔ̃t] *m. account, profit*
à son — *on his own, by himself*
se rendre — de *realize*
compter [kɔ̃te] (+ inf.) *count; intend*
concentration [kɔ̃sātrasjɔ̃] *f. concentration*
camp de — *concentration camp*
concert [kɔ̃sɛr] *m. concert*
concerto [kɔ̃sɛrto] *m. concerto*
concierge [kɔ̃sjɛrʒ] *m. f. house-porter, janitor*
conclu, conclus [kɔ̃kly] (*pp and sp of* conclure) *concluded*
conclure [kɔ̃klyr] *conclude*
concordat [kɔ̃kɔrda] *m. agreement*
Concorde [kɔ̃kɔrd] *f. Concord*
Place de la — *large square on the right bank of the Seine directly opposite the Palais Bourbon*
Pont de la — *bridge connecting the right and left banks of the Seine at the Place de la Concorde*
condamner [kɔ̃dane] *condemn*
condition [kɔ̃disiɔ̃] *f. circumstance, condition, walk of life*
à — que *provided that, on the condition that*
conditionnel [kɔ̃disjɔnɛl] *m. conditional*
conduire [kɔ̃dɥir] (§ 86, no. 6) *take (a person), lead*
conduit [kɔ̃dɥi] (*pp and sp of* conduire) *took, taken; led*
confédération [kɔ̃federasjɔ̃] *f. confederation*
conférence [kɔ̃ferās] *f. lecture*
salle de —s *lecture hall*
confiance [kɔ̃fjās] *f. confidence*
conflit [kɔ̃fli] *m. conflict*
confortable [kɔ̃fɔrtabl] *comfortable*
confusion [kɔ̃fyzjɔ̃] *f. confusion*
congé [kɔ̃ʒe] *m. holiday, day-off, vacation*
les —s payés *vacations with pay*
jour de — *m. holiday, day-off*
connaissance [kɔnɛsās] *f. acquaintance*
—s *knowledge*
connaître [kɔnɛtr] (§ 86, no. 7) *know, be acquainted with*
se — à *be acquainted with, be informed on*

connu, connus [kɔny] (*pp and sp of* connaître) *known*

conquérir [kɔkerir] (§86, no. 1) *conquer*

conquête [kɔkɛt] *f. conquest*

conquis [kɔki] (*pp and sp* of conquérir) *conquered*

consacrer [kɔsakre] *consecrate*

conseil [kɔsɛj] *m. advice; council*

Conseil de la République [kɔsɛjdǝlarepyblik] *m. Council of the Republic, upper chamber in French Parliament, according to the Constitution of 1946*

Conseil des Ministres [kɔsɛjdeministr] *m. Council of Ministers, Cabinet*

conseiller [kɔsɛje] (+ person + de + inf.) *advise*

conseiller [kɔsɛje] *m. councilor; adviser*

conséquent, par [parkɔsekã] *therefore*

conservé [kɔsɛrve] *preserved*

conserver [kɔsɛrve] *preserve, save*

considérable [kɔsiderabl] *considerable*

considérer [kɔsidere] *consider*

consister [kɔsiste] *consist*

constituer [kɔstitɥe] *constitute, set up*

Constitution [kɔstitysjɔ] *f. Constitution*

construction [kɔstryksjɔ] *f. construction; word order*

construire [kɔstrɥir] (§ 86, no. 6) *construct*

construit [kɔstrɥi] (*pp of* construire) *constructed*

consul [kɔsyl] *m. consul*

consulter [kɔsylte] *consult*

contagieux, contagieuse [kɔtaʒjø, kɔtaʒjøz] *contagious*

contempler [kɔtãple] *contemplate*

contemporain [kɔtãpɔrɛ] *contemporary*

contenir [kɔtnir] (§ 86, no. 31) *contain, hold*

content [kɔtã] *glad, content, happy*

se contenter [kɔtãte] (de + noun; de + inf.) *be content (with)*

continent [kɔtinã] *m. continent*

continental [kɔtinãtal] *continental*

continuellement [kɔtinɥɛlmã] *continually*

continuer [kɔtinɥe] (à + inf.) *continue*

contourner [kɔturne] *outflank, go around*

contraction [kɔtraksjɔ] *f. contraction*

contraire [kɔtrɛr] *m. contrary*

au — *on the contrary*

contraste [kɔtrast] *m. contrast*

faire — avec *contrast with,* make a *contrast with*

contrat [kɔtra] *m. contract*

contre [kɔtr] *against*

par — *on the contrary*

contribuer [kɔtribɥe] *contribute*

contribution [kɔtribysjɔ] *f. contribution*

contrôle [kɔtrol] *m. control*

contrôler [kɔtrole] *control*

convenance [kɔvnãs] *f. convenience*

mariage de — *marriage for money or position*

Convention Nationale [kɔvãsjɔnasjɔnal] *National Convention, revolutionary assembly which came into being in 1792 and made way for the Directory in 1795*

conversation [kɔvɛrsasjɔ] *f. conversation*

convertir [kɔvɛrtir] *convert*

convoquer [kɔvɔke] *convoke, call together*

cordialement [kɔrdjalmã] *cordially*

Corneille [kɔrnɛj] (1606–1684) *French dramatist*

Corot [kɔro] (1796–1875) *French landscape painter*

corps [kɔr] *m. body*

correction [kɔrɛksjɔ] *f. correction*

correspondance [kɔrɛspɔdãs] *f. transfer (in streetcar, bus, or subway); correspondence*

prendre une — *change cars*

correspondre [kɔrɛspɔdr] *correspond*

corriger [kɔriʒe] (§ 82 B) *correct*

corruption [kɔrypsjɔ] *f. corruption*

Corse [kɔrs] *f. Corsica*

costume [kɔstym] *m. dress, costume*

côte [kot] *f. coast; hill, slope*

Côte d'Azur [kotdazyr] *territory along the southeast coast of France, also known as the French Riviera*

côté [kote] *m. side*

à — de *beside*

de chaque — *on each side*

de — *aside*

de l'autre — *on the other side*

de son — *for his part*
des deux —s *on both sides*
du — de *on the side of, in the direction of*
d'un — *on one side*
mettre de — *set aside*
côtelette [kotlɛt] *f. chop, cutlet*
coton[kotɔ̃] *m. cotton*
cou [ku] *m. neck*
Coubertin, Pierre de [kubɛrtɛ̃] (*1863–
1937*) *founder of the modern Olympic
Games*
coucher [kuʃe] *pass the night, sleep*
se — *go to bed, lie down*
coude [kud] *m. elbow*
couler [kule] *flow; sink*
couleur [kulœr] *f. color*
couloir [kulwar] *m. corridor, hall*
coup [ku] *m. stroke, blow*
— d'état *sudden and often violent
change of state policy*
— d'œil *glance*
— de téléphone *"ring," telephone call*
couper [kupe] *cut*
cour [kur] *f. court, courtyard*
couramment [kuramã] *currently; fluently*
courant [kurã] *m. current*
courant [kurã] *ordinary, common*
coureur [kurœr], *m. runner, racer*
— -cycliste *bicycle racer*
courir [kurir] (§ 86, no. 8) *run*
couronne [kurɔn] *f. crown*
couronner [kurɔne] *crown*
courrier [kurje] *m. mail*
courroux [kuru] *m. anger*
cours [kur] *m. course of study; class*
au — de *in the course of*
course [kurs] *f. race, running*
court [kur] *short*
couru, courus [kury] (*pp and sp of
courir*) *run, ran*
cousin [kuzɛ̃], *m. cousin*
coûter [kute] *cost*
coûteux, coûteuse [kutø, kutøz] *costly,
expensive*
coutume [kutym] *f. custom, habit*
couvert [kuvɛr] (*pp of* couvrir) *covered*
le ciel est — *it is cloudy, the sky is
overcast*

couvrir [kuvrir] (§ 86, no. 22) (de +
noun) *cover*
craindre [krɛdr] (§ 86, no. 9) (+
noun; de + inf.) *fear, be afraid*
crainte [krɛt] *f. fear*
crayon [krɛjɔ̃] *m. pencil*
créer [kree] *create*
crème [krɛm] *f. cream*
cri [kri] *cry, shout*
crise [kriz] *f. crisis; depression*
critique [kritik] *m. critic*
critiquer [kritike] *criticize*
croire [krwar] (§ 86, no. 10) (+ inf.;
à + *thing;* en [1] + *person*) *believe, think*
croix [krwa] *f. cross*
cru, crus [kry] (*pp and sp of* croire) *believed*
Cucaracha [kukaratʃa] *a Mexican song*
cuisine [kɥizin] *f. cooking*
faire la — *cook*
cultiver [kyltive] *cultivate*
culture [kyltyr] *f. culture*
curieux, curieuse [kyrjø, kyrjøz] *curious*
cuve [kyv] *f. tub*

D

d'abord [dabɔr] *first, at first*
d'ailleurs [dajœr] *besides, moreover*
Dakar [dakar] *m. city on Atlantic coast
of* Sénégal, *capital of* Afrique-Occidentale française
dame [dam] *f. lady*
Danemark [danmark] *m. Denmark*
danger [dãʒe] *m. danger*
dangereux, dangereuse [dãʒrø, dãʒrøz]
dangerous
dans [dã] *in, into*
dansant [dãsã] *dancing*
la soirée —e *dance*
danse [dãs] *f. dance*
danser [dãse] *dance*
Dantzig [dãtsig] *German city, established
as a Free City at the mouth of the Polish
Corridor by the Treaty of Versailles,
reseized by the Germans in September,
1939*
d'après [daprɛ] *according to*

---

[1] With the sense of *to have faith in.*

date [dat] *f. date*

dater [date] *date*

davantage [davɑ̃taʒ] *more*

de [də] *of, from; in* (§ 12 D); *than* (§ 12 B)

— même *in the same way, likewise*

— nouveau *again*

— plus en plus *more and more*

quelque chose — défini *something definite*

— l'autre côté *on the other side*

— sorte que *so that*

— temps en temps *from time to time*

d'un côté *on one side*

d'usage *customary*

débarquement [debarkəmɑ̃] *m. disembarkation* (used instead of "invasion" to refer to landings of allied forces in France and in Africa in World War II)

debarquer [debarke] *disembark*

se débarrasser [debarase] (de + noun) *get rid of*

debout [dəbu] *standing*

début [deby] *m. beginning; debut*

décembre [desɑ̃br] *m. December*

décider [deside] (de + inf.) *decide*

se — (à + inf.) *make up one's mind*

décisif, décisive [desizif, desiziv] *decisive*

décision [desizjɔ̃] *f. decision*

prendre une — *make a decision*

déclaration [deklarasjɔ̃] *f. declaration*

— d'indépendance *f. Declaration of Independence*

déclarer [deklare] *declare*

découvert [dekuvɛr] (*pp* of découvrir) *discovered*

découverte [dekuvɛrt] *f. discovery*

découvrir [dekuvrir] (§ 86, no. 22) *discover*

décret [dekrɛ] *m. decree*

décrire [dekrir] (§ 86, no. 13) *describe*

déesse [deɛs] *f. goddess*

défaite [defɛt] *f. defeat*

défendre [defɑ̃dr] *defend;* (à + person + de + inf.) *forbid*

défense [defɑ̃s] *f. defense*

défilé [defile] *m. parade, procession, line*

défiler [defile] *march past, file past, go past*

défini [defini] *definite*

définitif, définitive [definitif, definitiv] *definite, definitive*

définitivement [definitivmɑ̃] *definitely*

déformer [defɔrme] *deform, twist out of shape*

dégager [degaʒe] *clear, disengage*

dégât [degɑ] *m. damage*

degré [dəgre] *m. degree*

déguiser [degize] *disguise*

dehors [dəɔr] *outside*

déjà [deʒa] *already*

déjeuner [deʒœne] *m. lunch*

le petit — *breakfast*

de Lesseps [dəlɛsɛps] (*1804–1894*) *French engineer who constructed the Suez Canal and began the construction of the Panama Canal*

delà [dəla] *beyond*

délicat [delika] *delicate*

délivrance [delivrɑ̃s] *f. deliverance*

délivrer [delivre] *deliver*

demain [dəmɛ̃] *tomorrow*

demander [dəmɑ̃de] (à + person + de + inf.) *ask, ask for*

se — *wonder*

demandez [dəmɑ̃de] (*imperative of* demander) *ask*

demeurer [dəmœre] *live, reside*

demi [dəmi] (§ 92 E) *half*

démocratique [demɔkratik] *democratic*

démonstratif, démonstrative [demɔ̃stratif, demɔ̃strativ] *demonstrative*

démoraliser [demɔralize] *demoralize*

dénoncer [denɔ̃se] (§ 82 A) *denounce*

dent [dɑ̃] *f. tooth*

dentelle [dɑ̃tɛl] *f. lace*

dentifrice, pâte [pɑtdɑ̃tifris] *f. toothpaste*

dentiste [dɑ̃tist] *m. dentist*

départ [depar] *m. departure*

département [departəmɑ̃] *m. department, political division of modern France for administrative purposes*

dépasser [depɑse] *by-pass*

se dépêcher [depeʃe] (de + inf.) *hurry*

dépendre [depɑ̃dr] (de + inf.) *depend*

dépense [depɑ̄s] *m. expense*
déporter [depɔrte] *deport*
déposer [depoze] *place, leave*
depuis [dəpɥi] (§ 45 B, § 47 B) *since, from, for*
député [depyte] *m. deputy*
dernier, dernière [dɛrnje, dɛrnjɛr] *last*
derrière [dɛrjɛr] *behind*
des [de] (§ 2 A, § 4 B, § 5 B) *of the; some*
dès [dɛ] *from, since, as early as*
 — que *as soon as*
désagréable [dezagreabl] *disagreeable*
descendre [desɑ̄dr] *go down; get off*
 — d'un train *get off a train*
description [deskripsjɔ̄] *f. description*
désert [dezɛr] *deserted*
désespoir [dezɛspwar] *m. despair*
désigner [deziɲe] *designate, name, call*
désillusion [dezilyzjɔ̄] *f. disillusion*
désir [dezir] *m. desire, wish*
désirer [dezire] (+ inf.) *desire, wish*
désolé [dezɔle] *sorry*
désorganisation [dezɔrganizɑsjɔ̄] *f. disorganization*
despotique [dɛspɔtik] *despotic*
dessert [desɛr] *m. dessert*
dessiner [desine] *design, lay out*
dessus [dəsy] *on, over, above*
 au- — *above*
destination [dɛstinɑsjɔ̄] *f. destination*
destiné à |dɛstinea| *used for*
détail [detaj] *m. detail*
déterminer [detɛrmine] *determine*
Détroit [detrwa] *city in United States*
détruire [detrɥir] (§ 86, no. 6) *destroy*
détruit [detrɥi] (*pp of* détruire) *destroyed*
deux [dφ] *two*
deuxième [dφzjɛm] *second*
devant [dəvɑ̄] *in front of, before*
développement [devlɔpmɑ̄] *m. development*
développer [devlɔpe] *develop*
devenir [dəvnir] (§ 86, no. 34) *become*
 Qu'est-ce que Robert est devenu? *What became of Robert?*
devenu [dəvny] (*pp of* devenir) *become*
deviner [dəvine] *guess*
devise [dəviz] *f. motto*

devoir [dəvwar] (§ 86, no. 11; § 90 A, B) (+ inf.) *have to, must, ought to, should; owe*
devoir [dəvwar] *m. exercise; duty*
dialecte [djalekt] *m. dialect*
dictateur [diktatœr] *m. dictator*
dictature [diktatyr] *f. dictatorship*
dictée [dikte] *f. dictation*
Dieu [djφ] *m. God*
différemment [diferamɑ̄] *differently*
différence [diferɑ̄s] *f. difference*
différent [diferɑ̄] *different*
difficile [difisil] *difficult*
difficulté [difikylte] *f. difficulty*
diffuser [difyze] *diffuse*
diffusion [difyzjɔ̄] *f. diffusion*
digne [diɲ] *worthy*
Digne [diɲ] *city in extreme southeastern France*
Dijon [diʒɔ̄] *city in eastern France, capital of ancient province of Burgundy*
dimanche [dimɑ̄ʃ] *m. Sunday*
diminuer [diminɥe] *diminish, lessen*
dinde [dɛ̄d] *f. turkey*
dîner [dine] *dine*
dîner [dine] *m. dinner*
diplomatique [diplɔmatik] *diplomatic*
diplôme [diplom] *m. diploma*
dire [dir] (§ 86, no. 12) (à + person; de + inf.) *say, tell*
 c'est à — *that is to say*
 vouloir — *mean*
direct [dirɛkt] *direct*
directement [dirɛktəmɑ̄] *directly*
direction [dirɛksjɔ̄] *f. direction*
Directoire [dirɛktwar] *m. Directory, body governing France just before Napoleon I*
diriger [diriʒe] (§ 82 B) *direct*
 se — *go toward*
discussion [diskysjɔ̄] *f. discussion*
discuter [diskyte] *discuss*
disparaître [disparɛtr] (§ 86, no. 7) *disappear*
se disperser [dispɛrse] *disperse, be dispersed*
disposé [dispoze] *laid out*
disposer [dispoze] *dispose; incline*
disposition [dispozisjɔ̄] *f. disposition*

distance [distɑ̃s] *f. distance*
distinguer [distɛge] *distinguish*
  se — *be distinguished, distinguish oneself*
distraire [distrɛr] *amuse, distract*
distribuer [distribɥe] *distribute*
dit [di] (*pp of* dire) *said*
dites [dit] (*imperative of* dire) *tell, say*
divers [divɛr] *various, different*
divin [divɛ̃] (*but* [divin] *in the combination* divin enfant) *divine*
divisé [divize] (*pp of* diviser) *divided*
diviser [divize] *divide*
division [divizjɔ̃] *f. division*
dix [dis, di, diz] *ten*
  — -huit *eighteen*
  — -neuf *nineteen*
  — -neuf cent quarante *nineteen hundred forty*
  — -sept *seventeen*
  — -septième *seventeenth*
  — -sept cent quatre-vingt-neuf *seventeen hundred eighty nine*
dixième [dizjɛm] *tenth*
docteur [dɔktœr] *m. doctor*
doctrine [dɔktrin] *f. doctrine*
doigt [dwa] *m. finger; toe*
dollar [dɔlar] *m. dollar*
domestique [dɔmɛstik] *m. f. servant*
domestique [dɔmɛstik] *domestic*
domination [dɔminɑsjɔ̃] *f. domination*
dominer [dɔmine] *dominate*
dommage [dɔmaʒ] *m. harm*
  c'est — *it's too bad*
donc [dɔ̃k, dɔ̃] *then, thus*
  allons! — *come now! I declare! you don't say!*
donner [dɔne] *give*
  — sur *look out upon, open on*
  — un coup de téléphone *give a "ring," telephone*
dont [dɔ̃] (§ 36 D) *of which, whose*
d'ordinaire [dɔrdinɛr] *ordinarily*
doré [dɔre] *golden*
dormir [dɔrmir] (2) (§ 83, no. 4) *sleep*
dos [do] *m. back*
dot [dɔt] *f. dowry*
doute [dut] *m. doubt*
  mettre en — *question*

douter [dute] *doubt*
douteux, douteuse [dutφ, dutφz] *doubtful, uncertain*
doux, douce [du, dus] *soft, sweet, gentle, mild*
  il fait — (§ 89 B) *it is mild weather*
douze [duz] *twelve*
douzième [duzjɛm] *twelfth*
dramatique [dramatik] *dramatic*
drapeau [drapo] *m. flag*
droit [drwa] *m. law; right*
droit [drwa] *right*
droite [drwat] *f. right*
  à — *to the right*
drôle [drol] *peculiar, strange; funny*
  «— de guerre» *the "phony war," referring to the period in World War II between September 1939 and May 1940 when France and England although at a state of war with Germany took almost no action*
du [dy] (§ 2 A, § 5 B) *of the, from the; some*
  — moins *at least*
  — reste *moreover*
dû [dy] (*pp of* devoir) (§ 90 A, C) *had to, etc.*
duc [dyk] *m. duke*
dur [dyr] *hard*
  un œuf — *hard-boiled egg*
durant [dyrɑ̃] *during*
durée [dyre] *f. duration*
durer [dyre] *last*

E

eau [o] *f. water*
échange [eʃɑ̃ʒ] *m. exchange*
  en — *in exchange*
échanger [eʃɑ̃ʒe] *exchange*
échapper [eʃape] (à + noun) *escape*
  s' — (de + noun) *escape (from)*
échouer [eʃwe] *fail (an examination, a course)*
éclairer [eklɛre] *light*
éclat [ekla] *m. renown, brilliance*
éclater [eklate] *break out*
école [ekɔl] *f. school*
  à l'— *at school*
  les grandes —s *term used to refer to colleges of engineering, dentistry, educa-*

tion, etc., which are not among the five
traditional facultés of the University
of Paris, but which are either attached
to the University or exist independent
of it

École Centrale [ekɔlsãtral] engineering
school

École Coloniale [ekɔlkɔlɔnjal] school
which prepares its students for administrative positions in the colonies

École Normale [ekɔlnɔrmal] school at
Paris which prepares its students for
teaching positions at the secondary level

économe [ekɔnɔm] economical

économie [ekɔnɔmi] f. economy

économique [ekɔnɔmik] economic

économiser [ekɔnɔmize] save

écoute [ekut] f. listening to

à l'— listening

écouter [ekute] (+ noun) listen

écraser [ekraze] crush

écrire [ekrir] (§ 86, no. 13) (à + person;
de + inf.) write

écris, écrit [ekri] (sp and pp of écrire)
wrote, written

écrivain [ekrivɛ̃] m. writer, author

écrivez [ekrive] (imperative of écrire)
write

édifice [edifis] m. building

édition [edisjɔ̃] f. edition

éducation [edykasjɔ̃] f. education; bring-
ing-up

Ministre de l'— Nationale Minister
of Education

effacer [efase] (§ 82 A) erase

effet [efɛ] m. effect

en — in fact

efficacité [efikasite] f. efficacy

s'efforcer [efɔrse] (§ 82. A) (de + inf.)
force oneself

effort [efɔr] m. effort

effrayer [efrɛje] frighten

égal [egal] equal

ça m'est — that's all the same to me

également [egalmã] equally, also

égalité [egalite] f. equality

égard [egar] m. regard

à cet — in that respect

église [egliz] f. church

Egypte [eʒipt] f. Egypt

eh bien [ebjɛ̃] well, very well

Eiffel [ɛtɛl] (1832-1923) French engineer
who constructed the Eiffel Tower

Elbe [ɛlb] f. Elba, Italian island in the
Mediterranean where Napoleon was ex-
iled in 1814

électeur [elɛktœr] m. elector

électoral [elɛktɔral] electoral

collège — electoral college

électricité [elɛktrisite] f. electricity

électrique [elɛktrik] electric

élégant [elegã] elegant, cultivated

élémentaire [elemãtɛr] elementary

élève [elɛv] m. f. pupil

élevé [elve] high

élever [elve] (§ 82 D) raise

s'— rise

élire [elir] (§ 86, no. 18) elect

élite [elit] f. elite, best, choice

elle [ɛl] she; it; her

elles [ɛl] f. they; them

élu [ely] (pp of élire) elected

Embarquement pour Cythère [ãbarkə-
mãpursitɛr] "Embarkation for Cytherea," a famous painting by Watteau

embellir [ãbɛlir] beautify

embouchure [ãbuʃyr] f. mouth of a river

émetteur [emɛtœr] m. station

poste — broadcasting station

émission [emisjɔ̃] f. broadcast; program

emmener [ãmne] (§ 82 D) take away (a
person)

émotion [emosjɔ̃] f. emotion

s'emparer [ãpare] take possession of, seize

empêcher [ãpeʃe] (+ noun; de + inf.)
prevent, hinder

empereur [ãprœr] m. emperor

empire [ãpir] m. empire

Empire [ãpir] m. Empire

Premier — First Empire (1804-1815),
set up by Napoleon I

Deuxième — Second Empire (1852-
1870), set up by Napoleon III

emploi [ãplwa] m. use

employant [ãplwajã] using

employé [ãplwaje] m. clerk

employer [ãplwaje] (§ 82 C) use

s'— be used

emporter [ãpɔrte] *carry off*
emprisonner [ãprizɔne] *imprison*
en [ã] *in, into* (§ 39 A, B); *some, of it, of them* (§ 27 A, B, C); *from it, from there* (§ 27 E); *while* (§ 67 B); *as*
— classe *in class*
— effet *in fact, indeed, in reality*
— face (de + noun) *opposite*
— général *in general*
— haut de *at the top of*
— même temps *at the same time*
— outre *moreover*
— plein air *in the open*
— province *anywhere in France outside of Paris*
— retard *late*
— somme *in brief, in short*
— vacances *on a vacation*
encens [ãsã] *m. incense*
enchanter [ãʃãte] *delight, enchant*
encombrer [ãkɔbre] *encumber, load*
encore [ãkɔr] *still, still more*
— une fois *again*
encourager [ãkuraʒe] (§ 82 B) *encourage*
encre [ãkr] *f. ink*
s'endormir [ãdɔrmir] (2) *go to sleep, fall asleep*
endroit [ãdrwa] *m. place*
enfance [ãfãs] *f. childhood*
enfant [ãfã] *m. f. child*
enfantin [ãfãtɛ̃] *childish*
enfermer [ãfɛrme] *shut in, imprison*
enfin [ãfɛ̃] *at last, finally*
enfoncer [ãfɔse] *break into*
s'enfuir [ãfɥir] (§ 86, no. 17) *flee, escape*
engager [ãgaʒe] *engage; persuade, ask*
enlever [ãlve] (+ thing + à + person) *take away*
ennemi [ɛnmi] *m. enemy;* (adj.) *enemy*
énorme [enɔrm] *enormous*
enragé [ãraʒe] *mad*
enseigner [ãsɛɲe] (à + inf.) *teach*
ensemble [ãsãbl] *m. whole*
ensemble [ãsãbl] *together*
ensuite [ãsɥit] *then*
entendre [ãtãdr] (+ inf.) *hear; understand*
— parler de *hear of*
entente [ãtãt] *f. understanding*

Triple — *Triple Entente, alliance in effect in 1914 between England, France, and Russia*
enthousiasme [ãtusjasm] *m. enthusiasm*
enthousiaste [ãtuzjast] *enthusiastic*
entier, entière [ãtje, ãtjɛr] *entire*
entièrement [ãtjɛrmã] *entirely*
entourer [ãture] *surround*
entr'acte [ãtrakt] *m. intermission*
entraîner [ãtrɛne] *bring on*
s' — *train oneself*
entre [ãtr] *between, among*
entrée [ãtre] *f. entrance*
entreprendre [ãtrəprãdr] (§ 86, no. 27) *undertake*
entreprise [ãtrəpriz] *f. enterprise*
entrer [ãtre] (§ 83, no. 6) (dans + noun) *enter*
entretien [ãtrətjɛ̃] *m. upkeep*
envahir [ãvair] *invade*
envahisseur [ãvaisœr] (adj.) *invader, invading*
enverrai [ãvɛre] (1st pers. sing. fut. of envoyer) *shall send*
envie [ãvi] *f. wish, desire*
avoir — de (§ 91 B) *feel like, want to*
environ [ãvirɔ̃] *about, approximately*
s'envoler [ãvɔle] *fly away, fly off*
envoyer [ãvwaje] (§ 86, no. 14) *send*
épatant [epatã] *fine, wonderful, "swell!"*
épaule [epol] *f. shoulder*
épisode [epizɔd] *m. episode*
époque [epɔk] *f. period*
épouser [epuze] *marry, wed*
époux [epu] *m. pl. husband and wife*
épreuve [eprœv] *f. test*
éprouver [epruve] *feel, experience*
épuisant [epɥizã] *exhausting*
épuiser [epɥize] *exhaust*
équatorial [ekwatɔrjal] *equatorial*
Afrique —e française *French Equatorial Africa*
équipe [ekip] *f. team*
équivalent [ekivalã] *m. equivalent*
ériger [eriʒe] (§ 82 B) *erect*
erreur [ɛrœr] *f. error*
escalier [ɛskalje] *m. stairway*
espace [ɛspas] *m. space, room*

— vital *living space, French equivalent for German "Lebensraum"*

Espagne [ɛspaɲ] *f. Spain*

espagnol [ɛspaɲɔl] *Spanish*

espérance [ɛsperãs] *f. hope*

espérer [ɛspere] (§ 82 E) (+ inf.) *hope*

espoir [ɛspwar] *m. hope*

esprit [ɛspri] *m. spirit*

essayer [esɛje] (§ 82 C) (de + inf.) *try*

essence [esãs] *f. gasoline*

est [ɛ] (*3d pers. sing. pres. of* être) *is*

— -ce que . . . (§ 87 A) (*method of asking a question*)

est [ɛst] *m. east*

estomac [ɛstɔma] *m. stomach*

estuaire [ɛstɥɛr] *m. estuary, a narrow arm of the sea at the mouth of a river*

et [e] *and*

établir [etablir] *establish*

s' — *establish oneself*

établissement [etablismã] *m. establishment*

étage [etaʒ] *m. floor, story*

premier — *second floor*

deuxième — *third floor, etc.*

étape [etap] *f. stage, stop*

état [eta] *m. state*

États-Généraux [etaʒenero] *States-General*

États-Unis [etazyni] *m. United States*

etc. [ɛtsetera] (*abbr. for* et caetera) *and so forth*

été [ete] (*pp of* être) *been*

été [ete] *m. summer*

en — *in summer*

éteindre [etɛ̃dr] (§ 86, no. 23) *put out, turn out, extinguish*

éteint [etɛ̃] (*pp of* éteindre) *put out, turned out, extinguished*

s'étendre [etãdr] *extend*

étendu [etãdy] (*pp of* étendre) *extensive, extended*

étoile [etwal] *f. star; used to designate* La Place de l'Étoile *because the streets converging at that square give it the appearance of a star*

étonné [etɔne] *surprised*

étonner [etɔne] *surprise, astonish*

s' — *be surprised*

étrange [etrãʒ] *strange*

étranger [etrãʒe] *m. foreigner*

étranger, étrangère [etrãʒe, etrãʒɛr] *foreign*

à l' — $\begin{cases} to \\ in \end{cases}$ *a foreign country, abroad*

être [ɛtr] (§ 83, no. 9) *be*

être [ɛtr] *m. being*

étroit [etrwa] *narrow*

étude [etyd] *f. study*

faire des — *carry on one's studies*

étudiant [etydjã] *m. student (of college level)*

étudiante [etydjãt] *f. girl student*

étudier [etydje] *study*

eu, eus [y] (*pp and sp of* avoir) *had*

Europe [œrɔp] *f. Europe*

européen, européenne [œrɔpeɛ̃, œrɔpeɛn] *European*

eux [ø] *them*

événement [evɛnmã] *m. event*

éventuel, éventuelle [evãtɥɛl] *eventual*

Évian [evjã] *m. small French town situated on Lake Geneva*

évidemment [evidamã] *evidently; obviously, clearly*

évolution [evɔlusjɔ̃] *f. evolution*

évoquer [evɔke] *evoke, call forth*

exactement [egzaktəmã] *exactly*

exagérer [egzaʒere] *exaggerate*

examen [egzamɛ̃] *m. examination*

passer un — *take an examination*

examiner [egzamine] *examine*

excellent [ɛksɛlã] *excellent*

excepté [ɛksɛpte] *except*

excursion [ɛkskyrsjɔ̃] *f. excursion*

exécution [egzekysjɔ̃] *f. execution*

exemple [egzãpl] *m. example*

par — *for example*

exercer [egzɛrse] *exercise*

exiler [egzile] *exile*

existence [egzistãs] *f. existence*

exister [egziste] *exist*

exode [egzɔd] *m. exodus; term used to describe the flight of the French civilians from the onrushing German armies in May and June 1940*

expérience [ɛksperjãs] *f. experiment*

expérimental [ɛksperimɑ̃tal] *experimental*

expérimenter [ɛksperimɑ̃te] *experiment*

expiation [ɛkspiɑsjɔ̃] *f. expiation, atonement*

explication [ɛksplikɑsjɔ̃] *f. explanation*

expliquer [ɛksplike] *explain*

explorateur [ɛksplɔratœr] *m. explorer*

explorer [ɛksplɔre] *explore*

exporter [ɛkspɔrte] *export*

s'exposer [ɛkspoze] *expose oneself*

exposition [ɛkspozisjɔ̃] *f. exposition, fair*

expression [ɛkspresjɔ̃] *f. expression*

exprimer [ɛksprime] *express*
   s' — *express oneself*

extérieur [ɛksterjœr] *m. exterior;* (adj.) *exterior*

extravagant [ɛkstravagɑ̃] *extravagant*

extrême [ɛkstrɛm] *extreme*

extrêmement [ɛkstrɛmmɑ̃] *extremely*

F

F. F. I. [ɛfɛfi] *abbr. for* Forces Françaises de l'Intérieur, *name used to designate the "maquis."*

façade [fasad] *f. façade, front of a building*

face [fas] *f. face*
   en — (de + noun) *opposite, facing*

facile [fasil] *easy*

facilement [fasilmɑ̃] *easily*

faciliter [fasilite] *facilitate, make easy*

façon [fasɔ̃] *f. fashion, manner, way*

faculté [fakylte] *f. college or school of a university, including buildings and teaching staff*

faible [fɛbl] *weak*

faiblesse [fɛblɛs] *f. weakness*

faim [fɛ̃] *f. hunger*
   avoir — (§ 91 B) *be hungry*

faire [fɛr] (§ 86, no. 15; § 89) (+ inf.) *make, do*
   — attention *pay attention to*
   — beau *be fine, be pleasant*
   — chaud *be hot, be warm*
   — la connaissance de *make the acquaintance of, get acquainted with*
   — la cuisine *do the cooking, cook*

— la dictée *dictate, give a dictation*

— doux *be mild*

— des études *carry on studies*

— froid *be cold*

— partie de *be a part of*

— part *inform*

— une promenade *take a walk*

— signe *make a sign*

— du sport *practice sports*

— du vent *be windy*

— une visite *pay a visit*

— un voyage *take a trip*

fait [fɛ] *m. fact, deed*
   en — *in fact, in effect, indeed*

fait [fɛ] (pp of faire) *made, done*

faites [fɛt] (imperative of faire) *make, do*
   — attention *pay attention*

falloir [falwar] (§ 86, no. 16) (+ inf.) *must, be necessary*

famille [famij] *f. family*

fasse [fas] (pres. subjunctive of faire) *make*

fatigue [fatig] *f. fatigue, weariness*

fatigué [fatige] *tired*

faut [fo] (3d pers. sing. pres. of falloir) *it is necessary, one must*

faute [fot] *f. mistake*

fauteuil [fotœj] *m. armchair*

faux, fausse [fo, fos] *false*

favorable [favɔrabl] *favorable*

favori, favorite [favɔri, favɔrit] *favorite*

féliciter [felisite] *congratulate*

femme [fam] *f. woman; wife*
   — de ménage, *f. charwoman, maid, woman who comes in to do housework*

fenêtre [fənɛtr] *f. window*

féodal [feɔdal] *feudal*

fer [fɛr] *m. iron*
   chemin-de — *m. railroad*

ferai [fre] (1st pers. sing. fut. of faire) *shall do, shall make*

Ferdinand [fɛrdinɑ̃] *given name of de Lesseps*

ferme [fɛrm] *f. farm*

fermé [fɛrme] (pp of fermer) *closed*

fermentation [fɛrmɑ̃tɑsjɔ̃] *f. fermentation*

fermenté [fɛrmɑ̃te] *fermented*

fermer [fɛrme] *close*

féroce [ferɔs] *fierce, ferocious*
fertile [fertil] *fertile*
fête [fɛt] *f. holiday; festivity*
feu [fφ] *m. fire*
feuille [fœj] *f. sheet, leaf*
feuilleter [fœjte] (§ 82 F) *leaf, run through rapidly*
février [fevrije] *m. February*
fiançailles [fjɑ̃sɑj] *f. pl. engagement, betrothal*
fiancé [fjɑ̃se] *engaged*
fiancée [fjɑ̃se] *f. fiancée*
fidèle [fidɛl] *faithful*
fier, fière [fjɛr, fjɛr] *proud*
figure [figyr] *f. face*
se figurer [figyre] *imagine*
fille [fij] *f. daughter; girl*
jeune — *f. girl*
film [film] *m. film*
fils [fis] *m. son*
fin [fɛ̃] *f. end*
mettre — à *put an end to*
prendre — *end*
final [final] *final*
finalement [finalmɑ̃] *finally*
financier, financière [finɑ̃sje, finɑ̃sjɛr] *financial*
finir [finir] (§ 83, no. 2) *finish*
— par *end up by, finally*
fis [fi] (*sp of* faire) *made, did*
fixer [fikse] *establish, set, fix*
flamand [flamɑ̃] *Flemish*
flamme [flam] *f. flame*
Flandre [flɑ̃dr] *f. Flanders*
—française *French province in the northern part of France, annexed in 1668*
fleur [flœr] *f. flower*
fleuri [flœri] *flowery*
fleuve [flœv] *m. river*
flotte [flɔt] *f. navy*
foire-exposition [fwarɛkspozisjɔ̃] *f. fair*
fois [fwa] *f. time*
à la — *at the same time*
encore une — *once more, again*
une — *once*

fonctionnaire [fɔksjɔnɛr] *m. government worker, government official, civil service employe*
fond [fɔ̃] *m. end, back, rear, bottom*
au — (de) *at the end (of), at the rear (of), at the bottom (of)*
fondateur [fɔ̃datœr] *m. founder*
Fondation [fɔ̃dɑsjɔ̃] *f. term used to designate part of the buildings of the Cité Universitaire, and in particular the Fondation des États-Unis*
fonder [fɔ̃de] *found, establish*
font [fɔ̃] (*3d pers. pl. pres. of* faire) *make, do*
fontaine [fɔ̃tɛn] *f. fountain*
Fontainebleau [fɔ̃tɛnblo] *city and forest south of Paris*
football [futbɔl] *m. football*
force [fɔrs] *f. force, strength*
forcer [fɔrse] (§ 82 A) (à + inf.; être forcé de + inf.)[1] *force*
forêt [fɔrɛ] *f. forest*
forme [fɔrm] *f. form*
former [fɔrme] *form; train, educate*
formidable [fɔrmidabl] *formidable*
fort [fɔr] *strong*
forteresse [fɔrtərɛs] *f. fortress, stronghold*
fortifié [fɔrtifje] *fortified*
fortifier [fɔrtifje] *fortify*
foule [ful] *f. crowd*
fournir [furnir] *furnish*
foyer [fwaje] *m. lobby*
frais [frɛ] *m. (usually pl.) expense*
frais, fraîche [frɛ, frɛ] *fresh, cool*
il fait — *it is cool*
franc [frɑ̃] *m. franc; French monetary unit*[2]
français [frɑ̃sɛ] *French*
le — *French language*
Français [frɑ̃sɛ] *m. Frenchman*
Française [frɑ̃sɛz] *f. French girl, French woman*
France [frɑ̃s] *f. France*
Anatole — (*1844-1924*) *French novel-*

---

[1] Louise *force* Paul *à* parler; Paul *est forcé de* parler.
[2] The value of the franc was twenty cents up to the end of World War I. Between the two wars, its value varied between two cents and seven cents. Since the end of World War II it has been worth less than one cent.

*ist and short story writer noted for his
simple but ironic style*

la — métropolitaine *France proper,
France without her colonies*

franco-allemand [frɑ̃koalmɑ̃] *Franco-
German*

franco-belge [frɑ̃kobɛlʒ] *Franco-Belgian*

François Ier [frɑ̃swɑprəmje] *Francis I,
king of France (1515–1547)*

fraternité [fratɛrnite] *f. brotherhood*

frapper [frape] *strike, knock*

fréquenter [frekɑ̃te] *frequent*

frère [frɛr] *m. brother*

frissonner [frisɔne] *shiver, tremble*

frit [fri] *fried*

frites [frit] *f. pl. French-fried potatoes*

froid [frwa] *m. cold*

avoir — (§ 91 B) *be cold*

faire — (§ 89 B) *be cold*

fromage [frɔmaʒ] *m. cheese*

front [frɔ̃] *m. front*

front populaire [frɔ̃pɔpylɛr] *Popular
Front, coalition French government
which came into power under Léon Blum
by the elections of May, 1936*

frontière [frɔ̃tjɛr] *f. frontier, boundary*

fruit [frɥi] *m. fruit*

fuir [fɥir] (§ 86, no. 17) *flee*

fumer [fyme] *smoke*

fureur [fyrœr] *f. furor*

fus [fy] (*sp of être*) *was*

fusil [fyzi] *m. gun*

fusillade [fyzijad] *f. discharge of guns*

fusiller [fyzije] *shoot*

futur [fytyr] *m. future*

G

gagner [gaɲe] *win, gain; earn*

gai [ge] *gay*

galerie [galri] *f. gallery*

Galerie des Glaces [galrideglas] *Hall
of Mirrors in the palace at Versailles*

garantir [garɑ̃tir] *guarantee, pledge*

garçon [garsɔ̃] *m. boy; waiter*

garder [garde] *keep, watch, guard; hold*

gare [gar] *f. (railroad) station*

Gare de Lyon [gardəljɔ̃] *important
railway station at Paris for trains
leaving for Lyon and Marseilles*

Garonne [garɔn] *f. river in southern
France*

Gascogne [gaskɔɲ] *f. province in south-
western France*

gâteau [gɑto] *m. cake*

gauche [goʃ] *f. left*

à — *to the left, on the left hand*

Gaulle, Charles de [dəgol] (*1890–   *)
*French general in World War II who
long before the war advocated mechan-
ization of weapons, who organized the
Free French Forces in London to carry
on the war in the colonies and abroad,
and who became the chief of state after
the "Liberation"*

gaz [gɑz] *m. gas*

gendarme [ʒɑ̃darm] *m. policeman (usually state police)*

gêner [ʒɛne] *impede, bother*

général [ʒeneral] *m. general*

général, généraux [ʒeneral, ʒenero]
general

en — *in general*

généralement [ʒeneralmɑ̃] *generally*

Genève [ʒənɛv] *Geneva*

lac de — *Lake Geneva*

genou [ʒənu] *m. knee*

genre [ʒɑ̃r] *m. kind, class; gender*

gens [ʒɑ̃] *m. pl. people*

jeunes — *young men*

gentil, gentille [ʒɑ̃ti, ʒɑ̃tij] *nice*

géographie [ʒeografi] *f. geography*

géométrie [ʒeɔmetri] *f. geometry*

géométriquement [ʒeɔmetrikmɑ̃] *geo-
metrically*

Georges VI [ʒɔrʒəsis] (*1895–   *)
George VI, king of England since 1937

germanique [ʒɛrmanik] *germanic*

germe [ʒɛrm] *m. germ*

gibecière [ʒipsjɛr] *f. booksack, hunting
sack*

gibier [ʒibje] *m. game*

gigantesque [ʒigɑ̃tɛsk] *gigantic*

Gironde [ʒirɔ̃d] *f. estuary of Garonne*

glace [glas] *f. glass; ice, ice cream*

gloire [glwar] *f. glory*

golf [gɔlf] *m. golf*

gothique [gɔtik] *gothic*

goût [gu] *m. taste*

goûter [gute] *taste*

gouvernement [guvɛrnəmã] *m. government*

gouverner [guvɛrne] *govern*

gouverneur [guvɛrnœr] *m. governor*

grâce (à) [grɑs] *thanks (to)*

grammaire [gramɛr] *f. grammar*

grand [grã] *great, large*

Grand Trianon [grãtrijanɔ̃] *m. palace built at Versailles under the direction of Louis XIV by Hardouin-Mansard*

Grande-Bretagne [grãdbrətaɲ] *f. Great Britain*

grandiose [grãdjoz] *grandiose, imposing*

grappe [grap] *f. bunch (of grapes)*

gratte-ciel [gratsjɛl] *m. skyscraper*

grave [grav] *grave, serious*

gravure [gravyr] *f. etching, print*

grec, greque [grɛk] *Greek*

le — *Greek language*

Grenoble [grənɔbl] *m. French city*

grès [grɛ] *m. sandstone*

grève [grɛv] *f. (labor) strike*

se mettre en — *strike*

grille [grij], *f. iron grating*

gris [gri] *gray*

gros, grosse [gro, gros] *large, great*

groupe [grup] *m. group*

se grouper [grupe] *gather in groups*

Gruyère [gryjɛr] *m. kind of French cheese*

Guadeloupe [gwadlup] *f. a French department located in the Lesser Antilles*

guère [gɛr] *scarcely*

ne . . . — *scarcely*

guérir [gerir] *cure*

guerre [gɛr] *f. war*

— de Cent Ans *Hundred Years War (1337–1453)*

— de 70 *Franco-Prussian War (1870–71)*

— de 14 *World War I (1914–18)*

— de 39 *World War II (1939–45)*

«la drôle de —» *the "Phony War," referring to the period in World War II from September 1939 to May 1940, when France and England took no action against Germany, although a state of war had been declared*

— de Sept ans *Seven Years' War (1756–1763), in America (1754–1763)*

guichet [giʃɛ] *m. ticket window; window in post office to serve customers*

guide [gid] *m. guide*

Guillaume [gijom] *William*

— le Conquérant *William the Conqueror*

guillotine [gijɔtin] *f. guillotine*

guillotiner [gijɔtine] *guillotine, execute by the guillotine*

Guyane [gɥijan] *f. Guiana*

H

An * indicates an aspirate h. See page 391.

habile [abil] *clever*

s'habiller [abije] *dress, dress oneself*

habitant [abitã] *m. inhabitant*

habiter [abite] *live in, inhabit*

habitude [abityd] *f. habit, custom*

s'habituer [abitɥe] (à + *inf.*) *become accustomed to, accustom oneself to*

*haine [ɛn] *f. hate*

*haricot [ariko] *m. bean*

les —s verts *green beans*

*haut [o] *m. top, height*

*haut [o] *high*

en — *at the top*

là — *up there*

à — e voix *aloud*

*hauteurs [otœr] *f. pl. heights*

*Havre (Le) [ɑvr] *m. port in north-western France on English Channel*

Henri IV [ãrikatr] (1553–1610) *king of France from 1589 to 1610*

héritier [eritje] *m. heir*

*héros [ero] *m. hero*

hésiter [ezite] (à + *inf.*) *hesitate*

heure [œr] *f. hour; time; o'clock*

à quelle — *at what time*

à tout à l'— *so long, see you later*

de bonne — *early*

Il est (deux) —s *It is (two) o'clock*

Quelle — est-il? *What time is it?*

tout à l'— *in a little while; just now; a little while ago*

heureusement [œrφzmã] *fortunately*

heureux, heureuse [œrφ, œrφz] *happy*

hier [ijɛr, jɛr] *yesterday*
histoire [istwar] *f. history*
— sainte *sacred history, history of
the Bible*
historique [istɔrik] *historical*
Hitler [itlɛr] (*1889–1945?*) *German
Chancellor* (*1933–1945*)
hiver [ivɛr] *m. winter*
en — *in winter*
*hockey [ɔkɛ] *m. hockey*
*hollandais [ɔlɑ̃dɛ] *Dutch*
*Hollande [ɔlɑ̃d] *f. Holland*
homme [ɔm] *m. man*
— d'affaires *m. business man*
— d'état *m. statesman*
— de science *m. scientist*
honneur [ɔnœr] *m. honor*
*honte [ɔ̃t] *f. shame*
hôpital [ɔpital] *m. hospital*
horloge [ɔrlɔ̃ʒ] *f. clock* (*in a tower*)
*hors-d'œuvre [ɔrdœvr] *m. relish:
radishes, tomato salad, sardines, pastry containing cold spiced meat, etc.*
hostilité [ɔstilite] *f. hostility*
hôtel [ɔtɛl] *m. hotel*
— de ville *city hall*
Hugo, Victor [ygo] (*1802–1885*) *noted
French novelist, dramatist, and poet*
huile [ɥil] *f. oil*
*huit [ɥit, ɥi] *eight*
— jours *a week*
*huitième [ɥitjɛm] *eighth*
huître [ɥitr] *f. oyster*
humain [ymɛ̃] *human*

I

ici [isi] *here*
idée [ide] *f. idea*
il [il] *he, it*
— y a (§ 88 A) *there is, there are*
— y a (trois ans) (*three years*) *ago*
— y en a pour . . . *there will be . . .
for, it will last . . .*
s'— y a lieu *if it is necessary*
île [il] *f. island*
— d'Elbe *Island of Elba*
— de la Cité *island in the Seine on
which the Cathedral of Notre Dame
is situated*

— de France *former province of which
Paris is the center*
— de Madagascar *large island off the
east coast of Africa*
— de Sainte-Hélène *St. Helena, island
in the Atlantic*
illuminer [ilymine] *light*
illustrer [ilystre] *illustrate*
ils [il] *they*
imaginer [imaʒine] *imagine*
imiter [imite] *imitate*
immédiatement [imedjatmɑ̃] *immediately*
immense [imɑ̃s] *immense*
imparfait [ɛ̃parfɛ] *m. imperfect*
impatience [ɛ̃pasjɑ̃s] *f. impatience*
s'impatienter [ɛ̃pasjɑ̃te] *be impatient,
get impatient*
impératif [ɛ̃peratif] *m. imperative*
importance [ɛ̃pɔrtɑ̃s] *f. importance*
important [ɛ̃pɔrtɑ̃] *important*
imposant [ɛ̃pozɑ̃] *imposing*
imposer [ɛ̃poze] *impose*
impossible [ɛ̃pɔsibl] *impossible*
impôt [ɛ̃po] *m. tax*
impression [ɛ̃prɛsjɔ̃] *f. impression*
impressionner [ɛ̃prɛsjɔne] *impress*
inaugurer [inogyre] *open*
incident [ɛ̃sidɑ̃] *m. incident*
incompréhension [ɛ̃kɔ̃preɑ̃sjɔ̃] *f. lack of
understanding*
inconnu [ɛ̃kɔny] *unknown*
Inde [ɛ̃d] *f. India*
les —s *the Indies*
indemnité [ɛ̃dɛmnite] *f. indemnity*
indépendance [ɛ̃depɑ̃dɑ̃s] *f. independence*
indépendant [ɛ̃depɑ̃dɑ̃] *independent*
indescriptible [ɛ̃dɛskriptibl] *undescrib-
able*
indicatif [ɛ̃dikatif] *m. indicative*
indication [ɛ̃dikasjɔ̃] *f. directions, instructions, indications*
Indien [ɛ̃djɛ̃] *m. Indian*
indiqué [ɛ̃dike] (*pp of* indiquer) *indicated*
indiquer [ɛ̃dike] *indicate*
individualiste [ɛ̃dividɥalist] *individ-
ualistic*

individuel, individuelle [ɛ̃dividɥɛl] *individual*

Indochine [ɛ̃doʃin] *f. Indo-China*

industrie [ɛ̃dystri] *f. industry*

industriel, industrielle [ɛ̃dystriɛl], *industriel*

inévitable [inevitabl] *inevitable*

infinitif [ɛ̃finitif] *m. infinitive*

infirmier [ɛ̃firmje] *m. nurse, corpsman*

infliger [ɛ̃fliʒe] (§ 82 B) *inflict*

influence [ɛ̃flyɑ̃s] *f. influence*

influencer [ɛ̃flyɑ̃se] (§ 82 A) *influence*

information [ɛ̃fɔrmɑsjɔ̃] *f. information*

ingénieur [ɛ̃ʒenjœr] *m. engineer*

ininterrompu [inɛ̃tɛrɔ̃py] *uninterrupted*

inoculation [inɔkylɑsjɔ̃] *f. inoculation*

inoculer [inɔkyle] *inoculate*

inquiet, inquiète [ɛ̃kjɛ, ɛ̃kjɛt] *uneasy, anxious, worried*

s'inscrire [ɛ̃skrir] (§ 86, no. 13) *register, enroll*

inspirer [ɛ̃spire] *inspire*

installer [ɛ̃stale] *install*
    s'— *install*

instant [ɛ̃stɑ̃] *m. instant*

instinct [ɛ̃stɛ̃] *m. instinct*

institut [ɛ̃stity] *m. institute*

insulte [ɛ̃sylt] *f. insult*

insulter [ɛ̃sylte] *insult*

insurgé [ɛ̃syrʒe] *m. insurgent*

intellectuel, intellectuelle [ɛ̃tɛlɛktyɛl] *intellectual*

intelligence [ɛ̃tʒliʒɑ̃s] *f. intelligence*

intention [ɛ̃tɑ̃sjɔ̃] *f. intention*
    avoir l'— de *have the intention to, intend to*

interdire [ɛ̃tɛrdir] (§ 86, no. 12) *forbid*

intéressant [ɛ̃terɛsɑ̃] *interesting*

intéresser [ɛ̃terɛse] *interest*
    s'— (à + noun) *be interested in*

intérêt [ɛ̃terɛ] *m. interest*

intérieur [ɛ̃terjœr] *m. interior;* (adj.) *interior*

international [ɛ̃tɛrnɑsjɔnal] *international*

interpréter [ɛ̃tɛrprete] *interpret*

interrogatif, interrogative [ɛ̃tɛrɔgatif, ɛ̃tɛrɔgativ] *interrogative*

interroger [ɛ̃tɛrɔʒe] (§ 82 B) *question*

intervalle [ɛ̃tɛrval] *m. interval*

intervenir [ɛ̃tɛrvənir] (§ 86, no. 34), *intervene*

intervention [ɛ̃tɛrvɑ̃sjɔ̃] *f. intervention*

intimité [ɛ̃timite] *f. intimacy, coziness*

intonation [ɛ̃tɔnɑsjɔ̃] *f. intonation*

introduire [ɛ̃trɔdɥir] (§ 86, no. 6) *introduce*

introduisez [ɛ̃trɔdɥize] (*imperative of* introduire) *introduce*

invasion [ɛ̃vɑzjɔ̃] *f. invasion*

inversion [ɛ̃vɛrsjɔ̃] *f. inversion, inverted word order*

invité [ɛ̃vite] *m. guest*

Irlande [irlɑ̃d] *f. Ireland*

irai [ire] (*1st sing. fut. of* aller) *shall go*

irrégulier, irrégulière [iregylje, iregyljɛr] *irregular*

Isabelle II [izabɛldφ] *Isabella II, Queen of Spain from 1833 until she was deposed in 1868*

isolé [izɔle] *isolated*

Italie [itali] *f. Italy*

italien, italienne [italjɛ̃, italjɛn] *Italian*

italique [italik] *italic(s)*

itinéraire [itinerɛr] *m. itinerary; route*

J

Jacques [ʒɑk] *m. Jack*

jadis [ʒadis] *formerly*

jaloux, jalouse [ʒalu, ʒaluz] *jealous, envious*

jamais [ʒamɛ] *ever, never*
    ne . . . — *never*

jambe [ʒɑ̃b] *f. leg*

janvier [ʒɑ̃vje] *m. January*

Japon [ʒapɔ̃] *m. Japan*

jardin [ʒardɛ̃] *m. garden*

jaune [ʒon] *yellow*

jaunir [ʒonir] *turn yellow*

javelot [ʒavlo] *m. javelin*
    lancement de — *javelin throw*

jazz [ʒaz, dʒaz][1] *m. jazz*

---

[1] No official pronunciation.

je [ʒə] *I*

Jean [ʒã] *John*

jeter [ʒəte] (§ 82 F) *throw*

se — *empty into (said of river)*

jeu [ʒø] *m. game*

Jeux Olympiques, les [leʒøzɔlɛ̃pik] *m. pl. the Olympic Games*

jeudi [ʒødi] *m. Thursday*

à — *until Thursday*

jeune [ʒœn] *young*

— fille *f. girl*

—s gens *m. young men; young people*

jeunesse [ʒœnɛs] *f. youth*

joie [ʒwa] *f. joy*

se joindre [ʒwɛ̃dr] (§ 86, no. 9) *join*

joli [ʒɔli] *pretty*

Joseph [ʒozɛf] *Joseph*

joue [ʒu] *f. cheek*

jouer [ʒwe] (de + instrument, à + game) *play*

jouet [ʒwɛ] *m. toy*

joueur [ʒwœr] *m. player*

jouir [ʒwir] (de + noun) *enjoy*

jour [ʒur] *m. day*

huit —s *a week*

le — de l'an *New Year's Day*

quinze —s *two weeks*

tous les —s *every day*

Jourdan [ʒurdã] *m. boulevard in the southern part of Paris on which the Cité Universitaire is located*

journal [ʒurnal] *m. newspaper*

journaliste [ʒurnalist] *m. journalist*

journée [ʒurne] *f. day*

joyeux, joyeuse [ʒwajø, ʒwajøz] *joyful*

juger [ʒyʒe] *judge, try*

juillet [ʒɥijɛ] *m. July*

juin [ʒɥɛ̃] *m. June*

Jura [ʒyra] *m. chain of mountains in eastern France*

jurer [ʒyre] *swear*

jus [ʒy] *m. juice*

jusque [ʒysk] *to, up to, until*

jusqu'à [ʒyska] *until, to, as far as, to the time of*

jusqu'à ce que [ʒyskask(ə)] *until*

juste [ʒyst] *right, just, exactly*

justement [ʒystəmã] *precisely; just now*

justice [ʒystis] *f. justice*

K

kilomètre [kilɔmɛtr] *m. kilometer (about five-eighths of a mile)*

L

la [la] *f. the; her, it*

là [la] *there*

— -bas *yonder, over there*

— -haut *up there*

lac [lak] *m. lake*

les Grands —s *Great Lakes*

Lafayette [lafajɛt] (*1757–1834*) *French general and statesman, who helped the thirteen colonies during the American Revolution*

laisser [lɛse] (+ inf.) *leave, let*

lait [lɛ] *m. milk*

laitue [lɛty] *f. lettuce*

salade de — *lettuce salad*

lampe [lãp] *f. lamp*

lancement [lãsmã] *m. throwing*

— de javelot *javelin throw*

— du poids *shot-put*

lancer [lãse] (§ 82 A) *launch*

langue [lãg] *f. language; tongue*

langueur [lãgœr] *f. languor*

large [larʒ] *wide*

La Rochelle [larɔʃɛl] *f. French city situated on the Atlantic noted for its Huguenot uprisings in the seventeenth century*

latin [latɛ̃] *m. Latin (language)*

Lausanne [lozan] *Swiss city situated on Lake Geneva*

laver [lave] *wash*

se — (§ 83, no. 7) *wash oneself*

Lavoisier [lavwazje] (*1743–1794*) *father of modern chemistry*

le [lə] *the; him, it*

Leclerc [ləklɛr] (*1902–1947*) *French general in World War II*

leçon [ləsɔ̃] *f. lesson*

lecture [lɛktyr] *f. reading*

léger, légère [leʒe, leʒɛr] *light*

législatif, législative [leʒislatif, leʒislativ] *legislative*

légume [legym] *m. vegetable*

Leipzig [laipsig] *city in central Germany*

at which a famous battle was fought in 1813
lendemain [lɑ̃dmɛ̃] *m. next day*
le — matin *the next morning*
lentement [lɑ̃tmɑ̃] *slowly*
Léonard [leɔnar] *m. Leonard, given name of Léonardo da Vinci*
lequel, laquelle, lesquels, lesquelles [ləkɛl, lakɛl, lekɛl, lekɛl] (§ 35 E, § 36 F) *which, which one; who, whom*
les [le] *the; them*
Lesseps, Ferdinand de [dəlɛsɛps] (*1804-1894*) *engineer who constructed the Suez Canal and started the construction of the Panama Canal*
lettre [lɛtr] *f. letter*
—s *"letters", literature and art*
leur [lœr] *them, to them; their, theirs*
lever [ləve] (§ 82 D) *raise*
se — *rise, get up*
lever [ləve] *n. rising*
— du soleil *sunrise*
lèvre [lɛvr] *f. lip*
libéral [liberal] *liberal*
libérateur [liberatœr] *m. liberator*
libération [liberasjɔ̃] *f. liberation*
libérer [libere] *free*
liberté [libɛrte] *f. liberty*
libre [libr] *free*
licence [lisɑ̃s] *f. first college degree in the French university*
lien [ljɛ̃] *m. ties, connections*
lieu [ljø] *m. place*
au — de *instead of*
avoir — *take place*
s'il y a — *if it is necessary*
lièvre [ljɛvr] *m. hare*
ligne [liɲ] *f. line*
Ligne Maginot [liɲmaʒino] *series of fortifications in eastern France*
Lille [lil] *city in northern France*
limité [limite] (*pp of* limiter) *limited, bordered*
limiter [limite] *limit, border, bound*
liqueur [likœr] *f. cordial*
liquide [likid] *m. liquid*
lire [lir] (§ 86, no. 18) *read*
lit [li] *m. bed*
littérature [literatyr] *f. literature*

livre [livr] *m. book*
livrer [livre] *give over to*
locataire [lɔkatɛr] *m. f. renter, tenant*
Loches [lɔʃ] *city in Touraine noted for its medieval château*
loge [lɔʒ] *f. small apartment, usually on ground floor of the French apartment house, in which the concierge lives*
loger [lɔʒe] (§ 82 B) *live*
loi [lwa] *f. law; projet de — bill*
loin [lwɛ̃] *far*
au — *in the distance*
lointain [lwɛ̃tɛ̃] *distant*
Loire [lwar] *f. river in central and western France*
Londres [lɔ̃dr] *m. London*
long, longue [lɔ̃, lɔ̃g] *long*
à la longue *in the long run*
le long de *along*
longer [lɔ̃ʒe] (§ 82 B) *go along, skirt*
longtemps [lɔ̃tɑ̃] *for a long time*
longuement [lɔ̃gmɑ̃] *for a long time*
Lorient [lɔrjɑ̃] *m. French port situated in Brittany on the Atlantic*
Lorraine [lɔrɛn] *f. Lorraine*
lors [lɔr] *that moment, then*
lorsque [lɔrskə] *when*
Louis [lwi] *Louis*
— IX, XI, XIII, XIV, XV, XVI, XVIII *various kings of France from the Middle Ages to 1824*
— -le-Grand *lycée at Paris noted for its literary courses*
— Napoléon (*1808-1873*) *Napoleon III, emperor of France from 1852 to 1870*
— -Philippe (*1773-1850*) *king of France from 1830 to 1848*
Saint- — (*1215-1270*) *king of France during the Middle Ages, Louis IX; city of the United States*
Louise [lwiz] *f. Louise*
Louisiane [lwizjan] *f. territory explored by the French in the central part of the United States; sold by Napoleon I to the United States in 1803*
lourd [lur] *heavy*
Louvre [luvr] *m. museum in Paris*
lu, lus [ly] (*pp and sp of* lire) *read*

lui [lɥi] *him, to him; her, to her; it, to
it*
lumière [lymjɛr] *f. light*
lundi [.œ̃di] *m. Monday*
lutte [lyt] *f. struggle*
lutter [lyte] *struggle*
Luxembourg [lyksãbur] *m. garden and
palace at Paris; tiny European state*
lycée [lise] *m. French secondary school
equivalent to the American high school
and junior college*
Lyon [ljɔ̃] *m. Lyons, city on the Rhone*

M

ma [ma] *my*
mâcher [mɑʃe] *chew*
Madagascar [madagaskar] *m. large
island off the east coast of Africa*
madame [madam] *f. Mrs., madam*
Madeleine [madlɛn] *f. church planned
by Vignon in classical style, visible
from the* Place de la Concorde; *girl's
name*
mademoiselle [madmwazɛl] *f. Miss*
Madrid [madrid] *m. capital of Spain*
magasin [magazɛ̃] *m. store*
Maginot [maʒino] *(1877–1932) engineer
who constructed defense system in
eastern France after World War I*
la ligne — *system of fortifications constructed after World War I along the
Franco-German border*
magnifique [maɲifik] *magnificent*
mai [mɛ] *m. May*
main [mɛ̃] *f. hand*
à la — *in (his, her, my, our, etc.) hand*
maintenant [mɛ̃tnã] *now*
maintenir [mɛ̃tnir] (§ 86, no. 31)
maintain
se — *be maintained*
maire [mɛr] *m. mayor*
mairie [mɛri] *f. town hall, city hall*
mais [mɛ] *but*
maison [mɛzɔ̃] *f. house*
à la — *at home, home*
— de commerce *business house*
maître [mɛtr] *m. master*

majesté [maʒɛste] *f. majesty*
majorité [maʒɔrite] *f. majority*
mal [mal] *m. hurt, pain; difficulty,
trouble; evil*
avoir — à la tête (§ 91 B) *have a
headache*
malade [malad] *sick, ill*
maladie [maladi] *f. sickness, disease*
malgré [malgre] *in spite of*
malheureusement [malœrøzmã] *unfortunately*
malheureux, malheureuse [malœrø,
malœrøz] *unhappy, unfortunate*
maman [mamã] *f. mamma, mother*
Manche [mãʃ] *f. English Channel*
mandat-poste [mãdapɔst] *m. money order*
manger [mãʒe] (§ 82 B) *eat*
salle à — *f. dining-room*
manière [manjɛr] *f. manner, way*
manœuvre [manœvr] *f. maneuver, move,
tactics*
manquer [mãke] *lack* [1] *(de + noun); fail
to keep (à + noun); miss (+ noun)*
maquis [maki] *m. originally used to
designate land in Corsica covered with
heavy brush, it is now used to designate
the members of the* résistance *during
World War II who took to the woods to
carry on that resistance*
marbre [marbr] *m. marble*
marchandise [marʃãdiz] *f. merchandise,
wares*
marché [marʃe] *m. market*
à bon — *cheaply*
bon — *cheap*
marcher [marʃe] *walk*
mardi [mardi] *m. Tuesday*
maréchal [mareʃal] *m. marshal*
mari [mari] *m. husband*
mariage [marjaʒ] *m. marriage*
Marie [mari] *f. Mary*
Marie-Antoinette [mariãtwanɛt]
*(1755–1793) queen of France, wife of
Louis XVI*
marier [marje] *marry*
se — *get married*
se — avec quelqu'un *marry someone*

---

[1] Note: *John lacks money* may be expressed by *Jean manque d'argent* and *L'argent manque
à Jean.*

marin [marɛ̃] *m. sailor*

marine [marin] *f. navy*

Marne [marn] f. *a tributary of the Seine which joins it near Paris; scene of famous battles of World War I*

Maroc [marɔk] *m. Morocco*

marque [mark] f. *trade-mark, product*

marqué [marke] (*pp of* marquer) *marked*

marquer [marke] *mark*

marquis [marki] *m. marquis*

mars [mars] *m. March*

Marseillaise [marsɛjɛz] f. *French national anthem*

Marseille [marsɛj] f. *Marseilles, largest French port on the Mediterranean; second largest city in France*

marteau [marto] *m. hammer*

Martinique [martinik] f. *French department located in the Lesser Antilles*

masse [mas] f. *mass*
les —s *the "masses"*

se masser [mase] *be massed, be gathered*

massif [masif] *m. flower-bed*

Massif Central [masifsɑ̃tral] *plateau in south-central France*

match [matʃ] *m. match, game*

matériel, matérielle [materjɛl] *material*

mathématiques [matematik] f. pl. *mathematics*

Mathilde [matild] *Mathilda, wife of William the Conqueror*

matière [matjɛr] f. *subject; matter*

matin [matɛ̃] *m. morning*

Maures [mɔr] *m. pl. Moors*

Maurice [mɔris] *m. Maurice*

mauvais [mɔvɛ] *bad*
il fait — temps *it is bad weather*

me [mə] *me, to me*

mécanique [mekanik] *mechanical*

mécanisme [mekanism] *m. mechanism*

mécontent [mekɔ̃tɑ̃] *unhappy, malcontent*

médecin [mɛd⁽ᵗ⁾sɛ̃] *m. doctor*

médecine [mɛd⁽ᵗ⁾sin] f. *medicine*

médical [medikal] *medical*

Méditerranée [meditɛrane] f. *Mediterranean*

meilleur [mɛjœr] (§ 12 E) *better, best*

Meister, Joseph [ʒozɛfmaistɛr] *first person to receive Pasteur treatment*

mélancolie [melɑ̃kɔli] f. *melancholy*

mélanger [melɑ̃ʒe] *mix*

Melun [məlœ̃] *m. French town a short distance southeast of Paris*

membre [mɑ̃br] *m. member*

même [mɛm] (§ 26 B 7) *self; same; even; itself*
de — *likewise, in the same manner*
en — temps *at the same time*
quand — *even so*
tout de — *all the same*

mémoire [memwar] f. *memory*

menacer [mənase] (§ 82 A) *threaten*

ménage [menaʒ] *m. household, housework*
femme de — *charwoman, maid, woman who comes in to do the housework*

mener [məne] (§ 82 D) *lead, take (a person)*

mentalité [mɑ̃talite] f. *nature, psychological make-up*

mentionner [mɑ̃sjɔne] *mention*

mentir [mɑ̃tir] (2) *lie*

menton [mɑ̃tɔ̃] *m. chin*

menu [məny] *m. menu*

mer [mɛr] f. *sea*
— du Nord *North Sea*

merci [mɛrsi] *thanks, thank you*

mercredi [mɛrkrədi] *m. Wednesday*

mère [mɛr] f. *mother*

mérite [merit] *m. merit, worth*

merveille [mɛrvɛj] f. *wonder*

merveilleux, merveilleuse [mɛrvɛjø, mɛrvɛjøz] *marvelous*

mes [me] *my*

mesdames [medam] f. pl. *of* madame

mesdemoiselles [medmwazɛl] f. pl. *of* mademoiselle

messe [mɛs] f. *mass*

messieurs [mesjø] *m. pl. of* monsieur

mesure [məzyr] f. *measure*

métallique [metalik] *metallic*

méthode [metɔd] f. *method*

mètre [mɛtr] *m. meter (39.37 inches)*

métrique [metrik] *metric*

métro [metro] (*abbrev. for* Métropolitain) *m. subway (of Paris)*

mettez [mɛte] (*imperative of* mettre) *put*

mettre [mɛtr] (§ 86, no. 19) *put*
— de côté *set aside, save*
— en doute *question*
— fin à *end*
se — *place oneself*
se — à *begin to*
se — à table *sit at table, begin to eat*
se — en grève *strike*
se — en route *set out*
Metz [mɛs] *most important city in the part of the Lorraine that became German in 1870*
meuble [mœbl] *m. (piece of) furniture*
meurs, meurt, meurent [mœr] *(pres. of mourir) die, dies, die*
meurtrier, meurtrière [mœrtrije, mœrtrijɛr] *murderous, deadly*
mexicain [mɛksikɛ̃] *Mexican*
Mexique [mɛksik] *m. Mexico*
Michel-Ange [mikɛlãʒ] *(1475-1564) Michelangelo, famous painter of the Italian Renaissance*
midi [midi] *m. noon; south (used especially in speaking of southern France)*
mien, mienne [mjɛ̃, mjɛn] *mine*
mieux [mjø] (§ 20 B) *better, best*
milicien [milisjɛ̃] *m. "collaborators" who helped the Germans police France during the occupation*
milieu [miljø] *m. middle, center; society; sphere, environment*
militaire [militɛr] *military*
mille [mil] (§ 16 D, E, F) *thousand*
Millet [milɛ, mijɛ] *(1815-1875) French painter*
milliard [miljar] *m. billion*
millier [milje] *m. thousand*
million [miljɔ̃] *m. million*
ministère [ministɛr] *m. ministry*
ministre [ministr] *m. minister*
Ministre des Affaires Étrangères *Foreign Minister, Secretary of State*
— de l'Air *Air Minister*
— de la Défense Nationale *Defense Minister*
— de l'Éducation Nationale *Minister of Public Instruction*
— de la Guerre *Secretary of War*
— de l'Intérieur *Secretary of the Interior*

— de la Justice *Minister of Justice, Attorney General*
— de la Marine *Secretary of the Navy*
minuit [minɥi] *m. midnight*
minute [minyt] *f. minute*
miroir [mirwar] *m. mirror*
mis [mi] *(pp and sp of mettre) put*
misère [mizɛr] *f. wretchedness, poverty, distress, want*
missionnaire [misjɔnɛr] *m. missionary*
Mississipi [misisipi] *m. Mississippi*
mitrailler [mitraje] *machine-gun*
mitrailleuse [mitrajøz] *f. machine-gun*
mode [mɔd] *f. mode, manner, style*
à la — *in style*
à la — (italienne) *in the (Italian) fashion*
modele [mɔdɛl] *m. model*
moderne [mɔdɛrn] *modern*
modeste [mɔdɛst] *modest*
modifier [mɔdifje] *modify*
moi [mwa] *me, to me; self*
moindre [mwɛ̃dr] *least, slightest*
moineau [mwano] *m. sparrow*
moins [mwɛ̃] *less, least*
à — que *unless*
au — *at least*
du — *at least*
mois [mwa] *m. month*
moisson [mwasɔ̃] *f. harvest*
Molière [mɔljɛr] *(1622-1673) great French dramatist*
moment [mɔmã] *m. moment*
mon, ma, mes [mɔ̃, ma, me] *my*
monarchie [mɔnarʃi] *f. monarchy*
monde [mɔ̃d] *m. world; people*
beaucoup de — *many people*
tout le — *everybody, everyone*
mondial [mɔ̃djal] *world-wide*
monopole [mɔnɔpɔl] *m. monopoly*
monotone [mɔnɔtɔn] *monotonous*
monsieur [məsjø] *m. sir, Mr.*
montagne [mɔ̃taɲ] *f. mountain*
—s Rocheuses *Rocky Mountains*
mont Blanc [mɔ̃blã] *m. highest peak of the Alps*
monter [mɔ̃te] *go up, climb*
— dans un train *board a train*
Montesquieu [mɔ̃tɛskjø] *(1689-1755)*

eighteenth century writer, author of
Les Lettres persanes *and* l'Esprit des
lois

Montmartre [mɔ̃martr] *m. quarter situated in northern part of Paris noted for its cafés, night clubs, etc.*

Montparnasse [mɔ̃parnas] *m. quarter of Paris noted for its cafés*

Montpellier [mɔ̃pɛlje] *m. city in southern France*

montre [mɔ̃tr] *f. watch*

Montréal [mɔ̃real] *m. largest city in French Canada*

montrer [mɔ̃tre] *show*

monument [mɔnymɑ̃] *m. monument*

moral [mɔral] *moral*

morceau [mɔrso] *m. piece*

mordre [mɔrdr] *bite*

mort [mɔr] (*pp of* mourir) *died, dead*

mort [mɔr] *m. the dead person*

mort [mɔr] *f. death*

Moscou [mɔsku] *m. Moscow*

mot [mo] *m. word*

motorisé [mɔtɔrize] *motorized*

mourir [murir] (§ 86, no. 20) *die*

moutarde [mutard] *f. mustard*

mouton [mutɔ̃] *m. sheep*

mouvement [muvmɑ̃] *m. movement*

moyen [mwajɛ̃] *m. means*

— âge *Middle Ages*

moyen, moyenne [mwajɛ̃, mwajɛn] *medium, average*

Mozart [mɔzar] (*1756–1791*) *famous Austrian composer*

muet, muette [mɥɛ, mɥɛt] *mute, dumb*

Mulhouse [myluz] *m. large city of Alsace*

multicolore [myltikɔlɔr] *many-colored, variegated*

mur [myr] *m. wall*

muraille [myraj] *f. wall*

muscle [myskl] *m. muscle*

musée [myze] *m. museum*

musique [myzik] *f. music*

mutuel, mutuelle [mytɥɛl] *mutual*

mystère [mistɛr] *m. mystery*

N

naissance [nɛsɑ̃s] *f. birth*

naître [nɛtr] (§ 86, no. 21) *be born*

Nancy [nɑ̃si] *city in eastern France*

Nantes [nɑ̃t] *French port near the mouth of the Loire*

Napoléon [napɔleɔ̃] *Napoleon*

— Ier *Napoleon Bonaparte* (*1769–1821*), *general and French emperor*

— III *Louis Napoleon* (*1808–1873*), *emperor of France from 1852 to 1870*

Louis — *Napoleon III*

naquis, naquit [naki] (*sp of* naître) *was born*

narration [narɑsjɔ̃] *f. narration*

nation [nasjɔ̃] *f. nation, country*

national, nationaux [nasjɔnal, nasjɔno] *national*

nationalité [nasjɔnalite] *f. nationality*

National-Socialiste [nasjɔnalsɔsjalist] *m. National-Socialist, Nazi*

nature [natyr] *f. nature*

naturel, naturelle [natyrɛl] *natural*

navire [navir] *m. ship*

nazi [nazi] *Nazi; term used contemptuously to refer to the National-Socialist followers of Hitler*

ne [nə] (§ 21) *not*

— . . . aucun *none*

— . . . guère *scarcely*

— . . . jamais *never*

— . . . ni . . . ni *neither . . . nor*

— . . . pas *not*

— . . . personne *no one*

— . . . plus *no longer*

— . . . point *not at all*

— . . . que *only*

— . . . rien *nothing*

né [ne] (*pp of* naître) *born*

nécessaire [nesɛsɛr, nesesɛr] *necessary*

négatif, négative [negatif, negativ] *negative*

négligemment [negliʒamɑ̃] *negligently, carelessly*

négligent [negliʒɑ̃] *negligent*

négliger [negliʒe] *neglect*

neige [nɛʒ] *f. snow*

neiger [nɛʒe] (§ 82 B) *snow*

nerf [nɛr] *m. nerve*

nerveux, nerveuse [nɛrvɸ, nɛrvɸz] *nervous*

n'est-ce pas [nɛspɑ] (*p*. 87, note †) *isn't it so, etc.*

net, nette [nɛt, nɛt] *clear*

nettement [nɛtmɑ̃] *clearly, plainly*

nettoyer [nɛtwaje] (§ 82 C) *clean*

neuf [nœf] *nine*

neutralité [nøtralite] *f. neutrality*

neuvième [nœvjɛm] *ninth*

neveu [nəvø] *m. nephew*

nez [ne] *m. nose*

ni [ni] (§ 21 H) *neither*

— ... — *neither . . . nor*

Nice [nis] *French city on the Riviera*

Nîmes [nim] *city in southern France noted for Roman ruins, especially* la Maison Carrée

niveau [nivo] *m. level, standard*

noble [nɔbl] *noble*

noblesse [nɔblɛs] *f. nobility*

Noël [nɔɛl] *m. Christmas*

le Père — *Santa Claus*

noir [nwar] *black*

nom [nɔ̃] *m. name*

nombre [nɔ̃br] *m. number*

nombreux, nombreuse [nɔ̃brø, nɔ̃brøz] *numerous*

nommer [nɔme] *name, choose*

non [nɔ̃] *no; not*

— -agression *non-aggression*

— plus *either*

— seulement *not only*

— -vacciné *unvaccinated*

nord [nɔr] *m. north*

nord-ouest [nɔrwɛst] *m. northwest*

normand [nɔrmɑ̃] *m. Norman*

Normandie [nɔrmɑ̃di] *f. Normandy*

Norvège [nɔrvɛʒ] *f. Norway*

nos [no] *our*

notamment [nɔtamɑ̃] *especially*

notion [nɔsjɔ̃] *f. notion*

note [nɔt] *f. bill*

notre [nɔtr] *our*

nôtre [notr] *ours*

Notre-Dame de Paris [nɔtrədamdəpari] *f. cathedral on the* île de la Cité *in Paris*

nous [nu] *we; us, to us*

nouveau, nouvel, nouvelle [nuvo, nuvɛl] (§ 9 G) *new, another*

de — *again, once more*

— monde *New World, referring to western hemisphere*

nouvelle [nuvɛl] *f. news*

nouvelle [nuvɛl] *f.* (adj.) *new*

Nouvelle-Calédonie [nuvɛlkaledɔni] *f. New Caledonia, French island in Pacific Ocean to the east of Australia*

Nouvelle-Orléans (la) [lanuvɛlɔrleɑ̃] *f. New Orleans*

novembre [nɔvɑ̃br] *m. November*

nu [ny] *bare, naked*

nuage [nyaʒ] *m. cloud*

nuit [nɥi] *f. night*

cette — *last night*

numéro [nymero] *m. number*

O

obéir [ɔbeir] (à + noun) *obey*

obélisque [ɔbelisk] *m. obelisk*

objet [ɔbʒɛ] *m. object*

obliger [ɔbliʒe] (§ 82 B) (à + inf.; être obligé de + inf.)[1] *oblige*

obtenir [ɔptənir] (§ 86, no. 31) *obtain*

obtenu [ɔptəny] (*pp of* obtenir) *obtained*

occasion [ɔkazjɔ̃] *f. opportunity; occasion*

occasionner [ɔkazjɔne] *occasion, require*

occupant [ɔkypɑ̃] *m. occupant*

occupation [ɔkypasjɔ̃] *f. occupation*

occuper [ɔkype] *occupy*

s'— (de + noun) *take charge of, busy oneself with*

octobre [ɔktɔbr] *m. October*

Cdéon [ɔdeɔ̃] *m. one of the five state theaters of Paris, situated on the left bank of the Seine whose name was changed to the* Théâtre-Français, Salle Luxembourg *in 1946. The name* Odéon *still stands in popular speech; also a* métro *station*

odeur [ɔdœr] *f. odor*

œil [œj] *m. sing. eye* (*pl.* les yeux)

coup d'— *glance*

œuf [*sing.* œf, *pl.* ø] *m. egg*

— dur *hard-boiled egg*

œuvre [œvr] *f. work (often literary)*

---

[1] Louise *oblige* Paul *à* sortir. Paul *est obligé de* sortir.

offensive [ɔfãsiv] *f. offensive*
offert [ɔfɛr] (*pp of* offrir) *offered*
officiel, officielle [ɔfisjɛl] *official*
offrir [ɔfrir] (§ 86, no. 22) (à + person) *offer*
oh! [o] (*exclamation*) *oh!*
oie [wa] *f. goose*
oiseau [waso] *m. bird*
olive [ɔliv] *f. olive*
olivier [ɔlivje] *m. olive tree*
Olympiques, les Jeux [leʒɔzɔlɛ̃pik] *the Olympic Games*
ombre [ɔ̃br] *f. shadow; shade*
on [ɔ̃] (§ 37) *one, people, you, they*
oncle [ɔ̃kl] *m. uncle*
onde [ɔ̃d] *f. wave*
— courte *short wave*
— moyenne *medium wave*
ont [ɔ̃] (*3d pers. pl. pres. of* avoir) *have*
onze [ɔ̃z] *eleven*
onzième [ɔ̃zjɛm] *eleventh*
opéra [ɔpera] *m. opera*
l'Opéra [lɔpera] *m. National Opera of France by Gabriel; also name of square and subway station*
l'Opéra-Comique [lɔperakɔmik] *National Theater on the right bank of the Seine*
Opéra, Place de l' [plasdəlɔpera] *large square in center of Paris before the Opéra*
opération [ɔperasjɔ̃] *f. operation*
opérette [ɔperɛt] *f. operetta*
opinion [ɔpinjɔ̃] *f. opinion*
opposition [ɔpozisjɔ̃] *f. opposition*
oppression [ɔprɛsjɔ̃] *f. oppression*
or [ɔr] *m. gold*
or [ɔr] *now*
oral [ɔral] *oral*
orange [ɔrãʒ] *f. orange*
orchestre [ɔrkɛstr] *m. orchestra*
ordinaire [ɔrdinɛr] *ordinary*
d'— *ordinarily*
ordinairement [ɔrdinɛrmã] *ordinarily*
ordonné [ɔrdɔne] *laid out in order*
ordre [ɔrdr] *m. order, command*
oreille [ɔrɛj] *f. ear*
organe [ɔrgan] *m. organ*
organisation [ɔrganizasjɔ̃] *f. organization*

organiser [ɔrganize] *organize*
s'— *be organized*
oriental [ɔrjãtal] *eastern; oriental*
s'orienter [ɔrjãte] *orient oneself, take one's bearings*
original, originaux [ɔriʒinal, ɔriʒino] *original, individual, different*
origine [ɔriʒin] *f. origin*
originel, originelle [ɔriʒinɛl] *original* (*use usually confined to* le péché originel)
Orléans [ɔrleã] *French city between Paris and Tours*
la Nouvelle- — *New Orleans*
orner [ɔrne] *ornament*
orthographe [ɔrtɔgraf] *f. spelling*
oser [oze] (+ inf.) *dare*
ou [u] *or*
— bien *or otherwise*
où [u] *where; when* (§ 36 E)
oublier [ublije] (de + inf.) *forget*
ouest [wɛst] *m. west*
outre [utr] *further*
en — *besides*
— -mer *abroad, beyond the seas*
oui [wi] *yes*
ouvert [uvɛr] (*pp of* ouvrir) *opened; open*
ouvertement [uvɛrtəmã] *openly*
ouverture [uvɛrtyr] *f. opening*
ouvrage [uvraʒ] *m. work*
ouvreuse [uvrøz] *f. woman usher*
ouvrier [uvrije] *m. worker, working man*
ouvrier, ouvrière [uvrije, uvrijɛr] *working*
ouvrir [uvrir] (§ 86, no. 22) *open*
— le poste *turn on the radio*
s'— *open*

P

P.C.B. [pesebe] (*abbr. for* Physique, Chimie, Biologie) *a one-year premedical course, consisting of physics, chemistry, and biology*
Pacifique [pasifik] *m. Pacific Ocean*
page [paʒ] *f. page*
pain [pɛ̃] *m. bread*
paix [pɛ] *f. peace*
palais [palɛ] *m. palace*

Palais Bourbon *building in which the* Assemblée Nationale *meets*

Palais de Chaillot *exposition hall, museum, and theater built in the late 1930's to replace the Trocadéro*

Palais de Justice *Courthouse*

Palais du Luxembourg *building in the Luxembourg Garden in which the* Counseil de la République *meets*

pantalon [pɑ̃talɔ̃] *m. trousers*

Panthéon [pɑ̃teɔ̃] *m. building in the Latin Quarter now used to honor national heroes*

pape [pap] *m. pope*

papier [papje] *m. paper*

Pâques [pɑk] *m. Easter*

paquet [pakɛ] *m. package*

par [par] *by; through; for; per*
— conséquent *therefore*
— contre *on the contrary*
— exemple *for example*

parachuter [paraʃyte] *parachute*

paraît, il [ilparɛ] *(3d pers. sing. of* paraître) *it seems, it appears*

paraître [parɛtr] *(§ 86, no. 7) appear, seem, look*

parc [park] *m. park*

parce que [parsk(ə)] *because*

parcourir [parkurir] *(§ 86, no. 8) go through*

parcours [parkur] *m. route, road, way, line, course*

parcouru [parkury] *(pp of* parcourir) *run through*

pardonner [pardɔne] *(à + person + de + inf.) pardon*

pareil, pareille [parɛj] *alike, similar*

parent [parɑ̃] *m. relative; parent*

parenthèse [parɑ̃tɛz] *f. parenthesis*

parfait [parfɛ] *m. perfect (tense)*

parfois [parfwa] *sometimes*

Paris [pari] *m. Paris*

Parisien [parizjɛ̃] *m. Parisian, inhabitant of Paris*

parisien, parisienne [parizjɛ̃, parizjɛn] *Parisian*

Parisii [parizi] *m. pl. tribe that settled the* île de la Cité

Parlement [parləmɑ̃] *m. Parliament*

parler [parle] *(§ 83, no. 1) (à + person; de + thing) speak, talk*
entendre — de *hear of*

parmi [parmi] *among*

parole [parɔl] *f. word (usually spoken)*

part [par] *f. part*
d'autre — *on the other hand, moreover*
faire — à *inform someone*
prendre — à *participate in something*
quelque — *somewhere*

parterre [partɛr] *m. flower bed*

parti [parti] *m. (political) party*

participe [partisip] *m. participle*

participer [partisipe] *participate*

particulier, particulière [partikylje, partikyljɛr] *particular, peculiar, private*

partie [parti] *f. part; game*
faire — de *be a part of*

partir [partir] *(2) leave, go away, depart*
à — de . . . from . . . on

partitif [partitif] *(§ 5) m. partitive*

partout [partu] *everywhere*

paru, parus [pary] *(pp and sp of* paraître) *appeared*

parvenir [parvənir] *(§ 86, no. 34) (à + inf.) arrive; succeed*

pas [pɑ] *m. step*

pas [pɑ] *not*
– du tout *not at all*

passage [pɑsaʒ] *m. passage*

passé [pɑse] *m. past*
— composé *compound past*
— simple *simple past*

passer [pɑse] *(à + inf.) pass, spend (time); advance*
— un examen *take an examination*
se — *happen, take place*
se — de *do without*

passif, passive [pasif, pasiv] *passive*

passion [pɑsjɔ̃] *f. passion*

se passionner [pɑsjɔne] *become enthusiastic, "go wild over"*

Pasteur [pastœr] *(1822–1895) great French scientist*

pasteurisation [pastœrizasjɔ̃] *f. pasteurization*

pâte [pɑt] *f. paste*
— dentifrice *toothpaste*

pâté [pate] *m. pastry containing cold spiced meat*

patient [pasjã] *patient*

pâtisserie [patisri] *f. pastry*

patrie [patri] *f. native land, fatherland, country*

patriote [patrijɔt] *m. patriot*

Pau [po] *m. city in the French Pyrenees*

pauvre [povr] *poor*

pavillon [pavijɔ̃] *m. pavilion, term used to refer to certain buildings of the* Cité Universitaire

pavoisé [pavwaze] *bedecked, decked out*

payer [pɛje] (§ 41 B, § 82 C) *pay, pay for*

pays [pei, peji] *m. country, land*

Pays Basque [peibask] *m. the Basque country situated in the French Pyrenees*

paysage [peizaʒ, pɛjizaʒ] *m. landscape*

paysan [peizã, pɛjizã] *m. peasant*

pêcheur [pɛʃœr] *m. fisherman*

peine [pɛn] *f. trouble, pain*

à — (§ 19 D) *scarcely, hardly*

valoir la — *be worth the trouble*

peintre [pɛ̃tr] *m. painter*

peinture [pɛ̃tyr] *f. painting*

peloton [plɔtɔ̃] *m. group, line of racers*

pendant [pãdã] *during*

— que *while*

pénétrer [penetre] *penetrate*

pénible [penibl] *difficult, painful*

pensée [pãse] *f. thought*

penser [pãse] *think*

— (+ inf.) *intend*

— (à + inf.) *consider*

— (à + noun) *think about*

— (de + noun) *think of, have an opinion of*

penseur [pãsœr] *m. thinker*

pension [pãsjɔ̃] *f. boarding-house*

— de famille *boarding-house*

pensionnaire [pãsjɔnɛr] *m. f. boarder, roomer*

perception [pɛrsɛpsjɔ̃] *f. perception*

percer [pɛrse] (§ 82 A) *dig, excavate (a canal)*

perdre [pɛrdr] (§ 83, no. 3) *lose*

perdrix [pɛrdri] *f. partridge*

père [pɛr] *m. father*

le — Noël *Santa Claus*

perfection [pɛrfɛksjɔ̃] *f. perfection*

se perfectionner [pɛrfɛksjɔne] *perfect oneself*

période [perjɔd] *f. period*

permettre [pɛrmɛtr] (§ 86, no. 19) (à + person + de + inf.) *permit*

permission [pɛrmisjɔ̃] *f. permission*

perpendiculaire [pɛrpãdikylɛr] *perpendicular*

personne [pɛrsɔn] *f. person*

personne [pɛrsɔn] *no one, nobody*

ne . . . — *no one, nobody*

personnel [pɛrsɔnɛl] *m. personnel*

personnel, personnelle [pɛrsɔnɛl] *personal*

personnellement [pɛrsɔnɛlmã] *personally*

perspective [pɛrspɛktiv] *f. perspective*

perte [pɛrt] *f. loss*

à — de vue *as far as the eye can see*

Pétain [petɛ̃] (*1856–19—*) *general during World War I, Chief of State during the period of German occupation of France in World War II*

petit [pəti] *small*

— déjeuner *m. breakfast*

Petit Trianon [pətitrijanɔ̃] *m. small palace built at Versailles by Gabriel for Marie-Antoinette*

peu [pø] *little, few*

— à — *little by little*

à — près *about, approximately*

— après *a little later, soon after*

— probable *unlikely*

un petit — *a little bit*

peuple [pœpl] *m. people, the masses*

peur [pœr] *f. fear*

avoir — (§ 91 B) *be afraid*

peut-être [pøtɛtr] *perhaps*

peux, peut, peuvent [pø, pø, pœv] (*pres. of pouvoir*) *can*

phare [far] *m. lighthouse*

pharmacie [farmasi] *f. pharmacy*

philosophie [filɔzɔfi] *f. philosophy*

phrase [fraz] *f. sentence*

physique [fizik] *f. physics*

physique [fizik] *physical*

Picardie [pikardi] *f. Picardy, a province in northern France*

pièce [pjɛs] *f. play; room*
pied [pje] *m. foot*
    à — *on foot*
pierre [pjɛr] *f. stone*
Pierre [pjɛr] *Peter*
piscine [pisin] *f. swimming pool*
pittoresque [pitɔrɛsk] *picturesque*
place [plas] *f. seat; public square*
plage [plaʒ] *f. beach*
se plaindre [plɛ̃dr] (§ 86, no. 9) (de +
    noun) *complain*
plaine [plɛn] *f. plain*
plaire [plɛr] (§ 86, no. 24) (à + person)
    please, be pleasing
plaisanter [plɛzɑ̃te] *joke*
plaisir [plezir] *m. pleasure*
plaît, s'il vous [silvuplɛ] (plaire)
    please, if you please
plan [plɑ̃] *m. plan; map (of city)*
plat [pla] *m. dish*
    — du jour *special dish for the day*
plateau [plato] *m. plateau*
plate-bande [platbɑ̃d] *f. flower bed*
plein [plɛ̃] *full, filled*
pleurer [plœre] *cry*
pleut [plø] *(3d pers. sing. pres. of
    pleuvoir) rains*
pleuvoir [plœvwar] (§ 86, no. 25) *rain*
plu [ply] *(pp of pleuvoir) rained*
plu, plus [ply] *(pp and sp of plaire)
    pleased*
plupart [plypar] *f. majority*
pluriel [plyrjɛl] *m. plural*
plus [ply] *more, most*
    de — *moreover; in addition*
    de — en — *more and more*
    en — *more, in addition*
    ne . . . — *no more, no longer*
    non — *either*
plusieurs [plyzjœr] *several*
plus-que-parfait [plyskəparfɛ] *m. plu-
    perfect*
plutôt [plyto] *rather, more likely*
poche [pɔʃ] *f. pocket*
poème [pɔɛm] *m. poem*
poésie [pɔezi] *f. poetry*
poète [pɔɛt] *m. poet*
poids [pwa] *m. weight, weights*
    lancement du — *shot-put*

point [pwɛ̃] *m. point, period*
    — de vue *point of view*
point [pwɛ̃] (§ 21 E) *not at all*
    ne . . . — *not at all*
poisson [pwasɔ̃] *m. fish*
poitrine [pwatrin] *f. chest*
poivre [pwavr] *m. pepper*
police [pɔlis] *f. police*
policier, policière [pɔlisje, pɔlisjɛr]
    detective
    roman — *detective story*
politique [pɔlitik] *f. policy, political
    policy;* (adj.) *political*
Pologne [pɔlɔɲ] *f. Poland*
pomme [pɔm] *f. apple*
    — de terre *potato*
pont [pɔ̃] *m. bridge*
populaire [pɔpylɛr] *popular*
    le front — *"Popular Front," referring
    to the coalition government of the
    working classes set up by Léon Blum
    in May, 1936*
population [pɔpylasjɔ̃] *f. population*
porc [pɔr] *m. pork*
port [pɔr] *m. seaport, harbor, port*
porte [pɔrt] *f. door, gate*
portée [pɔrte] *f. range, reach*
    à longue — *long range*
porter [pɔrte] *carry, bear; wear*
portillon [pɔrtijɔ̃] *m. little door*
portrait [pɔrtrɛ] *m. portrait*
Portugal [pɔrtygal] *m. Portugal*
poser [poze] *put*
    — une question *ask a question*
position [pozisjɔ̃] *f. position*
posséder [pɔsede] (§ 82 E) *possess*
possessif, possessive [pɔsɛsif, pɔsɛsiv]
    possessive
possession [pɔsɛsjɔ̃] *f. possession*
possible [pɔsibl] *possible*
possibilité [pɔsibilite] *f. possibility*
poste [pɔst] *m. radio station; radio
    set*
    — émetteur *broadcasting station*
    éteindre le — *turn off the radio*
    fermer le — *turn off the radio*
    mettre le — *turn on the radio*
    ouvrir le — *turn on the radio*
    — récepteur *receiving set*

poste [pɔst] *f. post office, postal service*
  bureau de — *post office*
postier [pɔstje] *m. postal employe*
potage [pɔtaʒ] *m. soup*
poumon [pumɔ̃] *m. lung*
poupée [pupe] *f. doll*
pour [pur] *for; in order to*
  — que *in order that*
pourboire [purbwar] *m. tip*
pour-cent [pursɑ̃] *m. percent*
pourquoi [purkwa] *why*
pourrai [pure] (*1st pers. sing. fut. of*
  pouvoir) *shall be able*
poursuivre [pursɥivr] (§ 86, no. 30)
  pursue
pourtant [purtɑ̃] *however*
pourvu que [purvyk(ə)] *provided that*
pousser [puse] *push, drive, impel; grow*
  — un cri *cry out, utter a cry*
pouvoir [puvwar] (§ 86, no. 26) (+
  inf.) *can, be able*
  ne — rien *be powerless*
pouvoir [puvwar] *m. power*
pratique [pratik] *practical*
pratiquement [pratikmɑ̃] *practically,
  actually*
pratiquer [pratike] *practice, exercise*
  se — *be practiced*
  — un sport *participate in a sport*
se précipiter [presipite] *rush*
préférable [preferabl] *preferable*
préférance [preferɑ̃s] *f. preference*
  de — *preferably*
préférer [prefere] (§ 82 E) (+ inf.)
  prefer
préfet [prefɛ] *m. prefect*
prélever [prelve] (§ 82 D) *take*
préliminaires [preliminɛr] *m. pl. pre-
  liminaries*
premier, première [prəmje, prəmjɛr]
  first
prendre [prɑ̃dr] (§ 86, no 27) (+ thing
  + à + person) *take*
  — un billet *buy a ticket*
  — une correspondance *transfer*
  — dans *take (something) from*
  — fin *end*
  — part à *participate in*
  — place *take a seat*

préparatif [preparatif] *m. preparation*
préparer [prepare] *prepare*
  se — (à + noun; à + inf.) *prepare*
préposition [prepozisjɔ̃] *f. preposition*
près [prɛ] (de + noun) *near, close*
  à peu — *about, approximately*
  tout — *right near*
présent [prezɑ̃] *m. present*
  à — *at present*
présenter [prezɑ̃te] *present*
  se — *appear; present oneself*
président [prezidɑ̃] *m. president*
presque [prɛsk(ə)] *almost, nearly*
presse [prɛs] *f. press*
pression [prɛsjɔ̃] *f. pressure*
prestige [prɛstiʒ] *m. prestige*
prêt [prɛ] *ready*
prétendre [pretɑ̃dr] *claim*
prêter [prɛte] *lend*
prêtre [prɛtr] *m. priest*
preuve [prœv] *f. proof*
prie, je vous en [ʒəvuzɑ̃pri] (prier) *I
  beg of you, don't mention it*
prier [prije] (+ person + de + inf.)
  ask, pray, beg
primaire [primɛr] *primary*
primitif, temps [tɑ̃primitif] *m. principal part (of a verb)* (§ 84)
prince [prɛ̃s] *m. prince*
principal, principaux [prɛ̃sipal, prɛ̃-
  sipo] *principal*
principalement [prɛ̃sipalmɑ̃] *principally*
principe [prɛ̃sip] *m. principle*
printemps [prɛ̃tɑ̃] *m. spring*
  au — *in the spring*
pris [pri] (pp and sp of prendre) *taken,
  took*
prison [prizɔ̃] *f. prison*
prisonnier, prisonnière [prizɔnje, pri-
  zɔnjɛr] *m. f. prisoner*
privé [prive] *private*
priver [prive] *deprive*
privilège [privilɛʒ] *m. privilege*
prix [pri] *m. price; prize*
  à — reduits *at reduced prices*
probable [prɔbabl] *probable*
  peu — *unlikely*
problème [prɔblɛm] *m. problem*

procédé [prɔsede] *m. process*

prochain [prɔʃɛ̃] *next, following*

proche [prɔʃ] *near*

proclamation [prɔklamɑsjɔ̃] *f. proclamation*

proclamer [prɔklame] *proclaim*
se — *proclaim oneself, be proclaimed*

prodigalité [prɔdigalite] *f. prodigality, extravagance in expenditure, excessive liberality*

produire [prɔdɥir] (§ 86, no. 6) *produce*

produit [prɔdɥi] *m. product*

produit [prɔdɥi] *pp of* produire *produced*

professeur [prɔfesœr] *m. teacher at secondary or college level*

professionnel, professionnelle [prɔfɛsjɔnɛl] *professional*

profitable [prɔfitabl] *profitable*

profiter [prɔfite] (de + noun) *profit*

profond [prɔfɔ̃] *profound*

profondément [prɔfɔ̃demɑ̃] *profoundly*

programme [prɔgram] *m. program*

progrès [prɔgrɛ] *m. progress*

projet [prɔʒɛ] *m. project;* — de loi *bill*

se prolonger [prɔlɔ̃ʒe] (§ 82 B) *extend, continue*

promenade [prɔmnad] *f. walk*
faire une — *walk, take a walk*

se promener [prɔmne] (§ 82 D) *take a walk*

promesse [prɔmɛs] *f. promise*

promulguer [prɔmylge] *promulgate, make known to the public formally and officially*

pronom [prɔnɔ̃] *m. pronoun*

prononcer [prɔnɔ̃se] (§ 82 A) *pronounce*

prononciation [prɔnɔ̃sjɑsjɔ̃] *f. pronunciation*

propagande [prɔpagɑ̃d] *f. propaganda*

propos [prɔpo] *m. remark, words, purpose*
à ce — *concerning this subject*
à — de *in regard to*

proposer [prɔpoze] *propose*

propre [prɔpr] *own; clean*

propriétaire [prɔprietɛr] *m. f. landlord, landlady, owner*

prospère [prɔspɛr] *prosperous*

protectorat [prɔtɛktɔra] *m. protectorate*

protestant [prɔtɛstɑ̃] *protestant*

protester [prɔtɛste] *protest*

Provence [prɔvɑ̃s] *f. Provence, province in southern France*

province [prɔvɛ̃s] *f. province*
en — *anywhere in France outside of Paris*

«Provincia» [prɔvɛ̃sja] *part of southern France most thoroughly conquered by the Romans, called "Provincia nostra"*

Prusse [prys] *f. Prussia*

psychologie [psikɔlɔʒi] *f. psychology*

pu, pus [py] (*pp and sp of* pouvoir) *been able, was able*

public [pyblik] *m. the public*

public, publique [pyblik] *public*

publicitaire [pyblisitɛr] *pertaining to publicity; publicity*

publicité [pyblisite] *f. publicity*

publier [pyblije] *publish*

puis [pɥi] *then*

puis, puisse [pɥi, pɥis] (*pres. of* pouvoir) *can, am able; be able*

puisque [pɥisk(ə)] *since*

puissance [pɥisɑ̃s] *f. power*

puissant [pɥisɑ̃] *powerful*

punir [pynir] *punish*

pupitre [pypitr] *m. (pupil's) desk*

pur [pyr] *pure*

pyjama [piʒama] *m. pajamas*

Pyramides [piramid] *f. Pyramids*
Bataille des — *Battle of the Pyramids, fought by Napoleon in Egypt (1799)*

Pyrénées [pirene] *f. Pyrenees*

Q

quai [ke, kɛ] *m. wharf, (railway or subway) platform*

qualité [kalite] *f. quality; (pl.) favorable qualities*

quand [kɑ̃] *when*
— même *even so*

quant à [kɑ̃ta] *as for*

quantité [kɑ̃tite] *f. quantity*

quarante [karɑ̃t] *forty*
— et un *forty-one*

quart [kar] (§ 92 D) *m. quarter*

quartier [kartje] *m. quarter, district*

Quartier latin [kartjelatɛ̃] *Latin Quarter, the student quarter of Paris* quatorze [katɔrz] *fourteen*

quatre [katr] *four*

quatre-vingts [katrəvɛ̃] (§ 16 C) *eighty*

quatre-vingt-dix [katrəvɛ̃di(s)] *ninety*

quatre-vingt-onze [katrəvɛ̃ɔ̃z] *ninety-one*

quatrième [katrijɛm] *fourth*

que [kə] (§ 35 D, § 36 C) *what; which, that, whom; that; than; how many; as*

ne . . . — (§ 21 F 4) *only*

qu'est-ce que [kɛskə] (§ 35 D, F) *what* — c'est que ça? *what is that?*

qu'est-ce qui [kɛski] (§ 35 B) *what*

Québec [kebɛk] *province in eastern Canada; also capital of the same*

quel, quelle [kɛl] *which, what*

quelconque [kɛlkɔ̃k] *whatever, whatsoever*

quelque [kɛlk(ə)] *some, any, a few*

quelque chose [kɛlkəʃoz] *something* — d'intéressant *something interesting*

quelquefois [kɛlkəfwa] *sometimes*

quelque part [kɛlkəpar] *somewhere*

quelqu'un [kɛlkœ̃] *someone, somebody* — d'autre *someone else*

querelle [kərɛl] *f. quarrel*

question [kɛstjɔ̃] *f. question* poser une — *ask a question*

qui [ki] *who, whom; that, which*

quinzaine [kɛ̃zɛn] *f. about two weeks*

quinze [kɛ̃z] *fifteen* — jours *two weeks*

quinzième [kɛ̃zjɛm] *fifteenth*

quitter [kite] *leave*

quoi [kwa] (§ 35 B) *what* — que *whatever* — qu'il arrive *come what may, whatever happens*

quoique [kwak] *although*

quotidien [kɔtidjɛ̃] *m. daily paper*

quotidien, quotidienne [kɔtidjɛ̃, kɔtidjɛn] *daily*

R

race [ras] *f. race*

Racine [rasin] *(1639–1699) famous French dramatist*

raconter [rakɔ̃te] *tell (a story)*

radio [radjo] *f. radio*

appareil de — *radio set*

poste de — *radio set*

Radio-Inter [radjoɛ̃tɛr] *smallest of the three radio networks in France, constructed by the Americans during the war in order to broadcast entertainments to their troups*

Radio-Paris [radjopari] *pre-war radio station which was taken over by the Germans and used for propaganda purposes during the "occupation."*

radiodiffusion [radjodifyzjɔ̃] *f. radio broadcast*

radis [radi] *m. radish*

rage [raʒ] *f. rabies*

raisin [rɛzɛ̃] *m. grape*

raison [rɛzɔ̃] *f. reason* avoir — (§ 91 B) *be right*

rang [rɑ̃] *m. rank*

ranger [rɑ̃ʒe] (§ 82 B) *arrange, put in order*

Raphael [rafaɛl] *(1483–1520) famous painter of the Italian Renaissance*

rapidement [rapidmɑ̃] *rapidly*

rappeler [raple] (§ 82 F) *recall, remind* se — (+ noun) *remember*

rapport [rapɔr] *m. connection, relation*

rapporter [rapɔrte] *bring back*

rapprocher [raprɔʃe] *bring near*

rare [rɑr] *rare*

rassembler [rasɑ̃ble] *assemble*

ravitaillement [ravitajmɑ̃] *m. food supply*

réalité [realite] *f. reality* en — *in reality*

réarmer [rearme] *rearm*

rebâtir [rəbɑtir] *rebuild*

récemment [resamɑ̃] *recently*

récepteur [resɛptœr] *m. telephone receiver* poste — *receiving set*

réception [resɛpsjɔ̃] *f. reception*

recevoir [rəsəvwar] (§ 83, no. 5) *receive*

recherche [rəʃɛrʃ] *f. search, research*

récit [resi] *m. story*

réclame [reklam, reklɑm] *f. advertising*

réclamer [reklame, reklɑme] *reclaim, ask for again*

reçois, reçoit, reçoivent [rəswa, rəswav] (*pres. of* recevoir) *receive, receives, receive*

recommencer [rəkɔmɑ̃se] (§ 82 A) (à + inf.) *begin again*

reconnaissance [rəkɔnɛsɑ̃s] *f. recognition; gratitude, thankfulness*

reconnaître [rəkɔnɛtr](§ 86, no. 7) *recognize*

reconstituer [rəkɔ̃stitɥe] *re-establish*

recouvrir [rəkuvrir] (§ 86, no. 22) *cover; cover over*

récréation [rekreasjɔ̃] *f. recreation*

reçu, reçus [rəsy] (*pp and sp of* recevoir) *received*

reculé [rəkyle] *remote, backward*

reculer [rəkyle] *retreat*

Rédempteur [redɑ̃ptœr] *m. Redeemer*

redevenir [rədəvnir] (§ 86, no. 34) *become again*

redevenu [rədəvny] (*pp of* redevenir) *become again*

réduire [redɥir] (§ 86, no. 6) *reduce*

réduit [redɥi] (*pp of* réduire) *reduced*

réel, réelle [reɛl] *real, true*

réellement [reɛlmɑ̃] *really*

réélu [reely] *reelected*

refermer [rəfɛrme] *close again*

réfléchi [refleʃi] *reflexive*

réforme [refɔrm] *f. reform*

refouler [rəfule] *push back*

refrain [rəfrɛ̃] *m. refrain*

refus [rəfy] *m. refusal*

refuser [rəfyze] (de + inf.) *refuse*

regarder [rəgarde] (+ noun) *look at*

régime [reʒim] *m. regime, rule*

région [reʒjɔ̃] *f. region*

registre [rəʒistr] *m. register*

régler [regle] *determine, decide, regulate*

règne [rɛɲ] *m. reign*

regretter [rəgrɛte] (de + inf.) *regret*

régulier, régulière [regylje, regyljɛr] *formal, symmetrical*

Reich [raiç] *m. Reich (referring to the German empire)*

Reims [rɛ̃s] *Rheims*

réincorporer [reɛ̃kɔrpɔre] *reincorporate*

reine [rɛn] *f. queen*

rejoindre [rəʒwɛ̃dr] (§ 86, no. 9) *join*

relatif, relative [rəlatif, rəlativ] *relative*

relativement [rəlativmɑ̃] *relatively*

relier [rəlje] *connect*

religieux, religieuse [rəliʒjø, rəliʒjøz] *religious*

religion [rəliʒjɔ̃] *f. religion*

remarquable [rəmarkabl] *remarkable*

remarquer [rəmarke] *notice*

remercier [rəmɛrsje] (de *or* pour + thing; de + verb) *thank*

remettre [rəmɛtr] (§ 86, no. 19) *hand in, turn in; put back; postpone*

se — (à + inf.) *begin again, resume*

remis [rəmi] (*pp and sp of* remettre) *handed in; put back; postponed*

remonter [rəmɔ̃te] *date from, go back, go up (stream)*

remplacer [rɑ̃plase] (§ 82 A) *fill in, replace*

remplir [rɑ̃plir] *fill*

remporter [rɑ̃pɔrte] *bring back, carry away*

— la victoire *win the victory*

Renaissance [rənɛsɑ̃s] *f. revival of learning following the Middle Ages. It flourished in France from the early years of the sixteenth century to the end of the reign of Henry IV.*

rencontre [rɑ̃kɔ̃tr] *f. meeting*

rencontrer [rɑ̃kɔ̃tre] *meet*

se — *meet (each other)*

rendre [rɑ̃dr] *return, make, render*

— célèbre *make famous*

se — compte de *realize*

— visite *pay a visit*

se — *surrender; go to; return*

renommé [rənɔme] *famous, renowned*

renoncer [rənɔ̃se] (§ 82 A) (à + thing) *renounce, give up . . .*

renseignement [rɑ̃sɛɲmɑ̃] *m. information*

renseigner [rɑ̃sɛɲe] *inform*

rentrée [rɑ̃tre] *f. return; opening of school*

— des classes *opening of school*

rentrer [rɑ̃tre] *return, go back (home); bring in*

renverser [rɑ̃vɛrse] *overthrow, overturn*

réoccuper [reɔkype] *reoccupy*

réorganiser [reɔrganize] *reorganize*

répandre [repɑ̃dr] *spread*

se — *spread*

répandu [repãdy] *widespread, common*
réparation [reparasjɔ̃] *f. reparation*
repas [rəpa] *m. meal*
répéter [repete] (§ 82 E) *repeat*
répondre [repɔ̃dr] (à + noun) *answer, reply*
réponse [repɔ̃s] *f. reply*
se reposer [rəpoze] *rest*
reprendre [rəprãdr] (§ 86, no. 27) *take again, retake, recapture*
représentant [rəpresãtã] *m. representative*
représentation [rəprezãtasjɔ̃] *f. presentation*
représenter [rəpresãte] *show, represent, give (a play)*
repris [rəpri] (*pp and sp of* reprendre) *retook*
républicain [repyblikɛ̃] *republican*
république [repyblik] *f. republic*
réputé [repyte] *famous, reputed*
réserver [rezɛrve] *reserve*
résidence [rezidãs] *f. residence*
résistance [rezistãs] *f. resistance, especially referring to the resistance organized by the French against the Germans during the "occupation"*
résistant [rezistã] *m. resistant*
résister [reziste] (à + noun) *resist*
résoudre [resudr] *resolve;* (*pp*) résous, résolu, *resolved*
respecter [rɛspɛkte] *respect*
respiration [rɛspirasjɔ̃] *f. respiration, breathing*
ressembler [rəsãble] (à + noun) *resemble*
ressentir [rəsãtir] (2) *feel*
ressource [rəsurs] *f. resource*
restaurant [rɛstorã] *m. restaurant*
reste [rɛst] *m. remainder, rest*
du — *moreover*
rester [rɛste] *remain*
résultat [rezulta] *m. result*
résumé [rezyme] *m. résumé, a summing up, summary*
rétablir [retablir] *re-establish*
retard [rətar] *m. delay*
en — *late, behind time*
retenir [rətnir] (§ 86, no. 31) *keep, hold*
— l'attention *attract attention*

retirer [rətire] *withdraw, remove, take away*
retour [rətur] *m. return*
retourner [rəturne] *return, go back*
se — *turn around*
retraite [rətrɛt] *f. retreat*
battre en — *retreat*
se retrancher [rətrãʃe] *entrench oneself*
retransmettre [rətrãsmɛtr] (§ 86, no. 19) *transmit, broadcast, rebroadcast*
retransmission [rətrãsmisjɔ̃] *f. broadcast; rebroadcast*
retrousser [rətruse] *turn up, roll up*
retrouver [rətruve] *meet; find again*
se — *be*
Réunion [reynjɔ̃] *f. French island in the Indian Ocean east of Africa*
réunir [reynir] *assemble, unite, reunite*
se — *assemble, meet*
réussir [reysir] (à + inf.) *succeed*
— à un examen *pass a test*
se réveiller [revɛje] *wake up, awaken*
réveillon [revɛjɔ̃] *m. a meal eaten in the middle of the night, especially the night before Christmas*
revenir [rəvnir] (§86, no. 34) *return, come back*
— cher *be expensive*
revenu [rəvny] (*pp of* revenir) *returned, come back*
revenu [rəvny] *m. revenue, income*
rêver [reve] *dream*
revoir [rəvwar] (§ 86, no. 36) *see again*
au — *good-by*
se révolter [revɔlte] *revolt*
révolution [revɔlysjɔ̃] *f. revolution*
Révolution française [revɔlysjɔ̃frãsɛz] *French Revolution. The great French Revolution began in 1789. There were minor revolutions in 1830, 1848, and 1870-1871.*
révolutionnaire [revɔlysjɔnɛr] *revolutionary*
revue [rəvy] *f. magazine*
— de presse *press review*
Rex [rɛks] *popular name for movie-house in France*
rez-de-chaussée [redʃose] *m. ground floor, first floor*

Rhin [rɛ̃] *m. Rhine*

Rhône [ron] *m. Rhone*

riche [riʃ] *rich*

richesse [riʃɛs] *f. riches*

rien [rjɛ̃] *nothing*

je n'en sais — *I know nothing about it*

ne . . . — *nothing*

— de défini *nothing definite*

rigueur [rigœr] *f. rigor, hardship*

rire [rir] (§ 86, no. 28) (de + noun) *laugh*

risque [risk] *m. risk*

rivalité [rivalite] *f. rivalry*

rive [riv] *f. bank (of river)*

Riviera [rivjɛra] *f. Riviera, a short stretch of land, along the southeast coast of France known by the French as the* Côte d'Azur

riz [ri] *m. rice*

robe [rɔb] *f. dress, gown*

rocher [rɔʃe] *m. rock*

Rodrigue [rɔdrig] *m. hero of Corneille's* Cid.

Roger [rɔʒe] *m. Roger*

roi [rwa] *m. king*

rôle [rol] *m. role*

Romain [rɔmɛ̃] *m. Roman*

romain [rɔmɛ̃] *Roman*

roman [rɔmɑ̃] *m. novel*

— policier *detective story*

romancier [rɔmɑ̃sje] *m. novelist*

romantisme [rɔmɑ̃tism] *m. romanticism*

Rome [rɔm] *capital of Italy*

ronde [rɔ̃d] *f. round*

Roquefort [rɔkfɔr] *m. type of French cheese*

rosace [rozas] *f. rose window*

rose [roz] *rose-color, reddish*

rôtir [rotir] *roast*

Rouen [rwɑ̃] *m. important city in Normandy situated on the Seine*

rouge [ruʒ] *red*

roulotte [rulɔt] *f. trailer*

Rousseau, Jean-Jacques [ruso] *(1712–1778) French writer of the eighteenth century, author of* la Nouvelle Héloise, Émile, le Contrat social, *etc.*

route [rut] *f. way, road, route*

en — *on the way*

royal, royaux [rwajal, rwajo] *royal*

royaliste [rwajalist] *royalist*

royaume [rwajom] *m. kingdom*

rude [ryd] *harsh, rough*

rue [ry] *f. street*

— Royale *Paris street leading from the* Place de la Concorde *to the* Madeleine

rugby [rɔgbi] [1] *m. rugby*

ruine [rɥin] *f. ruin*

ruiner [rɥine] *ruin*

russe [rys] *Russian*

Russie [rysi] *f. Russia*

S

sa [sa] *his, her, its*

sable [sabl] *m. sand*

sabot [sabo] *m. wooden shoe*

sabotage [sabotaʒ] *m. sabotage; interference with work on the part of the worker by interference with machinery or material used in work*

sac [sak] *m. sack, knapsack*

sachant, sache [saʃɑ̃, saʃ] *(pres. participle and subjunctive of* savoir*) knowing, know*

Sacré Cœur [sakrekœr] *m. Church of the Sacred Heart, located in the Montmartre section of Paris, in Byzantine style*

sagesse [saʒɛs] *f. wisdom*

saint [sɛ̃] *sacred*

histoire —e *sacred history, history of the Bible*

Saint-Laurent [sɛlɔrɑ̃] *m. St. Lawrence, river in Canada*

Saint-Louis [sɛlwi] *m. city of the United States located on Mississippi*

Saint-Malo [sɛmalo] *m. picturesque walled city on the coast of Brittany*

Saint-Michel [sɛmiʃɛl] *m. main boulevard in the Latin Quarter of Paris*

Sainte-Hélène [sɛtelɛn] *f. St. Helena, island in the Atlantic*

sais, sait [se, sɛ] *(pres. of* savoir*) know*

[1] No official pronunciation.

saisir [sɛzir] *seize*

saison [sɛzõ] *f. season*

saississant [sɛzisã] *gripping, thrilling*

salade [salad] *f. salad*

saladier [saladje] *m. salad bowl*

salle [sal] *f. room, large room*

— à manger *dining-room*

— de classe *classroom*

— de conférence *lecture room*

salon [salõ] *m. living-room*

saluer [salɥe] (+ noun) *greet; say "hello" to*

salut [saly] *m. safety*

samedi [samdi] *m. Saturday*

Samothrace [samɔtras] *island of the Greek Archipelago, near Thrace*

Victoire de — *famous statue in the Louvre, sometimes called the Winged Victory*

sang [sã] *m. blood*

sanglot [sãglo] *m. sob*

sans [sã] *without*

— cesse *without cease*

sapin [sapɛ̃] *m. pine tree*

sardine [sardin] *f. sardine*

sauf [sof] *except*

saurai [sore] (*1st pers. sing. fut. of* savoir) *shall know*

saut [so] *m. high jump*

sautiller [sotije] *jump about*

sauvage [sovaʒ] *wild*

sauver [sove] *save*

se — *run away, escape, flee*

Sauveur [sovœr] *m. Saviour*

savant [savã] *m. scientist; scholar*

Savoie [savwa] *f. Savoy, province in southeastern France*

savoir [savwar] (§ 86, no. 29) (+ inf.) *know (something), know how* —

scène [sɛn] *f. scene*

science [sjãs] *f. science*

scientifique [sjãtifik] *scientific*

scout [skut] *m. scout*

sculpture [skyltyr] *f. sculpturing*

se [sə] (§ 25 A) *himself, herself, itself, oneself, themselves; each other*

second [səgõ, zgõ] *m. second*

secours [səkur] *m. help, aid*

secrètement [səkrɛtmã] *secretly*

sécurité [sekyrite] *f. security, safety*

Sedan [sədã] *m. city in northeastern France where Napoleon III surrendered in the Franco-Prussian war and where the Germans outflanked the Maginot line in 1940*

seigneur [sɛɲœr] *m. lord*

Seine [sɛn] *f. Seine*

seize [sɛz] *sixteen*

seizième [sɛzjɛm] *sixteenth*

séjour [seʒur] *m. stay, sojourn*

sel [sɛl] *m. salt*

selon [səlõ] *according to*

semaine [səmɛn] *f. week*

semblable [sãblabl] *similar*

sembler [sãble] (+ inf.) *seem*

semestre [səmɛstr] *m. semester*

sens [sãs] *m. sense, direction*

en tous — *in every direction*

sensation [sãsasjõ] *f. sensation*

sentiment [sãtimã] *m. sentiment*

sentir [sãtir] (2) *feel; smell*

se — *feel*

séparer [separe] *separate*

se — *become separated, be separated*

sept [sɛt] *seven*

septembre [sɛptãbr] *m. September*

septième [sɛtjɛm] *seventh*

serai [səre] (*1st pers. sing. fut. of* être) *shall be*

Serbe [sɛrb] *m. Serbian*

Serbie [sɛrbi] *f. Serbia, country in the Balkan Peninsula before World War I, now a part of Jugoslavia*

série [seri] *f. series*

sérieusement [serjøzmã] *seriously*

sérieux, sérieuse [serjø, serjøz] *serious*

sermon [sɛrmõ] *m. sermon*

serré [sɛre] *heavy*

serrer [sɛre] *shake; press, squeeze*

se — la main *shake hands*

serveuse [sɛrvøz] *f. waitress*

service [sɛrvis] *m. service*

servir [sɛrvir] (2) *serve*

— à *be used to*

— de *serve as*

se — de *use, make use of*

ses [se] *his, her, its*

seul [sœl] *alone, only, solely, only one*

seulement [sœlmã] *only*
  non — *not only*
sévère [sevɛr] *severe*
Shakespeare [ʃɛkspir] (*1564–1616*) *great*
  English dramatist
si [si] *if, whether; so*
  s'il vous plaît *please*
  s'il y a lieu *if it is necessary*
si [si] *yes* (p. 85, note †)
siècle [sjɛkl] *m. century*
siège [sjɛʒ] *m. siege; seat*
  mettre le — devant *lay siege to*
sien, sienne [sjɛ̃, sjɛn] *his, her, its*
siffler [sifle] *whistle*
signe [siɲ] *m. sign*
  faire — *make a sign*
signer [siɲe] *sign*
silence [silɑ̃s] *m. silence*
silencieusement [silɑ̃sjøzmã] *silently*
simple [sɛ̃pl] *simple*
simplement [sɛ̃pləmã] *simply*
singulier [sɛ̃gylje] *m. singular*
sinon [sinɔ̃] *if not*
situation [sitɥasjɔ̃] *f. situation*
situé [sitɥe] *situated, located*
six [si, sis, siz] *six*
sixième [sizjɛm] *sixth*
social, sociaux [sɔsjal, sɔsjo] *social*
société [sɔsjete] *f. society*
Société d'Agriculture [sɔsjetedagri-
  kyltyr] *Agricultural Association*
sœur [sœr] *f. sister*
soi [swa] (§ 26) *oneself*
soie [swa] *f. silk*
soif [swaf] *f. thirst*
  avoir — (§ 91 B) *be thirsty*
soin [swɛ̃] *m. care*
soir [swar] *m. evening*
soirée [sware] *f. evening, party*
  — dansante *dance*
sois, soit, soient [swa] (*subjunctive*
  of être) *be*
soit . . . soit [swa . . . swa] *either . . .*
  or, whether . . . whether
soixante [swasɑ̃t] *sixty*
  — -dix *seventy*
  — et onze *seventy-one*
  — et un *sixty-one*
sol [sɔl] *m. ground, soil*

soldat [sɔlda] *m. soldier*
soleil [sɔlɛj] *m. sun*
solidement [sɔlidmã] *solidly*
solitaire [sɔlitɛr] *lonely, solitary*
solennel, solennelle [sɔlanɛl] *solemnly*
sombre [sɔ̃br] *dark, sombre*
somme [sɔm] *f. sum*
  en — *in short*
sommeil [sɔmɛj] *m. sleep*
  avoir — (§ 91 B) *be sleepy*
sommes [sɔm] (*1st pers. pl. pres. of*
  être) *are*
sommet [sɔmɛ] *m. summit, top*
son, sa, ses [sɔ̃, sa, se] *his, her, its, one's*
songer [sɔ̃ʒe] (§ 82 B) (à + noun; à +
  inf.) *think of, dream of*
sonner [sɔne] *sound, ring*
sont [sɔ̃] (*3d pers. pl. pres. of* être) *are*
Sorbonne [sɔrbɔn] *f. College of Arts and*
  College of Sciences of the University of
  Paris
sorte [sɔrt] *f. sort, kind*
  de — que *so that*
sortir [sɔrtir] (2) *go out, leave*
souci [susi] *m. care*
soudain [sudɛ] *suddenly*
souffrir [sufrir] (§ 86, no. 22) *suffer*
soulever [sulve] *raise*
  se — *revolt, rise up in insurrection*
soulier [sulje] *m. shoe*
soulignez [suliɲe] *imperative of* sou-
  ligner *underline*
soumettre [sumɛtr] (§ 86, no. 19)
  submit
soupçonner [supsɔne] *suspect*
soupe [sup] *f. soup*
source [surs] *f. source*
sourd [sur] *deaf*
  — -muet *deaf-mute;* (adj.) *deaf and*
  dumb
sous [su] *under*
sous-marin [sumarɛ̃] *m. submarine*
soutenir [sutnir] (§ 86, no. 31) *support*
souterrain [sutɛrɛ̃] *underground*
souvenir [suvnir] *m. souvenir, remem-*
  brance
  en — de *in memory of*
se souvenir [suvnir] (§ 86, no. 34) (de
  + noun; de + inf.) *remember*

souvent [suvɑ̃] *often*
souverain [suvrɛ̃] *m. sovereign*
speaker [spikɛr] [1] *m. radio announcer*
spécial, spéciaux [spesjal, spesjo] *special*
spécialement [spesjalmɑ̃] *especially*
se spécialiser [spesjalize] *specialize*
spectacle [spɛktakl] *m. spectacle, sights*
spectateur [spɛktatœr] *m. spectator*
splendeur [splɑ̃dœr] *f. splendor*
splendide [splɑ̃did] *splendid*
sport [spɔr] *m. sport*
  faire du — *participate in sports*
sportif, sportive [spɔrtif, spɔrtiv] *sport-loving*
squelette [skəlɛt] *m. skeleton*
station [stɑsjɔ̃] *f. station*
statue [staty] *f. statue*
stérilisation [sterilizɑsjɔ̃] *f. sterilization*
Strasbourg [strazbur] *m. principal city of Alsace*
style [stil] *m. style*
stylo [stilo] *(abbr. for* stylographe) *m. fountain pen*
su, sus [sy] *(pp and sp of* savoir) *knew, learned*
subir [sybir] *undergo*
subjonctif [sybʒɔ̃ktif] *m. subjunctive*
subsister [sybsiste] *stand, exist*
substituer [sypstitɥe] *substitute*
subventionner [sybvɑ̃sjɔne] *subsidize*
succès [syksɛ] *m. success*
sud [syd] *m. south, (also adj.)*
  — -est *southeast*
  — -ouest *southwest*
Suède [sɥɛd] *f. Sweden*
Suédoise [swedwaz] *f. Swedish girl, Swedish woman*
Suez, Canal de [sɥɛz] *m. Suez Canal*
suffisamment [syfizamɑ̃] *sufficiently*
suffisant [syfizɑ̃] *sufficient*
suffocant [syfɔkɑ̃] *stifling*
se suicider [sɥiside] *commit suicide*
suis [sɥi] *(1st pers. sing. pres. of* être) *am*
suis [sɥi] *(1st pers. sing. pres. of* suivre) *follow*
Suisse [sɥis] *f. Switzerland*

suisse [sɥis] *Swiss*
suite [sɥit] *f. continuation, suite, aftermath, consequence*
  à la — de *after*
  tout de — *immediately*
suivant [sɥivɑ̃] *following*
suivez [sɥive] *(imperative of* suivre] *follow*
suivre [sɥivr] *(§ 86, no. 30) follow*
  à — *to be continued*
  — un cours *take a course*
sujet [syʒɛ] *m. subject*
supérieur [syperjœr], *superior, upper*
superlatif, superlative [sypɛrlatif, sypɛrlativ] *superlative*
supprimer [syprime] *suppress; omit*
suprématie [sypremasi] *f. supremacy*
sur [syr] *on, over, above; about, concerning*
sûr [syr] *sure, certain, safe*
sûrement [syrmɑ̃] *surely*
surprise [syrpriz] *f. surprise*
surtout [syrtu] *especially, above all*
surveiller [syrvɛje] *watch, superintend*
survivre [syrvivr] *(§ 86, no. 35) survive*
suspect [syspɛ] *m. suspect*
Suzanne [syzan] *f. Susan*
symbole [sɛ̃bɔl] *m. symbol*
symétrie [simetri] *f. symmetry*
symétrique [simetrik] *symmetrical*
sympathie [sɛ̃pati] *f. sympathy*
symphonie [sɛ̃fɔni] *f. symphony*
symptôme [sɛ̃ptom] *m. symptom*
système [sistɛm] *m. system*

T

T.S.F. [teɛsɛf] *(abbr. for* télegraphie sans fil) *f. radio, wireless*
ta [ta] *your*
tabac [taba] *m. tobacco*
table [tabl] *f. table*
  à — *at the table*
  — de travail *work-table*
tableau [tablo] *m. picture; blackboard*
  — noir *blackboard*
tache [taʃ] *f. blemish, stain*
tâcher [taʃe] *(de + inf.) try*
Tahiti [taiti] *group of islands in the*

---

[1] No official pronunciation.

Pacific, the principal one of which is Tahiti or Taïti

taille [taj] f. size, shape, height

tandis que [tãdikə, tãdiskə] while (on the other hand)

tank [tãk] m. tank

tant [tã] so much, as much, so many, as many
— de so much, as much, so many, as many
— que as long as

tante [tãt] f. aunt

tantôt . . . tantôt [tãto . . . tãto] now . . . now, sometimes . . . other times

tapis [tapi] m. carpet

tapisserie [tapisri] f. tapestry

tard [tar] late

tarder [tarde] (à + inf.) delay, put off

tasse [tas] f. cup

taxi [taksi] m. taxicab, taxi

Tchécoslovaquie [tʃekɔslɔvaki] f. Czechoslovakia, country created by the Treaty of Versailles

te [tə] to you, you

tel, telle [tɛl] such; — que such as

télégramme [telegram] m. telegram

télégraphe [telegraf] m. telegraph

téléphone [telefɔn] m. telephone
donner un coup de — give a "ring," telephone to

téléphoner [telefɔne] (à + person + de + inf.) telephone

télévision [televizjɔ̃] f. television

tellement [tɛlmã] so, so much

témoin [temwɛ̃] m. witness

tempérament [tãperamã] m. temperament

tempête [tãpɛt] f. storm

temple [tãpl] m. temple; church

temps [tã] m. time; weather; tense
de — en — from time to time
en même — at the same time —
primitif principal part (of a verb)
tout le — all the time, all the while

tenir [tənir] (§ 86, no. 31) hold
se — be
— bon hold out

tennis [tɛnis] m. tennis

tenter [tãte] attempt, try

terminer [tɛrmine] finish, end
se — finish, end

terrasse [tɛras] f. outdoor part of café, chairs and tables (of a café) set out on sidewalk

terre [tɛr] f. land, territory, earth

Terreur [tɛrœr] f. Reign of Terror, the period of the Revolution which began in 1793 and ended 1794, marked by numerous executions under the direction of the Committee of Public Safety

territoire [tɛritwar] m. territory

territorial [tɛritɔrjal] territorial

tes [te] your

tête [tɛt] f. head
en — at the head

Texas [tɛksas] m. largest state in the United States

thé [te] m. tea

théâtre [teatr] m. theater; (collection of) plays

Théâtre-Français [teatrəfrãsɛ] French National Theatre on the right bank of the Seine, also called la Comédie Française

théologie [teɔlɔʒi] f. theology

théorie [teɔri] f. theory

tiers [tjɛr] m. third
deux- — two-thirds

Tiers-Etat [tjɛrzeta] Third Estate, the common people of France, the class which was neither the nobility nor the clergy

timbre [tɛ̃br] m. stamp

tirer [tire] draw, pull
— sur fire on

tiret [tirɛ] m. blank, dash

tissu [tisy] m. textile, fabric

titre [titr] m. title
à — quelconque any way whatever

toi [twa] you, to you

toit [twa] m. roof

tolérer [tɔlere] tolerate

tomate [tɔmat] f. tomato

tombeau [tɔ̃bo] m. tomb

tomber [tɔ̃be] fall

ton, ta, tes [tɔ̃, ta, te] your

tort [tɔr] wrong
avoir — (§ 91 B) be wrong

torture [tɔrtyr] *f. torture*
tôt [to] *soon, quickly, early*
total [tɔtal] *total*
toucher [tuʃe] *touch*
  se — *touch each other*
toujours [tuʒur] *always*
Toulouse [tuluz] *city in southern France characterized by its brick structures*
tour [tur] *m. turn*
  à son — *in his turn*
tour [tur] *f. tower*
Tour de France [turdəfrɑ̃s] *bicycle race across France*
Tour Eiffel [turɛfɛl] *steel structure on the left bank of the Seine in Paris, erected by Eiffel for the Exposition of 1889*
Touraine [turɛn] *f. small province south of Paris*
touriste [turist] *m. f. tourist*
tourner [turne] *turn*
  se — *turn (around)*
Tours [tur] *m. capital of Touraine*
tous [tus] (pron.) *everyone*
tous [tu] (adj.) *all*
  — les jours *every day*
  — les trois *all three*
tout [tu] (pron.) *everything*
  pas du — *not at all*
tout, toute, tous, toutes [tu, tut, tu, tut] (adj.) *all, every, whole*
  en — cas *in any case*
  — le monde *everyone, everybody*
  — es les heures *every hour*
  tous les jours *every day*
tout [tu] (adv.) *quite, very (see p. 276, note 1 for agreement)*
  à — à l'heure *until later, "so long"*
  — à coup *suddenly*
  — à fait *entirely, completely*
  — à l'heure *a little while ago; in a little while*
  — de même *all the same*
  — de suite *immediately*
  — près *right near, near by*
trace [tras] *f. trace*
tradition [tradisjɔ̃] *f. tradition*
traditionnel, traditionnelle [tradisjɔnɛl] *traditional*

traduire [tradɥir] (§ 86, no. 6) *translate*
traduisez [tradɥize] (*imperative of* traduire) *translate*
tragédie [traʒedi] *f. tragedy*
tragique [traʒik] *tragic*
train [trɛ̃] *m. train*
  — de vie *pace of life*
trait d'union [trɛdynjɔ̃] *m. hyphen*
traité [trɛte] *m. treaty*
Traité de Versailles [trɛtedvɛrsɑj] *Treaty of Versailles (1919), establishing the conditions of peace after World War I*
traitement [trɛtmɑ̃] *m. treatment*
traiter [trɛte] *treat*
traître [trɛtr] *m. traitor*
tramway [tramwe] *m. streetcar*
tranchée [trɑ̃ʃe] *f. trench*
tranquille [trɑ̃kil] *quiet, calm*
transformer [trɑ̃sfɔrme] *transform*
transmettre [trɑ̃smɛtr] (§ 86, no. 19) *transmit, broadcast*
transmission [trɑ̃smisjɔ̃] *f. broadcast, transmission*
transport [trɑ̃spɔr] *m. transportation*
transporter [trɑ̃spɔrte] *transport*
travail [travaj] *m. work*
travailler [travaje] *work*
travaux [travo] (*pl. of* travail) *works*
travers, à [atravɛr] *across, through*
traverser [travɛrse] *cross*
treize [trɛz] *thirteen*
treizième [trɛzjɛm] *thirteenth*
trentaine [trɑ̃tɛn] *f. about thirty*
trente [trɑ̃t] *thirty*
  — -deux *thirty-two*
  — et un *thirty-one*
très [trɛ] *very*
trésor [trezɔr] *m. treasury*
tressaillir [trɛsajir] *tremble*
Trianon, le Grand [ləgrɑ̃trianɔ̃] *small castle at Versailles, built by Louis XIV in 1687*
Trianon, le Petit [ləptitrijanɔ̃] *small castle at Versailles built under Louis XV and later occupied by Marie-Antoinette*
tribu [triby] *f. tribe*

tribut [triby] *m. tribute*
triomphe [trijɔ̃f] *m. triumph*
  l'arc de — *triumphal arch*
Triple Alliance [triplaljɑ̃s] *f. Triple Alliance between Germany, Austria-Hungary, and Italy*
Triple Entente [triplɑ̃tɑ̃t] *f. Triple Entente, between England, France, and Russia*
triste [trist] *sad*
tristesse [tristɛs] *f. sadness*
trois [trwɑ] *three*
troisième [trwɑzjɛm] *third*
tronc [trɔ̃] *m. trunk*
trône [tron] *m. throne*
trop [tro] (de + noun) *too much, too many, too*
trottoir [trɔtwar] *m. sidewalk*
troubadour [trubadur] *m. troubadour, minstrel of southern France during the Middle Ages*
trouble [trubl] *m. confusion, disorder, turmoil, uneasiness; (pl.) disturbances (much stronger than English* trouble)
troupe [trup] *f. troop*
troupeau [trupo] *m. flock, herd*
trouver [truve] *find*
  se — *be found, be located, be*
tu [ty] (§ 22 B) *you*
tuer [tɥe] *kill, slay*
Tuileries [tɥilri] *f. pl. garden situated in Paris between* Place de la Concorde *and the* Louvre, *formerly the site of a royal palace*
Tunisie [tynizi] *f. Tunisia*
typiquement [tipikmɑ̃] *typically*

U

un, une [œ̃, yn] *a, an; one*
  l' — l'autre (§ 25 B) *each other*
unification [ynifikɑsjɔ̃] *f. unification*
unifier [ynifje] *unite*
  s' — *unite, become united*
union [ynjɔ̃] *f. union*
Union française [ynjɔ̃frɑ̃sɛz] *f. name which indicates France proper and her territories abroad which are now equal with her politically*

uniquement [ynikmɑ̃] *only, solely*
unir [unir] *unite*
  s' — *unite*
universitaire [ynivɛrsitɛr] *pertaining to the university*
  Cité — *student dormitories situated on the Boulevard Jourdan at the southern extremity of Paris*
université [ynivɛrsite] *f. university*
Université de Paris [ynivɛrsitedpari] *University of Paris*
usage [yzaʒ] *m. custom, practice, usage*
  d'— *customary*
usine [yzin] *f. factory*
usuel, usuelle [yzɥɛl] *usual*
utile [ytil] *useful*
utiliser [ytilize] *use, make use of, utilize, employ*

V

va, vas [va] (*pres. of* aller) *goes, go, is going*
  Ça va bien *I'm fine*
  Comment ça va? *How are you?*
vacances [vakɑ̃s] *f. pl. vacation*
  en — *on a vacation*
  les grandes — *long vacation, summer vacation*
vaccin [vaksɛ̃] *m. vaccine*
vacciner [vaksine] *vaccinate*
vache [vaʃ] *f. cow*
vague [vag] *f. wave*
vague [vag] *vague, hazy*
vaincre [vɛ̃kr] (§ 86, no. 32) *conquer, vanquish*
vaincu [vɛ̃ky] (*pp of* vaincre) *conquered, vanquished*
vais [ve, vɛ] (*1st pers. sing. pres. of* aller) *go, am going*
valeur [valœr] *f. value, worth*
valise [valiz] *f. valise, suitcase*
vallée [vale] *f. valley*
valoir [valwar] (§ 86, no. 33) *be worth*
  — la peine (de + inf.) *be worth the trouble*
  — mieux (+ inf.) *be better*
vanter [vɑ̃te] *praise*
varié [varje] *varied*
varier [varje] *vary, change*

variété [varjete] *f. variety; feature (on radio program)*

vaste [vast] *vast, wide, spacious*

vaut [vo] (valoir) *is worth*

il — la peine (de + inf.) *it is worth while, it is worth the trouble*

il — mieux (+ inf.) *it is better*

vécu, vécus [veky] *(pp and sp of* vivre) *lived*

véhicule [veikyl] *m. vehicle*

veille [vɛj] *f. eve, day before*

veine [vɛn] *f. vein*

vendange [vãdãʒ] *f. grape-gathering season*

vendangeur [vãdãʒœr] *m. grape-gatherer*

vendre [vãdr] *sell*

vendredi [vãdrədi] *m. Friday*

venger [vãʒe] (§ 82 B) *avenge, revenge*

venir [vənir] (§ 86, no. 34) (+ inf.) *come*

— de *have just* (il vient d'arriver *he has just arrived*)

vent [vã] *m. wind*

il fait du — *it is windy*

venu [vəny] *(pp of* venir) *come*

Vénus de Milo [venysdəmilo] *f. famous statue in the Louvre*

verbe [vɛrb] *m. verb*

Verdun [vɛrdœ̃] *town in northeastern France noted for its defensive forts*

véritable [veritabl] *veritable, true*

Verlaine, Paul [vɛrlɛn] *(1844–96) French poet, one of the chief members of the symbolistic school*

verrai [vɛre] *(1st pers. sing. of* voir) *shall see*

vers [vɛr] *toward; about (of time)*

Versailles [vɛrsɑj] *city some eighteen kilometers southwest of Paris, noted for its château*

vert [vɛr] *green*

vestige [vɛstiʒ] *m. vestige, trace*

vêtement [vɛtmã] *m. dress, garment; pl. clothing*

veto [veto] *m. veto*

veux, veut, veulent [vø, vœl] *(pres. of* vouloir) *wish, wishes*

viande [vjãd] *f. meat*

Vichy [viʃi] *thermal city in the* Massif Central *which was the seat of government of the* zone libre *during the occupation of France by the Germans*

victime [viktim] *f. victim*

victoire [viktwar] *f. victory*

remporter la — *win the victory*

victorieux, victorieuse [viktɔrjø, viktɔrjøz] *victorious*

vide [vid] *empty*

vider [vide] *empty*

se — *become empty*

vie [vi] *f. life*

à — *for life*

vieil, vieille [vjɛj] (§ 9 G) *old*

vieillard [vjɛjar] *m. old man, old people*

viendrai [vjɛ̃dre] *(1st pers. sing. fut. of* venir) *shall come*

viens, vient, viennent [vjɛ̃, vjɛn] *(pres. of* venir) *come, comes*

vieux [vjø] (§ 9 G) *old; (noun) m. old person*

mon — *"old fellow," "old chap," used familiarly between friends, even school children*

vif, vive [vif, viv] *lively*

vigne [viɲ] *f. vineyard*

vigneron [viɲrɔ̃] *m. wine-grower*

village [vilaʒ] *m. village*

ville [vil] *f. city, town*

vin [vɛ̃] *m. wine*

vinaigre [vinɛgr] *m. vinegar*

Vinci, Léonard de [leɔnardəvɛsi] *(1452–1519) Leonardo da Vinci, celebrated painter of the Italian Renaissance*

vingt [vɛ̃] *twenty*

— et un *twenty-one*

violant [vjɔlã] *violent*

violer [vjɔle] *violate*

violon [vjɔlɔ̃] *m. violin*

vis, vit [vi] *(pres. of* vivre) *live, lives*

vis, vit [vi] *(sp of* voir) *saw*

visage [vizaʒ] *m. face*

viser [vize] *aim*

visite [vizit] *f. visit*

faire une — *visit, pay a visit (used with persons)*

rendre — *visit, pay a visit (used with persons)*

visiter [vizite] *visit* (*a town, place, etc.*) (*not used with persons* [1])

visiteur [vizitœr] *m. visitor*

vital [vital] *vital*

«espace —» *"living space,"* German *"Lebensraum"*

vite [vit] *fast, quickly*

vitesse [vitɛs] *f. speed*

à toute — *at top speed, at high speed*

vitrail [vitraj] *m. stained-glass window*

vitraux [vitro] *m. pl. stained-glass windows*

vitrine [vitrin] *f. show-window*

vivant [vivɑ̃] *vivid, life-like*

vivement [vivmɑ̃] *deeply, acutely*

vivre [vivr] (§ 86, no. 35) *live*

vocabulaire [vɔkabylɛr] *m. vocabulary, word-list*

vœu [vœ] *m. wish, greeting*

voici [vwasi] (§ 88 B) *here is, here are*

voie [vwɑ] *f. route, way; means*

voilà [vwala] (§ 88 B) *there is, there are*

voile [vwal] *f. sail*

voir [vwar] (§ 86, no. 36) (+ inf.) *see*

voisin, voisine [vwazɛ̃, vwazin] *m. f. neighbor;* (*adj.*) *neighboring*

voiture [vwatyr] *f. car* (*the ordinary word used to designate an automobile*); *carriage, coach*

voix [vwɑ] *f. voice*

à haute — *aloud, in a loud voice*

à — basse *softly, in a low voice, in a whisper*

voler [vɔle] *fly; steal*

Volga [vɔlga] *f. river in Russia*

volonté [vɔlɔ̃te] *f. will, wishes*

Voltaire [vɔltɛr] (*1694–1778*) *eighteenth century writer of philosophical novels, essays, poems, and plays*

vont [vɔ̃] (*3d pers. pl. of* aller) *go*

vos [vo] *your*

Vosges [voʒ] *f. pl. chain of mountains in eastern France*

vote [vɔt] *m. vote*

voter [vɔte] *vote*

votre [vɔtr] *your*

vôtre [votr] *yours*

voudrai [vudre] (*1st pers. sing. fut. of* vouloir) *shall wish, shall want*

vouloir [vulwar] (§ 86, no. 37) (+ inf.) *wish, want, be willing*

— bien *be willing*

— dire *mean*

vous [vu] *you*

voûté [vute] *vaulted, arched*

voyage [vwajaʒ] *m. trip, voyage* (*referring to travel by land as well as by sea*)

faire un — *travel, take a trip*

— d'affaires *business trip*

voyager [vwajaʒe] (§ 82 B) *travel, take a trip*

voyageur [vwajaʒœr] *m. traveler*

voyelle [vwajɛl] *f. vowel*

voyons [vwajɔ̃] *look here! let's see*

vrai [vrɛ] *true, real*

vraiment [vrɛmɑ̃] *truly, really*

vu [vy] (*pp of* voir) *seen*

vue [vy] *f. sight, view*

à perte de — *as far as the eye can reach*

W

wagon [vagɔ̃] *m.* (*train*) *coach*

wagon-restaurant [vagɔ̃rɛstɔrɑ̃] *m. diner, dining-car*

Waterloo [vatɛrlo] *Belgian village, site of the famous battle at which Napoleon was defeated by the combined armies of the English and Prussians on June 18, 1815*

Watteau [vato] (*1684–1721*) *eighteenth-century French painter, noted especially for his* l'Embarquement pour Cythère

Y

y [i] (§ 28) *there, in it*

il — a (§ 88 A) *there is, there are*

yeux [jœ] *m.* (*pl. of* œil) *eyes*

Yvonne [ivɔn] *f. girl's name*

Z

zone [zon] *f. zone*

INDEX

References preceded by § refer to sections in the *Grammaire* (pages 295–389).
References preceded by L refer to the lessons in which the subject is taken up without exercises.
References preceded by L and followed by a letter of the alphabet refer to lessons in which the subject is taken up and indicate the exercise devoted to drill on that subject.
References to R refer to *Révisions* in which exercises are devoted to the subject.
References to S refer to the *Suppléments* in which the subject is discussed.
References without any sign refer to pages.
References to tenses use the English rather than the French tense name.
References to irregular verbs may be found under such verbs in the *Vocabulaires* (pages 415–78).

A

à
to denote characteristic 250 note 2; contracted with *le, les* § 2 B; L 7 B, C; before infinitive § 41 D, E; L 42 D, L 43 D, L 58 A; with names of places § 39 A–F; L 39 B, L 52 C; to express possession § 31 E; L 48 E; after certain verbs before nouns § 42 C; L 58 B

Accents 392

Adjectives §§ 8–17; L 2, L 3, L 15, L 20, L 51
agreement § 8; L 2 C, L 3 B, C, L 9 D, L 15 D, L 20 C, D, L 51 D; *beau, nouveau, vieux,* etc. § 9 G; L 35 B; comparison § 12; L 5 B, C, L 51 E; demonstrative § 14; L 8 C, D, L 17 C, L 59 B; feminine § 9; L 2 C, L 20 C, D, L 51 C, D; indefinite § 11 C; interrogative § 15; L 15 B, L 59 G; irregular § 9 C–H, § 10 B–E; L 9 D, L 20 C, D, L 35 B, L 51 C, D; numeral § 11 C, §§ 16–17; L 11 E, L 14 D, L 17 B, L 18 B–E; between partitive and noun § 5 C 3; L 10 B, L 45 D, L 52 B; plural § 10; L 3 B, C, L 15 D, L 20 C, D, L 51 C, D; position § 11, § 12 C;

L 15 D, L 20 C, D, L 51 D; possessive § 13; L 11 C, L 56 C

Adverbs §§ 18–21; L 40, L 50, L 57
aussi § 12 F, § 19 D; comparison § 20; formation § 18; L 40 B; *mieux* § 20 B; L 38 E; negative § 21; L 6 B, L 40 C–E, L 58 C; *peut-être* § 19 D; L 50 C, L 57 E; position § 19; L 50 C, L 57 E; pronunciation of adverbs in *-emment* § 18 B; of quantity followed by *de* § 5 C 1; L 10 B, D, L 45 D, L 52 B; *tout* 276 note 1

Age, expressions of § 91 A; L 11

Agreement
adjectives § 8; L 2 C, L 3 B, C, L 9 D, L 15 D, L 20 C, D, L 51 D; past participles § 70, § 79 C; L 25 C–E, L 26 B, L 27 B, C, L 55 A–C; possessive adjectives § 13 B; L 11 C, L 56 B; possessive pronouns § 31 D; L 48 D, L 56 B; present participle § 67 C, L 34; the adverb *tout* 276 note 1

Alphabet 391

an, année L 15 A, L 15 Gr. 1

Apposition § 3 E; L 52 A

après with past infinitive 350 note 1; L 34 C, D, L 53 E

après que with past anterior § 62; L 45

Article §§ 1–5; L 1–3, L 9–10, L 45, L 52

omitted before appositives § 3 E;
L 52 A; contractions with *à* and *de*
§ 2; L 7 B, C; definite § 1, § 3; L 1 B,
L 3 B, L 9 C, L 52 A; after *dont*
§ 36 D; L 33 C; elision of § 1 A;
393; taken in general sense § 3 B;
L 9 C, L 52 A; indefinite § 4;
L 2 B, L 3 B, L 52 A; use and
omission after *ni . . . ni* § 21 H;
L 40 E; partitive § 5; L 9 B, C,
L 10 B, L 45 D, L 52 B; omission
before unmodified names of professions § 4 C; L 52 A; with names
of places § 3 C, § 39 C–E; L 1,
L 39 B, L 52 C, D; with superlatives § 12 A, C; L 5 B, C, L 51 E;
uses of § 3; L 9 C, L 12, L 52 A

AS

part of comparative of equality
§ 12 F; L 7 C

Aspirate *h* 391

asseoir, s'asseoir

double conjugation § 86 (3); commonly used forms of present S 25

AT § 39; L 39 B, L 52 C

aucun § 21 E, F 5; L 40 C, D

aussi

part of comparative of equality
§ 12 F; L 7 C; word-order following § 19 D; L 50 C, L 57 E

Auxiliary verbs § 54; L 23–27, L 55

avoir with most verbs § 54 A, B;
L 23 C, L 24 C–E; *avoir* with transitive verbs of motion 342 note 2; *être*
with intransitive verbs of motion
§ 54 C, D; L 26 B, C; *être* with passive § 79; L 44 B; *être* with reflexive
verbs § 54 E; L 27 B, C; *être* and
faire NOT auxiliaries in present
§ 45 A; L 34 D

avant

with *de* and the infinitive 350, note 1;
L 34 C, D, L 53 E; with *que* and the
subjunctive § 76 G; L 49 A–D,
L 60 E

avoir

expressions of age § 91 A; L 11;

auxiliary verb § 54 B; 342 notes
1 and 2; L 23 C, L 24 C–E; conjugation § 83 (8); personal expressions
with § 91 B; L 39 A

-ayer verbs § 82 C; L 32 E, L 56 F

B

beau, bel, belle § 9 G; L 35 B

bien

irregular adverb § 19 D; comparison
§ 20 B; L 38 E; with partitive
article § 5 C 1 a; L 45 D, L 52 B

bon

comparison § 12 E; L 38 E; feminine
§ 9 H; L 9 D

BY § 80 C; L 44 A, B

C

ça § 33 A; L 37 E, F

Capitals, rules for 79 note 2; 393

Cardinals § 11 C, § 16; L 11 E, L 17 B,
L 18 B–E

Causative construction § 89 A; L 59 A

ce, cet, cette, ces

with *-ci* and *-là* § 14 B; L 17 C; as
demonstrative adjectives § 14 A;
L 8 C, D, L 17 C, L 59 B

ce, the demonstrative pronoun § 26 B 5,
§ 34, § 41 E; L 36 C, D, L 59 D, E

ce qui, ce que, § 36 B, G; L 32 D, L 33 E,
L 56 D

ceci, cela § 33; L 37 E, F, L 59 C

Cedilla, 392

celui, celle, ceux, celles § 32, § 33 D;
L 30 B, L 37 F, L 59 C

cent § 16 D–F; L 18 C

-cer verbs § 82 A; L 12 E, L 28, L 56 E

c'est, il est § 34 A–D; L 36 C, D,
L 59 D, E

chez § 39 F

-ci

with nouns § 14 B; L 17 C; with
demonstrative pronouns § 32 C, D;
L 30 B, L 37 F, L 59 E

Cities

gender of § 6 B 2; prepositions of
place with § 39 D, E; L 39 B,
L 52 C

Comma 393

Commands (also see IMPERATIVE) § 72;
L 12 A, C, D, L 35 C, L 39 C

Comparison
adjectives § 12; L 5 B, C, L 51 E;
adverbs § 20; of equality § 12 F;
L 7 C

Compound past §§ 54–56, L 23–29, L 55,
R 6 A–C
formation § 54 A; L 23 C; of intransitive verbs of motion § 54 C, D;
L 26 A–C; of reflexive verbs
§ 54 E; L 27 B, C; of all transitive
(non-reflexive) verbs and many
others § 54 B; L 23 B, C; use
§ 56; L 23; use in contrast to
imperfect 259 note 1; L 28 C,
L 29 B–D, L 55 D, E, R 6 A–C

Compound subjects and objects § 26 B 2;
L 21 B

Compound tenses (also see TENSES and
names of various tenses)
auxiliaries § 54 B–E; L 23–27, L 55;
definition § 54 A; affirmative and
interrogative word order of § 55;
L 24 E, L 27 C; negative word
order of § 21 D; L 24 D, L 27 C

Conditional §§ 50–51; L 38, L 57
formation § 50; L 38 C, L 57 B; uses
§ 51; L 38 A, B, L 41 A, C, D,
L 57 C

Conditional sentences § 65, § 76 J;
L 41 A, C, D, L 57 C

Conjugations (for irregular verbs also
see references in *Vocabulaire*)
avoir § 83 (8); *-er* verbs § 83 (1);
être § 83 (9); intransitive verbs of
motion § 83 (6); *-ir* verbs § 83 (2);
-ir verbs of second class § 83 (4);
irregular verbs § 86; *-oir* verbs
§ 83 (5); outlined under principal
parts § 84 C, D; *-re* verbs § 83 (3);
reflexive verbs § 86 (7)

connaître, savoir L 24 B

Consonants 391, 400–402, 407–408

Continents § 3 C

Contraction of the definite article with
à and *de* § 2; L 7 B, C

Countries
use of definite article with § 3 C;

gender of § 6 B 3; with IN or TO
§ 39 A–C, E; L 39 B, L 52 C; with
FROM § 40; L 39 B, L 52 D

D

dans with places § 39 E; L 39 B, L 52 C

Dates
pronunciation of day of month
§ 16 B; ways of reading years
§ 16 F; L 18 F; writing of day of
month § 17 E

Days of week
use with article § 3 D; L 12, L 52 A;
capitalization 393; gender § 6 B 4;
list of § 92 A; L 12

de
with or without article § 38 B; contractions with *le* and *les* § 2 A;
L 7 B, C; before infinitive § 41 C, E;
L 42 D, L 43 D, L 58 A; as part of
partitive article § 5; L 9 B; instead
of partitive article § 5 C; L 10 B–D,
L 45 D, L 52 B; with passive
§ 80 C; L 44 B; with places meaning
FROM § 3 C 1, § 40; L 39 B, L 52 D;
possession § 38; L 7; with relative
pronouns § 36 B, D; L 33 C–E;
meaning IN after superlatives
§ 12 D; L 51 F; meaning THAN
after comparatives § 12 B; L 51 F;
after certain verbs before nouns
§ 42 D; L 58 B

Definite article §§ 2–3
contractions with *à* and *de* § 2 A, B;
L 7 B, C; with *ni . . . ni* § 21 H;
L 40 E; plural § 1 B; L 3 B; singular
§ 1 A; L 1 B; with superlative
§ 12 C; L 5 C, L 51 E; uses § 3 B;
L 1 B, L 3 B, L 9 C, L 12, L 52 A

demi § 92 E; L 16 E

Demonstrative adjectives
with *-ci* and *-là* § 14 B; L 17 C; forms
§ 14 A; L 8 C, L 59 B; position
§ 11 C

Demonstrative pronouns
ce § 26 B 5, § 34; L 36 C, D, L 59 D, E;
definite (*celui*, etc.) § 32, § 33 D;
L 30 B, L 37 F, L 59 C; indefinite
(*ceci, cela*) § 33; L 36 E, F, L 59 C

depuis
  with imperfect § 47 B; L 45 C; with
    present § 45 B; L 33 B, L 53 D
dernier
  feminine § 8 C; followed by the sub-
    junctive § 76 F; L 48 B
dès que
  with future § 49 B; L 31 D, L 57 D;
    with past anterior § 62; L 45
deuxième § 17 C
devoir
  conjugation § 86 (11); meanings in
    various tenses § 90
Diaeresis 392
Direct object pronouns § 23, §§ 29-30,
  § 55 D; L 13
  exercises with L 13 B, C, L 17 D-F,
    L 21 D, L 25 E, L 32 B, C,
    L 54 A-D; order § 30; position
    § 29, § 55 D; use § 23; with *voici*
    and *voilà* § 88 C
Disjunctive pronouns § 26; L 21, L 54
  forms § 26 A; uses § 26 B; L 21 B,
    L 54 A, B, E, F
dont § 36 B, D; L 33 C-E

E

-e-er verbs § 82 D; L 22 D, L 56 F
-é-er verbs § 82 E; L 12 E, L 56 F
-eler verbs and some *-eter* verbs § 82 F;
    L 22 D, L 56 F
Elision 393
en
  as preposition of place § 3 C 1,
    § 39 A, B; L 39 B, L 52 C; with
    present participle § 67 B, § 71 A;
    L 34 C, L 53 E; with names of
    seasons § 92 C; L 14; as a pronoun
    § 27, § 29, § 30 A, B, E, § 55 D,
    § 88 C; L 20 C, D, L 54 A-D, F
-er verbs (also see TENSES and various
    tenses)
  classification § 43 A; conjugation
    § 83 (1); orthographic changes
    § 82; L 12 C, L 22 D, L 32 E, L 56 F;
    present § 44 A; L 11 B
est-ce que § 87 A; L 2 D, L 43 A-C
être
  with *ce* and *il* § 26 B 5; § 34;

L 36 C, D, L 59 D, E; conjugation
  § 83 (9); with interrogative adjec-
    tives § 15 C, D; L 15 B, L 59 G;
    with passive voice § 79; L 44 A, B;
    to express possession § 31 E;
    L 48 E; with reflexive verbs § 54 E;
    L 27 B-D; with intransitive verbs
    of motion § 54 C, D; L 26 B, C

F

faire
  causative construction § 89 A; L 59 A;
    with impersonal expressions of
    weather § 89 B; L 14
Feminine of adjectives § 9; L 2 C,
    L 20 C, D, L 51 C, D
FORMER, LATTER § 32 D; L 30
FROM § 3 C 1, § 40; L 39 B, L 52 D
Future §§ 48-49, § 65 B; L 31, L 57
  in conditions § 65 B; L 41 A, C, D,
    L 57 C; formation § 48; L 31 B, C;
    L 57 A; irregular § 85 D; uses
    § 49; L 31 A, D, L 57 D
Future perfect (also called *Futur An-
    térieur*)
  formation § 59; L 57 A; uses § 60;
    L 57 D

G

Gender § 6; L 1, L 45 B, L 51 A
General sense, noun used in § 3 B; L 9 C,
    L 52 A
-ger verbs § 82 B; L 11 C, L 12 E, L 56 E

H

h 391
Historical development
  conditional 340 note 1; future 339
    note 1; irregular verbs § 85 H

Hyphen 392

I

il est, c'est § 34; L 36 C, D, L 59 D, E
il y a
  AGO S 39; to indicate existence
    § 88 A; L 8; *il y avait* with im-
    perfect § 47 B; L 45 C; *il y a* with

present § 45 B; L 33 B, L 53 D; in contrast to *voilà* § 88 A, B; L 16 A

Imperative § 72; L 12, L 35, L 53

familiar or *tu* § 72 C; L 39 C, L 53 C; "LET US" or *nous* § 72 B; L 35 C, D, L 53 C; position of pronoun objects with § 29 B; L 32 A–C, L 54 A, C, D; reflexive verbs § 72 D; L 35 C, D; *vous* § 72 A; L 12 C, L 35 C, D, L 53 C

Imperfect indicative §§ 46–47; L 28–29, L 55

in conditions § 65 B; L 41 A, C, D, L 57 C; with *depuis*, etc. § 47 B; L 45 C; formation § 46; L 28 B; uses § 47; use in contrast to compound past 259 note 1; L 28 C, L 29 B–D, L 55 D, E, R 6 A–C

Imperfect subjunctive

formation § 74, § 85 E; L 60 F; uses § 77 C; L 60 G

Impersonal expressions

with subjunctive § 76 B; L 46 C–E; of weather, § 89 B; L 14

IN

with places § 3 C, § 39 A–E; L 39 B, L 52 C; after superlatives § 12 D; L 5, L 51 F

Indefinite adjectives, position of § 11 C

Indefinite antecedent governing subjunctive § 76 E; L 47 A, C

Indefinite article § 4; L 2 B, L 3 B, L 52 A

Indicative (see VERBS, TENSES, and various tenses)

Indirect object (noun) § 24; L 7

Indirect object (pronoun) § 24, §§ 29–30, § 55 D; L 14

exercises with L 14 B, C, L 17 D–F, L 21 D, L 32 B, C, L 54 A–D; order § 30; position § 29, § 55 D; use § 24

Infinitive

with *après* and *avant de* 350 note 1, L 34 C, D; after *faire* to express causative construction § 89 A; L 59 A; negatives with § 21 I; L 48 C; with *pour* and *afin de* § 71 B; L 49 C, D; after prepositions § 71 A;

L 34 C, D, L 53 E; prepositions governing § 41; L 42 A, D, L 43 D, L 58 A; as stem of future and conditional § 48, § 50; used instead of subjunctive § 78; L 46 D, L 47 D, L 48 C, L 49 C, L 60 C

Interrogation (see QUESTIONS)

Interrogative

adjectives § 15; L 15 B, L 59 G; pronouns § 35; L 16 D, L 19 B–D, L 38 D, L 59 F, G; sentences § 87 A–D; L 2 D, L 4 C, L 11 D; sentences with interrogative words § 87 E–I; L 43 A–C; word order § 55, § 87; L 4 C, L 24 E, L 43 A–C

Intonation 394–96

Intransitive verbs of motion § 54 C, D; L 26 B, C

Inverted word order § 19 D; § 87 B–I; L 4 C

-*ir* verbs (also see TENSES and various tenses)

classes § 44 B, C; L 13 D, L 22 B; conjugation of *finir* § 83 (2), of *dormir* § 83 (4)

Irregular feminine and plural of adjectives § 9 C–H, § 10 B–E; L 9 D, L 20 C, D, L 35 B, L 51 C, D

Irregular plural of nouns § 7 B–D; L 8 D, L 20 B, L 51 B

Irregular verbs (also see VERBS, TENSES, various tenses, and also references to individual irregular verbs in the *Vocabulaire*)

conjugation of § 86; definition of § 85 A; explanation of irregularities § 85 H; formation of various tenses § 85 B–G; present subjunctive of § 73 B, C

J

jamais § 21 E–G; L 40 C

L

l' § 1 A; 393

là § 28 B

Latin, development from

conditional 340 note 1; future 339 note 1; irregular verbs § 85 H

le, la, les (also see DEFINITE ARTICLE and DIRECT OBJECT PRONOUNS)
  definite article §§ 1–3; direct object pronouns § 13, § 23; §§ 29–30
le (also see DEFINITE ARTICLE and DIRECT OBJECT PRONOUNS)
  used to replace entire expressions 145 note 1
lequel, laquelle, lesquels, lesquelles
  interrogative pronoun § 35 E; L 38 D, L 59 G; relative pronoun § 36 B, F; L 30 C, L 33 E, L 56 C, D
leur
  possessive adjective § 13 A; L 11 C; indirect object pronoun § 24; L 14 B, C
Liaison or linking 396
l'on § 37 B
lorsque
  with future § 49 B; L 31 D; with past anterior § 62; L 45
lui
  disjunctive pronoun § 26; L 21 B, L 54 D–F; indirect object pronoun § 24; L 14 B, C
l'un, l'autre § 25 B

M

mal
  irregular comparison § 20 B; irregular formation § 18 D
meilleur § 12 E; L 38 E
-même § 26 B 7; L 25
mieux § 20 B; L 38 E
mille § 16 D–F; L 18 D, E
moi
  disjunctive pronoun § 26; L 21 B, L 54 D–F; to replace *me* 317 note 2; L 32 B, C, L 54 C, D
moins
  in comparison of adjectives § 12 A–D; L 5 B, C, L 51 E, F; in comparison of adverbs § 20; as adverb of quantity § 5 C 1
Months of the year
  capitalization 393; gender § 6 B 4; list § 92 B; L 14
Moods (see INDICATIVE, SUBJUNCTIVE, IMPERATIVE, INFINITIVE)

Motion, intransitive verbs of § 54 C, D; L 26 B, C, L 55 A

N

Nasals 400, 406
ne
  with *pas* before an infinitive § 21 I; L 48 A, C; in negative sentences § 21 A; L 6 B; with *ni . . . ni* § 21 H; L 40 C–E; omission § 21 G; L 40 C, D; pleonastic *ne* after verbs of fearing and certain conjunctions 354 note 2; position in negative sentences § 21 B; L 6 B; position in negative sentences with compound tenses § 21 D; L 24 D, L 26 B, L 27 C; position in negative-interrogative sentences § 21 C; L 6 B, L 24 E; position with negative words other than *pas* § 21 F 1; L 40 C–E; use with negative words other than *pas* § 21 E; L 40 C–E
Negative (also see *ne, pas,* and other negative words) § 21; L 6, L 40
  in compound tenses § 21 D; L 24 D, L 26 B, L 27 C; followed by *de* § 5 C 2; L 10 B, C, L 45 D, L 52 B; before infinitive § 21 I; L 48 A, C; how to make sentence negative § 21; L 6 B, L 40 A, C, D; without *ne* § 21 G; with *ni . . . ni* § 21 E, H; L 40 E; without *pas* § 21 J
n'est-ce pas L 17, 87 note †
Nouns
  in apposition § 3 E; L 52 A; gender § 6; L 1, L 45 B; L 51 A; used in general sense § 3 B; L 9 C, L 52 A; of material with *de* § 5 C 4; L 45 D, L 52 A; place names § 3 C; L 39 B, L 52 C, D; plural § 7; L 3 B, L 8 D, L 20 B, L 51 B; denoting profession § 4 C, § 34 D 2; L 52 A
Numerals § 16; L 18
  cardinals § 16; L 11 E, L 17 B, L 18 B–E; *cent* § 16 D–F; L 18 C; in dates § 16 B, F; L 19 E; *mille* § 16 D–F; L 18 D, E; ordinals § 17; L 14 D, L 36 B; position

§ 11 C; pronunciation § 16 A, B; *quatre-vingts* § 16 C; L 18 D

O

Object pronouns §§ 23–25, §§ 29–30, § 55 D; L 13, L 14, L 17, L 21, L 25, L 32, L 54
 direct § 23, §§ 29–30, § 55 D, § 88 C; L 13 B, C; indirect § 24, §§ 29–30, § 55 D; L 14 B, C
Omission
 of article in apposition § 3 E; L 52 A; of article with names of professions § 4 C; L 52 A of *pas* in negative sentences § 21 J
on, l'on § 37, § 80 B; L 8 B
Order (see WORD ORDER and various grammatical terms in question)
Ordinals § 11 C, § 17; L 14 D, L 36 B
Orthographic changes § 82; L 12, L 22, L 32, L 56
 -cer verbs § 82 A; L 12 C; *-e-er* verbs § 82 D; L 22 D; *-é-er* verbs § 82 E; L 12 C; *-ger* verbs § 82 B; L 11 B, L 12 C; *-eler* and some *-ter* verbs § 82 C; L 22 D; *-yer* verbs § 82 C; L 32 E
où, relative of time and place § 36 B, E; L 33 B, L 56 D
-oyer verbs § 82 C; L 32 E, L 56 F

P

par § 80 C; L 44 A, B
Participle
 past §§ 68–70; L 23 C, L 24 C, L 25 C–E, L 26 B, L 27 B–D, L 55 A–C; present §§ 66–67; L 34 B, C, L 53 E
Partitive article
 formation § 5 B; L 9 B; omission with *ni . . . ni* § 21 H; L 40 E; use § 5 A; L 9 C, L 45 D, L 52 B; use of *de* instead of § 5 C; L 10 B–D, L 45 D, L 52 B
pas
 followed by *de* § 5 C 2; L 10 B, C, L 45 D, L 52 B; omission after certain verbs § 21 J; position in compound tenses § 21 D; L 24 D, L 27 C; position before infinitive

§ 21 I; L 48 A, C; position with respect to adverbs § 19 B; L 50 C, L 57 E; position in sentence § 21 C; L 6 B
Passé composé (see COMPOUND PAST)
Passé simple (see SIMPLE PAST)
Passive §§ 79–80; L 44
 agent § 80 C; means of avoiding § 80 B; formation and use § 79; L 44 A–C
Past anterior (also called *Passé Antérieur*) §§ 61–62; L 45
Past conditional (also called *Conditionnel Passé*) §§ 63–64, § 65 B, C
 in conditions § 64, § 65 B, C; L 41 C, D, L 57 C; formation § 63; L 41 B, L 57 B; uses § 64, § 65 B; L 41 C, D, L 57 C
Past definite (see SIMPLE PAST)
Past indefinite (see COMPOUND PAST)
Past participle
 as adjective § 70 D; 38 note *; agreement in compound tenses of verbs conjugated with *avoir* § 70 A; L 25 C–E, L 55 C; agreement in compound tenses of intransitive verbs of motion § 70 C; L 26 B, L 55 A; agreement in compound tenses of reflexive verbs § 70 B; L 27 B, C, L 55 B; formation § 68; L 23; irregular 130; L 24 C; uses § 69
Past subjunctive
 formation § 75 A; L 47 B, L 60 A; use § 77 B; L 47 C–E, L 48 B, C, L 50 B, L 60 B–E
à peine § 19 D
pendant 337 note 3
Personal pronouns §§ 22–30; L 4, L 11, L 13, L 14, L 17, L 21, L 25, L 32, L 54
 direct object § 23, §§ 29–30, § 55 D; L 13 B, C; disjunctive § 26; L 21 B, L 54 E; indirect object § 24, §§ 29–30, § 55 D; L 14 B, C; subject § 22 A; L 4 B, L 11 A; *tu* § 22 B; L 39 C
personne § 21 E, F 3, G; L 40 C, D
peut-être § 19 D; L 50 C, L 57 E

peux, puis 86, note °°

Phonetic transcription
pronunciation indicated by 402–408;
symbols 402–403; of vocabulary
429–78

Place (also see CITIES, CONTINENTS, and
COUNTRIES)
position of adverbs of place § 19 C;
L 50 C, L 57 E; use of article with
§ 3 C; L 1; gender § 6 B 2, 3; L 39;
prepositions of § 39; L 39 B,
L 52 C, D; relative pronoun of
§ 36 B, E; L 33 E, L 56 D

plupart, la § 5 C 1 a; L 45 D, L 52 B

Pluperfect indicative §§ 57–58; L 37
in conditions § 65 B; L 41 C, D;
L 57 C; formation § 57; L 36 B, C;
English pluperfect expressed by
imperfect in French § 47 B; L 45 C;
uses § 58; L 36 D

Pluperfect subjunctive
in contrary-to-fact conditions § 65 C,
§ 76 J; L 60; formation § 75 B;
L 60 F; uses § 77 D; L 60 G

Plural
adjectives § 10; L 3 B, C, L 15 D,
L 20 C, D, L 51 C, D; nouns § 7;
L 3 B, L 8 D, L 20 B, L 51 B

plus
in comparison of adjectives § 12 A–E;
L 5 B, C, L 51 E, F; in comparison
of adverbs § 20; as adverb of quantity § 5 C 1; L 10 B, D; L 45 D,
L 52 B; meaning NO MORE, NO
LONGER § 21 E, F; L 40 C

Position
adjectives § 11, § 12 C; L 5, L 15 D,
L 20 C, D, L 51 D; adverbs § 19;
L 50 C, L 57 E; object pronouns
§ 29, § 55 D, § 88 C; L 13 B, C,
L 14 B, C, L 17 D–F, L 21 D,
L 25 E, L 32 B, C, L 54 A–D

Possession § 31 E, § 38; L 7, L 48 E

Possessive adjectives § 11 C, § 13;
L 11 C, L 56 B

Possessive pronouns § 31; L 48 E, F,
L 56 B

pour
with infinitive to express purpose

§ 71 B; with *que* and the subjunctive § 76 F; L 49 B–D

pourquoi § 87 E, G; L 43 A–C

premier
feminine § 9 C; with subjunctive
§ 76 G; L 48

Prepositions (also see various prepositions) §§ 38–42
verbal constructions used after § 67 B,
§ 71 A; L 34 C, L 53 E, L 58 A;
with disjunctive pronouns § 26 B 1;
L 21 B, L 54 A, B, E, F; governing
infinitives § 41 A, C, D, § 71 A;
L 42 A, D, L 43 D, L 58 A; of place
§§ 39–40; L 39 B, L 52 C, D; after
certain verbs before nouns § 42;
L 56 A, L 58 B

Present indicative §§ 44–45
with *depuis, il y a, voici,* and *voilà*
§ 45 B; L 33 B, L 53 D; English
equivalent of § 45 A; L 34 D; *-er*
verbs § 44 A; L 11 B; *-ir* verbs
§ 44 B; L 13 D; *-ir* verbs of the
second class § 44 C; L 22 B; irregular verbs § 85 B; L 53 B; *-re* verbs
§ 44 D; L 16 D

Present participle §§ 66–67; L 34
agreement § 67 C; L 34; with *en*
§ 67 B; L 34 C; L 53 E; formation
§ 66; L 34 B; use § 67 A; L 34 C,
L 53 E

Present subjunctive § 73, § 76; L 46–50,
L 60
formation § 73 A; L 46 B, L 47 B,
L 60 A; irregular verbs § 73 B, C;
uses § 76; L 46 A, C–E,
L 47 A, C–E, L 48 A–C, L 49 A–D,
L 50 A, B, L 60 B–E, G

Principal parts of verbs
listed § 84 A, B; L 35 E; tenses derived
from § 84 C; L 35 E, L 36 E; verb
boire conjugated according to § 84 D

Professions, nouns denoting § 4 C,
§ 34 D 2; L 52 A

Progressive tenses
imperfect § 47 A 2; L 28–29, L 34 D;
present § 45 A; L 34 D

Pronouns §§ 22–37
demonstrative § 26 B 5, §§ 32–34;

L 30 B, L 36 C–F, L 37 E, F, L 59 C–E; direct object § 23, §§ 29–30, § 55 D, § 88 C; L 13 B, C; disjunctive § 26; L 21 B; en § 27, § 29, § 30 A, B, E, § 55 D, § 88 C; L 21 C, D; indirect object § 24, § 55 D; L 14 B, C; interrogative § 35; L 16 D, L 19 B–D, L 59 F, G; object in general §§ 23–24, §§ 29–30, § 55 D, § 88 C; L 17 D–F, L 21 D, L 25 E, L 32 B, C, L 54 A–D, F; possessive § 31; L 48 E, F, L 56 B; reciprocal § 25 B; L 31; reflexive § 25 A; L 22 C, D; relative § 36; L 25 B, L 30 C, L 33 C–E, L 56 C, D; subject § 22 A; L 4 B, L 11 A; y §§ 28–29, § 30 A, B, E; L 12 B

Pronunciation
  by letters of the alphabet 397–402; of numerals § 16 A, B; by phonetic script 402–408
Punctuation 392–93
Purpose
  with infinitive § 71 C; with pour and the infinitive § 71 B

Q

quand
  with future § 49 B; L 31 D, L 56 D; with past anterior § 62; L 45; word order after § 87 E–G; L 43 A–C
Quantity, expressions of § 5 C 1; L 10 B, D, L 45 D, L 52 B
quatre-vingts § 16 C
que
  interrogative § 35 B, D; § 87 I; L 12, L 16 D, L 19 C, D, L 59 F; after peut-être § 19 D; L 50 C, L 57 E; ne . . . que § 21 E, F 4, 299; note 1 a; L 40 C; relative § 36 B, C; L 25 B, L 30 C, L 33 E, L 56 C, D; THAN in comparisons § 12 B; § 26 B 4; L 5, L 51 F
qu'est-ce que
  to ask for a definition § 35 F; L 15 C; longer form for que § 35 B, D, § 87 I; L 16 D, L 19 C, D, L 59 F

qu'est-ce que c'est que § 35 F; L 15 C
quel § 15 B–D; L 15 B, C, L 59 G
Questions
  est-ce que § 87 A; L 2 D, L 11 D; inverted form § 87 B–D; L 4 C, L 11 D, with interrogative words § 87 E–I; L 43 A–C
qui
  interrogative § 35 A, B, § 87 H; L 19 A, B, D, L 59 F; relative § 36 B, C; L 25 B, L 30 C, L 33 D, L 56 C, D
quoi
  interrogative § 35 A, B; L 19 A, C, D, L 59 F; relative with ce § 36 B
quoique and quoi que with subjunctive § 76 F; L 49 B–D
Quotation marks 393

R

-re verbs (also see TENSES and various tenses)
  classification § 43 A, D; conjugation § 83 (3); present § 44 D; L 16 B
Reciprocal pronouns § 25 B; L 31
Reflexive pronouns § 25 A; L 22 C, D
Reflexive verbs § 54 E, § 81; L 22, L 27
  agreement of past participle in compound tenses § 70 B; L 27 B, C, L 55 B; compound past of § 54 E; L 27 B, C, L 55 B; conjugation § 81 B, § 83 (7); imperative § 72 D; L 35 C, D; present S 22, L 22 C, D; uses § 80 B 2, § 81 A, D; L 3, L 22 C, D
Relative pronouns § 36; L 25, L 30, L 32, L 33, L 56
  definition of § 36 A; dont § 36 D, L 33 C–E; object § 36 C; L 25 B; L 30 C, L 33 E, L 56 C, D; où, relative of place and time § 36 E; L 33 E; after prepositions § 36 F; L 30 C, L 33 E; subject § 36 C; L 25 B, L 30 C, L 33 E, L 56 C, D; table § 36 B; WHAT § 36 G; L 32 D, L 56 C, D
rien § 21 E, F 3; L 40 C, D

S

savoir, connaître L 24 B

se

reciprocal pronoun § 25 B; L 31; reflexive pronoun § 25 A; L 22 C, D

Seasons

gender § 6 B 4; list § 92 C; L 10, L 14

second § 17 C

Semi-consonants 326, 335

Sequence of tenses § 77; L 47–50, L 60 B–E, G

seul followed by subjunctive § 76 G; L 48 B

si

in conditional sentences § 65, § 76; L 41 A, C, D, L 57 C; elision with *il* and *ils* 321; with imperfect 167 note 5; meaning YES 85, note †

Simple past §§ 52–53; L 42

formation § 52; L 42 B, C; irregular verbs § 85 E; uses § 53; L 42

son instead of *sa* § 13 C

Sound development from Latin to French § 85 H

Spelling changes (see ORTHOGRAPHIC CHANGES)

Stems of verb § 43 C, D; § 84; L 11, L 35

Stress 394–96

Subject pronouns

classified § 22 A; L 4 B, L 11 A; in compound subjects § 26 B 2; L 21 B; in emphatic positions § 26 B 3; L 21 B; *tu* § 22 B; L 39 C

Subjunctive (also see TENSES and various tenses) §§ 73–78; L 46–50, L 60

in clauses modifying an indefinite or negative antecedent § 76 E; L 47 A, C; in parts of a contrary-to-fact condition § 76 J; L 60; after certain subordinate conjunctions § 76 F; L 49 A–D; after verbs of doubting and fearing § 76 C; L 47 A, C–E; after verbs and expressions of emotion § 76 D; L 47 A, C–E; formation §§ 73–75; L 46 B, L 47 B, L 60 A, F; in third person imperative introduced by *que* § 76 I; after certain impersonal expressions § 76 B; L 46 A, C–E; after negative

and interrogative verbs of thinking and hoping § 76 H; L 50 A, B; instead of infinitive § 78 A, C; L 46 E, L 47 E, L 49 D, L 60 C; after superlative, *seul, premier,* or *dernier* § 76 G; L 48 B; after verbs of wishing § 76 A; L 46 A, C–E

Superlative

followed by *de* § 12 D; L 5; L 51 F; followed by subjunctive § 76 G; L 48 B; formation § 12 A; L 5 B, C, L 51 E; irregular § 12 F

Syllabification 393

Symbols, phonetic 402–403

T

Tenses (see individual tenses for subentries)

compound past §§ 54–56, L 23–27, L 55; conditional §§ 50–51, § 85 D; L 38, L 57; future §§ 48–49, § 85 D; L 31, L 57; future perfect §§ 59–60; L 57; imperfect indicative §§ 46–47, L 28–29, L 55; imperfect subjunctive § 74, § 77 C, § 85 E; L 60; *passé composé* §§ 54–56, L 23–27, L 55; past anterior §§ 61–62; L 45; past conditional §§ 63–64; L 41; past subjunctive § 75 A, § 77 B; L 47–50, L 60; pluperfect indicative §§ 57–58; L 37, L 57; pluperfect subjunctive § 65 C, § 75 B, § 77 D; L 60; present indicative §§ 44–45, § 85 B; L 11, L 13, L 16, L 22, L 53; present subjunctive § 73, § 76, § 77 A; L 46–50, L 60; sequence of tenses § 77, L 47–50, L 60; simple past §§ 52–53, § 85 E; L 42

THAN § 12 B; L 5, L 51 F

Time

adverbs of § 19 C; L 50 C, L 57 E; dates § 16 B, F, § 17 E; L 18 F; of day § 92 D, F; L 16 E; days of week § 92 A; L 12; with *depuis* and *pendant* § 45 B; 337 note 3; months of year § 92 B; L 14

TO § 39 A–F; L 39 B, L 52 C

tout, tous
    adjective § 10 E; L 9 D; adverb 276
      note 1; pronunciation 95 note 1
tu § 22 B; L 39 C

U

-uyer verbs § 82 C; L 32 E, L 56 F

V

Verbs (also see TENSES, and various
    tenses and modes)
    auxiliary § 45 A, § 54, § 79; 342 note
      2; L 23, L 26, L 27, L 55; conjuga-
      tions § 83, § 84 C, D, § 86; forma-
      tion and use of tenses §§ 43–82;
      general remarks § 43; how to
      study verbs 35; irregular §§ 85–86;
      of motion § 54 C, D; L 26; ortho-
      graphic changes § 82; L 12, L 22,
      L 32, L 56; principal parts § 84;
      L 35; reflexive § 54 E, § 72 D, § 81;
      L 22, L 27; stem § 43 C, D, § 84;
      prepositions with § 41 A, C, D,
      § 71 A; L 42–43, L 56, L 58
vieux, vieil, vieille § 9 G; L 35 B
Voice, passive §§ 79–80, L 44
    agent § 80 C; L 44 A–C; formation
      § 79; means of avoiding § 80 B
voici § 88 B, C; L 16 A
voilà § 88; L 16, L 33, L 45
    in contrast to *il y a* § 88 A, B;
      L 16 A; with imperfect § 47 B;
      L 45 C; with present § 45 B;
      L 33 B, L 53 B; with pronoun
      objects § 88 C
vous §§ 22–26, § 70 C
    agreement with past participle § 70 C;

    contrast with *tu* § 22 B; used for
      on 330 note 1
Vowels 391, 397–400, 403–407

W

Weather § 89 B; L 14
Week, days of § 92 A; L 12
WHAT
    interrogative pronoun § 35 A, B, D, F;
      L 16 D, L 19 B–D, L 59 F, G;
    relative pronoun § 36 B, G; L 25 B,
      L 30 C, L 32 D, L 33 E, L 56 D
WHEN
    où § 36 E; L 33 E, L 56 D; *quand*
      § 49 B, § 62, § 87 E–G; L 31 D,
      L 43 A–C, L 45, L 56 D
Word order
    adjectives § 11, § 12 C; L 15 D,
      L 20 C, D, L 51 D; adverbs § 19;
      L 50 C, L 57 E; in compound tenses
      § 55; L 24 E, L 27 C; interrogative
      § 55, § 87; L 4 C, L 24 E, L 43 A–C;
      negative § 21 A–I; L 6 B, L 24 D,
      L 26 B, L 27 C; pronoun objects
      §§ 29–30, § 55 D, § 88 C; L 13 B, C,
      L 14 B, C, L 17 D–F, L 21 D,
      L 25 E, L 32 B, C, L 54 A–D

Y

y
    to replace *à* followed by inanimate
      object § 28 C; L 54 F; in contrast
      with *là* § 28 B; order § 30 A, B, E;
      L 21 D, as pronoun of place § 28 A;
      L 12 B; position § 29; L 12 B
Years
    months of § 92 B; L 14; reading of
      dates § 16 F; L 18 E
-yer verbs § 82 C; L 32 E, L 56 F

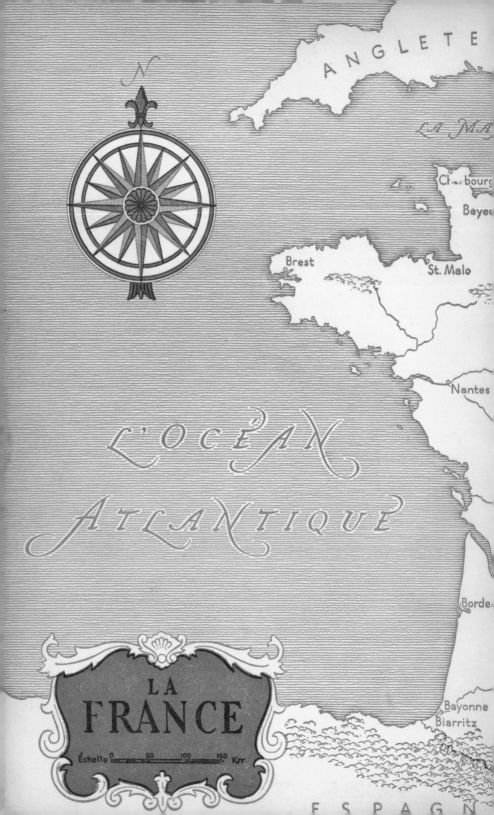